PRÉCIS D'HISTOIRE MODERNE

DU MÊME AUTEUR

L'Armée française de la fin du XVIIIe siècle au ministère de Choiseul. Le soldat, 2 vol., PUF, 1964.

Les contrôles de troupes de l'Ancien Régime, 4 vol. + supplément, ministère des Armées, Service historique, 1968-1970.

La représentation de la société dans les danses des morts, dans *Revue d'Histoire moderne et contemporaine*, 1969, pp. 489-539.

La *Danse macabre* de Meslay-le-Grenet, dans *Revue archéologique d'Eure-et-Loir*, 1969-1970, pp. 31-124.

La France de 1492 à 1799, PUF, 1972.

Les Français et l'armée sous Louis XIV d'après les mémoires des intendants, ministère de la Défense, Service historique, 1973.

Armées et Sociétés en Europe de 1494 à 1789, PUF, 1976. Édition anglaise, Indiana University Press, 1978.

Arts et Sociétés dans l'Europe du XVIIIe siècle, PUF, 1978.

La France de Louis XIV, 1643-1715. Ordre intérieur et place en Europe, SEDES, 1979.

Sources et méthodes en histoire sociale, SEDES, 1980.

Louvois, Fayard, 1983.

Histoire du Havre et de l'estuaire de la Seine (sous la direction de), Privat, 1983.

L'Europe à la fin du XVIIIe siècle (sous la direction de), SEDES, 1985.

Les hommes, la guerre et la mort, Economica, 1985.

Dictionnaire d'art et d'histoire militaires (sous la direction de), PUF, 1988. Édition anglaise : *A Dictionnary of Military History* (revised and expanded by John Child), Blackwell, 1994.

La Révolution française (sous la direction de Jean Meyer), PUF, t. I, pp. 465-680.

Histoire militaire de la France (sous la direction de), PUF, 4 vol., in-4o ; t. I : *Des origines à 1715*, 1992 ; t. 2 : *De 1715 à 1871*, 1992 ; t. 3 : *De 1871 à 1940*, 1992 ; t. 4 : *De 1940 à nos jours*, 1994. Coll. « Quadrige », 1997.

La guerre. Essais historiques, PUF, coll. « Histoires », 1995.

La bataille de Malplaquet. L'effondrement de la France évité, Economica, 1997.

Les danses macabres, PUF, « Que sais-je ? », 1998. Éditions : tchèque, Ed. Cevedomi, Prague, 2002 ; et chinoise, Taiwan, 2002.

Les Régences en Europe. Essai sur les délégations de pouvoir souverain, PUF, coll. « Histoires », 2002.

PRÉCIS D'HISTOIRE MODERNE

ANDRÉ CORVISIER

Professeur émérite à l'Université de Paris-Sorbonne

PRESSES UNIVERSITAIRES DE FRANCE

ISBN 2 13 044705 8

Dépôt légal – 1re édition : 1971
5e édition : 1999, septembre
2e tirage : 2004, octobre

AVANT-PROPOS

Quoique l'expression « Histoire moderne » soit consacrée en France pour désigner généralement les XVIe, XVIIe et XVIIIe siècles, une explication est nécessaire. La conscience d'être entré dans une ère nouvelle fut ressentie en Europe occidentale dans le cours du XVIe siècle.

Les historiens sont loin de s'accorder cependant sur les limites chronologiques de cette ère nouvelle. En France, on la fait débuter dans les programmes scolaires généralement en 1492, avec la « découverte » de l'Amérique. Cette date présente l'inconvénient de se placer au milieu de la Renaissance qui ouvre les « Temps modernes ». Certains historiens considérant que la Renaissance débute avec l'éveil des civilisations urbaines en Occident pencheraient pour une coupure située au début du XIIIe siècle. Aussi, en Angleterre on préfère ne faire commencer les « Temps modernes » que lorsque la Renaissance est accomplie, soit aux environs de l'an 1600.

Tournés vers le progrès, les « Temps modernes » ne devraient pas avoir de fin. Cependant, l'historiographie française est restée impressionnée par l'écroulement de l'ancienne monarchie, caractérisée par un régime, non seulement politique, mais encore économique et social qui devient l' « Ancien Régime » par rapport au monde que l'on croit né avec la déclaration des droits de l'homme de 1789. Pour désigner ce monde considéré comme nouveau, il a fallu trouver un autre terme. Les historiens français ont employé celui de « contemporain », mot qui prend ici un sens particulier. Ainsi, le point de départ de l'époque « contemporaine » est resté curieusement fixe, alors que les « Temps modernes », arrêtés en 1789, s'éloignent de plus en plus dans le passé.

Bien que moins marqués que les Français par la Révolution, les historiens des autres pays d'Europe distinguent généralement aussi un ancien régime et une époque plus récente, mais les dénominations sont différentes. Comme il est logique, le terme « contemporain » chez eux est mobile, puisqu'il lie au présent un passé tout proche. Le terme de « moderne » désigne alors une période, non pas achevée, mais sans cesse étirée. Aussi ont-ils été amenés

*à introduire des divisions dans ces « Temps modernes » destinés à se pro-
longer. Les Allemands distinguent* Frühe Neuzeit *et* Neuzeit *et les Anglais*
Early Modern Times *et* Modern Times... *Ces termes, assurément moins
rigides que les nôtres, s'appliquent-ils exactement à ancien régime et régime
nouveau ? Dans ce cas leur délimitation varierait suivant les pays : 1848 pour
la plupart des pays d'Europe centrale, 1860 ou 1917 pour la Russie...
En fait, les historiens occidentaux reconnaissent généralement que la fin
du XVIIIᵉ siècle marque une étape importante dans l'histoire de leur pays
par suite du contrecoup des révolutions américaine et française.*

*Il s'agit, pourra-t-on dire, de vues européanocentristes. Des peuples qui
aujourd'hui constituent plus de la moitié de l'humanité n'ont aucunement
été bouleversés à la fin du XVIIIᵉ et au début du XIXᵉ siècle par les grands
mouvements qui ont affecté l'Europe et ses prolongements coloniaux. Doit-on
négliger leur présence dans une périodisation du passé ? Je ne pense pas
que cet argument soit de nature à faire écarter la fin du XVIIIᵉ siècle
comme terme de notre période. L'Extrême-Orient ou l'Inde n'ont pas à ce
moment et n'auront pas pendant quelque temps encore un rôle moteur de
première importance dans l'évolution de l'humanité.*

*Autre objection : le début du XVIᵉ siècle et la fin du XVIIIᵉ ne repré-
sentent pas un tournant important dans l'histoire économique ou dans celle
des conditions matérielles de la vie. La découverte de l'Amérique et l'accès
direct des Européens aux Indes ne font sentir leurs effets que dans le cours
du XVIᵉ siècle et la révolution machiniste, sauf pour l'Angleterre, se place
dans le cours du XIXᵉ siècle. Peut-on négliger ces faits ?*

*Il est vrai que toute périodisation est artificielle. En acceptant le cadre
de cette collection, je n'ai pas choisi de laisser dans l'ombre l'histoire des
peuples extra-européens ou de réduire celle des faits économiques et matériels,
mais j'ai essayé d'équilibrer l'étude des faits économiques, sociaux, moraux,
spirituels et politiques, en les faisant apparaître suivant un ordre chronolo-
gique chaque fois que cela est possible.*

**
* **

*Lorsqu'on aborde l'étude de l'Antiquité ou du Moyen Age dans les pays
européens, on sait à l'avance que pour comprendre on devra se dépayser
complètement puisqu'on sera mis en présence d'un monde où les hommes
voyaient d'une manière différente de la nôtre le temps, l'espace, la prise sur
la nature, les rapports entre générations, familles et classes sociales. On ne*

songe généralement pas qu'il convient de faire le même effort, même pour l'Europe à l'égard de la presque totalité des Temps modernes. On y songe d'autant moins en France que les Temps modernes ont produit des chefs-d'œuvre qui se veulent universels. Or « l'homme de Versailles » est fort éloigné de nous. Que dire de l'homme des campagnes ou des petites villes contemporain de Luther ? Car il n'existe pas un homme des Temps modernes. Ces trois siècles voient s'accomplir une véritable mue de l'espèce humaine, sans doute moins visible et moins précipitée que celle à laquelle nous assistons actuellement, mais assez profonde puisqu'elle prépare cette dernière. Il faut se soumettre à une série de dépaysements pour pouvoir comprendre les hommes de ces trois siècles, car si le monde du XXe siècle n'est pas un, malgré l'unité apparente que lui impose le machinisme, celui des Temps modernes est encore plus bigarré.

En effet, à la fin du XVe siècle entrent en contact des mondes qui s'étaient jusque-là complètement ignorés. Or, pour la première fois dans l'histoire, l'homme a constaté quelle était la forme de la Terre. Il ne savait pas encore qu'il ne restait plus à faire sur le globe de découvertes de même importance que celle de l'Amérique. Mais nous qui le savons, mesurons mieux que les contemporains d'Amérigo Vespucci l'importance de leur temps dans l'histoire : la planète a réalisé son unité.

* *

La densité des faits historiques connus augmentant à mesure que l'on se rapproche de notre époque, il était nécessaire d'élaguer parmi les événements pourtant familiers à un public lettré. Ce livre ne peut être un aide-mémoire. Je souhaite seulement qu'il soit le point de départ d'une réflexion et que par là il rende service aux étudiants qui commencent leurs études d'histoire.

BIBLIOGRAPHIE GÉNÉRALE

Cet ouvrage étant écrit pour le public français, la bibliographie est essentiellement en langue française.

The New Cambridge Modern History, t. I-VIII.

Histoire générale des civilisations, t. IV, R. MOUSNIER, *Les XVIe et XVIIe siècles*, 5e éd., 1967, et t. V, R. MOUSNIER, C.-E. LABROUSSE et M. BOULOISEAU, *Le XVIIIe siècle*, 5e éd., 1971.

Les Grandes Civilisations : J. DELUMEAU, *La Civilisation de la Renaissance*, 1967 ; P. CHAUNU, *La Civilisation de l'Europe classique*, 1966 et *La Civilisation de l'Europe des Lumières*, 1971 ; A. SOBOUL, *La Civilisation et la Révolution française*, t. I, *La crise de l'Ancien Régime*, 1970.

Le Monde et son histoire, t. V et VI, M. VÉNARD, *XVIe et XVIIe siècles*, t. VII, 1967, et L. BERGERON, *XVIIIe siècle*, 1968.

Histoire universelle Larousse de poche, M. MORINEAU, *Le XVIe siècle*, 1968, et Suzanne PILLORGET, *Apogée et décadence des sociétés d'ordres*, 1969.

P. LASLETT, *Un monde que nous avons perdu*, trad. française, 1969.

P. CHAUNU, *Histoire science sociale, la durée, l'espace et l'homme à l'époque moderne*, 1974.

F. BRAUDEL, *Civilisation matérielle, économie et capitalisme*, 3 vol., 1979.

P. LÉON (sous la direction de), *Histoire économique et sociale du monde*, t. I-III (en cours de publication).

G. LIVET et R. MOUSNIER, *Histoire générale de l'Europe*, 3 vol., 1980.

R. TATON, *Histoire générale des sciences*, t. II, 2e éd., 1968.

M. DAUMAS, *Histoire générale des techniques*, t. II, 1965.

A. CORVISIER, *Armées et Sociétés en Europe, 1494-1789*, 1976.

Atlas zur Weltgeschichte, éd. Westermann.

J. DELORME, *Chronologie des civilisations*, 3e éd., 1969.

Recueil de textes d'Histoire, sous la direction de L. GOTHIER et A. TROUX, t. III, *Les Temps modernes*, 1959.

M. DEVÈZE et R. MARX, *Textes et documents d'histoire moderne*, 1967.

Chapitre Premier

L'HOMME DU XVIᵉ SIÈCLE

Bibliographie : Ouvrages cités p. 8. R. Mandrou, *Introduction à la France moderne, essai de psychologie historique, 1500-1640*, 1961. J.-N. Biraben, *Les hommes et la peste en France et dans les pays européens et méditerranéens*, 2 vol., 1975. J. Delumeau, *La peur en Occident, XVIᵉ-XVIIIᵉ siècles*, 1978. Ph. Ariès, *L'homme devant la mort*, 1977. P. Chaunu, *La mort à Paris, XVIᵉ, XVIIᵉ, XVIIIᵉ siècles*, 1978. M. Vovelle, *Mourir autrefois*, 1974. M. Daumas (sous la direction de), *Histoire générale des techniques*, t. II, 1965. F. Braudel, *Civilisation matérielle et capitalisme, XVᵉ-XVIIIᵉ siècles*, 1967. E. Le Roy-Ladurie, *Histoire du climat depuis l'an mil*, 1967.

L'homme face à la nature

L'HOMME FACE AU CLIMAT

La géographie physique du globe n'a pas changé dans ses grandes lignes.

Si les modifications des rivages et des cours d'eau depuis le xvıᵉ siècle résultent davantage de l'action des hommes ou de leur désertion que de celle des phénomènes naturels, les variations du climat ne peuvent plus guère être niées. Une certaine concordance entre divers indices (chroniques des contemporains, fluctuations des glaciers, examen des anneaux de croissance des arbres) autorise à reconnaître qu'après une assez longue période de températures moyennes relativement douces l'Europe connaît dans la seconde moitié du xvıᵉ siècle une tendance au refroidissement qui se prolonge jusqu'au milieu du xıxᵉ siècle (« petit âge glaciaire »).

L'homme est certainement plus affecté que nous par l'alternance des saisons qui rythme le jeu des éléments naturels sur lesquels il a beaucoup moins de prise qu'aujourd'hui.

Dans la plupart des pays tempérés, en hiver, l'activité est restreinte aux heures qui échappent aux ténèbres extérieures redoutables, et même intérieures paralysantes. L'été, au contraire, les longues journées sont consacrées aux travaux des champs dont le résultat conditionne la subsistance de toute l'année et à ceux de l'atelier. Mais tout autant importantes sont les demi-saisons, le printemps qui prépare la récolte et l'automne pendant lequel on aménage le cadre de vie et on ramasse de nombreux produits naturels qui permettent de régulariser la vie quotidienne : fruits sauvages, produits de la chasse, bois de chauffage, osiers... Sous d'autres cieux l'alternance des saisons prend d'autres formes : saison sèche et saison pluvieuse dans les pays de moussons ou même les pays méditerranéens.

L'habitation a beaucoup plus changé qu'il n'apparaît car, aujourd'hui, seules subsistent de l'époque les maisons les plus solides, surtout celles construites en pierre ou en brique. Mais ces matériaux sont tardivement employés d'une manière générale et, au XVIe siècle, Paris reste encore une ville de bois. Au mieux, seul le rez-de-chaussée est en pierre. L'incendie de Londres en 1666 rappelle que le bois y restait encore très répandu au XVIIe siècle. Seuls les églises, les couvents, les hôtels de ville sont construits en matériaux durs. Même dans les villes la couverture est souvent faite de bardeaux (lattes de bois) ou de chaume.

Dans les régions où le bois est abondant, il constitue la totalité de l'édifice (Scandinavie, Russie). Ailleurs le mode de construction le plus répandu associe le bois et le pisé, que ce soit en Europe occidentale avec crépi ou bois apparent (colombage) ou en Extrême-Orient (bambou et pisé). Une stricte réglementation de la construction existe en ville. Cependant une certaine fluidité subsiste dans le groupement des maisons. Le village lorrain serré ne daterait que du XVIIe siècle. A l'intérieur des îlots urbains sont conservés des jardins.

Dans les villes, la maison pauvre, basse, est souvent composée de deux pièces, « la chambre de devant » et « la chambre de derrière ». La maison bourgeoise restée étroite s'est agrandie par le haut et loge plusieurs ménages. La répartition des niveaux sociaux en hauteur se répand : boutique ou atelier au rez-de-chaussée, logis du maître à l'étage et au-dessus chambres des ouvriers, soupentes habitées. A la campagne l'habitat associe étroitement hommes et bêtes.

La terre battue qui, sauf exception constitue le sol des maisons rurales, recule devant le carrelage dans les villes. Le parquet ne fait qu'une timide apparition dans les maisons des plus riches et ne se répandra qu'au XVIIe siècle. A Paris on continue encore à joncher le sol des chambres de paille en hiver et d'herbes fraîchement coupées en été. L'Europe connaît une innovation avec le verre blanc qui se répand aux fenêtres au XVIe siècle. Le volet plein se rencontre encore surtout dans les campagnes.

Le chauffage n'existe vraiment que dans les pays où l'hiver est rigoureux. En Chine du Nord, en Russie, le paysan couche avec sa famille sur le poêle de brique. L'Europe du Nord-Ouest connaît la cheminée d'une certaine dimension qui devient un élément de décoration chez les riches. A Paris, les pauvres gens se chauffent avec le « brasier » de brique qui sert à la cuisine. Les pays méditerranéens ne connaissent que le brasero. En Europe centrale et orientale le poêle de brique puis de faïence est placé dans la pièce commune. Le chauffage est le privilège d'une seule pièce, ce qui implique une vie concentrée en hiver sur un petit espace.

Le mobilier n'est en général pas moins rudimentaire. L'usage de la table haute distingue l'Europe de la plupart des autres parties du monde où l'on se dispose autour de la table basse, assis ou couché par terre. Le luxe du mobilier en Europe occidentale consiste en rideaux, couvertures de lit, tentures, coussins et à un niveau plus élevé, en meubles tels lits à baldaquin, coffres sculptés puis incrustés et « cabinets », ancêtres des secrétaires. Mais, sauf dans les châteaux de quelque importance, ce mobilier se concentre dans la pièce commune et souvent unique. L'intimité et la commodité sont à peu près ignorées. Les lieux d'aisance sont inconnus. Le luminaire est pendant longtemps une nécessité d'Etat ou un luxe. Toutefois le lustre ou le modeste bougeoir se répandent. Cette « victoire sur la nuit » se placerait en Europe au xviᵉ siècle (F. Braudel).

Le costume de la plus grande partie de l'humanité reste invariable quant au textile employé et à la forme, que ce soit le *kimono* au Japon ou le *poncho* au Pérou. Il ne varie guère également chez les pauvres d'Europe tant femmes qu'hommes avant le xviiiᵉ siècle. Le choix du textile est fixé suivant les ressources du pays, l'usage du vêtement et le rang social.

L'uniformité est la règle non seulement dans les vêtements de travail, mais encore dans les vêtements de fonction. Ainsi, en Europe occidentale et centrale, la robe reste le signe distinctif des clercs : ecclésiastiques, suppôts de l'université (y compris médecins), et des juges. Le port du vêtement long impose un comportement grave et mesuré à des hommes encore près de la nature.

Pourtant le vêtement de cour qu'imite d'assez loin le vêtement de ville devient la proie de la mode. A tel point que tout ce qui se veut permanent : Eglise, monarchie, s'accroche au port de vêtements anachroniques dont la forme est fixée dans l'ensemble au xvᵉ siècle. Cette victoire de la mode n'est-elle pas le signe d'une victoire sur les impératifs du costume ?

MOYENS D'ACTION DE L'HOMME SUR LA NATURE

Localement l'homme a déjà une forte prise sur la nature. Mais l'état de ses connaissances biologiques et de sa technique, l'énergie motrice dont il peut disposer ne lui permettent pas de tenter autre chose qu'un aménagement prudent et limité des conditions naturelles.

L'univers phytologique diffère sensiblement du nôtre. Sauf dans quelques régions d'Asie, d'Afrique et d'Amérique, l'homme cultive beaucoup moins d'espace au début du xviᵉ siècle qu'au xixᵉ. En Europe une place appréciable est laissée à l'*incult*. Au moins la moitié est occupée par les forêts, taillis, landes, garrigues, terres ingrates que l'homme n'a pas le moyen de défricher ou de maintenir en culture, qu'il utilise comme terrains de parcours (même les forêts) ou dont il tire des ressources indispensables : bois, litière, tourbe, fruits sauvages, chasse, etc. Il en est de même en Extrême-Orient où les hommes les plus évolués se concentrent sur les seules terres qui permettent une culture permanente et abandonnent tout le reste, collines et montagnes, à des populations primitives.

L'homme s'en remet à la clémence du ciel. Cependant il prend parfois des risques. Dans la chrétienté on cultive la vigne jusqu'en Angleterre et en Norvège pour avoir du vin de messe, bien qu'il n'y ait pas de récolte tous les ans. Ce défi à la nature est-il si exceptionnel ?

L'homme n'agit guère sur la fertilité du sol. Les terres sont fumées surtout dans les pays de culture à la main, le plus souvent comme en Chine par l'engrais humain. Ailleurs les labours sont peu profonds. Les animaux fument eux-mêmes lorsqu'ils stationnent sur les chaumes. Pour reconstituer la fertilité du sol, l'homme laisse la terre se reposer. A l'*incult* permanent, s'ajoute un *incult* temporaire, pas toujours périodique. Lorsque les besoins alimentaires augmentent, on défriche.

L'échange des espèces a déjà été considérable entre les diverses parties de l'Ancien Monde, mais il ne s'est accompli rien de comparable en rapidité aux transformations apportées par la découverte du Nouveau Monde. Imaginons une Europe où manquent pommes de terre, maïs...

L'univers animal est probablement plus riche qu'aujourd'hui en espèces non domestiquées. Jusque-là l'homme est intervenu dans l'équilibre de celles-ci. Cependant, l'ours hante encore les montagnes et le loup les campagnes de l'Europe occidentale, mais ils sont en recul. Il est moins étonnant de voir l'homme transporter d'un continent à l'autre ses animaux domestiques. Cela vaudra à l'Amérique le cheval, à l'Europe, le dindon et la pintade... Quelques animaux domestiques seraient méconnaissables à l'homme du xxe siècle. Le porc reste souvent petit (40 à 60 kg), velu et armé de défenses. Seules les vaches que l'on rencontre actuellement dans l'Inde peuvent donner une idée de ce qu'elles étaient en Europe.

Les civilisations ne conservent les paysages naturels que dans les endroits qu'elles négligent. Le cultivateur d'Extrême-Orient, comme celui d'Europe, fait une chasse impitoyable à l'arbre dans son terroir. Il détruit quelquefois peu judicieusement certaines espèces animales et végétales. Tout cela exige une organisation collective minutieuse et contraignante qui entretient le terroir, mais entreprend rarement une modification délibérée du paysage. Cependant, sur les côtes de la mer du Nord et dans les deltas dangereux, la lutte contre la mer, de défensive, tend à devenir une reconquête. Il faut une belle audace pour mobiliser dans ce but les maigres sources d'énergie et les techniques de l'époque.

Les sources d'énergie motrice sont des sources immédiates, empruntées à ce qui se meut ou est mû naturellement.

D'abord l'homme emploie sa propre force. A cet égard il ne fait pas mieux aujourd'hui. Toutes les machines élémentaires sont inventées. Les grandes civilisations de l'Ancien Monde connaissent le levier, la roue, la poulie, le cabestan, le treuil, la grue, les pédales, qui multiplient les forces humaines naturellement faibles.

La force animale est encore plus souvent utilisée pour porter que pour tirer ou mouvoir des machines. Là encore, tout au moins dans l'Ancien Monde, l'homme ne fera guère mieux. Le cheval est encore un animal de prix, apanage des nobles, des guerriers ou des cultivateurs les plus aisés des régions les plus faciles à cultiver.

C'est grâce au cheval et au dromadaire que l'homme a pu vaincre la distance en multipliant par cinq la longueur de l'étape journalière. Mais il n'a pas vaincu le poids. Faute de routes convenables, le charroi reste aléatoire et limité. Une charrette attelée ne transporte guère plus d'une demi-tonne et les frais sont énormes. Il n'est donc guère question de transporter à quelque distance autre chose que des marchandises légères et coûteuses.

Sur terre, le vent n'anime guère que des moulins. Il n'en est pas de même du moteur hydraulique. Né des besoins de la meunerie, on l'appelle toujours : moulin. Mais il n'actionne pas que des meules. On peut considérer qu'au XVIᵉ siècle il est devenu la principale source d'énergie motrice utilisée par l'industrie.

La navigation utilise les seules sources d'énergie motrice naturelle (rames et voiles). Mais elle reste un moyen de communication quasi terrestre : fluviale ou côtière, d'ailleurs imbattable, là où elle est possible. La traversée en droiture des océans et des mers de quelque largeur est toujours une aventure. Elle commence seulement à être envisagée par les Européens dans le cours du XVᵉ siècle.

L'homme du XVIᵉ siècle ne peut considérer les combustibles comme une source d'énergie. Cependant il utilise le bois et accessoirement le charbon de terre, dans la Chine du Nord et çà et là en Europe (région de Newcastle, pays de Liège) non seulement à se chauffer, mais à des usages industriels : métallurgie, évaporation du sel... C'est du côté des sources d'énergie que l'infériorité des civilisations par rapport aux nôtres est probablement la plus nette.

Assez paradoxalement la technique est moins arriérée. La maîtrise des eaux connaît canaux, irrigation, drainage, pompes, écluses. Sans doute beaucoup d'outils sont faits en bois. Cependant l'outillage d'acier, qui permet de couper, percer, polir, est à peu près au point (scie, vilebrequin, trépan...). Il ne lui manque que la puissance. Le besoin de métaux précieux ou même simplement utiles a amené depuis longtemps l'homme à oser explorer les ressources du sous-sol. Bien sûr on ne peut comparer la mine du XVIᵉ siècle à celle du XXᵉ siècle. Cependant, tout y est déjà : puits, treuils, galeries, wagonnets, pompe à eau, ventilateurs.

La technique permettrait donc à l'homme une prise remarquable sur la nature, s'il disposait de l'énergie nécessaire. Pour pallier cette insuffisance, il se montre ingénieux à multiplier ses propres forces. En attendant de pouvoir mettre au service de sa technique des sources d'énergie considérables, l'homme témoigne, dans ses rapports avec la nature, d'une infinie patience. Celle de l'Européen du XVIᵉ siècle est probablement du même ordre que celle du Chinois du XIXᵉ. En effet, sa technique et ses sources d'énergie motrice ne donnent pas encore à l'Européen une supériorité écrasante sur le Chinois. S'il se considère comme le pilote de l'humanité, c'est pour d'autres raisons, surtout spirituelles.

Le régime biologique de l'homme

A l'action que l'homme a sur la nature répond celle qu'il a sur son corps. L'alimentation est évidemment le meilleur moyen de soutenir et affermir les corps. C'est presque le seul connu alors qui ait quelque valeur. L'emploi des stimulants est assez mal réglé au début du XVIᵉ siècle. La médecine et l'éducation physique n'ont absolument rien de rationnel.

ALIMENTS ET STIMULANTS

Les types d'alimentation sont moins mêlés qu'aujourd'hui. Le milieu géographique commande. Pain, bouillies de riz et de maïs règnent sur des domaines complètement isolés. A cela se joignent les prescriptions religieuses (Islam sans vin, alcool ou porc, Inde brahmaniste sans viande ni poisson de mer). Enfin la tradition résiste à l'introduction d'aliments nouveaux ou de recettes nouvelles.

Il en découle pour chaque région une grande monotonie du régime alimentaire. Imaginons la table de l'Européen dépourvue de pommes de terre, riz, bouillie de maïs, dindes, sucre, alcool, chocolat, thé, café, et l'absence du tabac. Il ne faudrait pas cependant exagérer cette monotonie car depuis le XVIᵉ siècle l'Européen a renoncé à la consommation de nombreux produits naturels : baies sauvages, « herbes », gibier divers. De plus il existe suivant les saisons des différences de régimes alimentaires dont l'Européen a perdu l'habitude.

Cette monotonie est rompue par l'irrégularité des quantités consommées. Famines et disettes n'épargnent aucune région du globe. Leurs effets cependant se sont atténués momentanément en Europe par suite de la diminution de la population consécutive à la Peste Noire. C'est vrai également dans les pays où l'on pratique la pêche en mer, puisque la pêche n'est pas soumise aux mêmes impératifs météorologiques que la culture. Ajoutons l'importance des jeûnes et des maigres (153 jours par an dans l'Europe d'avant la Réforme). Si la nourriture quotidienne est modeste, les fêtes s'accompagnent de ripailles. Même chez les puissants, on est plus sensible à la quantité et à la consistance des mets qu'à la qualité.

Si attachés que soient les hommes à leur alimentation traditionnelle, celle-ci évolue. Les innovations viennent moins de la nécessité que de la curiosité encore très limitée des puissants du jour (F. Braudel). Mais lorsqu'un aliment ou un condiment s'est répandu, il perd sa valeur. Tel est le cas des épices dont la recherche fut un des aiguillons des Grandes Découvertes et dont se détourneront les gourmets du XVIIIe siècle.

La plus grande partie de l'humanité a une alimentation essentiellement ou même exclusivement végétarienne. Le riz ne rend pas alors les mêmes services qu'aujourd'hui car la seconde récolte n'est, semble-t-il, pas encore pratiquée. Le maïs est une plante « miraculeuse ». Il pousse en cinq mois, ne demande que 50 jours de travail par an et peut atteindre un rendement de 100 pour 1.

Le pain présente de nombreux avantages. Il peut se conserver. C'est aussi l'aliment qui revient le moins cher. La meunerie est presque partout une entreprise, mais les particuliers boulangent très souvent. Ils cuisent soit dans leurs fours, soit dans un four banal moyennant redevances. En ville sont également installés des boulangers fabriquant des pains faits de grains mêlés, de différentes qualités : bis pour les plus humbles, « entre blanc et bis »... Le pain blanc est un luxe, mais peut-être moins rare au XVIe qu'au XVIIe siècle.

L'Europe se distingue des autres parties du monde par une alimentation carnée parfois exubérante, même, semble-t-il, chez les pauvres avant le milieu du XVIe siècle (F. Braudel). Par contre la viande est très peu répandue ailleurs.

Le lait et les œufs se consomment partout. Le fromage est la forme la plus répandue de laitage. Partout il est consommé frais. Mais, sous sa forme sèche, c'est un moyen de conservation des produits laitiers. Il est la providence des marins.

Le poisson d'étang ou de rivière est pêché partout où cela est possible. L'Europe chrétienne multiplie même les étangs de barrage pour s'en procurer. Par contre le poisson de mer est négligé par une grande partie de l'humanité. L'Europe cherche le poisson partout, surtout dans les mers septentrionales : Manche, mer du Nord, Baltique, et, nouvellement, Atlantique nord. La mode du hareng est établie depuis le Moyen Age. L'encaquage a été mis au point au moins au XVe siècle. A la fin du XVe siècle le hareng quitte les côtes de l'Europe. On va le chercher plus loin, d'où le perfectionnement de divers procédés de conservation, l'organisation de charrois. Mais dès que Terre-Neuve est atteinte il s'y produit une ruée des marins basques, français, hollandais, anglais sur les bancs de morue.

Beurre, graisse et huile jouent encore un rôle limité dans la préparation des aliments. L'emploi du sel se répand pour la conservation des viandes et pour relever d'insipides bouillies et soupes. Les épices sont également la parade à la monotonie de la nourriture et des recettes. Les herbes les plus variées sont utilisées. Les épices constituent les seuls produits exotiques utilisés dans la cuisine. Elles triomphent avec les Grandes Découvertes. Le miel n'a pas encore été détrôné par le sucre.

Avant de quitter ce chapitre, signalons que chez les plus aisés en Europe, l'assiette, la cuillère, la fourchette, le gobelet individuels commencent seulement à se répandre, le plus souvent à partir de Venise.

L'eau n'est pas seulement la boisson du pauvre. Le problème de l'eau potable n'est pas partout résolu de manière satisfaisante. Il faut se contenter de celle qu'on a à sa portée dans les sources, puits et citernes. Dans les villes se multiplient les porteurs d'eau. Si l'Europe centrale a le privilège de bonnes sources, dans de nombreux pays, l'eau ne peut être consommée que bouillie. Pour la rendre buvable, la Chine pratique l'infusion du thé.

Le vin est connu dans toute l'Europe. Il est d'autant plus cher dans l'Europe non vinicole qu'on ne sait pas bien le conserver. Quoiqu'il ne soit pas encore l'objet d'une consommation de masse, l'ivrognerie grandit. A côté de la petite bière souvent brassée à la maison, l'Europe du Nord commence à connaître des bières de luxe. Mais la bière présente l'inconvénient d'entrer en concurrence pour sa fabrication avec le pain, puisque tous deux sont faits de grains. Est-ce cette concurrence qui explique le succès du cidre à la fin du xve et au début du xvie siècle ? C'est à cette époque que, venu de Biscaye, il s'installe en basse Normandie. Il existe bien d'autres boissons fermentées, même en Europe où l'on utilise des fruits et des feuilles d'arbres sauvages (frêne, sève de bouleau). Mais c'est le cas surtout hors d'Europe avec les boissons faites de suc d'érable (Canada), le vin de palme et le vin de riz. L'Amérique connaît une bière de maïs germé.

L'eau-de-vie cesse au début du xvie siècle d'être du seul domaine des médecins et apothicaires. De France, l'eau-de-vie gagne l'Europe du Nord, puis celle du Midi. Hors d'Europe on ignore souvent l'alcool. Par contre en Europe on ignore les stupéfiants, le hachisch d'Asie, la feuille de coca d'Amérique tropicale et le tabac avant son introduction à Lisbonne en 1558.

C'est en Europe que l'alimentation paraît le moins précaire et le plus énergétique, car la viande y semble répandue, même à la table du pauvre, jusqu'à la crise économique du milieu du xvie siècle. Cela aurait-il donné une supériorité physique à l'Européen ? Cela expliquerait-il son dynamisme au début des Temps modernes ?

MALADIES ET FAIBLESSE DE LA PROPHYLAXIE

La santé publique est souvent ruinée par les épidémies. En fait ces fléaux frappent surtout les pauvres à cause de la sous-alimentation et de la promiscuité dans laquelle ils vivent.

On peut distinguer les maladies de carence dues aux famines et les autres maladies, notamment infectieuses, encouragées par elles. Plus que les gels d'hiver qui ruinent les blés d'hiver mais laissent l'espoir d'une récolte de blés de printemps, les étés pourris qui réduisent les récoltes sans aucun remède provoquent la disette. Deux mauvaises récoltes et c'est la famine. Le plus souvent la catastrophe est locale, l'impossibilité des transports de masse à grande distance la font considérer comme générale. Alors les pauvres ne connaissent plus le pain, devenu trop cher, que par les distributions faites dans les villes. Le blé se cache. Le paysan a généralement peu de réserves. Sans doute il est possible d'incorporer aux bouillies et soupes toutes sortes de choses. Les plus puissants et les plus riches survivent, mais également les plus robustes. Cependant les poussées de la mortalité peuvent en temps de famine prendre des proportions cruelles, allant localement au tiers ou au quart de la population.

A vrai dire les maladies de carence caractérisées sévissent surtout lorsque l'alimentation est trop rare ou trop exclusivement axée sur une denrée. Pour les autres maladies, malheureusement on ne sait exactement ce qu'elles sont. Les descriptions données par les contemporains semblent confondre entre elles plusieurs sortes de fièvres et plusieurs sortes de maladies marquant l'épiderme. Les médecins hésitent sur l'interprétation des symptômes qui nous ont été rapportés. Il est d'ailleurs possible qu'aujourd'hui les maladies ne soient plus les mêmes qu'aux débuts des Temps modernes ou qu'elles ne présentent plus les mêmes formes. Que penser des fièvres tierces, quartes, des suettes ? Diphtérie, typhoïde, petites véroles, rougeoles en constituent probablement le fond. Il faut y joindre les fièvres intermittentes. La malaria sévit dans les régions chaudes et humides. L'Europe n'est pas plus touchée que les autres parties du monde. « Les virus colonisent plus vite que les hommes les régions qui leur sont nouvelles. » La syphilis, qui existait déjà peut-être dans l'Ancien Monde, sous une autre forme, triomphe à Barcelone dès les fêtes qui marquent le retour de Christophe Colomb. En quatre ou cinq ans elle a conquis l'Europe. En 1506-1507, elle atteint la Chine. La lèpre se maintient en Asie, mais recule très nettement en Europe où elle aura à peu près disparu au début du XVIIe siècle. Est-ce dû au progrès du linge de corps ou à la concurrence d'autres virus ?

La maladie la plus redoutable reste la peste, alors invaincue. Elle est le symbole de toutes les maladies dans le monde chrétien. En fait il existe deux sortes de pestes : la peste pulmonaire, pandémie que rien n'arrête (Peste Noire de 1348), et la peste bubonique transmise par la puce du rat. Cette seconde est endémique dans le sud de la Chine, l'Inde, l'Afrique du Nord et pendant encore près de deux siècles en Europe où elle resurgit sans cesse localement sous une forme plus ou moins virulente. Les nouveau-nés, les femmes enceintes sont parmi les plus frappés.

Dans la lutte contre la peste et autres maladies, la médecine est impuissante, quand elle ne prescrit pas des remèdes, vomitifs, saignées qui affaiblissent le malade. L'empirisme populaire est peut-être plus efficace. Mais c'est probablement lui qui inspirera comme parade à la syphilis la disparition des bains publics. Il porte les malades à recourir aux guérisseurs. Les rois de France et d'Angleterre touchent les écrouelles (= scrofules, adénites tuberculeuses).

La meilleure garde contre la peste est l'isolement. Les autorités municipales commencent à organiser sérieusement des quarantaines, cordons sanitaires, réseaux d'information au-dehors. Mais la lutte ne dépasse pas le plan local. Tous ceux qui le peuvent quittent la ville infectée et se retirent dans des demeures rurales. A côté de dévouements admirables, la peste suscite des abandons de poste. Plus que tout autre fléau elle agit sur les esprits, exaspérant non seulement les égoïsmes des personnes, mais ceux des groupes et des classes de la société. Elle suscite de véritables folies collectives. Les pauvres restent généralement enfermés dans les villes infectées. Ils y pillent et meurent. Sur son passage la peste inspire également un art morbide (danses des morts). Ainsi désarmé devant la mort, l'homme peut osciller du fatalisme à la rage de vivre, de la prostration à l'action. Encore faut-il que ses aptitudes physiques lui permettent cette dernière.

LES APTITUDES PHYSIQUES

L'homme a changé dans sa taille et sa stature. On peut s'en rendre compte en étudiant les armures. Pour quelques exceptions comme celle de François Ier, combien d'autres frappent par la petite taille, l'étroitesse des épaules et de la poitrine des guerriers.

A une aristocratie bien nourrie et pratiquant un entraînement sportif s'opposent des classes populaires moins bien ou insuffisamment alimentées, vouées au travail manuel à un âge où le développement prématuré de la musculature risque de freiner la croissance du squelette.

On ne possède des signalements assez précis des individus qu'à la fin du XVIIe siècle et seulement pour les soldats de l'Europe. Ces signalements laissent deviner beaucoup de malformations congénitales, de déformations dues à des maladies. Chaque blessure laisse des traces, le tronc et les membres restent souvent tors. L'humanité du début des Temps modernes ne présentait probablement pas un meilleur spectacle. Les tableaux des réalistes flamands n'illustrent pas des cas très rares.

Inversement, ces hommes témoignent probablement d'une résistance que nous n'avons plus. Résistance à la douleur que l'emploi des anesthésiques a émoussée, à la chaleur, au froid, aux changements de température, à la fatigue. Aussi, les corps s'usent vite. Beaucoup d'hommes de quarante ans sont décrépits et considérés comme des vieillards. La baisse de la vue est sans remède. Les gens aisés se retirent de la vie active beaucoup plus tôt qu'aujourd'hui. Les femmes ne peuvent plus enfanter bien avant l'âge même de la ménopause.

Les individus réagissent différemment à ces épreuves imposées à leur corps. Des hommes s'abandonnent aux épreuves, d'autres luttent. Prostration et nonchalance, auxquelles des croyances fatalistes peuvent donner une justification *a posteriori*, semblent régner sur la plus grande partie du monde et entretiennent la faiblesse physique et physiologique. Par contre, il se trouve sous presque tous les climats, dans presque tous les univers religieux, des hommes en plus ou moins grand nombre qui demandent beaucoup à leur corps parce qu'ils peuvent le faire ou qu'on les contraint à le faire. L'effort quotidien du coolie chinois adulte exige dès le jeune âge la mobilisation de toute l'énergie de l'homme. Il en est de même de nombreuses activités spécialisées. Le tisserand adapte son corps à son métier, comme le cavalier à son cheval. Ils acquièrent des aptitudes très particulières qui font que les corps se différencient alors beaucoup plus que dans les sociétés évoluées actuelles.

Pour s'affranchir de la nature, l'homme doit s'imposer des efforts physiques. Il doit considérer son corps comme un outil et comme un moteur. Il doit le façonner dans ce but et en accepter la détérioration et l'usure. Ainsi, pour expliquer l'allure et les aptitudes de l'homme est-il nécessaire de faire intervenir des facteurs affectifs et moraux.

L'affectivité

Si les types physiques sont plus divers qu'aujourd'hui c'est probablement encore plus vrai des types psychiques. Entre des hommes si différents et si étroitement cantonnés, les contacts ne pouvaient être, sauf voisinage immédiat, que rudimentaires et sporadiques. Il a fallu deux siècles pour que s'établisse une diplomatie européenne. Les rapports avec les mondes extérieurs n'étaient qu'exceptionnellement souhaités, sauf sous forme de conquête, à cause de la bigarrure de structures sociales et politiques, et aussi des différences de degré dans le contrôle de soi et de la diversité des formes d'affectivité.

LE CONTRÔLE DE SOI

Seul il permet l'organisation et le maintien d'un ordre social. Chez certains peuples, ce contrôle de soi n'est probablement que passivité.

On connaît mieux le cas des Européens. Le Français du début des Temps modernes et ses voisins nous apparaissent grossiers et paillards, instables, émotifs, impulsifs, capables de sentiments d'une violence étonnante. Cupidité et concupiscence sont mal refrénées. Meurtres, crimes passionnels, prémédités ou non, viols et rapts sont relativement fréquents à tous les niveaux sociaux. Le clergé évite à grand-peine ces excès. Les sentiments les plus élevés, foi religieuse, honneur ont un aspect viscéral et prennent à l'occasion une expression féroce comme en témoignent les guerres de religion et les duels.

La cruauté de l'époque nous surprend. La vue du sang ne soulève pas de répulsion. Elle attire plutôt. On court voir les exécutions capitales, accompagnées d'une grande variété de supplices. On rencontre même outrance dans le désespoir et les pénitences librement consenties.

Sans doute naît en Italie un type d'homme supérieur nouveau, *le courtisan*, décrit par Balthazar Castiglione dans un livre célèbre qui porte ce titre (1528), dont le contrôle de soi est une des plus grandes vertus, avec la distinction des manières et la culture sans affectation (voir p. 55). Mais ce contrôle de soi est odieux à la plupart des Français. Il a plus tard contribué à l'impopularité de la Cour des Valois.

Les passions individuelles se changent vite en passions collectives. La peste, l'anabaptisme, la Guerre des Paysans sont l'occasion d' « émotions » populaires et de tueries généralisées.

LA SOCIABILITÉ

Les rapports avec autrui risquent souvent d'être des rapports de force. Malheur à l'homme seul, dit déjà la Bible ; on peut ajouter : et à la femme seule.

L'enfant ne suscite aucun intérêt pour lui-même. Chez les grands, les nobles, les bourgeois, le fils représente l'avenir du lignage. On respecte dans le vieillard le bénéfice de l'expérience qu'il peut apporter et la proximité dans laquelle il peut se trouver du ciel. La charité hautement proclamée comme une vertu et un devoir s'exerce dans l'intérêt du donateur et non de celui à qui elle va. Les mendiants sont tolérés, mais à condition qu'ils ne soient pas étrangers à la localité.

C'est que les Français et leurs voisins, fort grégaires, forment des cellules sociales élémentaires, communautés rurales, paroisses, très fortes. Ces communautés ne sont pas des entités, mais leur existence est ressentie comme celle d'organismes vivants, des corps avec tête et membres. L'étranger, le « horsain », ne suscite que méfiance et devient facilement un bouc émissaire surtout s'il ne parle pas la même langue, ne pratique pas la même religion (juifs), ou encore exerce une activité extérieure à celle de l'ensemble du corps (marchand, banquier). Alors la haine qui le poursuit est endémique.

Pourtant des solidarités supralocales sont ressenties entre nobles, serviteurs du souverain. L'esprit de corps anime certains métiers par-delà les limites de la cité. Les rois de France et d'Angleterre se sont combattus pendant longtemps et, pour être différent de ce qu'il est devenu par la suite, le sentiment national existe dans leurs deux peuples.

LA VIE ET LA MORT

Ces deux termes n'ont pas la même valeur qu'aujourd'hui. La vie est fort brève pour la plupart des hommes et la durée de tous les âges de la vie en est raccourcie. L'homme du xvie siècle est adulte et usé plus tôt. Chez les peuples les moins résignés, la violence des passions traduit une hâte à vivre.

L'attachement à la vie est sans cesse aiguillonné par le spectacle quotidien de la mort. Qu'un ménage perde en bas âge la moitié de ses enfants est considéré comme habituel. Seuls peuvent décemment s'affliger en public les parents qui perdent un fils unique, soutien espéré de leurs vieux jours.

Dans le monde chrétien la mort est revêtue d'une grande importance, non pas tant parce qu'elle marque le terme de la vie terrestre que parce qu'elle ouvre la vie éternelle. De cet au-delà l'homme se fait une représentation fort concrète qu'il vit intensément lorsqu'elle lui vient à l'esprit. Ces rappels de l'au-delà à tous les niveaux suscitent le désir plus ou moins constant de faire effort sur soi-même. Cependant il reste chez l'Occidental du xvie siècle une « prédominance de l'affectif sur l'intelligence » (R. Mandrou). Cette prédominance existe dans les rapports sociaux comme dans les tentatives de dépassement.

La connaissance

A un niveau différent du psychisme l'homme du xvie siècle ne possède pas exactement les mêmes facultés naturelles de connaître le monde extérieur, ni le même outillage mental que celui du xxe siècle. Cependant, son besoin de certitude est peut-être encore plus grand que le nôtre. Mais pour un exemple, celui de la France, éclairé par des travaux récents, combien d'autres nous restent inconnus.

LES SENS

Ils sont probablement plus aiguisés que les nôtres dans un univers où l'homme est plus souvent sur le qui-vive. Leur hiérarchie n'est pas la même qu'aujourd'hui (L. Febvre).

A côté de la vue, notre premier sens, l'ouïe et le toucher jouent un rôle important. Avant que le livre imprimé ne se répande, la lecture est un moyen d'information moins usité que l'audition. Les conseillers des souverains sont appelés auditeurs et les rapports sont presque toujours oraux. La Parole de Dieu est communiquée par le sermon ou le prêche, beaucoup plus que par la lecture. Entendement signifie compréhension. Le toucher est l'organe de la certitude. Il apporte à l'homme la confirmation de ce qu'il voit. Les pratiques religieuses ont ratifié cette confiance (imposition des mains, toucher des reliques). Cependant le rôle de la vue se développe au xvie siècle, époque à laquelle progresse l'usage des vitres blanches et où les lunettes apportent une prolongation à l'activité de l'homme.

L'INFLUENCE DU MILIEU NATUREL SUR LA PENSÉE

Faute de confiance en la vue, l'organe de la connaissance scientifique, l'homme reste orienté vers le qualitatif. Ni l'espace ni le temps ne se mesurent avec précision.

Les mesures de l'espace sont empruntées au corps humain : pouce, pied, pas, coudée, ou au déplacement de l'homme : journée de marche. Le jour de charruage est l'unité de superficie la plus répandue. Toutes ces mesures ont une valeur variable. Il n'existe aucune possibilité d'évaluer les grandes distances.

On trouve même imprécision pour l'expression du temps. La durée, c'est le temps vécu. On ne compte pas en heures, mais en prières : le temps d'un *ave*, de deux patenôtres. Le temps-instant est fixé par les incidents météorologiques contemporains. La date est exprimée d'après un événement et par rapport à des fêtes.

La division du temps est basée sur l'alternance du jour et de la nuit. L'horlogerie a déjà produit des œuvres estimables au service des maisons de ville, mais peu nombreuses et fragiles. Le début de la journée n'était pas uniformément fixé. En Italie, il est placé au début de la nuit. Il en est de même du début de l'année. C'est seulement dans le cours du xvie siècle que l'ordre s'introduit dans la datation.

En réalité seuls comptent le rythme des saisons et l'alternance du jour et de la nuit. Les mois sont exprimés par les travaux agraires ou, chez les savants, par les symboles du zodiaque. La division du jour en heures équivalentes en toutes saisons commence seulement à s'imposer. Il est vrai que, quoique vivant une vie plus courte que la nôtre, l'homme du xvie siècle est moins pressé que celui du xxe. Jour de rendez-vous et temps passé à un travail sont des notions très élastiques.

Par contre l'homme est beaucoup plus sensible aux concomitances qu'il perçoit dans la nature. L'animisme est nourri par une imagination très concrète : démons, incubes, succubes, larves pour les gens savants, follets, lutins pour tous, sont des compagnons de la vie quotidienne.

LA FAIBLESSE DE L'EXPRESSION ABSTRAITE

Les langues vivantes permettent mal d'exprimer des concepts. Il manque au français de l'époque beaucoup de mots abstraits. L'essor de l'imprimerie n'a pas encore permis la codification de l'orthographe. Le français peut cependant déjà exprimer des notions juridiques, comme en témoigne l'ordonnance de Villers-Cotterêts qui en rend l'emploi obligatoire dans les actes juridiques (1539). Mais il ne convient pas bien à la science. Il est vraisemblable que les autres langues européennes ne sont pas mieux armées.

Le latin, qui présentait l'avantage d'être compris par le monde savant d'Europe, pouvait s'enrichir de néologismes, mais « fait pour exprimer les démarches intellectuelles d'une civilisation morte depuis une douzaine de siècles... était-il capable d'accoucher des idées à venir ? » (L. Febvre).

L'expression du quantitatif est encore plus mal partagée. Le calcul s'est cependant doté d'usages simples, mais pour la comptabilité commerciale seulement. Le calcul scientifique est embarrassé par des difficultés d'expression. Les chiffres *gobar* (dits arabes), d'origine indienne, n'ont pas pénétré la vie courante où règnent toujours les chiffres romains dont l'emploi pour les comptes faits sur le papier est si compliqué qu'on emploie de préférence l'échiquier, le boulier et les jetons.

BESOIN DE CERTITUDE

Peut-être à cause de toutes ces faiblesses le besoin de certitude est-il impérieux ? Prisonnier du milieu naturel, l'homme le connaît mal. Il dédaigne l'observation méthodique et il n'y voit que curiosité, mais n'en fait pas un devoir. Il préfère raisonner, sans se soucier de la valeur des bases de ce raisonnement.

Conscient de la fragilité de son action sur la nature, l'homme considère comme un acquis miraculeux tout ce qu'il sait faire, sans oser le risquer par des changements trop rapides de méthode. Il place l'âge d'or aux origines de l'humanité et s'appuie sur la tradition, non par paresse d'esprit ou routine, mais par raison. Aussi les ouvrages scientifiques sont-ils bourrés de citations. On se retranche derrière des autorités et on discute surtout sur leurs désaccords. C'est par là seulement que progresse la pensée.

Enfin le besoin de certitude s'assouvit dans les croyances animistes qui se mêlent aux religions les plus évoluées. Ainsi s'expliquent, sans que le doute soit permis, les rapports entre les êtres, les êtres et les choses et les choses elles-mêmes. Agir sur la nature, c'est découvrir le caractère des esprits et les forcer à agir. Aussi la magie n'est guère que fausse science.

La magie est innocente. Il n'en est pas de même de la sorcellerie. La sorcellerie pratiquée chez les chrétiens est autrement plus redoutable. Elle s'accompagne de perversion ou même d'inversion de tous les préceptes des lois divines et naturelles. Nous savons aujourd'hui qu'elle relève du domaine de la pathologie. La sorcellerie n'aurait eu pour l'historien qu'un intérêt limité si les autorités humaines n'avaient cru aux récits des sorciers et à la réalité du sabbat. La sorcellerie constitue donc un élément négatif de la connaissance qu'on ne saurait sous-estimer.

Faible prise sur la nature, force de la tradition, magie et sorcellerie étaient autant d'obstacles mis aux progrès de l'humanité. C'est en Europe occidentale que l'esprit d'entreprise suscite les plus grands efforts pour s'en dégager.

Textes et documents : *Journal de Jean Le Coullon*, publié par E. BOUTAILLIER, 1881. *Journal du sire de Gouberville*, publ. par E. de ROBILLARD DE BEAUREPAIRE, 1892. *L'itinéraire de Monetarius*, publ. par E. Ph. GOLDSCHMIDT, 1939.

PREMIÈRE PARTIE

AFFIRMATION DE L'EUROPE
(1492-1560)

On donne le plus souvent comme point de départ des Temps modernes des événements de caractère politique ou technique. 1453 est l'année de la prise de Constantinople par les Turcs et aussi celle où cessent les opérations militaires de la guerre de Cent Ans. C'est autour de cette date que l'imprimerie prend sa première forme. 1492 est l'année du premier voyage de Christophe Colomb, de la fin de la *Reconquista* espagnole par la destruction du dernier Etat musulman en Europe occidentale et presque le début des guerres d'Italie. Cependant 1453 coupe le *Quattrocento* italien en deux d'une manière assez artificielle et n'a guère de signification pour les pays germaniques. 1492 fixe à tort le début de l'incorporation des Amériques à l'univers européen alors que celle-ci ne se produit qu'une quarantaine d'années plus tard par la constitution des empires espagnols et portugais. Même si on ne fait pas remonter la Renaissance à l'éveil des sociétés urbaines qui se produisit au XIIIe siècle, on doit constater que celle-ci est largement entamée au XVe siècle, tout au moins en Italie. Depuis 1450, l'Europe occidentale et centrale connaît une paix relative qui permet de relever les ruines des guerres et de rétablir une situation démographique compromise par la Peste Noire. Les épreuves ont suscité dans les élites une recherche passionnée de certitudes religieuses et intellectuelles qui amènent un renouveau spirituel d'où sortent l'Humanisme, les réformes religieuses, la Renaissance. L'effort de reconstruction répand l'esprit d'entreprise. Moins lié aux événements politiques du XVIe siècle que les faits spirituels, le cadre économique sera présenté en premier lieu.

Avant tout l'Europe occidentale se dote des idées et des moyens qui lui permettront de s'affirmer par rapport aux autres parties du monde. Les Européens de la façade atlantique s'ouvrent l'accès au reste du monde, détruisent d'immenses empires en Amérique et imposent aux empires asiatiques des contacts commerciaux et spirituels pourtant peu souhaités par ces derniers.

La découverte de l'Amérique par Christophe Colomb en 1492 et l'ouverture de la route du Cap en 1498 par Vasco de Gama doivent être signalées comme les événements les plus déterminants de l'histoire de l'Europe aux Temps modernes. Cependant il ne faudrait pas exagérer l'importance qu'elles ont eue dans l'expansion économique de la première partie du xvie siècle. En effet « la conquête et l'exploitation de nouveaux mondes en Amérique et dans l'océan Indien ne marquent aucune rupture avec les temps passés » (J. Heers). L'origine des Grandes Découvertes ayant déjà été traitée dans cette collection, il n'y a pas lieu d'y revenir. D'autre part c'est assez lentement que l'Europe prit conscience de l'existence de ces mondes nouveaux. Les voyages de Christophe Colomb, de John Cabot au Labrador en 1497, de Cabral au Brésil et d'Amerigo Vespucci au Venezuela en 1500, celui de Vasco de Gama, ne modifièrent pas la conception qu'on avait de la Terre. En 1507 l'éditeur allemand Waldseemuller lançait le mot *America* pour désigner le Nouveau Monde, mais ce n'était qu'une étiquette. Il faut attendre que Balboa traverse l'isthme de Panama en 1513 pour qu'on soupçonne l'existence d'un océan séparant l'Amérique de l'Asie et le voyage de Magellan (1519-1522) pour administrer la preuve que l'Amérique était séparée de l'Asie et que la Terre était ronde (voir carte I). Les géographes n'enregistrèrent ces découvertes qu'avec beaucoup de retard.

Une fois réalisée la conquête des empires mexicain et péruvien accompagnée du pillage de leurs trésors, l'Amérique cessa d'apparaître comme un facile Eldorado. L'exploitation des mines d'argent du Potosi vers le milieu du siècle redonna de l'intérêt au Pérou. L'Extrême-Orient imposa plus vite son influence sur l'économie européenne. Les Portugais étaient déjà installés sur la côte de Guinée et tiraient de l'or des mines de São Jorge da Mina. La Compagnie de Guinée fondée en 1508 contrôlait le commerce de la côte d'Afrique. Les Portugais ne s'introduisirent pas sans difficultés dans le monde asiatique où le commerce des épices était aux mains des Arabes qui les faisaient passer par Suez et les vendaient aux Vénitiens et aux Génois. Albuquerque pensa que pour tenir la route des Indes les Portugais devaient posséder les bases terrestres. Il s'empara d'Ormuz (1508), puis de Goa (1510) avec l'aide des Indous. Il s'installa à Malacca en 1511, puis dans les Moluques. S'étant heurtés aux empires chinois et japonais, les Portugais ne purent fonder qu'un seul poste en Extrême-Orient : Macao, et durent se contenter de faire le commerce par Canton et Nagasaki. Ils tenaient la route du Cap avec leurs établissements de Mozambique, Ormuz, Diu, Calicut, Goa, Cochin, Ceylan, Malacca et leurs principales sources d'épices étaient Amboine et Timor. Comme il s'agissait d'une marchandise très demandée en Europe, les épices portugaises jouèrent immédiatement un rôle dans l'économie européenne. Toutefois c'est vers 1520 seulement que les effets économiques des Grandes Découvertes s'affirment déterminants.

Chapitre II

LE MILIEU ÉCONOMIQUE :
RECONSTRUCTION ET EXPANSION

Cartes I, II et VI.

Bibliographie : P. Chaunu, *L'expansion européenne du XIII*e *au XV*e *siècle* (coll. « Nouvelle Clio »), 1969. *Histoire économique et sociale de la France* (sous la direction de F. Braudel et C.-E. Labrousse), t. 1, P. Chaunu, R. Gascon, E. Le Roy-Ladurie, M. Morineau, *1450-1660*, 2 vol. F. Mauro, *Le XVI*e *siècle européen, aspects économiques (ibid.)*, 1966. M. Reinhard, A. Armengaud, J. Dupâquier, *Histoire générale de la population mondiale*, 1968. P. Guillaume et J. Poussou, *Démographie historique* (coll. « U »), 1970. R. Ehrenberg, *Le siècle des Fugger* (traduit de l'allemand), 1955. L. Schick, *Un grand homme d'affaires au début du XVI*e *siècle, Jacob Fugger*, 1957. P. Jeannin, *Les marchands au XVI*e *siècle* (coll. « Le temps qui court »), 1957. H. Lapeyre, *Une famille de marchands, les Ruiz* (coll. « Affaires et gens d'affaires »), 1955. E. Coornaert, *La draperie-sayetterie d'Hondschoote, XIV*e*-XVIII*e *siècles*, 1930.

A une époque où les moyens techniques restent limités, le nombre des hommes intervient davantage qu'aujourd'hui dans la vie économique. Il règle la production plus que la consommation, car celle-ci est compressible jusqu'à la famine, et le mouvement des salaires tout autant que celui des prix (F. Mauro). La recherche du profit individuel a été un des aiguillons de l'essor économique de l'Europe au xve siècle, mais c'est en révolte contre la morale rappelée sans cesse par l'Eglise qui en condamne certaines formes et par les autorités civiles qui cherchent à réduire la concurrence. Le nombre des hommes importe plus que leurs aptitudes. On considère comme une bénédiction pour une famille de compter de nombreux enfants et pour un prince de régner sur de nombreux sujets.

L'essor de la population

L'étude démographique des populations européennes à la fin du xve et au début du xvie siècle ne peut s'appuyer que sur des sondages limités dans les seules séries de registres paroissiaux que possèdent les pays les plus favorisés à cet égard (Italie, Castille) et sur des indices variés.

ASPECTS GÉNÉRAUX

Malgré des migrations observées localement, le brassage des populations et l'exogamie semblent assez restreints. Les nuances sont très fortes
d'une région à l'autre, et même momentanément d'un village à l'autre.
« La natalité est limitée seulement par le nombre des femmes et par leur
épuisement physiologique », encore faut-il ajouter qu'intervient pour
limiter la natalité la durée prolongée des lactations qui établit l'espace
intergénésique moyen à plus de deux années. Enfin le célibat ecclésiastique
pèse probablement d'une manière assez lourde. Du fait de la morale
régnante, la natalité dépend dans une très large mesure de la nuptialité.
Elle reflète donc les catastrophes qui empêchent ou retardent les mariages :
guerres, pestes, famines. Mais elle dépend peut-être plus encore de la
mortalité. Les décès prématurés sont fréquents chez les hommes, et
également chez les femmes à qui, faute d'hygiène, la maternité est souvent
fatale. Les effets démographiques sont aggravés par un préjugé tenace
contre le remariage des veuves. La mortalité provoquée par la peste ou
la famine emporte surtout les enfants et les vieillards. Si le taux de natalité (rapporté au nombre des survivants) est vraisemblablement élevé,
le nombre des enfants conservés par ménage n'a rien de démesuré.
Cependant, avant la reprise des guerres et l'accélération de l'émigration
outre-mer, le nombre des adultes mâles est assez considérable pour
permettre une expansion démographique et économique réelle.

L'EXPANSION DÉMOGRAPHIQUE

Les lieux dévastés et abandonnés pendant les guerres sont réoccupés
graduellement et le mouvement se poursuit au-delà du retour des réfugiés.
On constate des défrichements de landes ou de forêts, assèchements ou
mise en culture permanente de terres cultivées jusque-là de manière
intermittente. Les abbayes n'y prennent plus qu'une part limitée. Les
montagnards devenus trop nombreux amorcent un mouvement de descente vers les coteaux et plaines voisins d'Italie, d'Allemagne du Sud
et en Bourgogne.
Certaines campagnes connaissent à leur tour le surpeuplement.
L'abondance de la main-d'œuvre facilite la mise en valeur des terroirs
et permet l'installation d'ateliers ruraux dans la dépendance des industries urbaines. La bourgeoisie achète des terres à proximité des grandes
villes, par exemple dans la région parisienne, ou développe l'industrie

dans les villages de Flandre, de l'évêché de Liège, à proximité des villes d'Allemagne de l'Ouest et du Sud et en Angleterre. Là où manque une bourgeoisie riche et active, des hommes quittent également la campagne pour la ville, en quête de travail ou de charité. « Les cours des miracles » qui se répandent dans certaines villes ressemblent peut-être aux actuels quartiers déchus servant de lieux d'accueil à des populations mal intégrées à la ville.

Les mouvements de population ont parfois une autre ampleur. Certains sont involontaires. L'expulsion des juifs de Castille et de Portugal en 1492, de Sicile en 1493, de Naples en 1509 et des musulmans de Grenade (1502) n'a peut-être été rendue possible que par l'abondance des hommes venus pour les remplacer. Les départs outre-mer de la période suivante témoignent dans le même sens.

RÉPARTITION DE LA POPULATION

Il est difficile d'avoir une idée exacte de la population des villes, des provinces et des états et des densités atteintes.

Dans l'ordre d'importance et sous toutes réserves viendraient le royaume de France dans les limites de l'époque, avec au début du siècle entre 16 et 18 millions d'habitants, puis l'Italie (11 millions), l'Allemagne (10 millions), la partie européenne de l'Empire ottoman (8 millions ?), l'Espagne (de 5 à 7 millions), les Iles britanniques (4 millions), les Pays-Bas (Hollande, Belgique, Luxembourg) et le Portugal (1 million). La population de l'Europe du Nord est clairsemée. Vers 1500, la Norvège compterait 300 000 habitants et la Suède un peu plus. Au total, sans la Russie, l'Europe atteindrait 60 millions d'âmes, contre 300 millions aujourd'hui.

Les densités sont très inégales. Le chiffre de 30 habitants au kilomètre carré en moyenne semble un ordre de grandeur acceptable mais sans grande signification. C'est la densité que l'on trouverait dans l'ensemble des royaumes de France et d'Angleterre. On atteint des densités supérieures dans certaines régions qui forment comme un chapelet discontinu depuis la Flandre, les bords du Rhin, quelques cantons de Suisse et l'Italie du Nord, amorçant ainsi la formation de la grande dorsale qui va du nord-ouest au sud-est, reconnue pour le xviie siècle par P. Chaunu, qui caractérise l'Europe actuelle. Là, on compterait souvent 40 habitants au kilomètre carré. Par contre, 15 habitants au kilomètre carré semblent être la densité aussi bien de l'Espagne que de la Pologne.

LES VILLES

Plus encore que la population totale des états importe celle des villes, centres de civilisation et d'expansion économique. L'extension des villes est limitée par des difficultés d'approvisionnement au loin, des raisons de sécurité (toutes les villes sont entourées de remparts), etc. Malgré cela, il apparaît que nombreuses sont les villes dont la population double pendant le xvɪᵉ siècle.

Les villes méditerranéennes tiennent la tête. La tradition antique de vie urbaine et d'administration a maintenu les nobles et les patriciens dans les villes. Malgré la renaissance du commerce et de l'industrie au xɪɪɪᵉ siècle, les villes du Nord n'ont pas encore réussi à rattraper leur retard.

Un classement grossier des villes au début du xvɪᵉ siècle donnerait selon des estimations sujettes à caution : en tête Constantinople avec plus de 500 000 habitants, puis Naples (150 000 habitants), Venise, Milan et Paris (plus de 100 000 habitants). Ensuite viendraient dans un ordre peu sûr aux alentours de 50 000 habitants : Florence, Gênes, Palerme, Rome, Lisbonne, Londres, Anvers, Lyon. Puis entre 30 et 40 000 habitants : Cologne, Bruges, Grenade, Séville, Messine, Rouen, Toulouse, Tours, Orléans, entre 20 000 et 30 000 habitants : Lübeck, Prague, Barcelone, Marseille, Amiens, puis Hambourg, Bâle, Lille...

Ce classement est d'autant plus factice qu'il ne tient pas compte du dynamisme de ces différentes villes. Certaines prennent un rythme de croissance conquérant, tels Anvers et plus tard Londres, tandis que d'autres stagnent comme Rouen et même déclinent comme Bruges.

Les subsistances

Le problème des subsistances est la préoccupation première des riches comme des pauvres, des ruraux comme des citadins. Il est d'autant plus grave que la technique agricole de l'Europe n'est pas supérieure à celle des autres parties du monde civilisé et que les transports et la conservation des denrées alimentaires n'offrent que des possibilités limitées. Aussi, malgré des antagonismes qui en période de disette prennent l'aspect d'une lutte pour la vie, existe une solidarité profonde s'affirmant un peu partout par l'existence de pratiques communautaires.

CARACTÈRE COMMUNAUTAIRE DE L'ÉCONOMIE RURALE

L'économie rurale intéresse toute la société. Les citadins souvent travaillent la terre ou fournissent une main-d'œuvre d'appoint pour les récoltes. Face aux conditions naturelles l'individualisme agraire n'est guère concevable qu'à proximité des grandes villes de l'Europe occidentale ou méditerranéenne. Tous les hommes, producteurs ou non, seigneurs, bourgeois ou paysans, acceptent, quitte à les faire jouer à leur profit, les usages communautaires sans lesquels la société ne pourrait subsister. Ces usages établissent un équilibre entre culture et élevage qui n'est susceptible que de lents infléchissements. Ils règlent labours, semailles, alternance des cultures et récoltes suivant un ordre qui varie peu. Ainsi, la défaillance d'un des membres est plus facilement compensée par l'aide des autres. Généralement les progrès ne peuvent être que collectifs et concertés. C'est dire que les expériences et tentatives qui sortent de la routine sont rares.

On procède en général à deux ou trois labours. La moisson se fait en deux temps : récolte des épis à la faucille, puis de la paille à la faux. La paille sert non seulement de litière aux animaux, mais est utilisée dans l'aménagement intérieur de l'habitation, comme dans la couverture des maisons. Lorsque épis et pailles sont retirés des champs, ceux-ci, devenus momentanément collectifs, sont consacrés aux droits d'usage : glanage puis vaine pâture des bêtes appartenant aux habitants de la communauté.

Les cultures sont assez peu variées. On distingue bien les « bleds » (= céréales) d'hiver : froment, seigle, méteil (mélange de seigle et froment), et les « bleds » d'été : orge, avoine, appelés *mars, trémois, versaines...*, mais on ne les alterne pas à volonté ou même régulièrement comme on le fera plus tard. Certains terroirs favorisés permettent la culture du froment, d'autres sont voués au seigle ou même ne peuvent porter que des cultures de sarrazin ou de millet.

Il existe peu de nourritures de complément. La viande de porc est probablement, avec les volailles, le lait et les œufs, la plus répandue. La venaison reste l'apanage de ceux qui se réservent le droit de chasse. Le poisson est connu dans toute l'Europe chrétienne, même là où les conditions physiques sembleraient l'exclure. La place tenue par l'alimentation végétale de complément est très faible : pois chiches, fèves, vesces, raves, choux. Par contre la cueillette joue un rôle important. On fait appel à la forêt ou aux taillis que, sauf en quelques régions comme la Flandre, on évite de détruire complètement. Outre les différents bois, la litière et le pacage pour les bêtes, la forêt fournit à l'homme glands, faînes, baies, champignons, donc la possibilité de tirer des aliments et de faire de la boisson. L'exploitation de la forêt par la communauté est soumise à des règles très strictes.

Ainsi chaque village constitue une cellule organisée pour vivre sur elle-même ou tout au plus en association avec quelques villages voisins auxquels le caractère du terroir impose une spécialisation relative, et avec la ville voisine.

LE RAVITAILLEMENT DES VILLES

La ville ne peut vivre sans la campagne voisine qu'elle considère comme sa campagne. De la campagne elle tire sa subsistance, sous forme de redevances (dîmes, droits seigneuriaux), de rentes en nature versées par les métayers, ainsi que des surplus que les paysans doivent obligatoirement apporter au marché de la ville. Inversement, les paysans vont à la ville faire quelques médiocres achats et surtout, en cas de famine, mendier une part aux distributions de vivres qu'effectuent, quand elles le peuvent, les autorités municipales et les abbayes.

D'ailleurs la spécialisation entre ville et campagne est moins poussée qu'il semblerait. Les villes abritent des travailleurs agricoles et les villages comptent des artisans travaillant pour des marchands de la ville. Mieux, on cherche à maintenir à l'abri des remparts des jardins, vergers et même champs, dont l'utilité se fait sentir en temps de siège, et même des troupeaux que le berger emmène paître hors des murs le matin et ramène le soir. « Il y a une sorte de solidarité fondamentale entre la ville et sa campagne ; c'est celle qui naît d'une même hantise : manger » (M. Vénard).

FAIBLESSE DES RENDEMENTS

L'homme agissant peu sur la nature doit se contenter de rendements faibles qui, pour les céréales, sont en moyenne de l'ordre de quatre pour un par rapport à la semence utilisée. Dans certains secteurs limités du bassin de Londres, de Flandre et de France, ce rendement est supérieur, mais plus vastes sont les terroirs où il est inférieur. Au niveau très bas auquel se tient la production, une mauvaise récolte est durement ressentie. Qu'elle tombe de moitié, il restera pour l'alimentation une quantité équivalente à la semence, soit seulement le tiers de ce dont on dispose habituellement. Si la récolte tombe à un niveau plus bas, on risque de ne plus pouvoir assumer la semence de l'année suivante. Deux mauvaises récoltes consécutives amènent la catastrophe.

Malgré tout l'homme cherche à agir sur les rendements. Les amendements (marne et chaux) ne sont pas inconnus. Les gadoues des villes sont utilisées en Flandre. On pratique surtout la fumure, en amenant le bétail sur les chaumes et en l'y laissant séjourner. Ce procédé, moins efficace que la production de fumier à l'étable, n'est pas inopérant.

Dans les plaines découvertes de l'Europe du Nord-Ouest où s'élabore lentement l'assolement triennal, le labourage est devenu un art compliqué. Les champs étroits et allongés sont travaillés par la charrue de manière à permettre l'écoulement des eaux par les « rives ». Les principaux types de charrues semblent alors bien fixés ainsi que leur aire géographique d'utilisation.

Seigneurs et bourgeois se préoccupent fort des revenus de la terre. L'imprimerie favorise toute une littérature agronomique. Citons le *Book of Husbandry* de John Fitzhebert (1523). La publication des œuvres antiques témoigne du goût des lettrés pour les choses de la terre, mais elles suscitent des compilations sans originalité qui entretiennent souvent une routine appuyée sur l'autorité des Anciens et nuisent à la véritable recherche. Malgrés tousess efforts le cultivateur reste désarmé devant les intempéries, les insectes et les maladies des plantes. Il ne peut pallier leurs effets qu'en dispersant les cultures.

L'augmentation de la production vient surtout de l'extension des cultures, aux dépens des friches plus que des forêts, jalousement défendues par les souverains et les seigneurs. Ces défrichements se produisent donc le plus souvent dans les zones de pacage, par exemple en Castille, malgré l'association des éleveurs appelée la *Mesta*, soutenue par le roi. Dans l'Allemagne du Nord et de l'Est et en Pologne, les défrichements s'accomplissent à l'initiative des seigneurs producteurs de blé. L'assèchement des terres se poursuit au bord de la mer du Nord, en Flandre, en Hollande et en Angleterre et sur les bords du Pô. Sans doute ces tentatives mettent en opposition des intérêts divergents, mais la tension n'a pas encore atteint semble-t-il l'âpreté qui marquera la période suivante.

LE COMMERCE DU BLÉ

Pour compenser les mauvaises récoltes on essaie de recourir à l'importation. Or, le commerce des denrées alimentaires hors de la localité ne peut porter que sur quelques produits de choix dont le plus important est le blé. La ville est un marché et d'abord un marché de blé. Partout le commerce du blé est surveillé par les autorités municipales ou seigneuriales. Venise possède même un « office du blé » qui « contrôle les entrées de blé, les marchés, les stocks... et surveille la qualité et le poids du pain ». Partout le cours du blé fait l'objet de réajustements constants pour lutter contre la spéculation. La plupart des villes tiennent des mercuriales où ces cours sont notés. L'exportation des grains n'est permise que lorsque la récolte est excédentaire et que les greniers sont pleins. En cas de disette la réquisition, la taxation et le rationnement sont pratiqués. Malgré ce contrôle tatillon mais probablement plus efficace qu'on l'a dit, le commerce du blé se développe avec le progrès des routes maritimes, fluviales et même terrestres.

Il s'agit en premier lieu d'un commerce assez capricieux au sein d'une province ou entre provinces voisines. Les courants changent d'une récolte à l'autre. Les échanges portent sur de petites quantités. Il existe aussi un commerce à plus grande échelle à destination des régions généralement déficitaires (Portugal et Castille), de grande consommation (villes d'Italie) et de celles encore rares comme la Flandre et la Hollande où l'on s'est affranchi de l'économie de subsistance et où l'on s'oriente vers les cultures industrielles.

Le blé commence à venir de pays à faible population où l'on impose souvent aux ruraux une nourriture de second ordre. Les villes italiennes font venir du blé de Tunisie, de Chypre, de l'Archipel. A la fin du XVe siècle un marché de blé destiné à un brillant avenir se constitue sur les bords méridionaux de la Baltique, en Allemagne du Nord et surtout en Pologne, à proximité des ports, notamment de Dantzig. A l'est de l'Elbe, les grands féodaux deviennent les « barons du blé ». Ce blé chargé sur les bateaux est dirigé vers la Scandinavie, les villes de la Hanse et les Pays-Bas. Il atteint même l'Europe occidentale qui l'achète en cas de famine.

Le commerce du blé est cependant soumis à bien des aléas, comme les guerres, les péages abusifs. En cas de famine il n'arrive pas toujours à destination. Les chargements sont arraisonnés et réquisitionnés par les autorités des pays traversés ou des ports d'escale. Ce commerce est assez lucratif et doit être assez important pour se maintenir et s'accroître pendant la période troublée qui suit.

Le problème de subsistances suscite donc les énergies et fait rompre le cadre étroit des relations habituelles. Mais en même temps il détourne ces énergies de beaucoup d'autres activités et d'autres progrès. Notons toutefois que les pays à qui les produits de la mer apportent une alimentation moins soumise aux intempéries ressentent moins la hantise des subsistances et peuvent se consacrer davantage à l'industrie et à un commerce plus varié. Est-ce cela qui permet à la Flandre de transformer son agriculture ? Les plantes fourragères, trèfles et navets, y sont cultivées en alternance avec les céréales. Le lin qui fournit à la fois textile et huile y est très répandu. Il en est de même du houblon. L'agriculture y prend l'aspect de jardinage employant beaucoup de main-d'œuvre, mais nourrissant beaucoup de monde.

L'industrie

Si les produits agricoles d'Europe, notamment le blé, peuvent susciter un commerce important, ils ne constituent pas un facteur décisif dans la création des marchés, l'ouverture des routes et la mise au point des procédés de commerce. Les épices d'Orient et surtout les produits industriels ont joué un rôle plus important dans l'essor du commerce.

ROLE DU BOIS DANS L'ÉCONOMIE

L'industrie du bois liée au sol donne rarement lieu à des échanges de longue portée. Les métiers du bois gardent pour la plupart leur siège dans les forêts. Ils sont très variés et souvent saisonniers (bûcherons, fendeurs, boisseliers, sabotiers...). L'usage du charbon de bois s'est répandu. Il constitue un combustible meilleur et transportable, puisque le bois perd en cuisant les trois cinquièmes de son poids. Aussi prépare-t-on le charbon de bois dans les forêts pour alimenter les forges et verreries voisines et pour approvisionner les villes en combustibles (M. Devèze). Les charbonniers préparent également les cendres avec les menus bois. La cendre est en effet un produit indispensable à la lessive, ainsi qu'à la fabrication du verre et de la poudre. La forêt est également le lieu d'élection de métiers qui exigent beaucoup de combustible (tuilier, potier, chaufournier, verrier et forgeron). La forêt française connaît une exploitation agricole et industrielle si intensive qu'elle recule de manière inquiétante. Aussi la royauté édicte en 1517 un véritable « code pénal forestier ».

Le bois et les produits annexes de la forêt sont l'objet d'un commerce important. C'est dans les villes que travaillent la plupart des charpentiers, menuisiers, tonneliers et tanneurs (le tan est extrait de l'écorce des chênes). Le bois entre non seulement dans la construction des charpentes, mais encore souvent dans celle des couvertures et des murs en colombage. C'est en bois que sont fabriquées les voitures et les machines telles que grues et treuils. Enfin l'essor des constructions navales établit entre les ports et les forêts un courant commercial régulier. Déjà s'organise le flottage des bois vers les villes. Certains chantiers de constructions navales, notamment en Flandre et en Hollande, sont de très gros consommateurs de bois d'œuvre. Ils prennent l'habitude d'en faire venir des quantités appréciables de Scandinavie par la Baltique.

Ainsi le bois est à l'industrie ce que le blé est aux subsistances : élément fondamental de la consommation, resté lié au sol, mais susceptible d'un certain commerce.

ARTISANAT ET CAPITALISME COMMERCIAL

Les autres industries sont le fait des villes, que les métiers soient installés à l'intérieur des remparts, souvent dans des quartiers spécialisés, ou qu'ils soient installés dans la campagne voisine, mais dans la dépendance de quelques riches citadins.

Presque partout les artisans sont groupés en corps de métier dont l'organisation prend le nom de *jurande* ou corps possédant le monopole du métier. Compagnons et maîtres ne peuvent rester en dehors et pour s'y faire agréer ils doivent satisfaire aux obligations d'un apprentissage pour les premiers et en plus de la présentation d'un chef-d'œuvre pour les seconds. Les conditions d'accès ne sont d'ailleurs pas équivalentes pour tous les individus. On considère légitime de favoriser les postulants nés dans le métier, suivant le degré d'attache qu'ils ont avec celui-ci. Chaque corps a le pouvoir de réglementer sa production : organisation des ateliers, conditions de travail, qualité des produits. Enfin sous l'arbitrage des autorités municipales ou seigneuriales chaque métier débat avec les métiers voisins les prix d'achat des matières premières et de vente des produits fabriqués. Les métiers urbains sont donc caractérisés par une réglementation souvent tatillonne et routinière, mais qui assure une production de qualité à laquelle ne peuvent se comparer les objets grossiers fabriqués par les paysans.

L'artisanat est inséparable du commerce. Le maître de métier achète la matière première et vend les produits de son atelier. Le souci de se procurer l'une et de vendre les autres fait participer certains métiers au grand commerce. Egaux en principe dans la cité, les métiers sont en fait hiérarchisés. Il est des métiers clés comme le corps des drapiers qui tend à se subordonner les autres corps participant à l'industrie de la laine, tels cardeurs, fileurs, tisserands... Ceux qui les pratiquent sont souvent devenus marchands plus que fabricants. Cette hiérarchisation est reconnue par les institutions municipales qui distinguent des corps privilégiés auxquels elles réservent l'administration de la cité. Tels sont les « six corps » à Paris, ou les « arts majeurs » à Florence. Ces corps privilégiés contrôlent l'industrie et l'économie.

Nulle part cette organisation n'est plus poussée que dans certaines villes italiennes, en Angleterre et en Flandre et dans certains métiers qui ont déjà acquis les caractères du capitalisme commercial, c'est-à-dire d'une organisation où des marchands achètent la matière première, la font travailler par les différents corps de métier et vendent les produits fabriqués. Les maîtres de métiers peuvent encore posséder les instruments de travail, mais ils ne sont plus maîtres du marché. Ils deviennent des artisans économiquement dépendants. Dans certains cas l'outillage ne leur appartient même plus.

L'INDUSTRIE TEXTILE

L'industrie de la laine fait figure partout d'industrie pilote. Ses transformations offrent un exemple aux autres industries. Sans doute, il ne faut pas négliger la part de la production locale car on élève partout le mouton et on file et tisse partout la laine, mais certaines régions, sous l'emprise du capitalisme commercial, sont devenues des régions de grande production de laine (Espagne et Angleterre), d'autres de grande production de drap et des pôles de l'activité économique de l'Europe.

« Florence apparaît comme la capitale du drap » (F. Mauro). La draperie est aux mains de l'*art de la laine* qui achète les laines brutes, l'alun nécessaire pour les dégraisser et les teintures indispensables. La laine est préparée dans les entrepôts de l'*art* ou encore dans quelques ateliers appartenant aux plus puissants de ses membres comme les Médicis. La laine une fois cardée est livrée aux femmes de la ville ou de la campagne qui la filent puis elle passe dans les mains des tisserands installés en ville qui remettent aux marchands les pièces tissées. La teinture est alors exécutée dans les ateliers de l'art ou dans ceux des Médicis. Les dernières opérations de finissage se font dans des ateliers familiaux particulièrement contrôlés. Ainsi *factory system* (fabrique) et *domestic system* sont étroitement associés. Le capitalisme commercial revêt une de ses formes les plus poussées, celle du cartel entre marchands dont les principaux sont les Médicis.

La draperie anglaise fut une création royale du xive siècle destinée à libérer l'Angleterre du monopole qu'exerçaient alors les « villes drapantes » de Flandre. Elle réussit : 1° parce qu'elle se trouvait à proximité de la matière première ; 2° parce que, rurale dès l'origine, elle échappa à la réglementation étroite des vieux métiers urbains ; 3° parce qu'elle s'orienta vers la production de draps de qualité courante et de meilleur prix qui répondaient mieux aux besoins d'une clientèle devenue plus étendue.

La Flandre réagit à la fin du xve siècle en suivant la même politique. Les gouvernements de la maison de Bourgogne puis de la maison de Habsbourg, par méfiance à l'égard des vieilles villes drapantes, s'employèrent à développer les ateliers ruraux qui fabriquèrent des draps légers, sayes, sayettes, serges, avec des procédés simplifiés. Cette industrie nouvelle s'implanta autour d'Anvers et de Hondschoote. A Anvers, les marchands, propriétaires de la matière première, géraient la production. A Hondschoote, le corps des drapiers, qui participait encore à la production, exerçait le même contrôle sur les autres métiers de la sayetterie et les marchands étaient chargés des relations commerciales avec l'extérieur. Drapiers et marchands partageaient les bénéfices. Certaines vieilles villes drapantes de Flandre réussirent leur reconversion. Lille, Valenciennes, Mons, Verviers et Liège fabriquèrent à leur tour des sayes et serges.

Les autres industries textiles sont le plus souvent des industries anciennes, liées aux lieux de production de la matière première.

C'est le cas du lin, produit et travaillé dans les secteurs humides de l'Italie du Nord, du couloir rhodanien, du sud de l'Allemagne, dans les pays baltes, l'Angleterre, la Flandre, ou encore du chanvre produit notamment dans le Maine et le plus souvent à proximité des ports qu'il fournit en cordages. L'industrie de la soie est récente en Europe. Au début du xvie siècle on la trouve surtout autour de Florence, de Milan et de Venise, dans le royaume de Naples et en Sicile. Les Médicis contrôlent et gèrent entièrement la plus grande partie des ateliers de Florence et fournissent en soieries les principales cours d'Europe. D'Italie la soie a essaimé dans quelques villes d'Espagne et à Tours. Elle s'installe à Lyon en 1536.

D'autres industries sont liées à l'industrie textile comme celle de l'alun destinée au « mordençage » des étoffes, opération indispensable à la teinture. Depuis 1460, on exploite les mines de Tolfa dans les Etats pontificaux. Véritable monopole, l'exploitation de ces mines est affermée par le pape. L'alun donnait lieu à un commerce de portée internationale. Les plantes tinctoriales : garance (rouge), gaude et safran (jaune), pastel (bleu), sont préparées dans les régions de culture. Les marchands toulousains se sont rendus maîtres de la production de pastel du Lauraguais et de sa transformation en teinture.

LES AUTRES INDUSTRIES

La houille est déjà exploitée dans la principauté de Liège qui reste le principal producteur avec quelques dizaines de milliers de tonnes aux environs de 1530. Le développement de l'industrie houillère en Europe s'opère surtout dans la seconde moitié du xvie siècle. La sidérurgie est plus avancée.

Le haut fourneau à soufflerie souvent mue par des roues à eau apparaît au début du xvie siècle. Il peut produire jusqu'à 1 200 kg de fonte par jour. Celle-ci est ensuite transformée en fer par martelage. Le combustible utilisé est le bois. Cependant les « forges catalanes » dispersées assument partout encore la plus grande partie de la production. La spécialisation des tâches est encore peu poussée. Les mêmes hommes sont parfois mineurs, charbonniers et forgerons alternativement et leur travail est saisonnier. La principauté de Liège vient en tête pour la production avec un million de livres en 1509. Dès le règne de Gustave Vasa (1523) la sidérurgie suédoise est réputée grâce à la qualité des minerais. En Angleterre et en Allemagne rhénane, la sidérurgie est encore aux mains de petits maîtres de forge. C'est le cas également pour la métallurgie de l'étain en Cornouailles.

Par contre le cuivre donne naissance à une industrie capitaliste à laquelle s'attachent les noms de marchands célèbres de l'époque : les Fugger d'Augsbourg qui exploitent les mines de cuivre argentifère de haute Hongrie. Le minerai subit un premier traitement sur place, confié à des sous-traitants. Puis il est dirigé vers des ateliers de ressuage où on sépare cuivre et argent, suivant la destination que prendra le métal. A la production d'argent est liée celle du mercure qui sert à séparer ce métal des autres métaux avec lesquels il se trouve en composition dans les minerais. Les principales mines de mercure se trouvent à Almaden (Espagne). Les Fugger s'en sont assuré le contrôle.

L'imprimerie a rapidement pris un caractère très particulier. Elle est capitaliste par la mise de fonds qu'exige l'achat de l'outillage et une production qui n'est pas toujours assurée de la vente. Elle est artisanale par le caractère soigné de nombreuses de ses productions. Elle a le caractère d'un art, car elle travaille pour les universités et les savants. Enfin, elle est contrôlée par les autorités ecclésiastiques et politiques. Le papier représente la plus grande part des frais d'édition. Les perfectionnements techniques de l'imprimerie sont nombreux dans la première moitié du siècle. Certains ateliers ont acquis une réputation universelle, tels ceux d'Alde Manuce à Venise, de Froben à Bâle, des frères Estienne à Paris.

L'économie d'échange

Une part importante de la production, non seulement des vivres, mais également des objets divers, n'est pas commercialisée. Seigneur, bourgeois, artisan, aussi bien que paysan, cherchent à « vivre du sien » le plus possible. Cependant le commerce est présent partout, même dans les villages où domine une économie de subsistance. Tous les Européens sont soumis à l'évolution des prix. La disette c'est avant tout la rareté du blé, mais c'est aussi sa cherté, la tentation de l'accaparement et de la spéculation. Enfin certains produits naturels et les produits manufacturés font l'objet d'un commerce entre des régions de plus en plus éloignées. Ce commerce se répand timidement dans les campagnes et chez les pauvres, mais plus résolument dans les villes et chez les riches.

LES ROUTES

Eu égard aux possibilités qu'ont les hommes de vaincre les distances, l'Europe est dix fois plus vaste aux hommes du XVIe siècle qu'à nous. Encore faut-il introduire des nuances. La mer est plus favorable au transport des marchandises, la terre à celui du courrier et des hommes en petit nombre.

Les progrès de la navigation permettent de mieux suivre les routes, d'aller contre le vent. Cependant, même en Méditerranée, on préfère encore longer les côtes. Dans cette dernière mer circulent des naves à voiles vénitiennes, gênoises ou ragusaines atteignant 1 000 tonnes. Mais les armateurs continuent à utiliser des navires plus petits, plus rapides, qui leur permettent de diviser les risques. Sur l'Océan, on préfère les petits voiliers de 100 tonnes, plus maniables et qui présentent l'avantage de remonter les estuaires.

Les transports terrestres, loin d'offrir les mêmes possibilités, sont avant tout déterminés par l'existence des voies d'eau. La batellerie fait montre d'une ingéniosité et d'une patience qu'on imagine mal aujourd'hui. Aussi le « réseau navigable » permanent ou saisonnier, quelquefois limité à la descente, ne dédaigne que fort peu de cours d'eau.

On conçoit alors l'importance des confluents comme celui de Lyon ou des atouts que la concentration des voies d'eau donne à Paris. Les principaux ports sont les ports d'estuaires, généralement situés loin à l'intérieur des terres ou sur des rivières si médiocres qu'ils risquent l'ensablement (Bruges). L'avant-port, tel Cadix ou Le Havre créé en 1517, est encore exceptionnel.

Les routes ont l'apparence de pistes parcourues plus souvent par des bêtes de somme que par des charrettes. Passer les rivières est une opération difficile qui se fait le plus souvent à gué ou sur des bacs. Les ponts sont rares et fragiles en dehors des villes.

Aux obstacles naturels s'ajoutent les obstacles juridiques, dont les plus gênants ne sont pas les frontières entre Etats. En effet, les Etats-nations sont encore très jeunes et leurs limites trop complexes pour susciter une volonté d'isolement. La difficulté vient plutôt de la multiplicité des péages établis par les seigneurs ou des « barrages » établis par les villes. Ces droits à payer sont particulièrement nombreux en France et ils se multiplieront jusqu'au règne de Louis XIV, malgré les ordonnances royales. Les marchands s'associent pour se défendre et supporter les frais de ces péages.

L'intervention des souverains porte quelquefois ses fruits. Les routes impériales facilitent les relations entre l'Italie, l'Allemagne et les Pays-Bas. Elles sont relativement denses dans l'Allemagne du Sud. En France, les « grands chemins » prennent lentement un aspect coordonné à l'échelle du royaume. En fait, seuls quelques tronçons sont régulièrement entretenus par les villes et naturellement dans leur voisinage. Les plus utilisés sont ceux qui relient les fleuves entre eux comme la route Paris-Orléans et la route Lyon-Roanne qui voient passer de véritables convois de voitures.

Des postes universitaires convoyaient les étudiants et leur faisaient parvenir nouvelles et argent de leurs familles. Eventuellement elles se chargeaient de commissions pour les particuliers. La fin du XVe siècle vit la création de postes d'Etat. Les Habsbourg affermèrent celles de leurs possessions d'Allemagne à la famille Turn devenue pour cette raison Turn und Taxis. Louis XI organisa une poste royale. Ces exemples furent suivis par d'autres souverains. Mais le public en principe ne profitait qu'exceptionnellement de ces postes d'Etat. Les maisons de commerce importantes préféraient avoir leurs messagers et leurs correspondants.

A cause des difficultés rencontrées et de l'impossibilité de transporter de grosses quantités, les transports étaient très coûteux et leur utilisation liée à la valeur de la marchandise transportée. Seules la mer et les rivières permettaient le transport des marchandises pondéreuses. Cependant une amélioration du transport par terre est certaine pendant la fin du XVe siècle et les débuts du XVIe. On assiste à un « rétrécissement de l'espace européen ». Toutefois, il reste impossible de prévoir le moment de l'arrivée.

LES MARCHÉS

Le début des Temps modernes connaît déjà une organisation commerciale assez poussée. Le marché c'est presque toujours la ville avec ses boutiques où l'artisan vend les produits de sa fabrication et les marchands, tels les marchands merciers, revendent. C'est surtout le rassemblement périodique, généralement hebdomadaire, des éventaires, souvent posés à même le sol, que tiennent tous ceux qui ont à proposer des surplus de production à la consommation locale. On y voit blé, vivres de toutes sortes et exceptionnellement des objets manufacturés, ceux-ci étant le plus souvent produits à la demande. Le marché est strictement réglementé par les autorités seigneuriales ou municipales. Il doit assurer en premier lieu la satisfaction des besoins locaux. Les marchands, les étrangers à la localité n'y sont admis qu'après les habitants.

Suivant leur importance, les foires intéressent une région, un ensemble de régions ou même toute l'Europe. Comme elles sont une source d'enrichissement, les souverains les protègent en accordant, par exemple, des franchises aux marchandises qui y passeront. Les plus célèbres sont à l'époque, celles de Medina del Campo en Castille, et celles de Genève supplantées, grâce aux efforts de Louis XI, puis François Ier, par celles de Lyon.

Dès la fin du XVe siècle il existait des bourses aux marchandises qui sont des foires permanentes (*Lonjas* de Castille ou *Beurs* de Flandre). Ces bourses exigeaient l'installation d'entrepôts importants. De plus en plus on y pratiqua la vente sur échantillon. Avec l'ouverture de la nouvelle bourse d'Anvers en 1533, le caractère financier de ces établissements prit le pas sur le caractère commercial.

LA MONNAIE

La monnaie joue un rôle moindre qu'aujourd'hui. L'autoconsommation, la mise en commun des productions, le troc, les salaires et redevances en nature, la charité publique, éventuellement la mendicité et le brigandage en limitent l'usage. F. Mauro évalue ces moyens aux trois quarts de la dépense globale.

L'organisation monétaire reposait sur la distinction entre monnaie réelle d'or, argent ou billon (cuivre), et monnaie de compte. Par exemple, la France avait deux monnaies de compte : livre tournois et livre parisis, l'emploi de cette dernière devant disparaître dans le cours du XVIe siècle.

Elle possédait comme monnaies réelles l'écu d'or au soleil, la pistole et le teston qui étaient en argent, le sol, le liard qui étaient en billon.

Le rapport de valeur entre monnaie d'or et monnaie d'argent apparaissait comme fixe. Généralement on l'établissait à 12 pour 1. Par contre le rapport entre monnaie de compte et monnaie réelle était parfois modifié par les souverains suivant les paiements qu'ils avaient à effectuer ou les rentrées de fonds qu'ils attendaient. Le « remuement des monnaies » est cependant moins fréquent qu'au xive siècle. Enfin il arrive que le souverain modifie le titre de certaines pièces, en retire d'autres de la circulation, ce qu'on appelle le décri des monnaies. Il circule un nombre considérable de monnaies étrangères : ducats d'Espagne, florins d'Allemagne, « nobles à la rose » d'Angleterre. Par là même l'action du souverain sur la monnaie de ses Etats est assez limitée. La multiplicité des monnaies rend indispensable le changeur qui pèse encore les monnaies, quoique cette pratique recule grâce à la meilleure qualité des pièces, et à la répression féroce du faux monnayage.

Le stock d'or de l'Europe augmente à la fin du xve siècle, grâce au courant qui s'établit avec le Soudan, soit par le Sahara, l'Afrique du Nord, l'Italie ou l'Espagne, soit par le poste de San Jorge de Mina, établi par les Portugais sur la côte de Guinée. L'abondance de l'or provoque sa dépréciation par rapport à l'argent et une élévation de prix de l'argent évalué en or. Cela suscite un réveil de la prospection et de la production des mines d'argent en Autriche et en Hongrie, facilitées également par la mise au point du procédé de l'amalgame. Au début du xvie siècle, l'Allemagne s'est acquis une place de choix sur le marché des métaux précieux. Viennent ensuite les pays qui reçoivent l'or du Soudan : péninsule Ibérique et Italie. Cette situation explique la prospérité des maisons de commerce d'Augsbourg, en premier lieu des Fugger, au moins jusqu'à l'arrivée du produit des mines d'or d'Amérique qui se produit après 1530. Avant cette date l'or d'Amérique n'est que le produit des pillages des trésors indigènes. Il occasionne seulement une flambée qui dure peu.

Sans doute l'or et l'argent n'irriguent pas entièrement l'économie européenne car la thésaurisation joue toujours un rôle sous forme d'objets d'art, moins du fait des églises touchées par les guerres et le brigandage que de la munificence des cours princières.

LE CRÉDIT

Depuis le xiiie siècle la monnaie n'est plus le seul instrument d'échange en Europe. Le risque et la difficulté de transport des espèces ont fait apparaître la lettre de change et même le « rechange » qui déguise un prêt à intérêt (voir *Précis d'Histoire du Moyen Age*, p. 213-214). Dans les pays du Nord, notamment dans les villes de la Hanse, on utilise surtout la cédule obligatoire, une reconnaissance de dette qui joue le même rôle. Il existe encore d'autres formes de crédit, tel l'emprunt sur hypothèque ou même sur gage mobilier. Le plus répandu est la rente constituée à prix d'argent. Elle consiste pour le créancier à acheter partie ou totalité du loyer d'un bien immobilier moyennant une somme versée comptant.

Les emprunts publics sont autorisés par l'Eglise quoique portant intérêt, car il y va du bien public. Les villes ont montré la voie aux souverains. Ainsi les villes italiennes afferment souvent la perception de leurs revenus à des entreprises ou *Monti*, moyennant le versement immédiat d'une forte somme d'argent. Les fermiers reçoivent des parts correspondant aux sommes versées par chacun et qui sont de véritables obligations dont l'intérêt est assuré par prélèvement sur les revenus perçus.

Les manieurs d'argent sont les changeurs qui jouent parfois le rôle de banque de dépôt et surtout les marchands qui, par l'intermédiaire de la lettre de change, s'immiscent dans le trafic de l'argent. C'est par le commerce que se sont établies les grandes banques florentines des Médicis et Strozzi, les banques de Saragosse, Medina del Campo et Barcelone, celles d'Augsbourg dominées par quelques familles, les Fugger, les Weltzer, celles de Bruges, d'Anvers, puis de Lyon appelées à un grand développement dans la période suivante. Par contre les banques publiques sont rares (Casa di San Jorge à Gênes ou banque municipale de Barcelone).

Ainsi le commerce est doté au début du xvie siècle de la plupart des instruments qu'il utilisera dans la suite. Son essor à la fin du xve siècle et jusque vers 1530 témoigne d'une expansion économique sensible, mais relativement ordonnée et mesurée, qui n'entraîne pas une hausse exagérée des prix.

Caractères nouveaux de l'expansion économique de 1520 à 1560

L'expansion continue à partir de 1520 à un rythme rapide mais plus irrégulier. Cela est dû à tout un ensemble de faits, comme l'extension des guerres et des révoltes, la sécularisation et la mise en vente de biens d'Eglise provoquées par la Réforme. L'augmentation des prix en est le trait le plus marquant.

Les prix avaient déjà augmenté en Espagne depuis le début du siècle.

Ils doublent de 1520 à 1550. Cette hausse atteignit surtout les prix agricoles. Nous savons aujourd'hui que la raison est l'augmentation de la production des métaux précieux à une allure supérieure à celle des biens de consommation. Avant 1530, cette augmentation est provoquée par l'exploitation des mines d'argent d'Europe centrale et l'arrivée d'une partie des trésors confisqués aux indigènes d'Amérique. La conquête du Mexique (1521) et celle du Pérou (1533) sont suivies de la découverte et de l'exploitation de mines d'or et surtout d'argent. Mais pour que les métaux précieux d'Amérique arrivent en grande quantité, il fallut la découverte des mines du Potosi (1545) et surtout l'application aux minerais d'argent d'Amérique du procédé de l'amalgame (1552). L'argent l'emportait d'ailleurs sur l'or dans ces importations. Entre les périodes 1493-1520 et 1545-1560, la production mondiale d'or passa de 5 800 à 8 510 kg et celle d'argent de 47 000 à 311 600 kg.

Avec la hausse des prix, les formes les plus souples de financement se répandirent, mais les constitutions de rentes subsistèrent. On assista même à un retour en faveur des revenus en nature. Les rentes en denrées étaient un moyen pour les bourgeois d'indexer leurs revenus et d'assurer leur ravitaillement en toutes circonstances. Cela leur donnait également la possibilité de vendre du blé et de spéculer. Après 1530, le taux des rentes constituées augmente. Les grosses rentes augmentent mais ne réduisent pas le volume des petites, et souffrent de la concurrence des emprunts d'Etat (F. Mauro). C'est le cas notamment en France après les émissions de rentes sur l'Hôtel de Ville aux alentours de 1555. Cependant le marché de la rente a peu de contacts directs avec le monde des affaires.

La montée des prix profita à ceux qui pouvaient vendre et suscita une poussée des profits. Ceux-ci furent souvent investis à leur tour dans les affaires. Cependant cette expansion fut troublée par des crises de crédit. Celle de 1559-1560 atteignit les grandes maisons de caractère patrimonial ou familial. De là date le déclin des Fugger et des Médicis.

Les établissements européens d'outre-mer jouèrent un rôle croissant dans l'économie européenne par la fourniture non seulement de l'or mais de produits coloniaux variés : épices proprement dites, bois de teinture (Brésil). Le roi de Portugal en exerça le monopole quasi absolu de 1504 à 1516 et y conserva une part prépondérante jusque vers 1540. Mais les Portugais ayant provoqué une grande différence de prix du poivre entre l'Inde et l'Europe, le trafic des épices tenta les marchands arabes qui, avec la complicité des Vénitiens, réussirent à rouvrir la route de Suez. A partir de 1550 les Espagnols prirent la première place sur le marché de l'or, car les mines de Guinée s'épuisaient. Aussi les Portugais portèrent-ils davantage leur attention vers le Brésil.

Conséquences de l'expansion économique

Grâce au commerce il naît une Europe économique au moment où se rompt l'Europe chrétienne et avant que les nations déjà formées dressent entre elles des barrières économiques. Les conséquences sociales sont également importantes. Dans une société restée de caractère féodal, pointent certains aspects de classes sociales. Enfin la formation des Etats modernes a non seulement des bases politiques, mais également économiques.

L'EUROPE ÉCONOMIQUE

On doit se défier de toute illusion. L'émiettement, la juxtaposition d'horizons locaux bornés à la petite ville et sa campagne sont la règle. Un horizon plus vaste n'existe que pour un tout petit nombre d'hommes, dirigeants politiques et principaux marchands, seuls aptes à utiliser le dynamisme des Européens. L'essentiel est que cet horizon plus large existe.

Il faut distinguer d'abord les grands secteurs géographiques de l'économie européenne : méditerranéen, baltique, de l'Europe centrale et de la façade atlantique.

Le domaine méditerranéen est ouvert sur l'Orient. Il est en rapport avec l'Empire ottoman qui unit des pays appartenant à l'Europe balkanique, à l'Asie occidentale et à l'Afrique du Nord et avec l'Extrême-Orient d'où viennent les épices par les Echelles du Levant, les caravanes d'Asie centrale et la navigation arabe dans l'océan Indien. Après l'ouverture de la route du Cap par Vasco de Gama en 1498, le commerce des épices s'effondre en Méditerranée. Mais patiemment les marchands de Venise et des autres ports méditerranéens renouent les relations avec leurs partenaires habituels et reprennent place sur le marché des épices. Venise, Gênes, Raguse tiennent la tête de ce commerce. Les pays méditerranéens conservent une production industrielle importante : armes et canons (Milan), verreries (Venise), draps (Florence), soieries (Florence, Gênes), et les banques y sont nombreuses et actives. Cependant ils ne peuvent vivre sur eux-mêmes. Ils possèdent souvent des excédents de vin, produits de luxe et même blé, mais doivent ravitailler des villes populeuses, surtout en Italie. Venise est le principal pôle du commerce méditerranéen car elle est en contact à la fois avec l'Orient par les possessions que la *Sérénissime République* a conservées sur les bords de la Méditerranée et avec l'Europe centrale, par la route du Brenner.

La Baltique est le théâtre des activités de la Hanse, organisation marchande groupant une cinquantaine de villes. La Hanse opère entre l'Europe du Nord et de l'Est d'une part, l'Europe centrale et occidentale de l'autre. Les échanges portent sur les matières brutes fournies par la première : bois, goudrons, poix, fourrures, peaux, chanvre, ainsi que le blé polonais, et sur des matières et objets de prix fournis par la seconde : sel, vins, épices, draps, armes, papier. Lübeck est la « cité pilote » (P. Jeannin) de la ligue hanséatique, mais c'est Dantzig qui connaît le plus gros trafic. Cependant la Hanse dépend du Danemark, « portier de la Baltique » qui perçoit les péages d'Elseneur. De plus cette organisation mise en place de bonne heure n'a guère évolué. Elle ne peut empêcher la pénétration dans l'aire baltique des marchands de l'Europe centrale et occidentale.

L'Europe centrale a vu son activité s'ordonner autour des villes de l'Allemagne du Sud, au premier rang desquelles se placent Augsbourg et Nuremberg. Par la route du Brenner ces villes sont en contact étroit avec Venise et le monde méditerranéen. Les produits méditerranéens sont redistribués par les villes d'Allemagne du Sud dans toute l'Europe continentale. Les principaux courants mènent vers les Pays-Bas et Anvers par Francfort et Cologne et vers la Baltique et le monde slave par Leipzig. De plus les grandes maisons commerciales d'Allemagne du Sud commandent la production des mines de fer, zinc, plomb, cuivre, argent qui abondent près des massifs d'Europe centrale. La métallurgie y est particulièrement active, ainsi que dans les campagnes voisines, l'industrie textile. Egalement en contact avec la Méditerranée par le Rhône, Lyon commence à bénéficier de son appartenance à un royaume relativement unifié dont les provinces occidentales participent à l'éveil de la façade atlantique de l'Europe. Au début du siècle, Lyon n'est encore que le lieu des principales foires d'Europe. Elle se prépare à devenir un grand centre bancaire et industriel.

La façade atlantique soumet à son dynamisme les autres parties de l'Europe à partir de 1530. Déjà avant les Grandes Découvertes les ports atlantiques participent d'une même activité qui draîne les produits des arrière-pays : vins de Bordeaux et d'Andalousie, sel de Sétubal et de Brouage, morues et harengs de la mer du Nord et de la Manche, laines brutes d'Angleterre et de Castille, sayettes de Flandre. L'ouverture de la route du Cap, puis l'organisation lente d'un commerce atlantique interviennent ensuite pour assurer l'hégémonie économique. Lisbonne et Séville deviennent les centres du commerce d'outre-mer. La *Casa de Contratación* créée à Séville en 1503 et la *Casa da India* à Lisbonne sont des organismes d'Etat qui reçoivent le monopole du commerce avec les pays nouvellement découverts. Portugais et Espagnols choisissent Anvers comme relais de leur commerce dans le Nord. Aux relations avec Lisbonne et Séville, cette ville joint celles avec la Baltique et par voie de terre avec Lyon, Augsbourg, et même Venise et Florence. Anvers doit ce succès à sa situation géographique, à l'activité de son arrière-pays, à la souplesse de son organisation corporative affranchie de certaines règles, enfin à son appartenance à l'ensemble des possessions des Habsbourg.

On voit combien ces quatre domaines économiques de l'Europe sont liés entre eux. L'unité de l'Europe marchande se marque encore par la constitution d'organisations commerciales qui se jouent assez souvent des souverainetés et des frontières.

L'Italie en fut le berceau. La *Commenda*, ébauche de société en commandite destinée à avancer la plus grande partie des sommes nécessaires à un marchand itinérant, est généralement limitée à un seul voyage, et elle ne groupe qu'un petit nombre de souscripteurs originaires de la même ville. A la limite, la *Commenda* entraîne le « prêt à la grosse aventure » (bénéfices considérables en cas de succès, perte totale en cas d'échec) qui fut le procédé le plus répandu de financement des entreprises commerciales dans les ports de l'Europe de l'Ouest jusqu'au xixe siècle.

La *compagnie* va plus loin. Elle est une ébauche de société en nom collectif, conclue généralement pour trois ans, en fait sans cesse renouvelée (la banque des Médicis dura 97 ans). Certaines compagnies sont très centralisées comme celle fondée par Jacob Fugger dit le Riche (1459-1525), qui compte de nombreuses succursales dirigées par un facteur, simple agent de la maison centrale. D'autres, comme celles des Médicis, plus décentralisées, prennent l'aspect de sociétés à filiales, de véritables holding (R. de Roover). A la maison Médicis se rattachent en 1458 les filiales de Pise, Milan, Rome, Venise, Avignon, Genève, Bruges, Londres. Vers 1525 les Fugger d'Augsbourg ont des factoreries à Nuremberg, Francfort, Mayence, Cologne, Leipzig, Innsbruck, Vienne, Budapest, Breslau, Cracovie, Dantzig, Anvers, Séville, Lisbonne, Madrid, Naples, Rome, Milan, Venise... Leur nom est connu au moins dans tous les pays de l'Empire de Charles Quint.

LES CONSÉQUENCES SOCIALES ET POLITIQUES

Elles sont considérables. A l'intérieur du cadre seigneurial et féodal de la société et du cadre corporatif de la production, s'affirment et se répandent des liens économiques nouveaux entre les hommes : associations entre marchands, rentes qui lient débiteurs et créanciers, formes nouvelles du salariat avec des exemples de dissociation entre capital et travail. Ces transformations font monter la tension sociale entre riches et pauvres. L'usure est dénoncée par les prédicateurs non seulement parce qu'ils en condamnent les principes, mais également parce qu'ils en constatent les effets. Cela est vrai surtout dans les villes les plus actives. Cependant les pertes démographiques n'étant pas encore entièrement réparées, il n'existe guère d'excédents de main-d'œuvre et celle-ci garde sa valeur. Jusque vers 1520 les salaires restent relativement décents par rapport aux prix, eu égard à la conception que l'on a des conditions sociales.

Le luxe des cours et le perfectionnement des armements augmentent l'action indirecte des souverains sur l'économie. Pendant longtemps ils n'ont osé agir sur l'économie que dans des buts fiscaux : remuement des monnaies, création de péages, taxes comme la gabelle. Puis ils s'enhardirent à prendre des mesures favorisant leurs sujets aux dépens des étrangers. Les expulsions des juifs de Portugal et de Castille se rattachent en partie aux mêmes préoccupations. Enfin on les voit assumer le monopole de la vente de certains produits et s'en réserver le bénéfice. En France la gabelle est devenue un monopole du sel assorti d'ailleurs de toutes sortes de dérogations. Le roi de Portugal s'arroge le monopole des épices.

Ces mesures somme toute renforcent l'autorité de l'Etat. Mais le besoin croissant d'argent pousse les souverains à emprunter et à se mettre dans la main des banquiers. C'est ce que font les deux candidats à l'élection impériale de 1519. Charles-Quint, élu grâce à l'appui des Fugger, restera jusqu'au bout leur obligé. François Ier, conscient du peu de confiance qu'inspirait sa garantie, s'adresse pour emprunter, aux administrateurs des finances royales : trésoriers de France et généraux des finances. Il réussit à se libérer de leur puissance par un coup de majesté (condamnation à mort de Semblançay, 1523).

Cette pression économique gagne même l'Eglise. Les papes recouraient déjà aux offices des banquiers, dont les Médicis qui réussirent à faire élire l'un des leurs sur le trône de Saint-Pierre en 1513. Les prélats commendataires achètent et cumulent évêchés et abbayes comme on achète des seigneuries. C'est ce que fait Albert de Brandebourg, archevêque de Magdebourg et d'Halberstadt qui devient archevêque de Mayence. Rome autorise ce scandaleux cumul moyennant la somme de 24 000 ducats qu'il emprunte aux Fugger. Pour se libérer de sa dette, Albert de Brandebourg obtient du pape une partie du produit de l'indulgence prêchée en Allemagne en 1517 pour la reconstruction de Saint-Pierre. L'empereur Maximilieu donne son accord moyennant le versement de 1 000 florins. On sait que le scandale des indulgences fut une des raisons de la révolte de Luther.

Par ces interventions croissantes de l'économique dans le social, le politique et même le spirituel, on mesure le chemin parcouru en Europe occidentale pendant la fructueuse période de paix relative qui va du milieu du xve siècle au second quart du xvie.

Textes et documents : *Comptes et dépenses de la construction du château de Gaillon,* publié par A. Deville, 1850. Ch. Estienne, *La guide des chemins de France,* 1551, édité par J. Bonnerot, 1935. Dr V. Leblond, *Documents relatifs à l'histoire de Beauvais et du Beauvaisis au XVIe siècle, extraits des minutes notariales,* 1925.

Chapitre III

LE RENOUVEAU DE L'EUROPE : HUMANISME ET RENAISSANCE

Bibliographie : A. Chastel et R. Klein, *L'âge de l'humanisme*, Paris, 1963. W. K. Ferguson, *La Renaissance dans la pensée historique*, traduit de l'anglais, 1950. J. Burckhardt, *La civilisation de la Renaissance en Italie*, 1860, traduit de l'allemand, édition 1960. J. Delumeau, *Naissance et affirmation de la Réforme* (coll. « Nouvelle Clio »), 1965. P. Chaunu, *Le temps des réformes. La crise de la chrétienté, l'éclatement, 1250-1550*, 1975. H. Dubief, *La Réforme* (coll. « Image des grandes civilisations », Biblio-rencontre), 1965. L. Febvre, *Le problème de l'incroyance au XVIe siècle, la religion de Rabelais* (coll. « Evolution de l'Humanité »), 1947. L. Febvre, *Un destin, Martin Luther*, 1927. M. Weber, *L'éthique protestante et l'esprit du capitalisme*, 1920, traduit de l'allemand, 1947. R. H. Tawney, *La religion et l'essor du capitalisme*, traduit de l'anglais, 1951. A. Guillermou, *Saint Ignace de Loyola et la compagnie de Jésus* (coll. « Les maîtres spirituels »), 1951.

Aujourd'hui on ne voit plus dans la Renaissance une rupture brutale avec l'époque médiévale, mais le résultat d'une lente évolution qui plonge ses racines dans le Moyen Age. Certains, comme Burckhardt, Sapori et J. Delumeau, placent les débuts de la Renaissance dès le réveil de la vie urbaine au xiiie et même au xiie siècle. La plupart des historiens, gênés par la nécessité de choisir une coupure entre des époques aussi caractérisées que le Moyen Age et les Temps modernes, tout en affirmant que la Renaissance s'est éveillée très tôt, non seulement en Italie mais dans une bonne partie de l'Europe occidentale, s'en tiennent à la périodisation traditionnelle qui marque au moins la maturité de la Renaissance en Italie.

Les hommes du xvie siècle n'ont adopté qu'assez tard le terme de « renaissance », employé par les théologiens du xve siècle avec le sens de renaissance de l'âme à la vie par la grâce et les sacrements qui effacent le péché. Le premier, semble-t-il, qui osa donner à ce mot un sens profane est l'architecte italien Vasari. En 1550, il parle de renaissance des arts et, en fait, étend le sens de cette expression à toute la civilisation. Cependant on n'avait pas attendu cette date pour prendre conscience du changement qui s'était opéré dans les esprits, et les expressions littéraires et artistiques. Marsile Ficin écrit à la fin du XVe siècle : « Notre siècle, comme un âge d'or, a rendu à la lumière les arts libéraux qui étaient presque éteints. » Ce sentiment existait surtout en Italie où les lettrés se croyaient, à l'encontre des peuples barbares du Nord, seuls capables de retrouver la pensée des Anciens. En effet, et c'est le sens le plus popularisé du mot Renaissance, ce rajeunissement se veut un retour à la pensée et aux formes d'expression de l'Antiquité.

La Renaissance ne peut être dissociée de l'humanisme qui place l'homme au centre des préoccupations spirituelles et des études. « L'humanisme est une entreprise de réforme intellectuelle et morale qui peut se résumer en une formule : la création du plus haut type d'humanité » (A. Renaudet). L'humanisme est optimiste. Contrairement à ce qu'ont pensé J. Burckhardt et Michelet, il ne s'oppose pas nécessairement au christianisme. Pour l'humaniste, au fond de l'âme humaine il y a Dieu. L'homme a donc intérêt à se connaître pour connaître Dieu. On rejoint ainsi la philosophie antique et Erasme a écrit : « Saint Socrate, priez pour nous ! »

Saint Thomas n'avait-il pas déjà tenté de concilier le dogme chrétien avec la culture antique que le Moyen Age considérait « comme un legs dont il ne voulait pas abaisser la valeur » (R. Mousnier) ? Mais l'essoufflement des formes de raisonnement scolastique et la sclérose des études universitaires expliquent le mépris que les humanistes conçurent pour la période précédente et justifient l'impression qu'ils ont eue de renouvellement de la pensée. En marge de la vie universitaire languissante se produisit une effervescence intellectuelle alimentée par de nouvelles exigences de l'esprit. Bien que créant à son tour des conformismes nouveaux, comme le culte de l'Antiquité, l'humanisme eut un aspect individualiste. Ce caractère marquera la vie intellectuelle et spirituelle du début du XVIe siècle. « L'humanisme, conscience de la Renaissance » (A. Renaudet), devait également participer au grand mouvement de réforme religieuse du XVIe siècle avant de s'enliser dans les controverses.

Les conditions de la vie intellectuelle

Dans la seconde moitié du xve siècle et au début du xvie, la vie intellectuelle rencontre des conditions favorables à un renouvellement avec l'apparition du livre imprimé et, paradoxalement, avec la sclérose des universités, qui invite les esprits exigeants à chercher ailleurs un cadre de recherche mieux adapté à leurs besoins intellectuels.

L'ESSOR DE L'IMPRIMERIE

Il s'agit d'un problème extrêmement complexe, à la charnière des activités intellectuelles, économiques, religieuses et politiques.

La mise au point de l'imprimerie dans les années 1550-1560 ne doit pas faire oublier l'importance des perfectionnements survenus dans la première moitié du xvie siècle : développement de l'industrie du papier, fixation de la matière dont sont composés les caractères et de la forme de ceux-ci (Estienne, Garamond...). Le livre se vend encore très lentement. Une édition exige une grande mise de fonds et se présente comme une véritable aventure. Le rôle de l'éditeur, en même temps libraire, est donc capital. On peut citer, pour le xve siècle, Alde Manuce à Venise, Antoine Vérard à Paris, Koberger à Nuremberg..., et pour le xvie siècle Amerbach et Froben à Bâle, Josse Bade et les Estienne à Paris, puis Plantin à Anvers... Dès son apparition, l'Eglise et les souverains surveillent ce puissant moyen de diffusion des idées. Généralement la censure est remise aux universités. La bulle *Inter multiplices* autorise les princes à établir des commissions de censure. Ainsi en France, Sorbonne (Faculté de Théologie) et Parlement de Paris font bonne garde. En 1563 est créé le privilège royal destiné à protéger les éditeurs contre les contrefaçons, qui exerce également une censure préventive.

Au xvie siècle l'industrie du livre se concentre dans les grandes villes universitaires et les centres commerciaux. Elle n'a pas créé de nouveaux centres intellectuels, mais a contribué à une concentration de ceux-ci. Les imprimeurs y sont en rapport avec les humanistes et la plupart des grands éditeurs (Amerbach, Alde Manuce, les Estienne) sont eux-mêmes des humanistes.

La liste des publications témoigne surtout des besoins intellectuels de la clientèle. Pour les livres imprimés au xve siècle, appelés incunables, soit environ 30 000 à 35 000 éditions, on compte 77 % en langue latine, le reste en italien, allemand et français. Les livres religieux sont les plus nombreux (45 %), puis viennent les œuvres littéraires, les livres de droit, les livres scientifiques. On commence par imprimer les œuvres les plus célèbres, en tête la Bible et l'*Imitation de Jésus-Christ*. Les œuvres contemporaines ne viennent qu'ensuite, malgré la faveur que les éditeurs commencent à leur porter.

Au xvie siècle la primauté qui jusqu'alors avait appartenu à Venise passe à Paris (25 000 éditions sur les 150 000 à 200 000 du siècle) et Lyon, puis Anvers. Le caractère des publications change. Le nombre des éditions religieuses continue à augmenter, mais moins que celui des œuvres littéraires. De plus, se multiplient les traductions d'auteurs anciens, notamment de Virgile, souvent encouragées par les souverains. Les œuvres des humanistes prennent une place importante. A travers le xvie siècle, celles d'Erasme seront tirées à plusieurs centaines de milliers d'exemplaires. Par contre les livres scientifiques restent surtout ceux des auteurs antiques et médiévaux. Avant 1560 les Grandes Découvertes donnent lieu à beaucoup moins de publications que la Terre Sainte ou les Turcs. L'histoire est en faveur, notamment les chroniques médiévales, ainsi que les légendes et romans de chevalerie.

Sans doute l'imprimerie a servi d'humanisme en faisant connaître à un plus grand nombre les auteurs anciens et les œuvres contemporaines. Toutefois n'a-t-elle pas contribué à l'essouffler en répandant quantité d'ouvrages médiévaux qui correspondaient mieux au goût de la majorité des lecteurs. En effet, dans la seconde moitié du xvie siècle, les éditeurs deviennent plus sensibles à l'aspect commercial de l'imprimerie.

L'ENSEIGNEMENT

Les humanistes ont beaucoup médit de l'enseignement de leur époque. Cependant, si sa valeur est assez faible, il ne forme pas que des pédants et des cuistres. Il joue le rôle social qu'on attend de lui.

L'enseignement élémentaire est relativement répandu dans toute l'Europe occidentale. Les écoles paroissiales contrôlées par l'évêque suscitent de plus en plus l'intérêt des autorités municipales. Elles donnent un enseignement assez disparate et irrégulier. Les maîtres sont engagés pour quelques années. L'enseignement est en principe gratuit pour les nécessiteux, ce qui ne suffit pas à les attirer à l'école. Par ailleurs l'invention de l'imprimerie contraint les maîtres écrivains à s'orienter vers l'enseignement de la lecture, de l'écriture et du calcul. Il semble qu'avant les troubles qui déchirèrent l'Europe occidentale au xvie siècle le nombre des hommes sachant écrire ait été relativement important.

Entre les écoles élémentaires et les facultés supérieures (Théologie, Droit, Médecine) existe un enseignement intermédiaire qui revient aux collèges. Ce terme désigne alors des établissements très différents, pensions pour les élèves des facultés des arts où des maîtres viennent donner des cours, écoles créées par des villes qui ne possèdent pas d'université. Ces dernières recherchent le privilège royal fort envié et rarement accordé. Dans les collèges, de nombreuses bourses de fondation existent, mais elles perdront de leur valeur avec la dépréciation de l'argent au xvie siècle. Les maîtres sont des laïcs ou des ecclésiastiques, généralement des réguliers, notamment dominicains.

L'organisation des universités n'a pas changé depuis le xive siècle. Elles constituent des corps groupant maîtres, étudiants et agents divers, qualifiés « suppôts ». Les étudiants sont également groupés en « nations ». Les études sont réparties suivant les facultés supérieures : théologie, droit (quelquefois réduit au seul droit canon ou décret) et médecine, auxquelles on accède après un passage à la Faculté des Arts. L'université, présidée par le recteur élu pour un temps très bref, est dirigée par le conseil de l'université et l'assemblée des professeurs. Elle est entretenue par des fondations pieuses et aidée par le corps de ville. Toutefois les souverains souvent sollicités lui accordent le revenu de certaines taxes et interviennent plus ou moins dans son fonctionnement.

Les études sont longues, au moins cinq ans à la Faculté des Arts, à la suite desquels avec les grades de maître ès arts et licencié on peut enseigner à ladite faculté et étudier dans les facultés supérieures. Les cours consistent en leçons magistrales et en *disputationes* entre étudiants et les examens (baccalauréat, maîtrises, licence, doctorat) en interrogations et également en *disputationes*.

L'enseignement des universités est plus scientifique et encyclopédique que littéraire. Le programme, à peu de choses près le même dans toute l'Europe occidentale, est interprété largement par les professeurs. L'esprit de controverse n'est pas étouffé. Les humanistes du XVIe siècle sont d'ailleurs pour la plupart passés par les universités. La faiblesse de celles-ci vient plutôt de la crise de la scolastique. A la fin du XVe siècle, réalistes et nominalistes s'opposent sur toutes les questions posées par les mystères de la foi et par la connaissance du monde.

C'est la querelle des *universaux*. Pour les réalistes l'universal est non seulement le concept de ce que nous avons sous les yeux, mais la copie réelle inhérente à l'objet, transmise à nos sens et par eux à notre esprit. Les universaux permettent ainsi à l'âme immatérielle de connaître le monde matériel et d'approcher Dieu en qui ils se réalisent tous. Grâce à eux les mystères de la foi ne sont plus en contradiction formelle avec la raison. Les nominalistes, à la suite de Guillaume d'Occam, nient la réalité des universaux qui ne sont plus que des dénominations, d'où le nom de cette école. Nos concepts deviennent des signes mentaux qui indiquent l'existence de quelque chose, mais ne nous renseignent pas sur elle. Le nominalisme l'emporte souvent sur le réalisme dans l'enseignement des universités. C'est le cas notamment à Paris.

Le nominalisme ne ferme la porte ni à la science expérimentale, ni au raisonnement par syllogisme devenu une simple gymnastique de l'esprit, mais il consomme le divorce entre foi et raison. Sans un élan mystique dont il ne fournit pas la recette, la religion risque de devenir rituelle et sèche. Le nominalisme créait donc une insatisfaction et appelait des recherches par d'autres méthodes : pour la foi, par le mysticisme qui donne à ceux qui y atteignent des certitudes palpables, et pour la connaissance, par l'humanisme.

Humanisme et Renaissance en Italie

UNE NOUVELLE CONCEPTION DU MONDE

L'humanisme à ses débuts consiste en une nouvelle conception de l'homme et entraîne une nouvelle conception de l'espace et des formes. Chemin faisant ces vues s'élargissent en une nouvelle conception du monde.

A l'origine de ces nouveautés se trouvent les rêves néo-platoniciens éclos dans la Florence des Médicis. Autour de lui, Laurent le Magnifique avait groupé une « académie » de lettrés. Les Médicis n'étaient pas les seuls mécènes de Florence. D'autres banquiers, le gouvernement de la cité (la seigneurie), les églises et couvents firent travailler un grand nombre d'artistes. La période *florentine* de la Renaissance est encore toute de recherches. Laurent Valla inaugure l'étude critique des textes de l'Antiquité. Les artistes retrouvent la perspective, s'affranchissent des tabous du Moyen Age comme le nu ou les thèmes païens vus autrement que comme l'envers de la vraie foi et cultivent volontiers le symbole. Florence est illustrée par l'architecte Bramante à ses débuts (dôme de Sainte-Marie-des-Fleurs), le sculpteur Donatello, et une légion de peintres comme Botticelli et Ghirlandajo.

L'âme de l'académie florentine fut Marsile Ficin qui entreprit de réaliser une somme nouvelle dont le but était de régénérer le christianisme en y intégrant la pensée religieuse païenne et les idées de Platon. Marsile Ficin enseigna que Dieu avait créé l'univers comme un tout harmonieux, aussi semblable que possible à son auteur. C'est seulement en Dieu que l'homme peut trouver le bonheur parfait. L'homme peut atteindre Dieu en pénétrant dans le monde des idées empruntées à Platon où se trouve la pensée divine, par l'amour de la beauté, miroir de l'universelle beauté de Dieu. Enfin l'homme peut ressembler à Dieu, car si Dieu le veut, il peut créer à son tour. Dieu s'exprime en inspirant ingénieurs, artistes et poètes.

Le néo-platonisme de Marsile Ficin ne séduisit d'abord qu'un petit nombre de lettrés. En 1494 se produisait à Florence une révolution inspirée par le moine Savonarole qui chassa les Médicis et entraîna la cité dans un mouvement de foi ascétique condamnant la pensée païenne, le luxe et la richesse. Malgré l'échec de Savonarole, brûlé vif en 1498, Florence ne devint pas la cité des rêves de Marsile Ficin. Lettrés et artistes avaient préféré s'enfuir à Rome dont les papes Alexandre VI Borgia (1492-1503), Jules II (1503-1513) et surtout Léon X Médicis (1513-1521) voulaient faire la capitale d'un univers élargi depuis les Grandes Découvertes. Ils disposaient alors de ressources financières considérables dues à l'exploitation de l'alun de Tolfa, ainsi qu'aux emprunts publics et aux deniers perçus sur les fidèles de certains pays.

Jules II confia la reconstruction de Saint-Pierre à l'architecte Bramante qui conçut un édifice exprimant l'unité et l'harmonie de l'univers. Tous les éléments au sol sont disposés autour de l'autel surmontant le tombeau de saint Pierre. Tous les éléments en élévation convergent vers la croix qui surmonte la coupole destinée à éclairer l'autel. Michel-Ange réalisa l'œuvre entreprise par Bramante non sans réductions imposées par les difficultés du financement. Cette composition répondant à une idée maîtresse se retrouve dans les œuvres picturales, notamment dans les fresques ornant la chambre de la signature dont le centre est la *Dispute du Saint-Sacrement*, œuvre de Raphaël.

Il en est de même de la représentation de l'homme, vu dans la plénitude de ses formes et de sa force, sûr de lui, par lequel Dieu exprime le sens de la Création. Les sujets religieux sont traités de manière dépouillée, bannissant l'anecdote et le quotidien et s'élevant au sublime et au grandiose.

La période romaine de la Renaissance représente bien l'humanisme triomphant, appuyé sur les exemples de l'Antiquité. Les représentants hors de pair en sont Michel-Ange, architecte, sculpteur, peintre, poète, Léonard de Vinci, esprit universel, peintre original et ingénieur, et Raphaël qui représenta sans doute le mieux l'idéal humain de la Renaissance italienne.

En effet, à la période romaine, sommet de la Renaissance italienne, correspond dans la vie sociale un nouveau type idéal d'homme, le courtisan, qui a été défini par Baltazar Castiglione (voir p. 20). Le courtisan est un homme maître de soi, à l'élégance mesurée et même grave, à l'abord bienveillant et courtois, sportif, instruit et dont la conversation est exempte de pédanterie et de grossièreté. Il en est de même de la Dame de Cour. Cette épuration dans le comportement a pour but de susciter l'amour réciproque, qui est en réalité recherche de la beauté universelle et approche de Dieu.

LE PARTICULARISME VÉNITIEN

L'idéal romain de la Renaissance butte contre le particularisme vénitien. Venise est une cité d'humanistes et d'imprimeurs, mais c'est aussi une puissance commerciale, tournée vers l'Orient, dominée par l'esprit pratique et l'égoïsme de la cité. Dans son université de Padoue on reste fidèle à la pensée des commentateurs d'Aristote, dont le musulman Averroès qui n'accepte pas l'immortalité de l'âme. Dans ce cadre spirituel original enseigne l'humaniste Pomponazzi (1462-1525) qui se présente comme un rationaliste, rejette le néo-platonisme, affirme que l'homme n'est pas à l'image de Dieu et sape les bases de la révélation chrétienne en niant les miracles et l'immortalité de l'âme. Bien que condamné par l'Eglise, Pomponazzi eut une grande influence au xvie siècle.

Venise rebelle au néo-platonisme devient le principal foyer d'art en Italie après le sac de Rome en 1527. Certes ses artistes (Titien...) avaient adopté la conception de l'espace des Romains, mais ils exprimèrent la grandeur de leur cité, ses couleurs et ses contacts avec l'Orient.

Si différentes que fussent souvent les renaissances romaine et vénitienne, leur influence se mêla curieusement chez beaucoup de lettrés et d'artistes, notamment hors d'Italie. D'ailleurs l'humanisme italien s'épuisait. Les académies s'étaient multipliées et la pensée s'y diluait dans des discussions sur des points de détail, tandis que la recherche d'une élégance formelle cachait souvent la pauvreté des idées. Vers 1530, l'humanisme italien avait accompli sa mission. Cependant l'Italie avait conquis pour plus d'un siècle la place qu'Athènes et Rome avaient possédée dans le domaine des lettres et surtout des arts.

L'humanisme en Europe occidentale

ORIGINES ET CARACTÈRES

Lorsque l'humanisme italien gagna l'Europe occidentale, la Renaissance y avait commencé de manière inconsciente. Ainsi à Paris, Pierre d'Ailly et Jean Gerson avaient une bonne connaissance de l'Antiquité latine et même grecque, mafs les esprits les plus élevés y étaient surtout attirés par la mystique chrétienne et la recherche scientifique. Ils n'ignoraient pas l'humanisme italien mais ne lui demandaient pas grand-chose. Cependant les contacts avec l'Italie s'étaient multipliés bien avant les Guerres d'Italie par les pèlerinages à Rome, le commerce et la diplomatie naissante. C'est à partir de 1470 que Guillaume Fichet, ayant assumé une mission diplomatique à Milan, devenu bibliothécaire à la Sorbonne, y installa une imprimerie, publia des ouvrages de Cicéron, Salluste et Laurent Valla et rompit avec le nominalisme sous l'influence des néo-platoniciens.

L'humanisme italien se répandit par les universités, si décriées fussent-elles. Les universitaires avaient pris entre eux des contacts aux conciles œcuméniques de Constance puis de Bâle et circulaient fréquemment. Erasme n'est pas le seul lettré à avoir parcouru l'Europe occidentale. Paris, Lyon, Groningue, Leyde, Bâle, Venise, Padoue et Rome comptaient parmi les centres les plus célèbres. Il s'y ajouta Alcala de Hénarès (université fondée en 1508) et Louvain (*collège trilingue* : hébreu, grec, français, fondé en 1517), tandis que Londres, Vienne, Prague, Cracovie s'éveillaient à leur tour et qu'Augsbourg et Nuremberg grâce à de grands mécènes devenaient également des foyers de culture.

En effet, autour des universités et dans les grandes villes marchandes se développaient des cercles humanistes où ecclésiastiques et universitaires n'étaient plus seuls. On y trouvait des imprimeurs, des artistes tel Dürer, des petits nobles, des médecins, des magistrats, et également des hommes d'affaires, des officiers royaux comme Guillaume Budé et des conseillers des souverains, des poètes de cour. Des princes les patronnaient tels Henri VIII d'Angleterre, Marguerite de Navarre et son frère François Ier qui en 1530 créa le collège des sept lecteurs royaux (futur Collège de France) destiné à donner un enseignement humaniste. On parlera au XVIe siècle de *République des Lettres* pour désigner l'ensemble de ces milieux lettrés. Écrivant en latin cicéronien, méprisant le vulgaire, imbus de leur culture, à l'affût de toutes les controverses, les humanistes aspiraient à conseiller les souverains.

Ces hommes ont eu en commun un grand optimisme touchant la nature humaine dont ils pensent qu'elle peut approcher la perfection. Pour les mêmes raisons que les Italiens ils regardaient vers l'Antiquité et étudiaient avec passion les langues latine, grecque et hébraïque qui leur ouvraient la connaissance du monde antique. Ils se montrèrent meilleurs disciples de Laurent Valla que les Italiens, notamment dans les Pays-Bas. Leur programme était très ambitieux. Tous croient dans la vertu d'une éducation bien conduite qui doit permettre à l'adulte de faire confiance à la nature humaine. C'est le programme que Rabelais propose à l'abbaye de Thélème : « Fais ce que voudras. »

Ainsi l'humanisme d'Occident ne s'aligne pas exactement sur l'humanisme italien. Il reste fidèle aux orientations déjà prises, c'est-à-dire aux préoccupations morales. Les humanistes occidentaux transportent ces préoccupations dans la politique et, faute de pouvoir réaliser leurs aspirations, imaginent volontiers des royaumes chimériques, telle l'*Utopie* de Thomas More (1516) où règnent paix et bonheur. C'est d'ailleurs le moyen de critiquer institutions politiques et usages sociaux.

DIVERSITÉS NATIONALES

A côté de ces traits communs on peut noter des diversités régionales qui ne font que s'accentuer. D'abord les Occidentaux et surtout les gens du Nord sont peu sensibles au culte des Italiens pour la forme et le style. Erasme dénonce avec vigueur l'insuffisance du latin cicéronien pour exprimer les réalités sensibles du christianisme et se moque de la prétendue supériorité des Italiens sur les « barbares ». De plus la multiplication des traductions originales qui sont des adaptations souvent loin du texte primitif, la publication de grandes œuvres littéraires contribuent au renouvellement des langues nationales et par là à l'éveil des nationalismes. Le culte des héros nationaux liés à l'Antiquité se développe partout. Les Allemands exaltent Arminius, les Français découvrent Francion, fils d'Hector. Ainsi on peut parler, malgré leurs contacts fréquents, d'humanismes français, allemands, anglais, espagnols et des Pays-Bas. Ces tendances s'affirment surtout à partir de la décennie 1520-1530.

En France, après Guillaume Fichet et son disciple Robert Gaguin, les études grecques gagnent un public élargi avec les cours de Jérôme Aléandre et grâce à l'activité infatigable d'un Guillaume Budé qui publie les *Pandectes* en 1508 et en 1515 son traité *De Asse*.

Aux Pays-Bas existent des foyers de vie intellectuelle chez les Frères de la Vie commune. Bien que tournés essentiellement vers la vie spirituelle, ils subissent souvent l'influence de Pétrarque et de Laurent Valla, plus que celle de Marsile Ficin. Ils rejettent la scolastique et sont influencés par les idées sur le salut et les critiques de la papauté exprimées par Wyclif et Jean Huss. Erasme en sera le meilleur produit.

En Allemagne l'humanisme est caractérisé avant tout par sa diversité qui vient de la diversité de ses foyers, universités comme Cologne et Erfurt, abbayes, villes marchandes comme Augsbourg et Nuremberg où des foyers humanistes protégés par des capitalistes tels les Fugger sont animés par des hommes comme Pirckheimer et Peutinger, à la fois hommes d'affaires et savants, en liaison avec l'Italie pour leur commerce mais aussi enthousiastes de l'humanisme italien et de l'Antiquité. A Stuttgart, Jean Reuchlin renouvelle les études hébraïques. Contrairement à ce qui se passe aux Pays-Bas, l'influence de Laurent Valla est forte surtout là où la vie religieuse est médiocre comme à Erfurt. D'une grande hardiesse, certains humanistes allemands (Ulrich de Hutten) vont jusqu'aux limites de l'orthodoxie.

L'humanisme s'introduit un peu plus tardivement en Angleterre, par l'intermédiaire de lettrés qui ont séjourné en Italie tel John Colet qui applique les méthodes de Laurent Valla aux épîtres de saint Paul dès 1496. Mais le plus bel exemple d'humaniste anglais est offert par Thomas More, issu de la riche bourgeoisie londonienne qui gravite autour du trône ; il deviendra chancelier et paiera de sa vie son attachement à l'unité de l'Eglise.

L'humanisme espagnol se concentra autour de quelques centres dont la nouvelle université d'Alcala de Hénarès fondée par le cardinal Jimenez de Cisneros en 1508 où fut menée une grande entreprise de traduction polyglotte de la Bible (1514-1522).

L'IDÉAL DU « MILES CHRISTI »

On a parlé d'éclatement de l'humanisme en humanismes nationaux. Une des raisons majeures de la crise de l'humanisme fut qu'il se trouva confronté aux problèmes nés de l'état de l'Eglise, mal relevée de la crise conciliaire. Aussi à la fin du xve siècle se répand l'idée d'une croisade spirituelle destinée à sauver l'Eglise. Pour défendre et répandre la vraie foi l'Eglise avait toujours placé au premier rang de ses armes la prière et le travail. Les humanistes y ajoutèrent la culture de l'esprit. C'est l'idéal renouvelé du *Miles Christi* qui suggère les recherches de Lefebvre d'Etaples et d'Erasme.

Lefebvre d'Etaples (vers 1450-1536) fut un homme modeste, soucieux de religion intérieure. Il alla à Florence, Rome et Venise, mais n'étudia pas l'Antiquité pour elle-même. Il chercha les rapports profonds entre Platon, Aristote et la révélation chrétienne. Il fut probablement encore plus marqué par les mystiques flamands comme Ruysbroek dont il édita *Les Noces spirituelles* en 1512 (cf. p. 66). Il en arriva à l'idée que la véritable connaissance dépasse celle donnée par la raison et se trouve dans l'extase.

Erasme (vers 1469-1536), par sa culture, ses voyages et sa correspondance, joua en Europe un rôle comparable en importance à celui qu'aura Voltaire. De son adolescence, Erasme garda une répulsion pour la vie monastique et la piété formelle. Après des études aux Pays-Bas puis à Paris (1495-1500), il s'écarta de la scolastique et de la mystique et se tourna vers l'idéal humain de l'Antiquité. A Londres le contact avec John Colet fut décisif. De retour dans les Pays-Bas il rencontra Jean Vitrier par qui il prit connaissance d'une partie des enseignements de Wyclif et Jean Huss. Après avoir édité des textes profanes : *Les Adages* et le *De Officiis* de Cicéron, il publia les *Annotations* de Laurent Valla *sur le Nouveau Testament* en 1505, puis en 1516 le *Nouveau Testament*, précédé de discours et introductions où il définit une exégèse critique fondée sur la philologie et l'histoire. On le voit plusieurs fois donner raison au texte lorsque celui-ci est en contradiction avec le dogme. Il ébauche une « philosophie du Christ » faite des affirmations morales, métaphysiques et religieuses que l'on peut tirer des Ecritures. De 1505 à 1520, il parcourt l'Europe, est reçu par des souverains, écrit l'*Eloge de la folie* (1511) qui est une satire des défauts de la société et atteint un public très large. Puis ce sont les *Colloques* en 1522. Mais, à cette époque, Luther a déjà rompu avec Rome et les humanistes sont entraînés dans la crise qui déchire l'Eglise.

La marque de l'humanisme sur la civilisation occidentale

LA CONNAISSANCE

La scolastique ne pouvait donner de réponse satisfaisante au problème de la connaissance. La science le pouvait-elle ? Au xve siècle, elle n'était qu'une annexe de la scolastique. C'est pourquoi on lui posait de but en blanc des questions qui dépasseront pendant longtemps les possibilités de l'esprit humain. Métaphysique et recherche en physique étaient liées.

Cependant curiosité et esprit d'observation se trouvaient chez bien des universitaires, et aussi chez des autodidactes comme Léonard de Vinci ou des semi-artisans comme Bernard Palissy. Les savants cultivent tous les domaines de la connaissance du monde et de l'homme.

Nicolas de Cues (1401-1464), plus connu comme philosophe et théologien que comme savant, avait pensé que le domaine de l'esprit humain est le fini et le relatif et qu'au-delà on ne peut guère procéder que par intuition intellectuelle, en raisonnant par comparaison de proche en proche. D'où le titre de son ouvrage *La Docte ignorance* (1440). De là il tire des séries qui mènent à l'infiniment grand et l'infiniment petit. L'univers devient illimité et il libère l'astronomie de ses anciens cadres. Nicolas de Cues pensait également que l'univers est un et qu'on en peut comparer toutes les parties. De là l'emploi de la mesure qu'il prône dans toute recherche.

Bien qu'on ne puisse guère parler de sciences exactes au xvᵉ siècle, des progrès considérables sont apportés par les universitaires parisiens dans le calcul et par les Allemands Feuerbach et Regiomontanus dans la trigonométrie. Cependant l'algèbre reste concrète. Elle réalise des progrès en Italie au début du xvıᵉ siècle avec Tartaglia et Cardan puis à la fin du siècle aux Pays-Bas avec Stevin. Mais c'est en astronomie que s'accomplissent les plus grandes transformations, avec le Polonais Copernic (1473-1543). Ce qu'on a appelé la « révolution copernicienne » a consisté à placer le Soleil au centre du système planétaire. Révolution hardie puisqu'elle heurtait la Bible, mais incomplète puisque Copernic abandonnait l'idée émise par Nicolas de Cues d'un univers illimité. En fait le système de Copernic apparut longtemps comme une simple spéculation intellectuelle.

Quant à la physique elle vivait sur des entités rendant compte d'un grand nombre de phénomènes. Ainsi le mouvement était expliqué par l'*impetus* dont Nicolas de Cues et Léonard de Vinci font presque un être spirituel. On tend aujourd'hui à voir dans Léonard de Vinci un autodidacte qui a recueilli les enseignements les plus divers des savants de son époque.

La connaissance de la nature est prisonnière des conceptions animistes qui s'appliquent même au règne minéral. On y rencontre également des idées qui resteront sans débouché jusqu'au xxᵉ siècle, comme la hiérarchie des éléments, la transmutation et la perfectibilité des métaux. Cependant, bien qu'empêtrée de spéculations diverses, la science physique accumule les observations et quelquefois les recettes pratiques dont quelques-unes sont d'un grand avenir. Ainsi Paracelse est de ceux qui ont les premiers utilisé les corps chimiques comme médicaments.

La biologie est marquée par la croyance à des corrélations entre les organes humains et le monde extérieur, particulièrement les astres. Mais l'analyse des humeurs, sang, urine, crachats... était déjà pratiquée, ainsi que l'isolement systématique, non seulement des malades, mais également des plaies... L'humanisme a favorisé la connaissance du corps humain. Les médecins commencent à pratiquer les dissections, malgré les foudres de l'Eglise, et les artistes reproduisent les systèmes osseux et musculaire avec une remarquable passion de la vérité. La physiologie suit péniblement les progrès de l'anatomie. On établit la circulation du sang, mais de manière incorrecte. On doit à Ambroise Paré des progrès dans le soin des blessures (invention du garrot pour arrêter les hémorragies). Enfin des savants comme Vésale n'ont pas hésité à secouer l'autorité de Galien.

L'humanisme a encouragé la science, mais ne lui a pas apporté des moyens intellectuels suffisants. Inversement, la science n'a pu agir sur l'humanisme et lui donner de nouveaux aliments. Elle a par contre ébranlé l'autorité des anciens, dont Aristote et Galien, mais, incapable de remplacer celle-ci, elle a créé un grand vide qui contribue, dans la seconde moitié du XVIᵉ siècle, à la crise de l'humanisme.

RENOUVELLEMENT DES THÈMES ET DE L'EXPRESSION LITTÉRAIRES ET ARTISTIQUES

La littérature et l'art marquèrent dans toute l'Europe occidentale une étape capitale. L'Italie où s'était élaborée une nouvelle vision de l'homme et de l'espace resta le pays où ces nouveautés trouvèrent leur plus complète expression. A côté des initiateurs elle eut avant 1530 de nombreux écrivains dont le plus célèbre est l'Arioste (1474-1533) qui dans le *Roland furieux* allie le roman de chevalerie à l'esprit de la Renaissance. Elle eut également une foule de peintres, parmi lesquels le Corrège (1494-1534) chez qui la composition, la forme et le coloris expriment un paganisme facile et voluptueux. Par contre, Machiavel (1469-1527), célèbre par *Le Prince* (1513), traité de politique positive et réaliste, fait figure d'isolé.

Après le sac de Rome (1527), écrivains et artistes ont essaimé dans les cours. Ainsi Jules Romain (1499-1546), élève de Raphaël, passe à Mantoue. Mais la veine créatrice est épuisée. On tire la leçon des réalisations de la période précédente. Serlio écrit un traité d'architecture et Vasari une histoire des artistes où les chefs-d'œuvre du début du siècle sont mis sur le même plan que ceux de l'Antiquité. On pense maintenant que l'art réside dans un savoir-faire, une manière, d'où le qualificatif de maniériste qui est donné aux artistes italiens de cette génération. Le maniérisme a également conquis les arts mineurs, notamment l'orfèvrerie qu'illustre Benvenuto Cellini (1500-1571).

A Venise, toujours un peu en marge de l'Italie, l'art italien prend une orientation nouvelle avec Titien (mort en 1576) et l'architecte San Sovino (1486-1570) qui modèle la place Saint-Marc. Il appartient au Vénitien Palladio (1508-1580) de définir les formes architecturales imitées de l'Antiquité et bien assimilées. La peinture produit encore des chefs-d'œuvre inspirés par l'atmosphère et la grandeur vénitiennes avec le Tintoret (1512-1594) à l'expression pathétique et avec Véronèse (1528-1588) qui illustre le luxe et le décor des fêtes de sa cité.

L'Italie a été également une initiatrice dans l'évolution de la musique. C'est là que, au début du siècle, le Français Josquin des Prés en associant la sensibilité musicale du Nord et l'art des Italiens dota la musique d'œuvres qui connurent une grande vogue et fit école. Au temps du maniérisme naquit le madrigal, œuvre plus légère et plus spontanée, bien dégagée des traditions polyphoniques. Palestrina, rénovateur de la musique religieuse, en publia un recueil en 1555.

Dans les autres pays d'Europe occidentale les exemples donnés par l'Italie butèrent sur la vitalité du gothique flamboyant en tout ce qui était art religieux. On assista même à un épanouissement de ce dernier là où les années de paix intérieure furent assez longues pour permettre l'achèvement de cathédrales ou même la construction de nouvelles églises. Cet art produit encore des œuvres originales mêlant l'expression d'une spiritualité tourmentée et les aspects les plus exubérants de la vie courante. Les thèmes chers à la fin du Moyen Age n'étaient pas épuisés (mises au tombeau, danses macabres, crucifixions...). Tout autant que le siècle précédent, le XVIe siècle associe la familiarité et la hantise de la mort à l'amour débordant de la vie. Tout au moins jusque vers 1530 la sérénité romaine n'a guère d'écho hors d'Italie.

D'ailleurs, si des traits généraux se manifestent dans l'inspiration artistique, ceux-ci se traduisent de manières différentes suivant les sensibilités régionales, voire nationales. L'étiquette commode mais contestable de « primitifs » est toujours complétée par un qualificatif ethnique ou géographique. L'architecture gothique envahie au siècle précédent par une décoration abondante reste fidèle aux traditions du pays : style flamboyant du nord de la France, style perpendiculaire en Angleterre, isabellin en Espagne et manuelin au Portugal, ces deux derniers capables d'assimiler des influences exotiques, mauresques, voire africaines, indiennes.

Les influences italiennes pénétrèrent d'abord dans les cours de François Ier, Henri VIII, Marguerite d'Autriche, régente des Pays-Bas, et chez les hommes d'affaires humanistes d'Allemagne du Sud. Ce fut d'abord l'adoption de motifs ornementaux qui infléchirent les formes flamboyantes et d'éléments d'architecture : escaliers, galeries ouvertes, terrasses, et la pénétration recherchée de la lumière dans les pièces. Mais cela s'accomplit plus par le biais des réparations, aménagements et agrandissements que dans des œuvres nouvelles. C'est seulement à partir de 1530 que les lettres et les arts d'Occident se détachèrent assez des traditions médiévales pour créer des écoles nouvelles largement inspirées de l'exemple italien dont précisément à ce moment le maniérisme rendait la diffusion plus facile.

La Renaissance gagna rapidement l'Espagne bien que les influences flamandes s'y soient exercées pendant quelque temps. Les éléments décoratifs italiens y inspirèrent l'art plateresque. Le sculpteur Berruguete (1480-1561) qui avait étudié en Italie fit école. L'imitation de l'Italie devint complète avec Pedro Machuca (Patio de Charles Quint à l'Alhambra de Grenade) et à l'université de Alcala de Hénarès.

En France, malgré les guerres d'Italie, qui multiplièrent les contacts, il fallut attendre le milieu du siècle pour que les architectes abandonnent dans les châteaux nouveaux le plan du château féodal avec ses tours rondes conservées à Gaillon (1502-1510) ou à Chambord (commencé en 1524). François Ier avait fait venir Léonard de Vinci qui mourut en France sans avoir fait école (1519). Il fut plus chanceux avec le Primatice (1504-1570), qui en 1540 rapporta d'Italie copies et moulages et fut un des initiateurs de l'école de Fontainebleau. La Renaissance qui s'était éveillée principalement sur les bords de la Loire connut grâce aux rois son éclosion à Paris et dans la région parisienne avec Pierre Lescot (1510-1578) au nouveau Louvre, Jean Bullant (1515-1578) et Philibert Delorme (1512-1570), ainsi que le sculpteur Jean Goujon qui aborda les thèmes mythologiques et mit la sculpture funéraire au goût du jour et le peintre François Clouet dont les portraits bannissent l'anecdote. La pénétration fut plus lente en province sauf à Lyon, et dans les arts mineurs, mais produisit des œuvres savoureuses par leur spontanéité et leur assimilation originale des exemples antiques et italiens.

S'appuyant sur une littérature populaire et sur une musique polyphonique illustrée par les créations originales de Clément Janequin *(La bataille de Marignan)*, la poésie évolua plus lentement que l'art. Clément Marot (1499-1544), dernier des grands rhétoriqueurs de la fin du Moyen Age, adopta des thèmes mythologiques. Le renouveau vint principalement de l'engouement pour l'œuvre de Pétrarque dont l'influence gagna Lyon où un cercle littéraire se constitua autour du marchand humaniste Maurice Scève. Les poètes de la *Pléiade*, du Bellay, Ronsard... allièrent les influences italiennes et l'attachement au terroir. Ils imitèrent l'Antiquité et Pétrarque, mais de propos délibéré servirent la langue nationale. La *Défense et illustration de la langue française* (1549) est en quelque sorte leur manifeste.

La Flandre qui dans l'économie européenne constituait un pôle d'attraction distinct de l'Italie garda son originalité. Les édifices, même civils, restèrent plus longtemps fidèles au gothique. Il en fut de même des peintres dont le visionnaire Jérôme Bosch (1450-1516) ou Quentin Metsys (1465-1530). L'influence de l'Antiquité apparaît seulement avec Mabuse (1478-vers 1533). Bruegel l'ancien (1525-1569) sut assimiler les techniques italiennes mais resta Flamand par sa sensibilité à la vie.

Les pays allemands du début du xviᵉ siècle sont toujours voués au gothique. Le sentiment de la vie et de la mort inspire de manière réaliste ou angoissée le sculpteur Veit Voss et le peintre Mathias Grunewald. Mais les marchands humanistes d'Augsbourg et Nuremberg en rapport avec l'Italie favorisèrent les influences italiennes. Cependant les peintres, tel Lucas Cranach (1472-1553), restèrent près de la tradition même lorsqu'ils abordèrent les sujets mythologiques. L'artiste au génie le plus puissant fut incontestablement Albert Dürer (1471-1528) qui porta au sommet la technique toute nouvelle de la gravure et traduisit mieux que quiconque les aspirations de l'humanisme occidental *(La Mélancolie)* et du *Miles Christi (Le Chevalier, la Mort et le Diable)*. Dans les lettres, une veine bourgeoise et populaire puissante cantonna longtemps les influences antiques et italiennes à de petits cercles de savants ou dans quelques cours et maintint en vie les vieilles formes poétiques et les farces. Hans Sachs (1496-1576) fut le dernier des *maîtres chanteurs*, mais Luther ouvrit à la littérature nationale un champ immense commun à toutes les conditions sociales et répandit la connaissance de l'allemand littéraire, par sa traduction de la Bible en allemand et ses cantiques.

En Angleterre l'art de la Renaissance pénétra assez lentement avec la construction du château d'Hampton Court et la venue du peintre allemand Holbein (1497-1543), célèbre par ses portraits des grands personnages. La Renaissance fut un phénomène européen. Elle toucha la Pologne et exerça son influence jusqu'à Moscou où des Italiens travaillèrent au Kremlin, et à Constantinople.

Toutefois cette action fut plus ou moins rapide et profonde suivant les pays. Elle buta partout sur les traditions locales. Elle fut sans doute un agent d'unification de la culture européenne à qui elle fournit des thèmes et des formes d'expression communs, mais elle contribua aussi à confirmer les originalités nationales en rajeunissant et en unifiant les principales langues aux dépens des dialectes.

Textes et documents : Erasme, *Œuvres*, édition bilingue, 1944. Calvin, *Œuvres choisies*, 1909. A. Chastel et R. Klein, *op. cit.* H. Dubief, *op. cit.*

Chapitre IV

LA RÉFORME

Carte III. Bibliographie : Voir chapitre précédent. P. Chaunu, *Eglise, culture et société, essais sur Réforme et Contre-Réforme, 1517-1621,* 1980.

Le concept de réforme est encore plus ancien que celui de renaissance. L'histoire de l'Eglise au Moyen Age est celle d'une suite de réformes suscitées par des papes, des conciles, des fondateurs d'ordres qui ont cherché à la ramener à la pureté primitive en éliminant les abus causés par la présence du clergé dans le siècle. Peu d'esprits avaient osé quitter le sein de l'Eglise pour poursuivre cet idéal. Tant bien que mal jusque-là une solution était intervenue au sein de l'Eglise romaine. Tandis que l'action de Wyclif et de Jean Huss était restée limitée à leur pays, la révolte de Luther donna le signal d'un mouvement qui se répandit dans toute l'Europe occidentale. Toutefois la Réforme ne concerna que la chrétienté occidentale.

Les raisons de cette ampleur et de ces limites sont tout autant sociales que spirituelles. On n'invoque plus aujourd'hui les abus de l'Eglise comme seule cause de la Réforme. On ne peut pas davantage y voir la seule recherche du salut. Ces deux causes n'étaient pas nouvelles. Il faut rappeler que l'homme du xvie siècle ramenait à la religion tout ce qui concernait les conditions de vie, aussi bien politiques et matérielles que morales. Or l'Europe occidentale était en mue. Les épreuves de la Peste Noire, les famines et les guerres, les transformations économiques et sociales, la constitution des nations ne pouvaient pas ne pas agir sur la religion. Les exigences spirituelles d'un plus grand nombre d'hommes au xvie siècle rendaient les abus plus insupportables que par le passé, d'autant plus que l'essor économique et le progrès des communications en augmentaient la portée. C'est cet ensemble complexe qui a fait de la Réforme un mouvement auquel pour la première fois l'unité de l'Eglise d'Occident n'a pu résister.

A. CORVISIER

3

Causes de la Réforme

On peut distinguer des causes religieuses, morales et sociales, en gardant à l'esprit qu'elles sont fortement imbriquées les unes dans les autres.

LES CAUSES RELIGIEUSES

La Réforme, tant catholique que protestante, peut être considérée dans une certaine mesure comme l'aboutissement des inquiétudes religieuses de la fin du Moyen Age. Pourtant, afin de répondre à une tentative de concile convoqué à Pise par le roi de France Louis XII et l'empereur Maximilien (1510), le pape Jules II avait consenti à réunir au Latran un concile œcuménique qui n'apporta pas de remèdes à la crise de l'Eglise (1512-1517). Certes, des réformes sérieuses avaient été effectuées comme celle de Cisneros, mais les abus subsistaient dans la majeure partie de la chrétienté occidentale. L'idée de réforme était dans de nombreux esprits, elle n'était pas suffisamment passée dans les faits.

Au début du XVIe siècle, la foi est vive mais angoissée. Le péché et la mort sont les thèmes des prédicateurs enflammés comme Savonarole, des écrivains tels l'anonyme auteur de l'*Ars moriendi*, des artistes. On s'adresse de préférence au Crucifié qui résume toutes les souffrances humaines (pratique du chemin de croix) et à la Vierge (rosaire, angélus, pèlerinage à Lorette). Par contre on tire des conséquences extrêmes de la communion des saints, dogme consolateur qui permet au pécheur de bénéficier des mérites acquis par les élus, véritable trésor mis en commun dans lequel on aspirait à puiser des *indulgences*, moyennant une sincère communion et une participation aux œuvres de l'Eglise. Cela permettait un certain optimisme qui probablement explique le dynamisme des Européens. Christophe Colomb aurait dit : « L'or est le trésor et celui qui le possède a tout ce qu'il faut dans le monde, comme il a aussi le moyen de racheter les âmes du Purgatoire et de les appeler en Paradis. » Mais parce qu'on use trop de cette confiance dans l'effet des œuvres, se répand l'incertitude sur la valeur des indulgences dont le seul juge est Dieu et une angoisse qui s'exprime dans le chant mortuaire du *Dies irae* composé à la fin du XIVe siècle, où l'homme apparaît seul devant son Juge.

La religion s'individualise par l'effet de pratiques plus personnelles. Elle devient plus intérieure. Les progrès de la mystique vont dans le même sens. L'ockhamisme avait dissocié foi et raison, condamné la scolastique à la décadence et créé une insatisfaction intellectuelle. Par là il ne laissait aux chrétiens que la possibilité de deux attitudes : une foi rituelle et desséchée ou bien la recherche de la connaissance mystique. Dans le milieu des *Frères de la Vie commune* est écrite l'*Imitation de Jésus-Christ* qui, après la Bible, fut le livre le plus souvent édité aux débuts de l'imprimerie. Ruysbroek en Flandre et à Paris répandait ce mysticisme. Que ce soit en milieu populaire ou intellectuel et quelle que soit son origine, le mysticisme conduit des âmes d'élite à accepter le martyre même du fait de l'Eglise plutôt que de se rétracter.

Au moment où commence la Réforme, l'Eglise reste aux prises avec des hérésies non éteintes où l'on trouve plusieurs des idées qui formeront l'essentiel du protestantisme. Rome confondait sous le terme d' « hérésie bohème » non seulement les disciples de Jean Huss, mais ceux de Wyclif *(lollards)*, et même les Vaudois qui proclamaient l'Ecriture seule source de vérité, rejetaient l'autorité de Rome et de la tradition, les sacrements sauf le baptême et la communion, le Purgatoire et le culte des saints et s'efforçaient de pratiquer fraternité et pauvreté. Le mouvement hussite avait gagné le peuple tchèque et soutenu sa résistance à la germanisation. Jean Huss avait également fait de l'Ecriture la seule source de vérité, mais reconnaissait l'autorité de Rome qu'il aurait voulu amener à ses vues. De plus il admettait que chacun pouvait interpréter librement la Bible. En accordant des concessions dont la communion sous les deux espèces *(sub utraque specie)*, Rome avait fait éclater le mouvement hussite. De l'Eglise utraquiste devenue officielle et conformiste se détachaient les taborites qui ajoutaient une sorte d'évangélisme social et les Frères bohèmes. Hors de la Bohême et des petits noyaux vaudois, le retour à l'Ecriture et l'aspiration à une religion simplifiée étaient diffusés en Angleterre, où pourtant les lollards avaient été traqués, et en Europe centrale.

Tous ces mouvements tendent à rejeter la tradition catholique et à faire de la Bible le seul fondement de la croyance. Le retour à la Bible est aidé par l'invention de l'imprimerie qui en permet la diffusion dans les milieux laïcs. Les traductions de la Bible en langue vulgaire se multiplient. Celle de Luther sera la dix-septième en allemand.

Or l'humanisme des pays occidentaux, épris de religion intérieure, s'acheminait vers la croyance au salut par la foi exprimée par Lefebvre d'Etaples, tandis que l'idéal du *Miles christi* armé de la culture de l'esprit était précisé par Erasme. Dans le même temps les humanistes appliquaient aux textes sacrés la méthode critique de Laurent Valla, renforçaient l'intérêt porté à la Bible qu'ils voulaient mettre à la disposition d'un plus grand nombre. Enfin leur confiance dans l'homme les mettait sur la voie de la libre interprétation des Ecritures. Toutefois ils restaient soumis à l'Eglise dont ils espéraient qu'elle pourrait se réformer sans rupture et la plupart refusèrent de se joindre aux protestants.

Erasme a profondément marqué toute une génération. L'érasmisme n'est pas une doctrine mais une tendance à une religion simplifiée, accordant foi et raison, fondée sur l'Ecriture, où le libre examen est possible à une élite. Le prestige intellectuel, la modération de ton et l'esprit de compromis d'Erasme lui donnaient une grande audience non seulement auprès des papes, mais également des souverains, des hommes d'Etat, des intellectuels. De plus l'érasmisme imprégnait la bourgeoisie de manière diffuse. Mais il ne donnait pas toujours satisfaction aux âmes, car il risquait de désincarner la religion par une certaine indifférence au dogme et n'avait guère d'influence dans les milieux populaires.

LES CAUSES MORALES

Avant 1520 Erasme avait insisté plus que Luther sur les abus dont témoignait le clergé. Ces abus ont mis l'Eglise en état de moindre résistance et une fois la rupture consommée ont fourni des arguments polémiques à ses adversaires. Il est certain qu'au début du XVIᵉ siècle, si la religion est partout présente dans la vie quotidienne, inversement le profane se mêle au sacré le plus naturellement du monde, même dans les offices. Les abus dans le clergé étaient réels. Alexandre VI Borgia s'occupait trop bruyamment de ses enfants, Jules II de la politique italienne, Léon X de constructions. Beaucoup d'évêques avaient acheté les suffrages de leur chapitre, cumulaient les bénéfices, disaient trop rarement la messe. Des prêtres vivaient en concubinage, vendaient les sacrements et menaient la même vie que leurs paroissiens. Des moines vagabondaient. La dignité du sacerdoce était d'autant plus ravalée que les prédications violentes contre les abus ne manquaient pas. Ainsi Savonarole, qui était tout à l'opposé des humanistes, avait imposé à Florence un ordre chrétien qui par sa rigueur annonce en bien des points celui que Calvin devait instituer à Genève. L'idée était répandue depuis le Grand Schisme que l'Eglise devait être réformée dans son chef et dans ses membres.

Le Saint-Siège était particulièrement paralysé. La reconstitution difficile de l'Etat pontifical après le Grand Schisme, le mécénat des papes, leur rôle politique faisaient d'eux des princes italiens et réduisaient leur autorité sur l'Eglise au moment où les sentiments nationaux se développaient et incitaient les fidèles à affirmer l'autonomie des Eglises nationales. Le pape ne mit fin à l'hostilité de l'Eglise gallicane qu'en abandonnant pratiquement au roi de France, après le concordat de Bologne (1516), tout ce qui concernait la discipline. L'Inquisition espagnole était aux mains des souverains. Le maintien de la fiscalité pontificale, particulièrement lourde en Allemagne et en Angleterre, faisait à Rome beaucoup d'ennemis. Enfin les papes redoutaient d'avoir à convoquer un concile œcuménique qui pourtant apparaissait comme l'ultime recours à tous ceux qui souhaitaient une réforme profonde.

CAUSES ÉCONOMIQUES, SOCIALES ET POLITIQUES

Les facteurs économiques, sociaux et politiques peuvent expliquer les prises de position des fidèles et par conséquent la rupture de l'unité. Rappelons que tout mécontentement s'exprimait de façon religieuse. Depuis le milieu du XVe siècle, le rôle croissant de l'argent est ce qui suscite le plus d'indignation. Les prédicateurs dominicains vouent l'usurier à la damnation. Tous ceux que les transformations économiques atteignent, petite noblesse, artisans des métiers où s'installe le capitalisme commercial, paysans de certaines régions, écoutent ces prédications avec passion. Depuis les troubles sociaux du XIVe siècle, la révolte contre la misère prend facilement la forme de conquête du royaume de Dieu. Les débuts du capitalisme commercial entretiennent les antagonismes entre les villes en plein essor et les campagnes. Enfin les humanistes avaient fait une place aux dames de cour et certaines (Marguerite d'Angoulême) jouèrent un rôle dans le mouvement érasmien où elles apportèrent parfois un esprit passionné.

Les raisons économiques, sociales et politiques ont probablement été plus fortes en Allemagne qu'ailleurs. Dans les villes du Sud on trouvait des foyers érasmiens recrutés parmi les hommes d'affaires humanistes qui d'ailleurs restèrent fidèles à l'Eglise, des chevaliers appauvris, des paysans et artisans qui n'avaient pas bénéficié comme en France du mouvement économique suscité par la reconstruction et souffraient du rôle joué par les hommes d'affaires. En l'absence d'une monarchie nationale forte, capable de défendre les fidèles contre l'avidité de la fiscalité pontificale, les principautés ecclésiastiques présentant les mêmes défauts que l'Etat pontifical se renforçaient. Les princes laïques aspiraient à réduire le rôle de l'empereur et à se substituer à lui comme chefs temporels de l'Eglise dans leurs domaines. Cette structure politique explique le fait que la prédication des indulgences ait pris en Allemagne un caractère plus scandaleux qu'ailleurs et suscité la réaction décisive.

Luther et la Réforme hors de l'Eglise

Le 31 octobre 1517, Martin Luther faisait afficher à Wittenberg 95 thèses dénonçant la fausse sécurité procurée par les indulgences dont le pape et Albert de Brandebourg avaient confié la prédication et la vente aux Dominicains. Bien que ce scandale ait déjà été dénoncé, l'initiative de Luther eut des développements inattendus.

LA RÉVOLTE DE LUTHER

Luther (1483 ?-1546), fils d'un paysan aisé devenu petit entrepreneur de mines, avait été élève des Frères de la Vie commune, puis de l'université d'Erfurt gagnée à un humanisme de tendance anticléricale. Cependant, hanté par le péché originel, il ne partageait pas la confiance des humanistes en l'homme. Préoccupé par son propre salut, il devint moine, prêtre, docteur en théologie, professeur à l'université de Wittenberg. Tandis qu'il s'appliquait aux œuvres sans en retirer la certitude du salut, il trouva la réponse à ses angoisses dans l'étude des mystiques, de saint Augustin, de Lefebvre d'Etaples et surtout de la Bible.

Luther en arriva à l'idée que l'homme déchu par le péché originel ne pouvait être sauvé que par les seuls mérites de Jésus-Christ. Dieu donne le salut par grâce à celui qui croit en la promesse de la grâce faite par le Christ. Par conséquent les œuvres sont inutiles au salut et l'homme est libre vis-à-vis de la loi. Luther en appelait au pape. Tempérament sensible et même violent, il mit dans son action une flamme qui avait manqué à Lefebvre ou Erasme. Mais son drame intérieur était celui de beaucoup d'hommes et les 95 thèses eurent un rapide succès.

Cependant trois ans s'écoulèrent avant la rupture avec Rome, pendant lesquels Luther précisa sa pensée. Les humanistes prirent position, la plupart en sa faveur, certains même se montrant plus hardis que lui, tandis que la papauté tergiversait au moins jusqu'à l'élection impériale de 1519 et qu'Erasme, le nouvel Empereur Charles-Quint et plusieurs princes allemands dont l'Electeur de Saxe Frédéric le Sage s'employaient à éviter un schisme.

Les faits marquants de cette période sont la « dispute de Leipzig » (juillet 1519) et la publication en 1520 des œuvres essentielles de Luther. Dans *La papauté de Rome*, le réformateur affirmait que « le Royaume de Dieu est au-dedans de nous ». Par l'*Appel à la noblesse chrétienne de la nation allemande* il appelait les princes, nobles et magistrats à lutter contre la tyrannie de Rome, à réformer la vie chrétienne et mettait l'accent sur le sacerdoce universel. Dans *La captivité babylonienne de l'Eglise*, il s'insurgeait contre la hiérarchie romaine qui ayant fait des sacrements le moyen de la grâce en profitait pour dominer les âmes ; il ne reconnaissait que trois sacrements : le baptême, grâce gratuite accordée par Dieu, et sans que nul ne puisse s'interposer entre Dieu et le chrétien, la cène, promesse divine, et la pénitence. Dans son traité, *De la liberté du chrétien*, il affirmait que l'âme illuminée par la foi devenait libre à l'égard de tout ce qui n'était pas Dieu. Lui ayant donné la grâce du salut, Dieu inspirait au vrai chrétien l'amour de Dieu et du prochain. N'étant soumis à personne, le chrétien se soumettait à tous et par là même acceptait le rôle humain des œuvres. Beaucoup d'humanistes espéraient provoquer la réforme attendue en retenant Luther dans l'Eglise.

Cependant on trouvait dans les écrits et les propos de Luther des conclusions pratiques. Il réclamait la formation d'une Eglise nationale autonome, la suppression des ordres mendiants et du célibat ecclésiastique, la communion sous les deux espèces, des mesures contre le luxe et l'usure. Malgré sa révolte contre Rome et l'argent, il se montrait respectueux de la hiérarchie sociale et même ecclésiastique. Ce programme luthérien tenta la petite noblesse qui poussa Luther à la rupture avec Rome.

L'attitude des princes fut décisive. L'élection impériale rendait les mains libres au pape Léon X et le nouvel empereur manifestait le désir de renforcer son pouvoir en Allemagne grâce à l'appui de ses Etats espagnols. Aussi l'indépendance religieuse que proposait Luther apparut aux princes comme le complément de leur indépendance vis-à-vis de l'Empereur et du pape.

C'est dans ces conditions que Luther brûla à Noël 1520 la bulle *Exsurge domine* qui le condamnait et fut excommunié. Venu à la diète de Worms avec un sauf-conduit, il refusa de se rétracter (avril 1521), se sépara de l'Eglise, fut mis au ban de l'Empire mais sauvé par l'Electeur de Saxe qui lui permit de se cacher à la Wartburg.

LA CONFESSION D'AUGSBOURG

Lorsque Luther sortit de la Wartburg où il s'était occupé de traduire la Bible et de composer des cantiques, le mouvement de réforme hors de l'Eglise romaine s'était répandu mais diversifié.

Du côté de l'Eglise, Luther se heurta à Erasme qui dans son traité *Du libre arbitre*, écrit en 1524 à la demande d'Henri VIII d'Angleterre, défendait l'idée que si le péché originel avait corrompu la volonté et l'intelligence humaine il ne les avait pas anéanties et que l'homme pouvait faire confiance à la raison aidée de la grâce. Luther répondit en 1525 par *Le Serf arbitre*, de ton violent, où il affirmait la prédestination.

D'autres réformateurs dépassant la pensée de Luther prétendaient que la révélation est donnée non par l'Ecriture, mais par une illumination de l'esprit. Carlstadt avait supprimé la messe et les images. Munzer, esprit brillant et radical, prônait l'action militante qui poussait le vrai chrétien à souffrir pour Dieu. Au contact des taborites, il mettait cette action au service de l'évangélisme social. Ces prédications exaltées suscitèrent des révoltes.

En 1523, à l'appel de Franz de Sickingen et de Ulrich de Hutten, les chevaliers de Souabe et de Franconie attaquèrent les principautés ecclésiastiques et partagèrent les terres entre les paysans qu'ils appelaient à la révolte contre Rome et les hommes d'affaires. Ils furent vaincus par les princes, les évêques et le patriciat urbain. Cependant les paysans encouragés par Munzer se soulevèrent à leur tour (1525), gagnant souvent le prolétariat urbain. Catholiques et luthériens s'unirent pour les écraser.

Les conséquences de ces guerres furent considérables. La base sociale du luthéranisme se rétrécit. Effrayés, certains abandonnèrent Luther et se rapprochèrent de l'Eglise romaine, tandis que d'autres inclinaient Luther à donner aux Eglises réformées une constitution hiérarchisée sous la direction des princes, ce qui eut pour effet d'éloigner de lui l'actif mouvement des sacramentaires né dans les villes marchandes de Suisse.

Cependant le mouvement luthérien gagnait dans les pays allemands où aux princes laïcs favorables se joignaient les princes ecclésiastiques qui avaient sécularisé leur bénéfice, tel Albert de Brandebourg, grand maître de l'Ordre teutonique qui devint duc de Prusse. A partir de 1530, les princes luthériens prirent une part plus grande à la politique européenne. Ils conclurent entre eux la ligue de Smalkalde (1531) qui prit contact avec le roi de France. On les vit tantôt se rapprocher des princes catholiques par crainte de l'Empereur ou de la subversion sociale et s'en éloigner lorsque Charles-Quint faisait des tentatives de conciliation religieuse. En 1529, ils protestèrent contre le maintien des mesures prises envers Luther, d'où le nom de « protestants » qui leur fut donné. Les théologiens eux-mêmes se divisaient. L'humaniste Mélanchthon (1497-1560) s'ingéniait à trouver un terrain d'entente avec les catholiques. Charles Quint ayant convoqué dans ce but une diète d'Empire à Augsbourg, Mélanchthon rédigea la *Confession luthérienne d'Augsbourg* en esquivant bien des problèmes. Mais Charles Quint refusa toutes les confessions réformées qui avaient été présentées et, de son côté, Luther se montra intransigeant dans les articles de Smalkalde (1537). Une dernière tentative d'accord entre Mélanchthon et Rome échoua en 1541 devant l'intransigeance du pape et de Luther. En 1555, par la paix d'Augsbourg, Charles Quint reconnaissait une existence officielle aux Eglises luthériennes. Les sujets devaient suivre la religion de leur pays *(Cujus regio, hujus religio)*, en fait de leur prince.

Le luthéranisme avait gagné les deux tiers de l'Allemagne, mais perdu son dynamisme. Cependant il avait ouvert la porte à d'autres réformes, œuvres des princes, des patriciats urbains *(sacramentaires)*, ou proposées aux éléments populaires *(anabaptistes)*.

Les réformes princières restèrent proches du modèle allemand. Lorsqu'en 1523 la dynastie des Vasa donna à la Suède son indépendance, elle installa progressivement le luthéranisme en Suède et en Finlande. Le roi de Danemark en fit autant dans ses Etats à partir de 1526. Les résistances catholiques en Norvège et en Islande eurent un aspect national.

SACRAMENTAIRES ET ANABAPTISTES

Zwingli (1484-1531) ne devait rien à Luther. C'était un humaniste et un meneur d'hommes. Prêchant à Zürich dès 1518, il insistait davantage sur la prédestination que sur la justification par la foi. D'esprit rationaliste, il faisait du baptême et de la cène des cérémonies purement symboliques et leur déniait toute valeur de sacrement. En 1523, il triomphait à Zürich dont il fit une cité de Dieu, grâce à l'appui de la bourgeoisie marchande à qui plaisait la netteté de ses vues, son patriotisme et l'énergie avec laquelle il élimina les anabaptistes. Il entraîna plusieurs cantons dans sa réforme et prit la direction d'une ligue armée. Le mouvement sacramentaire, à l'exemple de Zürich, gagna Bâle, la Suisse romande avec Guillaume Farel, l'Alsace où Bucer dirigea la réforme à Strasbourg. Zwingli rompit avec les luthériens en 1529 et succomba devant l'armée des cantons restés catholiques à la bataille de Kappel (1531). Les sacramentaires présentaient une confession à part à la diète d'Augsbourg et Luther rejeta finalement l'entente par les articles de Smalkalde (1537). En marge du luthéranisme, la réforme sacramentaire devait préparer la voie au calvinisme.

L'anabaptisme apparut partout où les réformateurs soumettaient l'Eglise au pouvoir politique (H. Dubief). Considérant qu'on ne pouvait être chrétien que par une conversion personnelle, les anabaptistes ne reconnaissaient que le baptême des adultes. Ils ne cherchaient pas à gagner la multitude et admettaient la tolérance. Mais ils refusaient l'autorité de l'Etat et considéraient la propriété individuelle comme un péché. Jean de Leyde qui s'était emparé de Münster y fit régner la terreur (1533-1535). Les anabaptistes furent alors traqués par les catholiques et protestants. Toutefois Menno Simons (1496-1559) restitua à l'anabaptisme le caractère pacifique de ses débuts. Quelques petits noyaux mennonites s'installèrent dans les Pays-Bas et en Europe centrale.

Le luthéranisme n'avait pas pu garder le caractère universel de ses débuts. Il était devenu surtout allemand. D'Allemagne il avait gagné les royaumes scandinaves peu peuplés et pénétré en Bohême, Hongrie, Transylvanie, Lithuanie. En 1542, il avait établi une entente avec les Frères bohèmes, mais ailleurs il se heurtait à la résistance des catholiques ou était supplanté par le calvinisme.

Calvin et la deuxième vague de la Réforme

LES DÉBUTS DE LA RÉFORME EN FRANCE

Lorsque Calvin devint le guide de la réforme française, celle-ci avait déjà une longue histoire. La France offrait aux aspirations de réforme un terrain bien différent de l'Empire. Le pouvoir royal s'y était renforcé et pouvait contre Rome défendre l'Eglise de France. Celle-ci avait connu

une large autonomie avec la Pragmatique Sanction de Bourges. Depuis
le concordat de Bologne (1516), l' « Eglise gallicane » dépendait du roi
pour la discipline. Sa réforme ne pouvait donc réussir que si le roi le
voulait. Le désir de réformer l'Eglise était très fort. Louis XII et le
cardinal Georges d'Amboise avaient tenté une réforme des ordres religieux.
François Iᵉʳ et Marguerite d'Angoulême étaient gagnés à l'humanisme et
participaient au courant érasmien. Avec Lefebvre d'Etaples la voie d'une
réforme profonde s'était ouverte en France plus tôt même qu'en Allemagne, mais elle restait limitée à de petits cercles de lettrés qui espéraient
bien la maintenir dans l'Eglise catholique. L'évêque de Meaux, Briçonnet,
rassemblait autour de lui Lefebvre et ses disciples, Farel, Roussel. Une
réforme disciplinaire était mise en train par Briçonnet dans son évêché.
Elle était fortement teintée d'évangélisme puisque les prières étaient
dites en français, les images bannies, le culte de la Vierge et des saints
réduit.

Cependant certains des nombreux prédicateurs populaires prenaient à leur
compte les affirmations de Luther. La Sorbonne condamna le luthéranisme
en 1521, mais le roi protégea le « groupe de Meaux » jusqu'au désastre de Pavie
(1525) qui provoqua une angoisse collective. Toutefois le roi était encore retenu
dans les sentiments érasmiens par sa sœur Marguerite d'Angoulême et la nécessité
où il se trouvait de chercher l'appui du roi d'Angleterre Henri VIII et des princes
luthériens d'Allemagne.
L'effervescence religieuse croissait. On trouvait dans presque toutes les provinces de petits foyers favorables aux idées luthériennes ou sacramentaires, mais
surtout à Paris, dans les villes de commerce comme Lyon, et en Béarn où Marguerite
d'Angoulême, reine de Navarre, avait fait de sa cour de Nérac un refuge pour
les disciples de Lefebvre. Tous les groupes sociaux des villes étaient touchés :
clergé, petite noblesse, bourgeoisie de robe ou bourgeoisie marchande et même
certains métiers comme l'imprimerie. Une révolte populaire survenue à Lyon
en 1529, la *Rebeine*, mêlait des influences luthériennes aux revendications sociales.
L'inquiétude des esprits restés attachés à la foi catholique s'en accrut.

Le ton monta avec la provocation des « Placards » (le 18 octobre 1534).
Des affiches apposées simultanément à Paris, Orléans, Tours, Blois et
jusque sur la porte de la chambre du roi attaquaient violemment la messe.
Cela prenait l'aspect d'une affaire d'Etat. François Iᵉʳ sévit. Des luthériens
furent brûlés, les chefs de la Réforme s'enfuirent tandis que des processions
expiatoires montraient la force de l'attachement à la foi traditionnelle.
C'est alors que Calvin se fit l'avocat des réformés persécutés et publia
l'*Institution chrétienne* en latin (1536), puis en français (1541).

CALVIN

Jean Calvin (1509-1564), fils d'un administrateur de bien du chapitre de la cathédrale de Noyon, étudia les arts libéraux à Paris, puis le droit à Orléans et Bourges. Humaniste, il fut gagné à la pensée de Lefebvre d'Etaples, se convertit à la Réforme, résigna ses bénéfices et s'enfuit à Strasbourg puis à Bâle après l'affaire des Placards.

Avec l'*Institution chrétienne*, Calvin détache la réforme française de ses guides. La première édition est précédée d'une épître justificative à François Ier. Dans les éditions suivantes, latines ou françaises, le plaidoyer cède la place au traité dogmatique. L'œuvre est caractérisée par la rigueur et la clarté du raisonnement où se révèle le juriste. Calvin s'est incorporé la pensée de ses prédécesseurs, mais il la renouvelle à un moment où l'élan spirituel de la Réforme protestante se ralentissait.

L'idée essentielle de Calvin est que Dieu nous est transcendant et incompréhensible. Nous ne savons de lui que ce qu'il a bien voulu nous révéler par l'Ecriture, y compris l'Ancien Testament négligé par Luther. Sans l'Ecriture l'homme ne peut avoir de Dieu qu'une idée fausse car le péché originel a affaibli son intelligence. La foi ne peut être que l'effet de la grâce divine. Le traité de la *Prédestination éternelle de Dieu* (1552) précise un point capital dans la pensée de Calvin. La prédestination est absolue. Dieu à l'avance « ordonne les uns à la vie éternelle, les autres à l'éternelle damnation ». « Election et réprobation sont des actes entièrement libres de Dieu » (J. Delumeau). La grâce est irrésistible. Le signe en est la foi dont Dieu nous fait présent. De cette foi découle la certitude du salut. Comme tous les réformateurs, Calvin rejette l'idée que les sacrements peuvent donner ou rendre la grâce, mais il écarte également l'interprétation symbolique donnée par les sacramentaires. Il fait du baptême et de la cène le témoignage de la grâce de Dieu et une aide offerte par Lui. La cène devient une participation réelle aux bienfaits de la nature humaine du Christ.

La conception que Calvin avait de la prédestination et de la cène rencontrait des résistances chez les sacramentaires et la confession helvétique de 1562 adopta le point de vue de Zwingli.

L'EXPANSION DU CALVINISME

Le pessimisme de la théologie calvinienne fut générateur d'action. La certitude du salut pousse le calviniste à œuvrer pour la gloire de Dieu en militant. Avec Calvin la Réforme trouva un nouvel élan.

En 1536, Farel, qui avait entrepris de rallier la Suisse romande à la Réforme, rencontrant des difficultés à Genève y appela Calvin. Le patriciat genevois inquiet de leur rigorisme bannit les deux réformateurs. Calvin alors passa à Strasbourg et fut en contact avec Bucer. Rappelé à Genève, il y imposa les *ordonnances ecclésiastiques* de 1541 qui en fait impliquaient une réforme de l'Eglise et de la société. L'Eglise intimement liée à l'Etat ne lui était pas soumise. Au contraire elle s'en faisait l'inspiratrice. Ses institutions reposaient sur quatre ministères collégiaux : les pasteurs, cooptés (prédication), les docteurs nommés par les pasteurs (enseignement), le consistoire formé de pasteurs et d'anciens désignés par le Conseil de la ville assisté de dizainiers chargés d'encadrer la population (contrôle de la foi), les diacres (assistance). Sans magistrature officielle, Calvin exerça une véritable dictature. Mais cela ne se fit pas sans luttes. Le Grand Conseil de Genève disputait au consistoire le droit d'admettre à la communion et d'excommunier. Calvin appuyé par de nombreux réfugiés français voulait imposer une inquisition rigoureuse à l'égard des pratiques catholiques, anabaptistes ou même profanes comme la danse, le théâtre et les jeux. Un parti national soutenu par le patriciat y faisait obstacle. A partir de 1555 l'autorité de Calvin fut incontestée.

Cette autorité dépassait le cadre de la cité comme en témoigne l'affaire de Michel Servet. Celui-ci appartenait au courant antitrinitaire qui, illustré par Lelio Socin, s'était insinué à Lyon, dans quelques villes de Suisse avant de trouver refuge en Pologne. Michel Servet niait le péché originel et le dogme de la Trinité. Il fut poursuivi par l'archevêque de Lyon, arrêté à Genève, condamné à mort par les Eglises suisses et brûlé vif (1553). Calvin ne rencontra aucune protestation dans le monde chrétien, si ce n'est de Sébastien Castellion.

En 1558, Calvin fonda l'Académie de Genève destinée à former des pasteurs et des missionnaires, dont le directeur fut Théodore de Bèze. Genève devint une capitale ; au XVIe siècle elle fut le principal foyer du calvinisme. Son Eglise servit de modèle dans les pays de langue française, aux Pays-Bas, en Allemagne rhénane. En Bohême, Hongrie et Pologne, le calvinisme submergea le luthéranisme mais se heurta à la résistance du catholicisme dominant et aussi des anabaptistes.

Il fit en France de grands progrès. Suivant un schéma grossier, en 1559 dix à vingt pour cent des éléments populaires, le tiers de la bourgeoisie, la moitié de la noblesse y étaient gagnés. La famille royale elle-même était atteinte avec les Bourbons et cela devenait une affaire d'Etat. Mais l'Etat veillait au maintien de l'orthodoxie catholique et empêcha le pays de basculer dans le camp de la Réforme. L'exemple du roi et une législation répressive de plus en plus dure en limitèrent les progrès dans le clergé et contrebalancèrent souvent l'influence que les nobles pouvaient avoir dans leurs fiefs. Le passage à la Réforme d'une bonne partie de la noblesse eut pour effet de faire sortir le calvinisme de la clandestinité et de lui donner des institutions. Des Eglises furent « dressées ». Une organisation régionale et nationale fut mise sur pied. En 1559 se tint à Paris le premier synode national de l'Eglise réformée qui adopta la confession de foi de La Rochelle inspirée par Calvin.

Le calvinisme se répandit également dans les Pays-Bas où l'humanisme et la Renaissance avaient gardé un caractère national assez marqué. Le luthéranisme parvenu à Anvers en 1520-1521 y avait été balayé par la répression. Par contre l'anabaptisme pacifique des mennonites s'y maintenait. Venu de France, le calvinisme s'implanta à Anvers et Tournai à partir de 1540. Il donna au parti national des moyens spirituels de lutte contre les Espagnols catholiques.

En Ecosse la Réforme venue d'Angleterre rencontra d'abord peu d'écho. Mais le sentiment national joua en faveur de la Réforme lorsque la reine d'Angleterre Marie Tudor ramena momentanément l'Angleterre au catholicisme et que la régente d'Ecosse Marie de Lorraine lia ce pays à la France. John Knox, formé à l'Académie de Genève, revenu en 1559 dans son pays, entreprit la lutte contre la dynastie des Stuarts et s'y montra un remarquable organisateur. L'aristocratie passa à la Réforme tandis que hobereaux et paysans de ce pays pauvre convoitaient les biens de l'Eglise. Le calvinisme y connut un triomphe éclatant. Le Parlement adopta une confession de foi rédigée par J. Knox. L'Eglise presbytérienne d'Ecosse était organisée par le *Livre de discipline* d'une manière plus démocratique que celle de Genève puisque les pasteurs étaient élus par les fidèles.

La Réforme anglaise

En Angleterre la Réforme revêtit un caractère original. Les Tudors ayant imposé à leur royaume un absolutisme de fait, grâce à un Parlement docile, la Réforme y était comme en France dans les mains du roi, mais, à la différence de l'Eglise française, l'Eglise anglaise n'avait pas de traditions d'autonomie. Au contraire, le Saint-Siège levait sur l'Angleterre un impôt assez lourd (annates). Aussi la papauté était impopulaire. Le clergé possédait de grands domaines assez durement gérés. Wyclif avait déjà demandé un retour à la simplicité primitive de l'Eglise. Les lollards qui se réclamaient de Wyclif maintenaient au xvie siècle chez les petites gens un courant à la fois religieux et social de retour à l'Evangile. L'humaniste John Colet († 1519) répandait dans les élites un humanisme réformateur qui influença Erasme et prépara les esprits à l'érasmisme. Une partie du haut clergé, les chanceliers successifs, le cardinal Wolsey, puis Thomas More et le souverain Henri VIII furent gagnés. D'ailleurs, à part quelques exceptions dont John Colet, les humanistes anglais condamnèrent Luther. Henri VIII publia un traité justifiant les sept sacrements, ce qui lui valut du pape le titre de « Défenseur de la foi ». La persécution des luthériens commençait.

Or, pour des raisons extérieures à la religion, l'Angleterre fut engagée dans un schisme que seul l'attachement d'Erasme à l'Eglise romaine empêche de qualifier d'érasmien. Henri VIII n'ayant pas eu de fils de la reine Catherine d'Aragon et épris d'Anne Boleyn avait demandé en vain au pape l'annulation de son mariage. En 1531 il se fit proclamer par le Parlement protecteur de l'Eglise anglaise. Les annates versées au pape seraient perçues pour le roi. Le clergé remit au roi la direction de l'Eglise. Thomas More qui n'approuvait pas ces innovations fut remplacé à la chancellerie par Thomas Cromwell. Henri VIII fit annuler son mariage par l'archevêque de Cantorbery et épousa Anne Boleyn. En novembre 1534, le Parlement votait le premier *Acte de suprématie* qui établissait le roi « Chef suprême sur Terre de l'Eglise d'Angleterre ». Les Anglais devaient se soumettre par serment à cette suprématie faute de quoi ils seraient excommuniés et poursuivis par la justice du roi. Il y eut peu de résistance si ce n'est celle de Thomas More qui fut décapité. Le clergé régulier supprimé, ses biens dévolus à la couronne furent vendus. La nomination des évêques revint pratiquement au roi. La vente des biens du clergé régulier permit au roi d'attacher leurs acquéreurs à la rupture avec Rome. Sous l'influence de Thomas Cromwell, Henri VIII rapprocha momentanément l'Eglise anglaise du luthéranisme (1536), mais en 1539 il réaffirma l'orthodoxie catholique par la confession des six articles. Th. Cromwell fut exécuté.

A la mort d'Henri VIII survenue en 1547, la couronne passa à son fils Edouard VI, un enfant débile. Les « protecteurs » du roi, Somerset puis Warwick, l'archevêque Thomas Cranmer et enfin le roi lui-même acheminèrent l'Angleterre vers le calvinisme. En 1552 fut rédigé le nouveau livre de prières et promulguée une confession de foi en 42 articles à laquelle John Knox avait travaillé. Les églises furent vidées de leurs objets liturgiques. Ainsi s'implanta en Angleterre un courant qui alimentera le puritanisme tandis que renaissaient les espoirs égalitaires des lollards.

En 1553 succédait à Edouard VI Marie Tudor, fille de Catherine d'Aragon, restée catholique. La reine essaya de réconcilier l'Angleterre et Rome. Assistée des conseils de son cousin le cardinal Pole qui était érasmien, elle procéda d'abord avec modération. En 1555 le Parlement vota le retour à l'obédience romaine. Les biens d'Eglise sécularisés devaient rester à leurs nouveaux possesseurs. La tentative de restauration catholique fut compromise par le mariage de Marie Tudor avec Philippe II d'Espagne et par une répression sanglante du soulèvement de Thomas Wyatt. Le catholicisme romain apparaissait à la plupart des Anglais comme la religion de l'étranger, voire de l'ennemi.

Marie Tudor étant morte en 1558, sa demi-sœur, Elisabeth, fille d'Anne Boleyn et par là même bâtarde aux yeux de Rome, revint à la religion d'Henri VIII. Le Parlement toujours docile vota le rétablissement de l'*Acte de suprématie* et celui du livre de prière de 1542. En 1563 était définie la *Confession des 39 articles* qui maintenait la hiérarchie épiscopale et un culte d'apparence catholique. Le dogme se situait plus près du calvinisme que du catholicisme érasmien. Ainsi naissait une confession religieuse originale, l'anglicanisme, qui comme le luthéranisme marquait un coup d'arrêt à l'évolution rapide du dogme en milieu réformé, à l'illuminisme et à la subversion sociale qui pouvait en découler.

La Réforme catholique

Dans l'attitude du monde catholique on peut distinguer trois aspects : la Contre-Réforme, c'est-à-dire la défense de la foi par l'apologétique et aussi par les persécutions, la réforme disciplinaire et doctrinale, enfin la renaissance catholique avec réveil de la foi et de l'élan missionnaire. La Contre-Réforme appartient autant à l'histoire politique et à l'histoire des mentalités qu'à l'histoire religieuse. Elle ne distingue guère le monde catholique du monde protestant. Dans les deux camps une égale intolérance suscite des persécutions comparables. La défense de l'orthodoxie était considérée partout comme le devoir de l'Etat, le non-conformisme religieux apparaissant non seulement comme une subversion, mais comme une trahison. L'histoire de la renaissance catholique déborde le cadre de ce chapitre, puisqu'elle se prolonge pendant la plus grande partie du XVIIᵉ siècle et sort des limites de l'Europe. Par contre, l'étude de la réforme catholique est inséparable de celle de la réforme protestante. Elle se développe à peu près à l'époque de Calvin. On peut la diviser en deux périodes. La première est caractérisée par l'espoir persistant d'un retour à l'unité de l'Eglise. Dans la seconde, qui commence en 1541, l'Eglise romaine s'étant résignée à la rupture s'organise en fonction de ses seules perspectives.

LA NOSTALGIE DE L'UNITÉ

En 1522 mourait Léon X. Les cardinaux, inquiets du développement du luthéranisme, élisaient pape un cardinal hollandais, Adrien VI, qui semblait bien préparé aux tâches urgentes de la papauté. C'était un humaniste, ami d'Erasme et ancien précepteur de Charles Quint, qui mourut prématurément. Son successeur, un Médicis, Clément VII (1523-1534), sous-estima l'élan des luthériens.

Le mouvement de réforme de l'Eglise romaine lancé au début du siècle continua bien que découragé par le schisme luthérien et l'échec des tentatives de conciliation faites par Erasme. Il était soutenu par les progrès de la *devotio moderna* qui, suscitée par l'*Imitation de Jésus-Christ*, avait répandu le mysticisme parmi les laïcs et conciliait vie ascétique et vie active. L'Espagne offrait d'ailleurs un exemple de réforme catholique réussie avec le cardinal Jimenez de Cisneros à l'université d'Alcala de Hénarès. On ne saurait également négliger l'exemple donné par quelques prélats qui s'attachèrent à améliorer la formation des prêtres, et à redonner vigueur au catéchisme et aux œuvres charitables. Toutefois la défense du catholicisme reposait surtout à ce moment sur les souverains. Il lui manquait l'impulsion que pouvait donner l'autorité suprême du pape.

L'initiative vint d'un pape qui n'y semblait pas porté, Paul III Far nèse (1534-1549) qui en 1536, année où mourait Erasme, convoqua un concile universel. La réforme de l'Eglise romaine prenait son véritable départ.

Paul III sut mobiliser toutes les énergies qui se présentaient. En 1536 il nomma cardinaux des humanistes éminents et respectés : Jean-Pierre Caraffa, Contarini, Sadolet et Pole, qui préparèrent le programme du futur concile. Dans le « Conseil sur la réforme de l'Eglise » (1537), les abus étaient impitoyablement dénoncés. D'ailleurs Paul III et ses conseillers organisaient également la Contre-Réforme. En 1542, l'Inquisition romaine était confiée à une congrégation de cardinaux et la censure des livres au Saint-Office en 1543. Le premier index des livres interdits fut publié en 1564. Paul III s'appuya aussi sur des ordres monastiques nouveaux, Théatins, Capucins issus des Franciscains, fondés en 1525, enfin Jésuites institués par Ignace de Loyola.

Ignace de Loyola, officier espagnol, à la suite d'une blessure reçue en 1521 prit la résolution de combattre pour le Christ en convertissant les infidèles. En Terre sainte, il dut renoncer à l'action à cause de l'hostilité rencontrée chez les autres chrétiens. Il alla étudier à Alcala de Hénarès et avec quelques compagnons commença en franc-tireur un apostolat de catéchisme et de charité qui inquiéta l'Inquisition. Il alla étudier à Paris (1528) et y forma un petit groupe d'amis avec lesquels il pratiqua les *Exercices spirituels*, méthode d'oraison et d'ascèse, fruit de son expérience. Le 15 août 1534, Ignace et ses compagnons prononcèrent à Montmartre les vœux monastiques habituels et s'engagèrent à se mettre au service du pape. En 1537, ils arrivaient à Rome mais eurent beaucoup de mal à faire reconnaître par le pape le nouvel ordre appelé *Compagnie de Jésus* (1540). Les Jésuites devaient être prêtres et vivre dans le siècle. Ils étaient soumis à un noviciat long et pénible, opérant une sélection rigoureuse. Outre les vœux de pauvreté, chasteté et obéissance, ils devaient prononcer un vœu spécial d'obéissance au pape. Leur organisation fut celle d'une armée disciplinée. La formation humaniste très poussée des novices devait se faire hors des universités. Aussi les Jésuites créèrent des collèges où on leur enseignait les humanités, la philosophie et la théologie. En 1548 on ouvrit ces collèges aux jeunes gens qui se préparaient à une carrière profane. Les Jésuites commencèrent à exercer leur action dans les pays méditerranéens. Ils furent engagés en pays luthérien au moment où tout espoir de conciliation fut perdu.

LE CONCILE DE TRENTE

Avant l'échec de la dernière tentative d'accord avec Mélanchthon (1541) la ville de Trente avait été choisie comme lieu de réunion d'un concile, parce qu'italienne et située dans l'Empire. Mais lorsque celui-ci s'ouvrit aucun luthérien n'y figurait.

Ouvert dans une relative indifférence, le concile de Trente, après une existence cahotée, se termina dans l'enthousiasme. Il siégea de 1545 à 1547, de 1551 à 1552 et enfin de 1562 à 1563, soumis aux aléas de la politique européenne autant qu'à l'évolution des esprits. Il mena de front deux tâches : définition du dogme et restauration de la discipline. Deux tendances s'y opposèrent. La première est la tendance modérée soutenue par les souverains des pays partagés par la Réforme, Charles Quint qui en 1551 réussit à y faire entendre des théologiens luthériens, puis Ferdinand de Habsbourg et Catherine de Médicis qui souhaitaient ne pas voir les positions se durcir et gardaient pour des raisons politiques l'attitude des érasmiens de la génération précédente. La seconde tendance était celle de la papauté qui, constatant la rupture définitive, s'opposait à toute concession doctrinale aux protestants et entendait par la réforme disciplinaire renforcer l'autorité pontificale sur le monde catholique. Avec le pontificat de l'intransigeant Paul IV Carafa, la papauté, s'appuyant sur le mouvement de renaissance catholique, prit la direction de la réforme catholique.

L'œuvre doctrinale consista en réaffirmations du dogme et en précisions destinées à réduire la possibilité de controverses fondamentales.

1) Le dogme est fondé sur l'Ecriture que l'Eglise seule a pouvoir d'interpréter et sur la tradition. Le pape et les évêques détiennent les pouvoirs remis par Jésus-Christ à saint Pierre et aux apôtres.

2) L'homme ne peut être justifié sans la grâce divine, mais il peut la conserver ou la perdre et, grâce aux sacrements institués par Dieu, la retrouver. Le libre arbitre existe dans la mesure où Dieu le permet et l'homme sera jugé non seulement sur sa foi, mais sur les œuvres dont il porte la responsabilité.

3) La messe est un sacrifice qui renouvelle réellement celui du Christ. Ainsi est réaffirmée la présence réelle de Jésus dans le pain et le vin rejetée par les sacramentaires et la transsubstantiation, c'est-à-dire le changement de substance des deux espèces qui deviennent le corps et le sang du Christ, rejetée par l'ensemble des protestants.

Le concile fixa également des règles disciplinaires concernant la formation et la vie des prêtres (séminaires) et des réguliers (clôture), l'administration des sacrements. Le droit canon précisa notamment la législation du mariage. Les abus ne disparurent pas tous. Les bénéfices ecclésiastiques ne pouvaient pas être supprimés sans une révolution sociale, mais une pastorale nouvelle était possible.

La renaissance catholique commençait. Des ordres d'un type nouveau étaient apparus, clercs réguliers : Théatins et Jésuites, ou Frères de la charité qui restaient des laïcs (Grenade, 1537). Il y eut même une tentative de création de religieuses séculières, les Ursulines (1535), destinées à l'enseignement des filles. Les ordres anciens se réformaient, tels les Dominicains. A Rome Philippe Neri réunit autour de lui des hommes s'entraînant à la prière et à l'action apostolique et charitable (Oratoire romain). Sainte Thérèse d'Avila ouvrait au mysticisme des voies nouvelles. En 1562, elle fonda le premier couvent de Carmélites réformées. Les études théologiques se réveillèrent grâce aux Dominicains, Augustins et surtout Jésuites qui avaient assimilé l'enseignement des humanistes.

Bilan de la Réforme

LE PARTAGE CONFESSIONNEL DE L'EUROPE OCCIDENTALE

Les conséquences de la Réforme étant multiples, un bilan aux lendemains du concile de Trente est difficile à établir. Notons que c'est autour de 1563 que la paix d'Augsbourg est signée (1555), que la Confession des 39 articles fonde l'anglicanisme (1563) et que meurt Calvin (1564). L'unité religieuse de l'Europe occidentale est brisée en deux blocs confessionnels.

1) Dans les péninsules méditerranéennes, le protestantisme, qui n'avait pas eu de profondes racines, a été éliminé. C'est là que la réforme catholique a pris appui. Ainsi le catholicisme renouvelé semble lié à la civilisation méditerranéenne.

2) Au nord s'est constitué un bloc protestant : luthérien dans l'Allemagne du Nord et de l'Est, les royaumes scandinaves et leurs dépendances (Finlande, Islande), calviniste en Ecosse, anglican en Angleterre. Seule l'Irlande est restée fidèle à Rome. Dans ces pays la religion s'était liée au sentiment national.

Entre ces deux blocs une zone disputée comprenait la France, les Pays-Bas, la Rhénanie, la Suisse, l'Autriche, la Bohême, la Hongrie, la Pologne. Le luthéranisme y reculait devant le calvinisme appuyé sur la bourgeoisie, la petite noblesse et quelques grands seigneurs. Sauf en Bohême, les éléments populaires semblaient en général moins touchés, car les liens féodaux au service de la noblesse jouaient dans les deux sens et seule une minorité du clergé était passée à la Réforme. Tout dépendait des souverains. Ils resteront fidèles à l'Eglise romaine et se feront tôt

ou tard les agents de la Contre-Réforme. Les deux confessions se partagent
ces pays. C'est là que s'engagent les guerres de religion et que se pose la
question de la tolérance.

L'INTOLÉRANCE RELIGIEUSE

Il convient de distinguer liberté et tolérance religieuses. La liberté
religieuse était alors peu concevable. La paix religieuse du monde chrétien ne semblait possible que dans l'unité de croyance. Les humanistes
avaient débordé le cadre du christianisme et créé dans la République des
lettres un climat d'irénisme. Marsile Ficin et surtout Pic de La Mirandole
étaient allés assez loin dans la voie d'un syncrétisme religieux, mais ne
faisaient aucune place à l'impiété. Devenu chancelier d'Angleterre, Thomas
More poursuivit les luthériens. Lors de la révolte de Luther, Erasme
rappela que la charité était le primat chrétien et il chercha un terrain
d'entente, attitude qui rencontra la sympathie de Mélanchthon. Mais
la réconciliation devint vite impossible et seul Postel, jésuite illuminé,
poursuivit le rêve d'une concorde universelle. Dans les meilleurs des cas,
il ne pouvait plus s'agir que de tolérance religieuse. La paix d'Augsbourg
se bornait à entériner un état de fait, mais elle ne reconnaissait pas la
liberté religieuse aux peuples et limitait celle des souverains puisque
désormais le souverain qui changerait de religion n'aurait pas le droit
d'entraîner son peuple et ne jouirait que d'une tolérance. (En fait il n'en
fut pas toujours ainsi.)

La tolérance religieuse à l'époque est une condamnation de l'erreur,
assortie d'une renonciation provisoire à poursuivre celle-ci. C'est à propos
de l'exécution des hérétiques que quelques voix s'élevèrent en faveur de
la tolérance, dont celle de Sébastien Castellion, défenseur de Michel
Servet qui n'admettait pas l'intervention du bras séculier quand il
s'agissait de doctrine et demandait l'exil et non la mort des hérétiques.
Son influence fut très faible. La tolérance ne pouvait venir que d'une
distinction du spirituel et du temporel. Ce fut le cas pour les anabaptistes.
Après avoir répudié la violence d'un Thomas de Leyde, Menno Simons
affirma : « La foi est un don de Dieu, elle ne peut donc être imposée par
aucune autorité temporelle par le glaive. » Les mennonites constituèrent
une secte sans lien avec l'Etat. D'autres, les « politiques », soucieux de
paix publique, consentaient aux mesures adaptées qui permettaient de
maintenir celle-ci (Michel de L'Hospital). Ce courant bénéficia plus tard
de la lassitude provoquée par les guerres de religion. Vers 1563 la tolé-

rance religieuse n'existait en fait et de manière très précaire que dans des cas limités (Pologne). Par contre, la persécution est installée partout où se trouvent des dissidents. Elle devient facilement systématique : vaudois en France, protestants en Italie et en Espagne, papistes en Angleterre (sauf sous Marie Tudor), antitrinitaires presque partout. La Réforme a multiplié les occasions de persécutions.

CONSÉQUENCES SOCIALES ET CULTURELLES

La Réforme a-t-elle accru les tensions sociales existantes ? Luther et les anabaptistes ont renouvelé les condamnations formelles portées par l'Eglise contre le prêt à intérêt. C'est probablement la raison pour laquelle les principaux banquiers, tels les Fugger (sans parler des Médicis), qui avaient tourné les interdictions canoniques restèrent catholiques. Par contre Calvin ne condamna pas le prêt à intérêt. D'ailleurs la morale calvinienne encourageait l'application au travail dans le métier où Dieu a placé chacun. Calvin considérait également que le succès dans toute entreprise était la récompense donnée par Dieu à ses élus (M. Weber). Ainsi le calvinisme non seulement reconnaissait l'évolution de l'Europe, mais il donnait une justification à l'activité économique qui jusque-là n'était vue que sous l'aspect des subsistances. Bientôt, par la casuistique, les Jésuites réconcilient la religion et l'économie moderne.

Dans le domaine de la culture et des arts la Réforme a eu également de grandes conséquences. Elle a ruiné les rêves des humanistes, mais leurs méthodes intellectuelles ont été adoptées partout, dans les académies des réformés comme dans les collèges des Jésuites. La poésie et la musique connurent dans les deux camps de nouvelles sources d'inspiration. Pour les arts plastiques la question est plus délicate. Tous les protestants condamnèrent le culte des images et la représentation de Dieu. Mais luthériens et anglicans acceptaient la représentation du Christ. Zwingli et Calvin, qui d'ailleurs mettent l'accent davantage sur Dieu que sur le Christ, se montrèrent plus défavorables et le calvinisme populaire fut iconoclaste. Luthériens et anglicans s'accommodèrent des églises catholiques, mais le culte calviniste qui est surtout un enseignement avait d'autres exigences (amphithéâtres). Il est souvent difficile de distinguer au xvie siècle artistes catholiques et protestants dans leur inspiration. En pays protestant, les scènes diverses où entrent la Vierge et les saints ayant perdu de leur intérêt sont peu abordées. Enfin la Réforme ouvrit à la gravure et à l'art populaire un nouveau domaine, la caricature militante.

Textes et documents : Voir chapitre précédent.

CHAPITRE V

LES SOCIÉTÉS EUROPÉENNES

Carte IV a et b.

Bibliographie : Ouvrages cités p. 8. R. MOUSNIER, *Les hiérarchies sociales, de 1450 à nos jours* (coll. « Sup »), 1969. Arlette JOUANNA, *Ordre social, mythe et hiérarchies dans la France du XVIᵉ siècle*, 1977. F. BRAUDEL, *La Méditerranée et le monde méditerranéen à l'époque de Philippe II*, 2ᵉ éd., 1967. R. PORTAL, *Les Slaves, peuples et nations* (coll. « Destins du Monde »), 1965.

L'évolution économique, le drame religieux aussi bien que les événements politiques du XVIᵉ siècle ne se comprendraient pas dans toute leur étendue si l'on n'avait constamment présents à l'esprit les caractères essentiels de la société. Or, celle-ci est fondée sur des principes différents de ceux qui, aujourd'hui, règlent les rapports entre les hommes. Les sociétés européennes sont chrétiennes et pour cela ne reconnaissent aucune légitimité au pouvoir de l'argent. Elles sont nettement communautaires. Leurs institutions renforcent les familles, les corps et les ordres de la société et ignorent les classes sociales. Enfin l'hérédité des conditions installée partout limite la mobilité sociale. Cependant l'évolution économique donne à l'argent un rôle croissant. L'argent pèse sur les rapports entre les individus, infléchit et parfois bouscule les principes de la société et crée des tensions sociales dont le résultat est de renforcer l'organisation des ordres et des corps. Les marchands enrichis achètent des seigneuries et passent dans la noblesse. Par là même, ils consolident la société traditionnelle et retardent l'avènement d'une société nouvelle.

Les principes de la société

LA SOCIÉTÉ CHRÉTIENNE

La religion est présente dans tous les actes de la vie familiale et publique. Elle imprègne non seulement le cadre de vie, mais surtout les principes qui régissent la société. La société chrétienne est fondée à la fois sur les lois naturelles et les enseignements de l'Eglise. La vie terrestre étant subordonnée à la vie éternelle, la recherche du bonheur est tout entière tournée vers cette dernière. L'Eglise enseigne à prendre son parti des inégalités naturelles et des inégalités sociales. L'idée de justice sociale telle que la conçoivent la plupart des Européens au XXᵉ siècle n'a pas de sens pour ceux du XVIᵉ siècle. La doctrine économique de l'Eglise est que l'individu ne peut poursuivre des buts de lucre. Usure, spéculation sur les prix sont prohibées. Les autorités municipales et seigneuriales, les souverains doivent arbitrer les conflits entre corps de métiers, entre producteurs et consommateurs et fixer le « juste prix ». Les inégalités sociales sont supportées, non seulement parce qu'il apparaît difficile d'y remédier (il existe cependant un communisme évangélique latent), mais parce que l'égalité existe devant la mort et devant Dieu. Pour le reste la misère est presque considérée comme un don de Dieu, une assurance sur l'au-delà.

L'enseignement de l'Eglise va plus loin que cette résignation. Les clercs enseignent que la société présente s'inscrit dans la chaîne des temps, et que l'évolution est inconcevable. La société est l'œuvre de Dieu qui attribue à chacun une place et une mission. Ce n'est pas une vue entièrement fixiste, mais toute modification à l'ordre social ne peut venir que de la volonté de Dieu. C'est pourquoi les justifications de l'ordre social prennent le caractère de vérités de foi.

LA SOCIÉTÉ D'ORDRES

Ainsi les conditions sociales deviennent des ordres ou états, et correspondent à une mission. La mission la plus élevée est de mener les hommes vers la vie éternelle, d'où la place éminente qu'occupe le clergé. Certains de ses membres enseignent les voies du salut, guident par l'exemple et vivent dans le siècle (clergé séculier, ordres mendiants). D'autres agissent par leurs prières (ordres contemplatifs). En deuxième lieu, vient la mission de veiller sur la sécurité de ses semblables, ce qui n'est pas un vain mot dans les époques troublées. C'est la tâche des guerriers, des nobles. Enfin viennent les travailleurs dont la tâche est d'assurer la subsistance de tous. Selon cette vue idéale la société est faite de trois ordres : ceux qui prient, ceux qui combattent, ceux qui travaillent.

Chacun de ces ordres est soumis à une loi particulière : *privati lex* ou privilège, dont le but est de mettre ses membres mieux à même de remplir la mission qui leur a été impartie. Les privilèges comportent des sacrifices et des avantages. Les sacrifices sont : le célibat pour le clergé, « l'impôt du sang » pour les nobles, la peine au travail pour le troisième ordre. Les avantages sont pour le clergé, d'être défendu et nourri, pour la noblesse de pouvoir compter sur les prières et les vivres des autres, tandis que prières et sécurité sont assurées aux travailleurs. Les ordres sont étroitement solidaires.

En fait cette vue exprimée par des clercs, si elle inspire des attitudes sociales, se modifie quand elle se répand. Parfois on ne distingue que deux ordres de la société, les clercs et les laïcs, malgré leur inégalité numérique. Il arrive que le clergé ne soit pas considéré comme un ordre social, ses membres étant comme en état de mort civile. Il ne reste alors en présence que deux ordres distingués par la naissance. Enfin l'ordre est susceptible d'émiettement. Le clergé ne se divise-t-il pas en clergé régulier, fait lui-même d'un certain nombre d'ordres monastiques, et clergé séculier où l'on distinguera un premier ordre (évêques et abbés) et un second ordre (prêtres). Les titres de noblesse commencent à distinguer les nobles entre eux. Des distinctions juridiques apparaissent également au sein du troisième ordre, bourgeois (hommes inscrits sur les registres de bourgeoisie), membres des corps de métier.

Pourtant l'évolution économique pourrait faire croire à la formation d'une société de classes, c'est-à-dire d'une société où les hommes sont constitués en groupes sociaux dont la hiérarchie est fondée sur la fortune, la composition de celle-ci, terrienne ou mobilière, enfin la place qu'ils occupent dans la production des biens matériels. D'énormes inégalités de fortune sont la règle. On pourrait donc discerner des classes de capitalistes, de marchands, de paysans, d'artisans salariés de l'industrie. Le rôle de l'argent est devenu très important. Il bouleverse en apparence les cadres juridiques de la société, présente certains bourgeois plus pourvus en terre que des nobles, certains serfs plus riches que des hommes libres. Cependant l'argent ne brise pas ces cadres qui ont encore un bel avenir devant eux. Les individus le considèrent le plus souvent comme un moyen d'accéder à un groupe social plus élevé, mais rarement comme une fin en soi. Un serf aisé risque de se ruiner pour acheter sa liberté, un roturier pour devenir noble. Un noble voit dans la misère une décadence moins insupportable qu'une confortable dérogeance. C'est bien le signe qu'il subsiste d'autres critères sociaux que la richesse.

« Dans une société d'ordres les groupes sociaux sont hiérarchisés d'après l'honneur, l'estime, la dignité attachés à certaines fonctions par l'ensemble des habitants » (R. Mousnier). Pour chacune de ces sociétés il existe un groupe pilote. En Europe occidentale, si on exclut les prêtres, ce sont les hommes d'armes. Les autres groupes s'ordonnent suivant leur plus ou moins grande proximité du groupe pilote. Un consensus général s'établit lentement par suite des circonstances diverses (R. Mousnier).

Des amalgames se produisent entre individus qui constituent un groupe social partageant un style de vie et des tendances à l'endogamie et à l'hérédité. De telles tendances se manifestent dans les sociétés de classes. Dans les sociétés d'ordre, elles sont si fortes qu'elles déterminent le caractère des institutions sociales et politiques. Seules ont des chances de succès les mesures qui vont dans ce sens.

En 1470, Louis XI déclare nobles tous les possesseurs de fiefs, mesure qui tendait à ouvrir la noblesse aux riches puisque les fiefs pouvaient s'acheter. Il est vrai qu'on pouvait déjà acheter des lettres de noblesse délivrées par le roi. Mais la mesure générale de 1470 ne fut pas renouvelée. Au XVIe siècle la terre, pas plus que l'argent, n'anoblit sans l'intervention de la volonté royale. Celle-ci ne brave qu'exceptionnellement le consensus général et l'anoblissement s'entoure de toutes sortes de précautions destinées à apaiser l'hostilité des nobles, et celle des roturiers qui auraient à faire les frais du dégrèvement d'impôt que représente le passage dans la noblesse (versement d'une somme d'argent aux autres membres de la communauté rurale, par exemple). La noblesse tend à se fermer aux nouveaux venus. A côté d'une noblesse fieffée qui possède des revenus et où la décadence ne peut être le fait que des cadets de famille, il existe une noblesse non fieffée, faite de ces cadets, qui est réduite à solliciter une place auprès des grands, sert dans les armées, tombe parfois dans le brigandage, mais garde jalousement ses titres. Cependant il existe également des nobles qui acceptent un travail manuel, mais cela est si contraire aux opinions reçues qu'ils se font oublier et qu'on ne les connaît pas.

On ne trouve guère à l'époque de théoriciens justifiant ce consensus. Sans doute la société d'ordres n'a pas encore la rigidité que souhaiteront les théoriciens au début du XVIIe siècle. Elle n'en existe pas moins et on n'en disserte pas parce qu'elle représente une évidence. Cependant les objets de ce consensus ressortent d'un certain nombre de sermons, d'écrits, de représentations imagées de la société et de faits.

LA SOCIÉTÉ DE CORPS

Dans l'ordre des travailleurs, l'émiettement est plus poussé qu'ailleurs, eu égard à la supériorité numérique et à la multiplicité des fonctions. Dans le cadre local, il s'est constitué des corps groupant les gens de même profession. Chaque corps remplit une fonction sociale qui lui est propre : les boulangers ne travaillent pas seulement pour faire vivre leur famille, mais pour fournir le pain aux autres... A la campagne, où la spécialisation du travail est beaucoup moins poussée, le corps, c'est la communauté villageoise ou paroissiale. Tous les corps sont solidaires entre eux, conformément aux principes chrétiens de la société. Mais le corps crée des liens entre ses membres. Il se donne des statuts (ceux-ci résultent des usages en ce qui concerne la communauté villageoise). Il a ses assemblées (assemblées de jurande, de village), sa bourse commune, ses chefs entourés de notables, sa représentation extérieure (syndics).

L'organisation en corps est plus souple que celle des ordres. Des corps nouveaux se créent, demandent à être reconnus par les autorités seigneuriales ou municipales et plus tard par le souverain. Les membres d'un corps sont liés avant tout par la défense d'intérêts communs et le rôle de la souveraineté est d'arbitrer les conflits entre les corps. L'esprit de corps témoigne de cette solidarité interne. L'institution des corps est si vivante que des gens dépendant également du souverain (officiers de justice ou de finances) forment des corps. On affirme bien haut une mission. On défend en fait des intérêts. La notion de corps est surtout chargée d'une certaine affectivité. Le sentiment national ne se traduit-il pas en langage de corps ? La nation est un grand corps, lui-même composé de membres et d'une tête, le souverain.

Entre le corps et l'individu, s'interpose la famille. C'est surtout le cas dans la société rurale. La communauté rurale est composée de familles plus que d'individus. Cela est moins vrai dans la société urbaine où, en principe tout au moins, c'est l'individu qui est admis dans un corps. Pourtant, dans cette société chrétienne, tout individu, même serf, a la dignité d'un enfant de Dieu. En fait, il ne compte que par ce qu'il représente : âge, état civil, nombre d'individus composant sa famille, capacités personnelles, puissance et respect qu'il inspire. Egaux devant le Christ, les individus ne peuvent l'être dans le corps auquel ils appartiennent. Egalité juridique et politique seraient apparues comme des non-sens aux yeux des hommes du XVIe siècle. Les suffrages ne se comptent pas, ils se pèsent. On ne tient compte que de l'avis de la *sanior pars*. Dans le village, en dehors du seigneur et du curé, c'est lentement, pour des motifs qui nous restent parfois obscurs, que s'imposent les notables ou « principaux habitants ». Dans les villes, apprentissage, maîtrise ont institutionnalisé le classement des aptitudes acquises et des individus. En fait, on s'aperçoit qu'à la ville comme au village l'hérédité intervient constamment dans l'ordre social.

L'HÉRÉDITÉ

C'est une notion impérieuse de l'époque qui recouvre l'ensemble de ce que nous entendons par hérédité physiologique, héritage des biens temporels et des réputations, notion que les troubles de la fin du Moyen Age n'ont fait que renforcer. Il est humain de vouloir transmettre à ses enfants une condition sociale, avec tout ce qu'elle comporte de dignité ou d'avantages matériels. Notre époque entend généralement corriger cette tendance et assurer à chaque nouveau venu une « nouvelle donne ». Cela eût causé l'indignation des hommes du XVIᵉ siècle imbus de l'idée de solidarité entre les générations et persuadés que les aptitudes se transmettent par le sang. Cela est vrai non seulement pour la noblesse, mais pour tous les corps.

On reconnaît en second lieu l'influence de l'éducation, de la seule qui puisse être envisagée à l'époque, celle de la famille, et l'exemple du milieu. En tout état de cause, les aptitudes au travail du bois sont considérées comme étant plus sûres chez un fils de menuisier que chez un fils de forgeron. Ce postulat étant admis, la sélection à l'entrée dans chaque corps ne devient indispensable et rigoureuse que pour ceux qui ne sont pas nés dans ce corps, gens issus d'un autre métier, d'une autre localité où les tours de main risquent de ne pas être les mêmes, ou encore dans le corps même, pour ceux qui ne se sont pas élevés bien haut dans la hiérarchie.

Ainsi l'hérédité s'installe partout. De la richesse, elle passe aux fonctions, aux corps, aux ordres. C'est chose faite pour la noblesse et pratiquement pour les corps de métier. Cela tend à le devenir pour les offices. On en arrive à l'idée que chaque homme est né dans une condition sociale et qu'il est voué à y rester de par la volonté divine. L'hérédité va évidemment à l'encontre de la mobilité sociale.

En fait l'hérédité n'a jamais empêché la mobilité sociale, surtout aux époques de démographie incertaine. L'absence d'enfants, les inaptitudes naturelles, les mortalités effrayantes provoquées par la peste, la famine ou la guerre déciment les familles et exigent leur remplacement. Le trop grand nombre d'enfants suscite la décadence. D'ailleurs les esprits l'admettent. N'est-ce pas également la volonté divine ? Aussi la période 1453-1530, vouée à la repopulation d'une partie de l'Europe, a été favorable aux ascensions sociales. L'argent joue un rôle, facilitant achats de terres, production d'un chef-d'œuvre, installation d'un atelier, achat de fiefs et lettres d'anoblissement. Les fléaux puis l'essor économique ont pendant un temps desserré l'étreinte de l'hérédité.

Les tensions sociales

La réalité est évidemment plus complexe que le plan de la société conçu par les clercs attachés à l'idée de sa division en ordres. La mobilité sociale augmenta lorsque le rôle de l'argent s'accrut avec le développement de l'économie d'échange. Moyen d'ascensions sociales, il était également cause de décadences ou tout au moins d'appauvrissements. Ce dernier courant fut générateur de troubles. Il devait pousser les victimes soit à la révolte, soit à la défense des structures sociales dont elles avaient bénéficié. Les troubles sociaux depuis les grandes explosions de la fin du xive siècle devenaient plus sporadiques et moins graves. Lorsqu'à partir de 1520-1530 l'expansion fut affectée par des crises, la tension sociale s'aggrava.

Dans les villes s'amorce la formation d'une bourgeoisie capitaliste composée de marchands qui joignent la banque à leurs activités et tiennent en main une partie de la production industrielle. Ces bourgeois capitalistes prenaient aux gentilshommes leur goût du risque et leur désir de puissance, mais conservaient des meilleurs maîtres de métier l'esprit d'épargne et la haine de l'oisiveté. Ils apportaient un caractère positif nouveau à la gestion de leurs entreprises tandis que les progrès de l'esprit humain aiguisaient le sens du quantitatif. Cependant la richesse était également pour eux le moyen de mieux vivre, si bien que, ayant atteint fortune, crédit, considération sociale, ils se comportaient en seigneurs fastueux, fiers de leur clientèle, protégeant les artistes et par là, au bout de quelques générations, se rapprochaient de la noblesse.

Certains métiers se réorganisent dans le cadre du capitalisme commercial. Il s'agit notamment du textile et accessoirement des mines. Le maître devient alors un façonnier et perd toute indépendance. Les compagnons ont bénéficié généralement d'une conjoncture relativement favorable au début du xvie siècle et l'expansion a contribué à distendre les règlements de métiers. A partir de 1520 se produit un renversement. Les salaires s'essoufflent à suivre la hausse des prix. Les maîtres, soit parce qu'ils sont gagnés par la mentalité capitaliste, soit parce qu'ils défendent une condition devenue précaire, élargissent le fossé qui les séparait des compagnons. Les tendances à l'hérédité ne rencontrent plus de frein. Les compagnons ne pouvant avoir part aux profits de l'expansion s'organisent en des confréries qui leur sont propres et que les autorités interdisent.

La société rurale n'en fut pas exempte. Comme la terre représentait le placement le plus estimé et le plus sûr, ceux qui avaient gagné de l'argent dans le commerce essayaient de le convertir en terres. Cela se pratiqua à tous les niveaux sociaux. Les Fugger deviennent de grands propriétaires fonciers et il se crée dans les villages une bourgeoisie rurale faite de laboureurs enrichis. Cette tendance ne fit que s'accroître avec les crises. Au même moment la Réforme entraînait la mise en vente de grands domaines ecclésiastiques. Il ne fait pas de doute que les nouveaux propriétaires aient été soucieux de la rentabilité de leur fonds et qu'ils aient surveillé très attentivement la levée des droits féodaux. On assiste également au progrès des droits en nature (champarts). Mais il subsistera de nombreux droits en argent (cens) qui se déprécient suivant l'augmentation des prix. On voit également se répandre dans certaines régions de France des exploitations d'un type nouveau, comme les métairies, constituées par des bourgeois, avec des terres récemment acquises, situées quelquefois sur plusieurs seigneuries et confiées à un paysan, qui en paye le loyer surtout en nature. Fermage et métayage ne se distinguent pas nettement comme au XIXe siècle. Ces remembrements tendent à restreindre le nombre de ceux qui ont du blé à vendre et ainsi répandent la condition de manouvrier. Ils limitent l'efficacité des pratiques communautaires lorsqu'ils s'accompagnent de l' « enclosure » des terres, comme c'est le cas dans le bassin de Londres. Le nombre des mécontents à la ville et à la campagne augmente. Les prédications égalitaires des lollards, taborites, anabaptistes trouvent de l'écho, mais nuisent à la cause des malheureux par les désordres qu'elles suscitent et les répressions qu'elles entraînent. Le métier qui connaît le plus d'effervescence est l'imprimerie. L'organisation capitaliste y est plus avancée que partout ailleurs. De plus, les compagnons imprimeurs constituent une élite ouvrière et ils sont souvent touchés par la Réforme. A Lyon ils prennent la tête de la *Grande Rebeine* de 1529. Les confréries d'ouvriers forment des coalitions, boycottent les maîtres qui ne souscrivent pas à leurs conditions, imposent la grève *(tric)*. Les révoltes menacent parfois toute une ville : Florence (1527), Gênes (1528), Lyon (1529 et 1539), Paris (1542), Augsbourg (1548). Enfin, à partir de 1520, le mécontentement latent alimente des soulèvements de grande ampleur provoqués par des raisons diverses : prédications religieuses (Guerre des Paysans en Allemagne, 1524-1526, et révolte des anabaptistes de Münster, 1533-1534), mécontentement contre les étrangers et menaces contre les privilèges (révolte des *Communeros* en Espagne, 1521-1523), augmentation des impôts d'autant plus cruelle que bien des paysans se trouvent évincés du marché du blé qui leur procurerait l'argent pour les payer (révolte des campagnes de Guyenne, 1548). Violences et pillages accompagnent généralement ces mouvements et suscitent une répression très énergique.

Les nuances régionales

Il reste à examiner comment les principes et les tensions évoluent dans les cadres régionaux.

LA FRANCE

Dans une grande partie de la France on observe l'aspect le plus équilibré de la société d'ordres. Le nombre des serfs est devenu assez faible et leur condition se rapproche de celle des hommes libres. Le régime seigneurial s'est maintenu et la noblesse est surtout rurale.

La seigneurie comprend deux parties : le domaine proche ou réserve dont le maître se réserve l'exploitation *(seigneurie utile)*, et les tenures des paysans sur lesquelles le seigneur ne possède plus que la *seigneurie éminente* ou *directe*. Le domaine proche est cultivé à l'aide des corvées dues par les paysans et aussi, devant le recul de celles-ci, par fermage ou métayage. Quant aux tenures paysannes, elles sont devenues une véritable propriété, transmissible et cessible. Le paysan et sa terre sont chargés de droits divers : dîme due au clergé, droits seigneuriaux qui proviennent de l'usurpation des droits régaliens par les seigneurs (tailles seigneuriales, monopoles : four ou moulin banal, droits de lods et ventes) et droits féodaux afférant à la possession de la terre et au lien que celle-ci crée entre le seigneur et ses hommes (cens en argent de caractère recognitif et généralement très faible, champart en nature), ainsi que corvées. On estime l'importance de la propriété paysanne à près de 50 % de la terre. Cependant cette propriété est extrêmement morcelée et très inégalement répartie entre les paysans.

Les uns que dans le nord de la France on appelle « laboureurs » sont à la tête d'exploitations relativement importantes, faites de champs dont ils sont propriétaires, et surtout de fermes qu'ils ont prises du seigneur ou d'abbayes et qu'ils cultivent à la charrue. Partout il existe des petits exploitants appelés dans certaines régions « haricotiers » qui n'ont qu'une exploitation minuscule ou incomplète, cultivateurs à bras notamment qui doivent chercher des ressources de complément. On passe insensiblement de ce degré à celui des manouvriers qui n'ont pas d'exploitation autonome, mais ne sont pas tous dépourvus de terre et fournissent une main-d'œuvre très souple, agricole, forestière et artisanale. Une sorte de bourgeoisie rurale se constitue avec les laboureurs qui vendent l'excédent de leurs récoltes, deviennent éventuellement marchands, afferment la levée des dîmes, achètent des terres et parfois même des seigneuries.

En ville, la condition des artisans varie suivant les métiers et le caractère de l'économie. Dans les métiers de caractère traditionnel, à long apprentissage, un dur travail permet d'atteindre une certaine aisance sinon une sécurité totale en période de crise. Mais il n'en est pas de même dans les métiers du textile là où s'est installé le capitalisme commercial. Les artisans y sont concurrencés par les métiers installés dans la campagne ou même ils doivent se soumettre à cette nouvelle organisation du travail. Une bourgeoisie s'est développée grâce au commerce. Elle est faite de marchands ayant le plus souvent abandonné leurs fonctions artisanales qui possèdent des rentes, acquièrent une partie de la terre et même des seigneuries aux environs des villes et détiennent les fonctions municipales. L'instruction est surtout le fait des clercs. Ce qu'on appelle aujourd'hui les professions libérales ne groupe encore qu'un petit nombre de gens, surtout des hommes de loi qui accèdent éventuellement à des offices seigneuriaux ou municipaux et quelquefois royaux, mais qui ne s'élèvent dans la hiérarchie sociale que lorsqu'ils sont en relations étroites avec des agents du roi, des seigneurs ou des grands marchands. A l'autre extrémité de l'échelle sociale, la misère existe partout mais ne scandalise guère. Elle est liée le plus souvent aux maladies et infirmités, sans qu'on sache toujours laquelle provoque l'autre. La mendicité n'est pas l'apanage des seuls truands. Elle se développe ou se réduit suivant la conjoncture économique. Elle amène souvent l'errance.

Tous ces éléments se retrouvent dans les pays voisins, mais dans un ordre variable d'importance.

LES PAYS MÉDITERRANÉENS

Ils sont caractérisés par l'importance ancienne de la vie urbaine, marquée surtout dans l'Italie du Nord et du Centre. La noblesse y est plus volontiers citadine. Dans la France du Midi, les villes petites mais nombreuses abritent une noblesse souvent assez pauvre, volontiers tournée vers les professions libérales, et un clergé assez peu considéré. Toutefois la société rurale y revêt le même caractère que dans le Nord, mis à part les formes de culture. Il en est de même des pays ibériques où le régime seigneurial se maintient comme en France. Cependant la noblesse y paraît plus nombreuse et souvent dépourvue de ressources. Un fossé s'est creusé entre les *hidalgos* et les familles titrées d'où émergent un très petit nombre de « grands ». La propriété est très inégalement répartie. L'importance de l'élevage a amené la concentration, au sein de la *Mesta*, de grandes fortunes consistant en têtes de bétail. La bourgeoisie rurale et urbaine est plus nombreuse et active que l'image présentée par l'Espagne aux siècles suivants le laisserait penser. La mendicité est cependant très répandue et elle prend plus souvent qu'en France l'aspect de vagabondage. Il faut tenir compte de l'existence d'assez nombreux allogènes : après l'expulsion des juifs il reste les Marranes ou juifs convertis. Plus nombreux sont les Morisques ou musulmans convertis, laborieux artisans ou cultivateurs de huertas. Les *letrados* (lettrés) semblent plus nombreux que leurs correspondants de la France du Nord. Ils viennent de la petite noblesse et de la bourgeoisie. L'Italie du Sud ne s'éloigne guère de ce type, sauf pour le caractère rural plus accentué de la noblesse et l'importance de la plèbe urbaine.

Il n'en est pas de même en Italie du Nord où la noblesse a dû reculer devant le patriciat issu du commerce, qui est devenu un groupe fermé et dominateur. Les patriciens de Venise sont inscrits sur le livre d'or de la cité. Ceux de Florence, le *popolo grasso*, sont les membres des *arts majeurs*. Ce patriciat a en fait reconstitué une hiérarchie sociale calquée sur la hiérarchie féodale (M. Morineau). De ce patriciat dépend la vie d'un très grand nombre d'artisans. La campagne est plus étroitement soumise à la ville qu'en France. Au service du patriciat s'est développé un monde de domestiques dont se détachent les lettrés et artistes lorsqu'on apprécie leurs talents. L'Italie est le pays où les artistes sortent le plus tôt de l'anonymat. Les oppositions sociales sont vives mais la communauté de la vie urbaine crée des liens au sein de ces sociétés où se côtoient des individus aux conditions si diverses.

EUROPE DU NORD-OUEST

Dans les Pays-Bas au sens large du terme, l'Allemagne rhénane et l'Allemagne du Sud, la vie urbaine s'est plus ou moins accentuée et le capitalisme commercial a produit des effets divers. En Flandre, face à une noblesse qui ne garde un rôle important que dans les campagnes, s'est affirmé un patriciat urbain moins tenté qu'en France par l'anoblissement et qui tient la vie économique des villes et des villages et l'administration des cités. L'artisanat a souvent pris un caractère prolétarien, mais la prospérité lui évite généralement le chômage. A cause du caractère intensif de l'agriculture et de la multiplication des métiers, les campagnes semblent moins pauvres qu'ailleurs. L'Allemagne du Sud offre des caractères différents. Les plus riches marchands constituent également un patriciat urbain et le chômage n'existe guère. Mais les patriciens achètent des seigneuries et les exploitent rudement. Aussi le mécontentement paysan grandit.

En Angleterre le commerce avait été pendant longtemps aux mains des étrangers mais l'essor des marchands anglais fut rapide. Dans la campagne commencent de grandes transformations qui se poursuivront pendant près de trois siècles. Le régime seigneurial subit des modifications. Les corvées s'amenuisent tandis que le fermage en argent se multiplie. Les seigneurs vendent blé et laine brute et les marchands achètent des terres et développent l'élevage du mouton. Ils tendent à enclore leurs propriétés *(enclosures)*, à s'affranchir des usages communautaires et à s'emparer des terrains communaux. Ce mouvement est net surtout dans les comtés du Centre. Tout cela s'opère aux dépens des paysans propriétaires *(yeomen)*. On reproche aux enclosures d'amener une recrudescence du vagabondage et du brigandage.

L'EUROPE DE L'EST

A l'est s'amorce un mouvement en sens inverse. Dans les sociétés surtout rurales au-delà de l'Elbe, existent de grands domaines et le commerce passe surtout par l'habitation du seigneur. C'est à celui-ci que vont les bénéfices de la vente du blé au-dehors. Le seigneur est plus qu'avant l'intermédiaire entre le monde extérieur et les paysans (il les représente en justice) et ceux-ci perdent leur indépendance. Les corvées se multiplient, permettant l'exploitation du domaine proche et son extension. Les tenures paysannes reculent. Le seigneur cumule de plus en plus la propriété éminente *(Grundherrschaft)* et la propriété utile *(Gutherrschaft)*. Plus à l'est, la Pologne possède une noblesse nombreuse et pauvre (la *Szlachta*) qui tombe dans la dépendance des grands propriétaires *(magnats)*. Les villes polonaises possèdent encore une réelle activité, mais les marchands sont le plus souvent des étrangers (Allemands et Juifs). Enfin, dans ce siècle d'or de la Pologne les lettrés sont relativement nombreux.

Ainsi existent dès l'aube des Temps modernes des tendances régionales qui ne feront que s'accentuer par la suite.

Textes et documents : *Journal d'un bourgeois de Paris sous François Ier, 1515-1536,* édité par V.-L. BOURILLY, 1910. S. de HERBESTEIN, *La Moscovie au XVIe siècle vue par un ambassadeur occidental,* publ. par R. DELORT, 1965.

Chapitre VI

LES ÉTATS EUROPÉENS

Cartes IV a et b, VII.

Bibliographie : H. Lapeyre, *Les monarchies européennes du XVIe siècle. Les relations internationales* (coll. « Nouvelle Clio »), 1967. M. Bloch, *Les rois thaumaturges*, 1924. R. Mousnier, *Etudes sur la France de 1494 à 1559* (Cours ronéotypé), 1959. R. Tyler, *L'empereur Charles Quint*, traduit de l'anglais, 1960. H. Lapeyre, *Charles Quint* (coll. « Que sais-je ? »), 1971. P. Chaunu, *L'Espagne de Charles Quint* (coll. « Regards sur l'histoire »), 1973. J.-F. Noël, *Histoire du peuple allemand des origines à la paix de Westphalie* (coll. « Le fil des temps »), 1975. J. Delumeau, *L'Italie de Botticelli à Bonaparte* (coll. « U »), 1974, et *Rome au XVIe siècle*, 1975. L. Cahen et M. Braure, *L'évolution politique de l'Angleterre moderne (1485-1660)* (coll. « Evolution de l'Humanité »), 1960. R. Mantran, *Histoire de la Turquie* (coll. « Que sais-je ? »), 1952.

Il en est des états comme des sociétés. Sous la diversité des institutions on peut reconnaître des principes communs aux pays de la Chrétienté occidentale. Tous sont régis suivant des usages politiques étroitement adaptés aux principes chrétiens et aux conceptions sociales. Ces usages forment de véritables constitutions coutumières. Cependant l'unité de la Chrétienté a reculé devant les progrès des nations.

Les principes politiques

CHRÉTIENTÉ ET NATIONS

En Europe occidentale grandissent les consciences nationales. Les raisons en sont non seulement l'attachement religieux au souverain, l'affirmation des monarchies face aux féodalités, les luttes menées en commun contre les voisins, mais encore les progrès des langues nationales, favorisés par les administrations royales et également l'essor du commerce, le développement de l'instruction grâce à l'imprimerie. En traduisant la Bible en allemand, Luther ne fait qu'utiliser les progrès de cette langue. Lorsqu'en 1539 François Ier décide par l'ordonnance de Villers-Cotterets que désormais les actes officiels seront rédigés en français, cette mesure ne rencontre aucune résistance, preuve que la cause est déjà gagnée. L'Etat, on disait alors la République, n'a pas créé la nation. Il a grandi et s'est transformé avec elle. Il en est devenu l'expression.

Les nations s'affirment non seulement les unes contre les autres, mais elles ont fait reculer l'unité chrétienne chère au Moyen Age. Des deux pouvoirs traditionnels, le pape et l'empereur, le second a perdu toute autorité sur les rois, sauf celle tout à fait éventuelle et théorique de créer des rois.

Les nations renforcent le pouvoir des rois face au pape. Pouvoir spirituel et pouvoir temporel apparaissent comme inséparables. Personne ne contredit le principe fondamental suivant lequel l'action des souverains doit être inspirée par la religion et la désobéissance cherche à se justifier presque toujours par un viol réel ou prétendu des lois de Dieu. Cependant la papauté a dû atténuer ses prétentions à l'égard des rois. Mais c'est toujours le pape qui prêche la croisade, même lorsque celle-ci ne part pas et se réduit à une levée de subsides. Il conserve un rôle d'arbitre suprême entre nations dans certains cas. Ainsi, en 1496, Alexandre VI partage les terres nouvelles entre Espagnols et Portugais, mais cela attire les protestations des Français et Anglais. Enfin on n'a pas encore dénié au pape le droit de condamner un roi hérétique.

Toutefois, pour le temporel, les souverains se sont affranchis des conseils de l'Eglise. C'est dans leurs conseils privés qu'ils cherchent l'inspiration chrétienne de leurs actes. Ils sont d'ailleurs investis d'un caractère religieux. Par le sacre ils ne tiennent leur sceptre que de Dieu.

Tous les rois sont sacrés par l'Eglise de leur royaume et suivant un rituel propre. Le sacre ne leur confère pas un ordre religieux, mais, à l'époque où la communion sous les deux espèces a été retirée aux fidèles, ils l'ont généralement gardée. Leurs conseillers leur reconnaissent généralement le rôle d' « évêques du dehors », protecteurs temporels de l'Eglise. Enfin les rois de France et d'Angleterre possèdent des pouvoirs thaumaturgiques reconnus par l'Eglise (guérison des écrouelles).

Comme les différents clergés s'intègrent dans les cadres nationaux, les souverains cherchent à les soustraire à l'autorité du pape. Ils cherchent à ôter à celui-ci la nomination des évêques et des abbés et limiter les appels à Rome et la perception des décimes. En France le régime de la Pragmatique Sanction de Bourges (1438) sauvegardait les « libertés de l'Eglise gallicane ». On fut au bord du schisme sous Louis XII, mais François Ier conclut avec le pape le concordat de Bologne (1516) qui donnait au roi le droit de présentation aux bénéfices consistoriaux et par là le rendait maître de la nomination des évêques et abbés. Charles Quint obtint des avantages comparables en 1523.

Outre la religion les sources du pouvoir royal se trouvent généralement dans le droit féodal qui fait du roi le suzerain suprême et dans le droit romain que les juristes lui appliquent avec plus ou moins d'audace et de succès. En fait il existe des monarchies restées quasi féodales comme la Pologne, d'autres qui tendent vers un absolutisme effectif comme la France ou la Castille. Cependant, dans toutes le despotisme à la mode orientale est condamné. Le souverain n'est pas propriétaire de ses sujets. Il doit respecter leur liberté et leurs biens conformément à la loi divine et à la loi naturelle. Il doit gouverner suivant les usages, véritable constitution coutumière.

Partout les sujets sont associés à l'administration mais dans une mesure très variable. Cela fait partie de multiples privilèges : 1) privilèges locaux des provinces et villes, concédés lors de leur rattachement au royaume ou pour des raisons particulières et souvent confirmés — l'Angleterre est le pays où ces privilèges locaux sont le moins nombreux ; 2) assemblées des ordres auxquelles le roi doit souvent faire appel pour obtenir l'aide financière de ses sujets ; 3) autonomie administrative d'un certain nombre de corps, corps de ville, corps de métier, communautés rurales, sur lesquels, vu les distances et le petit nombre de ses agents, le roi se décharge de nombreuses tâches. Un peu partout les assemblées des ordres cherchent à accroître leur rôle lorsque le souverain sollicite leur aide financière. En l'absence d'un pouvoir royal fort cela conduit à la constitution d'un Etat d'ordres (*Ständestaat* = Etat d'états).

L'absolutisme consiste pour le souverain dans l'absence de contrôle à son action et non dans l'absence de limites à son autorité. Le prince se présente comme l'arbitre suprême entre les ordres et les corps. Il doit imposer sa volonté aux plus puissants de ses sujets. Il y réussit dans la mesure où ils ont besoin de cet arbitrage. L'opposition entre les sujets peut revêtir la forme d'opposition de clans, de clientèles ou d'ordres. Une clientèle groupe autour de familles puissantes, outre leurs vassaux, arrière-vassaux et tenanciers, des obligés et des « créatures ». Elle déborde donc le cadre féodal et prend un aspect bigarré. Elle n'a pas d'existence juridique. Les clientèles semblent se développer lorsque les féodalités s'affaiblissent. On en trouve dans les Etats italiens, aussi bien qu'en

Pologne, en Espagne et même en France. Elles forment des factions, cherchent à s'imposer au souverain, à guider son action, à prendre des gages. Leurs procédés ne varient guère et les opposer entre elles est une politique souvent illusoire.

L'opposition entre noblesse et bourgeoisie a davantage servi les souverains. Le pouvoir royal a eu souvent besoin des bourgeois pour ses finances. En revanche, il les a protégés contre la noblesse et aussi contre le prolétariat industriel. A certains il a conféré la noblesse qui était le but de leurs ambitions. Mais ces nouveaux nobles n'ont réussi à se fondre dans l'ancienne noblesse qu'au bout de plusieurs générations et en vouant certains de leurs enfants au métier des armes. En attendant ils restent assez proches des intérêts économiques et se montrent dévoués au roi à qui ils doivent leur élévation au second ordre. Ils continuent à lui fournir des officiers. De son côté « la noblesse ne peut guère se défendre contre la bourgeoisie que par la faveur du roi ». En effet elle continue à avoir un train de vie dispendieux. Aussi doit-elle solliciter du roi des fonctions, des commandements militaires, des évêchés et abbayes, enfin des pensions. Elle y risque son indépendance. Ceci d'ailleurs n'exclut pas sa participation à des clientèles, car beaucoup de nobles n'ont la possibilité de solliciter le roi que par l'intermédiaire de quelque grand.

Ces liens entre économie, société et politique conditionnent le développement des Etats et diversifient dans la pratique des institutions souvent semblables.

Les types de monarchies

LA MONARCHIE FRANÇAISE AU DÉBUT DU XVIe SIÈCLE

En 1492 la France est moins étendue qu'aujourd'hui. La frontière du traité de Verdun (Escaut, Meuse, Saône, Rhône) n'a plus de valeur. La suzeraineté du roi de France sur la Flandre et l'Artois appartenant à Maximilien d'Autriche n'est plus que théorique. Par contre Provence et Dauphiné ont été rattachés au royaume. Le Roussillon appartient au royaume d'Aragon, la basse Navarre et le Béarn au royaume de Navarre, Calais aux Anglais, Avignon, le Comtat Venaissin au pape et Orange est une principauté indépendante. La Bretagne n'est liée à la France depuis 1491 que par une union personnelle et réunie au royaume qu'en 1532.

Le domaine royal s'étend sur la plus grande partie du royaume. Il existe toutefois des fiefs importants sur lesquels le roi exerce une autorité plus ou moins grande : Charolais (à Maximilien d'Autriche), Armagnac, Bigorre, Comminges, comté de Foix (au roi de Navarre), Marche, Auvergne, Bourbonnais, Forez, Beaujolais (au duc de Bourbon), des apanages appartenant à des branches cadettes de la maison de Valois : Valois, Orléans, Blois d'une part (réunis par l'avènement de Louis XII en 1498), Angoulême de l'autre (réuni par l'avènement de François Ier), ou à des parents plus éloignés : Alençon, Vendôme. Une uniformité relative d'institutions et de coutumes régnait dans les pays compris entre Somme et Loire où s'étendait l'autorité des cours souveraines de Paris. Ailleurs les provinces avaient souvent leurs cours souveraines et leurs états provinciaux (Normandie, Bourgogne, Dauphiné, Provence, Languedoc, Bretagne...).

Le centre du gouvernement est la Cour qui suit le roi dans ses déplacements. Elle comprend l'Hôtel du roi attaché au service de la personne royale, dont les principaux organes sont la Chambre, la Chapelle, l'Ecurie..., et le Conseil du roi composé des pairs de France et grands officiers de la Couronne, membres de droit, et de grands dignitaires que le roi appelle. A ce Conseil trop nombreux et peu maniable, le roi préfère quelques conseillers formant le Conseil secret ou Conseil étroit.

Les grands dignitaires sont le chancelier, chef de la chancellerie et de la justice qui préside le Conseil en l'absence du roi, le connétable qui commande l'armée en l'absence du roi, l'amiral de France, le grand maître qui dirige l'Hôtel du roi. Auprès du Conseil du roi des maîtres des requêtes préparent les décisions, font les rapports. A la Chancellerie travaillent des notaires et secrétaires du roi parmi lesquels se détachent les *secrétaires en commandement*. Les ordres du roi sont transmis et exécutés soit par des officiers propriétaires de leur charge soit par des commissaires chargés de mission pris souvent dans le corps des officiers. On n'en compte guère que 12 000 pour l'ensemble du royaume. La spécialisation de ces officiers est en progrès. Certains comme les baillis et sénéchaux ont à la fois des attributions militaires, judiciaires et administratives, mais ils abandonnent leurs fonctions judiciaires à leurs lieutenants de robe longue, qui sont des magistrats, et gardent leurs fonctions militaires. Au début du XVIe siècle on peut distinguer plusieurs corps d'officiers royaux : officiers militaires, de justice, de finances.
Parmi les officiers militaires, on peut distinguer des officiers permanents témoignant de la structure militaire, de l'Etat (gouverneurs de provinces ou de villes chargés du maintien de l'ordre, donc de pouvoirs militaires et de « police », c'est-à-dire d'administration) et des officiers temporaires (capitaines commandants de troupes). A part les compagnies d'ordonnance il n'y avait pas d'armée permanente. Les capitaines recevaient commission de lever des hommes et de les commander. La levée du ban et de l'arrière-ban incombait aux baillis et sénéchaux.

Au sommet de l'organisation judiciaire venait d'apparaître le Grand Conseil, instrument de la justice personnelle du roi (*justice retenue, droit d'évocation* que le roi avait sur toutes les causes), également sorte de cour de cassation et de tribunal des conflits. On trouvait ensuite les cours souveraines. C'étaient les parlements, les chambres des comptes et les cours des aides formant des corps issus de l'ancienne *Curia regis*. Les sept parlements se partageaient le royaume, mais le plus important était le Parlement de Paris dont les autres avaient été récemment détachés. Il gardait encore dans son ressort la moitié du royaume.

Chaque parlement comprenait une grand-chambre (chargée des affaires les plus importantes), des chambres des enquêtes, une chambre des requêtes (jugeant les officiers et les personnes qui possédaient le droit de *committimus*, c'est-à-dire d'être jugés en première instance par les tribunaux royaux) et une tournelle (affaires criminelles). Les intérêts du roi y étaient défendus par les gens du roi : procureur du roi et avocats généraux. A leurs compétences judiciaires étendues, les parlements joignaient de nombreux pouvoirs de « police » (= administration). Ils intervenaient pour défendre les droits du roi dans les affaires ecclésiastiques, municipales et seigneuriales.

Les chambres des comptes vérifiaient la comptabilité publique. Les cours des aides étaient l'instance suprême en matière d'impôts.

Les cours souveraines enregistraient les édits qui étaient de leur compétence. Les parlements à cette occasion formulaient fréquemment des remontrances qui pouvaient avoir un caractère politique. En l'absence des Etats généraux, ils critiquaient notamment les édits fiscaux.

Au-dessous des parlements se plaçaient environ 80 tribunaux de bailliage et de sénéchaussée. Enfin la justice royale de première instance était assurée par les châtellenies, prévôtés, vicomtés, vigueries...

Les finances étaient aux mains de deux administrations qui régissaient les finances ordinaires (domaine) et extraordinaires (impôts). Le domaine royal comprenait, outre le domaine corporel : forêts royales, rentes foncières et droits perçus sur le domaine royal, le domaine incorporel ou ensemble de droits perçus sur le royaume : droit d'épave, droit d'aubaine sur les étrangers, péages, taxes sur les foires et marchés. Ces droits affermés étaient gérés par les quatre trésoriers de France. Les finances extraordinaires étaient dirigées par les quatre généraux des finances. Pour les finances, le royaume était divisé en quatre généralités ayant leurs sièges à Paris, Rouen, Tours et Montpellier.

Le principal impôt, les deux tiers des revenus du roi, était un impôt direct, la taille, destiné en principe à la défense du royaume et frappant tous les roturiers sauf lorsqu'ils devaient un service militaire. La taille avait été consentie par les représentants de la nation, mais le roi l'avait rendue permanente et éludait l'accord des trois ordres pour les crues ou augmentations.

C'était un impôt de répartition : le chiffre total était fixé par le Conseil du roi. Cette somme était ensuite répartie entre les généralités, les élections (appelées ainsi du nom de leurs officiers primitivement élus par les contribuables) et les communautés et paroisses, dans les provinces proches de Paris. Ailleurs la répartition était effectuée par les Etats provinciaux dans les diocèses et les paroisses. Dans chaque village un asséeur-collecteur avait la charge redoutable de répartir entre les différents contribuables la somme dont la paroisse était redevable et de lever la part de chacun. Dans le Nord la taille pesait sur les individus (taille personnelle), dans le Midi, sur les terres (taille réelle) ce qui nécessitait la confection de cadastres (compoix). Si le montant de la taille avait été réduit sous Charles VIII et au début du règne de Louis XII, il s'était élevé de 1 500 000 livres en 1507 à 3 700 000 en 1514.

Les impôts indirects étaient les aides (droits sur les marchandises, surtout les vins), les traites (droits sur les transports) et la gabelle qui en réalité était un monopole du sel. Il existait plusieurs régimes de gabelles : grande gabelle qui représentait en quelque sorte le droit commun, différents régimes de petite gabelle, moins lourds, et exemption (par exemple en Bretagne).

Avec François Ier et Henri II se produisit un changement dans la manière de gouverner, sans que les principes fussent modifiés. Ainsi le terme de Majesté jusque-là réservé à l'empereur fut donné au roi de France. On assista à un resserrement de la nation autour du roi et à un renforcement de l'administration royale.

L'administration évolua dans le sens de l'efficacité et d'une relative uniformisation. Le rôle des secrétaires auprès du Conseil du roi s'accrut sous François Ier. En 1547 Henri II fixa leur nombre à quatre. Chacun d'eux fut chargé du courrier avec un ensemble de provinces et les pays étrangers limitrophes. En 1551 ils prirent le titre de secrétaires d'Etat des commandements et finances. François Ier se méfiait des gouverneurs de provinces, grands personnages qui tendaient à se constituer une clientèle. En 1542 il annula leurs pouvoirs et ne les rendit en 1545 qu'à ceux des provinces frontières. L'organisation de la justice réalisa de grands progrès. L'ordonnance de Crémieu (1536) accrut les attributions des tribunaux de bailliages et sénéchaussées. Celle de Villers-Cotterêts (1539) limita la compétence des juridictions ecclésiastiques et donna une valeur civile aux registres de baptêmes et sépultures dont la tenue par les curés fut prescrite. En 1552 Henri II instituait les présidiaux, juridiction intermédiaire entre parlements et bailliages. Enfin des *commissaires départis* furent envoyés en province.

Une réforme financière fut entreprise en 1523. Le Trésor de l'Epargne centralisa toutes les recettes. Le royaume fut divisé en un plus grand nombre de généralités. Pour éviter les transferts de fonds, une partie de l'argent perçu était consacrée aux dépenses locales ; seul le revenant-bon allait au Trésor de l'Epargne. Cependant les besoins croissants d'argent du roi le conduisirent à user d'expédients : ventes d'offices et emprunts qui ne limitèrent pas son pouvoir, mais sa liberté d'action.

Les souverains étrangers enviaient au roi de France le nombre de ses sujets, les ressources que lui procurait l'impôt, une relative uniformité de l'administration royale, remarquable eu égard à l'étendue du royaume et la diversité de ses populations et des institutions locales, enfin une certaine docilité des Français à contribuer aux charges de sa politique.

LA MONARCHIE ANGLAISE

Le royaume d'Angleterre comprenait l'Angleterre et le Pays de Galles auxquels s'ajoutait théoriquement l'Irlande, en fait seulement une bande côtière au nord de Dublin, le *Pale* où le roi était représenté par un lord-lieutenant. L'Ecosse était un royaume indépendant. La période 1485-1529 est une période de paix intérieure. Sous Henri VII (1485-1509) et au début du règne de Henri VIII, la monarchie anglaise se montra modeste et efficace. Nulle part il n'existait des fiefs comparables à ceux que l'on trouvait en France.

Le roi était entouré du *Conseil privé* analogue au Conseil étroit de France, composé d'un petit nombre de hauts dignitaires : chancelier, trésorier, garde du sceau privé, et de quelques personnes appelées par lui. Il ne disposait pas d'un corps d'officiers comme le roi de France. Dans les comtés, équivalents des bailliages, le shériff avait abandonné de nombreux pouvoirs au juge de paix, gentilhomme de la région ayant reçu une commission du roi.

Trois grands tribunaux siégeaient à Westminster : la *Cour des Plaids communs* (affaires civiles), le *Banc du roi* (affaires criminelles), l'*Echiquier* (affaires financières). La répression des troubles incombait à une justice royale d'exception qu'on appellera plus tard la Chambre étoilée.

Le roi d'Angleterre, n'ayant pas réussi à se passer du consentement de l'assemblée des ordres *(Parlement)* pour les levées d'impôts, recourait surtout aux revenus du domaine et aux droits de douanes. La *Chambre du roi* remplaça l'Echiquier pour la gestion de la plupart des fonds et les finances royales furent bien dans la main du souverain.

Au prix d'une saine politique financière, le pouvoir royal n'était guère gêné par le Parlement. Celui-ci comprenait les Lords (plus d'ecclésiastiques que de laïcs) et les Communes dont les députés étaient pour un quart des chevaliers élus par les tenanciers libres des comtés et le reste des bourgeois élus par les bourgs. Le principal rôle appartenait aux Lords auxquels se joignait une délégation des Communes mandée par le roi. Cependant les lois qui avaient reçu la sanction du Parlement étaient considérées comme supérieures aux autres actes royaux et le roi n'avait guère les moyens d'une grande politique.

La Réforme permit au roi de renforcer son autorité. L'Acte de suprématie (1534) en faisait le chef de l'Eglise anglicane et la vente des biens monastiques rapporta au trésor royal un million et demi de livres sterling. Les changements de religion imposés successivement par Henri VIII et ses successeurs (voir p. 77) ne rencontrèrent aucune résistance de la part du Parlement et assez peu de la part du clergé. Il n'en fut pas de même dans l'ensemble du royaume. Mais l'échec des révoltes démontra la force nouvelle du pouvoir royal.

LA MONARCHIE ESPAGNOLE

Elle n'est constituée en droit qu'en 1516 lorsque Jeanne la Folle, déjà reine de Castille depuis la mort de sa mère Isabelle (1504), devient reine d'Aragon par la mort de son père Ferdinand. En fait depuis 1479 les deux royaumes ont des souverains communs, Ferdinand et Isabelle, les « rois catholiques », mariés en 1469. Les « rois catholiques » accrurent leur domaine par l'annexion à la Castille du royaume musulman de Grenade (1492), la reprise du Roussillon en 1493 et le rattachement de la partie espagnole du royaume de Navarre (1512).

Castille, Aragon et Navarre formaient des royaumes distincts, séparés par des lignes douanières. La Castille en était l'élément le plus actif. Les provinces basques et les possessions des grands ordres militaires étaient autonomes. Le royaume d'Aragon était une fédération de trois Etats autonomes : Aragon, Catalogne et royaume de Valence, auxquels se joignaient des possessions italiennes : Sardaigne, Sicile, Naples. L'avènement de Charles de Habsbourg (Charles Quint) plaça les Pays-Bas et la Franche-Comté dans le même système politique que l'Espagne. Enfin les possessions de la Castille dans le Nouveau Monde ne cessaient de s'étendre.

La Castille, pièce maîtresse de l'Empire de Charles Quint, était le siège à la fois d'institutions qui lui étaient propres et d'institutions communes aux possessions de ses souverains. Ces institutions avaient des caractères communs : elles formaient des conseils assistés d'une bureaucratie déjà nombreuse.

L'organe commun de gouvernement était le *Conseil d'Etat*, semblable au Conseil étroit de France. On distinguait également le *Conseil royal* ou *Conseil de Castille*, le *Conseil d'Aragon*, le *Conseil des Indes* créé en 1524. Ces conseils avaient un rôle législatif et administratif et étaient des cours suprêmes de justice. Depuis 1480 l'autorité royale était représentée dans les provinces par des *corregidores*, à la fois juges et administrateurs : ils surveillaient notamment les corps de villes détenus surtout par des *hidalgos*. Au-dessous d'eux on trouvait des *alcades mayors*.

L'administration financière était compliquée. Les recettes se composaient : 1) de recettes ordinaires, taxes sur les ventes *(alcabalas)*, droits de douanes, taxes sur les troupeaux transhumants ; 2) des revenus des ordres militaires et des subsides du clergé ; 3) des *servicios*, analogues à la taille, mais votés par les assemblées des ordres ou *cortès* ; 4) des revenus des Indes.

Les *cortès* de Castille avaient surtout pour but de consentir les *servicios*, aussi les rois prirent l'habitude de n'y convoquer que les roturiers. Les *cortès* des pays du royaume d'Aragon avaient gardé un rôle plus étendu.

L'ordre régnait, malgré l'importance du vagabondage, grâce à une milice formée par les villes de Castille, la *Santa Hermandad*, commandée par le roi. Cependant, de 1519 à 1522, l'Espagne fut secouée par le soulèvement des *Communeros*, expression de divers mécontentements : contre une autorité royale renforcée et passée aux mains d'un étranger et contre une fiscalité qui épargnait la noblesse. Les révoltés s'organisèrent en communes *(communidades)* fédérées par une *Junte*. En l'absence du roi, le régent Adrien d'Utrecht rallia la noblesse qui l'aida à écraser la révolte. Le calme fut assuré dans toute l'Espagne pour une longue période. La Castille put jouer le rôle de centre de l'Empire de Charles Quint.

LE SAINT-EMPIRE ET LES HABSBOURG

Le Saint-Empire romain germanique restait limité à l'ouest par l'Escaut, la Meuse et incluait la Franche-Comté. Au sud il englobait les Etats héréditaires de la maison d'Autriche, avec Trieste, mais les cantons suisses ne reconnaissaient plus son autorité depuis 1361 et l'Empereur avait dû s'incliner en 1499. Du côté de l'est les marches en étaient constituées par l'Autriche et le royaume de Bohême comprenant Bohême, Moravie et Silésie. Plus au nord il ne dépassait pas l'Oder et la Prusse vassale de la Pologne n'en faisait pas partie. Les prétentions impériales sur l'Italie du Nord sauf Venise, n'avaient plus de valeur.

La constitution de l'Empire avait été fixée par la *Bulle d'or* en 1356. Le personnage appelé à l'Empire, ou *roi des Romains*, avant son couronnement, devait être nommé par sept Electeurs : trois ecclésiastiques : les archevêques de Mayence, Trêves et Cologne, et quatre laïcs : le roi de Bohême, le duc de Saxe-Wittemberg, le margrave de Brandebourg et le comte palatin du Rhin. L'empereur était assisté de la Diète *(Reichstag)* formée de trois assemblées, celles des Electeurs, des princes et des villes, cette dernière n'ayant que voix consultative. L'archevêque de Mayence présidait la Chancellerie impériale. Depuis 1440 l'Empereur était choisi dans la famille de Habsbourg.

Maximilien (1493-1519), en accord avec la Diète de Worms (1495), mit sur pied des réformes destinées à assurer l'ordre intérieur. Les guerres privées furent interdites et une *Chambre de justice impériale* fut créée à Francfort-sur-le-Main. Elle contribua beaucoup à répandre le droit romain. En 1500 l'Empire fut divisé en dix cercles dont le rôle était d'assurer la défense commune. Cette institution devait ne prendre quelque consistance que bien plus tard.

Maximilien essaya également de constituer une administration commune à ses Etats et à l'Empire qui siégerait en Autriche ou le suivrait dans ses déplacements. En fait la *Chancellerie aulique* et la *Chambre aulique* ne fonctionnèrent que plus tard et surtout dans les Etats héréditaires.

Les institutions impériales étaient battues en brèche par les progrès de la *Landeshoheit* ou souveraineté territoriale des princes aux dépens de la petite noblesse, incapable de se pourvoir d'artillerie, et des villes. La Bulle d'or avait reconnu des droits régaliens aux Electeurs : droit de battre monnaie, de rendre la justice, de lever des impôts. Les autres principautés s'arrogeaient lentement les mêmes droits.

Aussi l'Allemagne se morcelait en principautés ecclésiastiques surtout nombreuses dans les pays rhénans, le Nord-Ouest et le Sud (outre les électorats : Magdebourg, Halberstadt, Minden, Bamberg, Salzbourg...), en principautés laïques (outre les électorats : Clèves, Saxe ducale, Hesse, Bavière, Wurtemberg...) et en villes libres, plus d'une centaine, surtout dans les pays rhénans et en Souabe (Augsbourg, Nuremberg, Ulm, Francfort, Aix-la-Chapelle, Cologne, Spire, Worms, Strasbourg, Erfurt, Lübeck, Brême, Hambourg...). Principautés ou villes tendaient à s'organiser en Etats et se dotaient d'une administration et d'assemblées des ordres qui consentaient les impôts. Les princes s'entouraient d'un Conseil. Les assemblées des Etats contribuèrent à assurer la paix en arbitrant les querelles de succession et en assurant la perception des impôts.

Parmi ces quelque quatre cents principautés et villes, émergeaient les Etats héréditaires de la Maison d'Autriche que Charles Quint céda à son frère Ferdinand en 1522 et auxquels s'ajoutèrent en 1526 par héritage les royaumes de Bohême et de Hongrie. Les Etats héréditaires bénéficièrent des efforts de Maximilien et de ses successeurs pour constituer un Etat autrichien. Le Conseil secret créé en 1527 devint un organe efficace de gouvernement. Flanqués par les royaumes de Bohême et de Hongrie, les Etats héréditaires devinrent le principal point d'appui de la politique des Habsbourg en Allemagne et en Europe centrale.

La Réforme accentua le recul du pouvoir impérial et le renforcement de l'autorité des princes. Elle valut à l'Allemagne une suite de guerres qui ne furent pas favorables à l'esprit national. Ce fut en 1523 la révolte des chevaliers puis de 1524 à 1526 la révolte des paysans de l'Ouest et du Sud auxquels se joignirent les villes du Nord. Dans les deux cas, Luther s'était prononcé pour le respect des autorités établies. Désormais la Réforme fut surtout une affaire d'Etats : princes et villes. Dès 1526 ceux-ci s'organisaient en deux ligues opposées. Charles Quint espérait rétablir l'unité catholique au prix de concessions en matière religieuse. Il crut y réussir à deux reprises. En 1530, profitant de la division des réformés à la diète d'Augsbourg, il fit voter par celle-ci l'obligation de rétablir le catholicisme. La formation de la ligue de Smalkalde en 1531, ouverte aux rois de France et d'Angleterre permit aux princes luthériens de résister par les armes. Après la victoire de Muhlberg, Charles Quint fit voter par la diète l'*Intérim* d'Augsbourg qui ne donna satisfaction à personne. Les princes protestants obtinrent l'appui ouvert de Henri II à qui le traité de Chambord permettait d'occuper Metz, Toul et Verdun. Ayant essuyé un désastre devant Metz, Charles Quint dut signer avec les princes la paix d'Augsbourg (25 septembre 1555) qui consacrait un recul du pouvoir impérial, chaque prince devenant en fait maître de l'Eglise dans ses Etats. Les sécularisations effectuées avant 1552 étaient reconnues valables.

LES ÉTATS ITALIENS

L'Italie était morcelée en un grand nombre d'Etats d'inégale importance : Etats du pape, royaume de Naples qui passa aux rois d'Aragon en 1504, duché de Savoie. Des villes avaient constitué avec leur région des Etats indépendants tombés aux mains des patriciens (Venise, Gênes, Lucques, Sienne...) ou de chefs militaires, les *condottieri*, qui les avaient transformés en principautés (Milan, Mantoue...). Parfois on y voyait se succéder des régimes politiques différents comme à Florence.

Trois Etats débordaient le cadre de l'Italie. Les Etats de l'Eglise, mosaïque de suzerainetés diverses sur des villes ayant gardé des institutions municipales vivantes comme Rome ou passées au pouvoir de *condottieri* devenus feudataires du pape, étaient très faibles malgré les efforts de papes comme Alexandre VI (1492-1503) et Jules II (1503-1513). Une certaine confusion régnait entre le gouvernement de l'Eglise et le gouvernement propre à ces Etats. La centralisation y fit cependant des progrès pendant le xvi⁰ siècle. Depuis 1504 le royaume de Naples faisait, comme la Sardaigne et la Sicile, partie de la couronne d'Aragon. Le souverain était représenté par un vice-roi assisté d'un *Conseil collatéral*. Il s'appuyait sur les villes pour contenir une puissante féodalité rurale.

Venise était plus qu'un Etat italien puisqu'à ses « possessions de terre ferme », la Vénétie, elle joignait une partie de l'Istrie, de la Dalmatie et des îles Ioniennes, la Crète, Chypre et plusieurs îles de la mer Egée. La souveraineté y appartenait à un *Grand Conseil* composé de représentants de quelque deux mille familles patriciennes inscrites depuis 1506 au livre d'or. Le *Grand Conseil* déléguait ses pouvoirs au *Sénat*, assemblée permanente de 300 membres dont les principaux organes exécutifs étaient le *Conseil des Sages* et le *Conseil des dix*, ce dernier à la tête d'une redoutable police secrète. Le Doge, chef officiel de la « *Sérénissime République* », n'avait guère qu'un rôle d'apparat et était très surveillé. L'ordre régnait dans les Etats de la république et Venise pouvait compter sur le loyalisme de ses sujets. Son armée, sa flotte, ses ressources financières faisaient d'elle une puissance européenne.

D'autres Etats par contre durent subir d'intermittentes tutelles étrangères. Contrairement à Venise, la république de Gênes était très agitée. On y voyait s'opposer les nobles répartis en clans *(alberghi)* et les roturiers *(popolari)*, bourgeois ou artisans, les factions rivales : blancs et noirs. Les bureaux, dont la *Casa di San Giorgio* (finances), jouaient un grand rôle.

Le duché de Savoie s'étendait à l'ouest des Alpes sur Nice, la Savoie, la Bresse, le Bugey, le pays de Gex et le pays de Vaud et à l'est ne comprenait qu'une partie du Piémont actuel. C'était un Etat assez bien administré, mais disparate et pauvre, dont le rôle principal était de commander les passages entre France et Italie. La Réforme lui fit perdre Genève et le pays de Vaud (1536).

Milan était devenu un Etat princier changeant souvent de main sans que ses institutions fussent modifiées.

Florence fut à cette époque la ville des révolutions. Les institutions étaient très compliquées et fréquemment modifiées (voir *Précis d'Histoire du Moyen Age*, p. 216). Principat des Médicis et gouvernement républicain alternèrent. L'invasion française de 1494 avait chassé les Médicis et permis au dominicain Savonarole d'exercer une dictature morale d'esprit évangélique. Il fut renversé par un soulèvement populaire et brûlé vif en 1498, un effort de stabilisation du régime républicain fait par quelques conseillers dont Machiavel. Mais les Médicis revinrent en 1512 sous la protection des papes de leur famille, Léon X (1513-1520) et Clément VII (1523-1534), et établirent une véritable monarchie.

Dans la plupart des Etats italiens la tendance était au renforcement de l'autorité. Un équilibre s'était établi que faisaient respecter les principaux Etats, Venise, Milan, Florence, Rome et Naples. Une diplomatie savante avait limité les guerres. Celles-ci étaient d'ailleurs conduites « avec une modération exemplaire par des *condottieri* soucieux de ménager leurs troupes » (H. Lapeyre). Pourtant les motifs de conflits ne manquaient pas, attisés par les exilés appartenant aux factions vaincues. Cela devait permettre à la France et à l'Espagne d'intervenir.

LES MONARCHIES MÉDIÉVALES DU NORD ET DE L'EST

Dans l'Europe du Nord et de l'Est le caractère médiéval du Saint-Empire se retrouve et paralyse plus ou moins le pouvoir royal.

L'Union de Kalmar qui liait les Etats scandinaves entre eux se relâchait. La Suède retrouve son indépendance avec Gustave Vasa (1520-1523). Tandis qu'elle évolue vers la monarchie absolue, le Danemark reste une monarchie médiévale où la couronne est élective. Le roi ne peut se passer de l'accord de la Diète *(Rigsraat)* composée de la noblesse et du clergé dont la puissance grandit et qui réintroduisent le servage sur leurs domaines. La principale ressource de l'Etat est le péage d'Elseneur étendu depuis 1512 à tous les navires pénétrant dans le Sund.

La Pologne est un Etat hérétogène composé du royaume de Pologne et du grand-duché de Lithuanie aux frontières orientales indécises. Le pouvoir royal ne cesse d'y reculer. La couronne est élective et c'est au prix de concessions que se maintient la dynastie des Jagellons (1501-1572). Le roi doit compter avec le *Sénat* ou Grand Conseil composé d'évêques et de magnats, dont les avis l'obligent, et avec la Diète qui depuis 1496 est composée de députés ayant reçu un mandat impératif des diétines de provinces où seule figure la petite noblesse ou *Szlachta*. La constitution *Nihil novi* (1505) interdit au roi de ne rien établir de nouveau sans l'accord du Sénat et des diètes. Le roi ne dispose ni de l'armée, ni du trésor, ni de l'administration et il doit vivre de ses domaines. Le pouvoir réel appartient aux magnats qui ont domestiqué la *Szlachta*. Sous Sigismond Ier (1506-1548) le Sénat exerce le pouvoir royal. La principale force de cet Etat reste l'attachement au catholicisme romain, face aux Russes orthodoxes, à l'Empire musulman et bientôt à la Réforme, et la levée en masse de sa noblesse dont le commandement est alors remis au roi. La Hongrie avait une constitution du même type, mais depuis 1526 la plus grande partie tomba au pouvoir des Ottomans.

Textes et documents : MACHIAVEL, *Œuvres complètes*, éd. BARNIGON, 1952. Claude de SEYSSEL, *La Grant monarchie de France*, 1519, éd. POUJOL, 1969.

Chapitre VII

LA POLITIQUE ÉTRANGÈRE
ET LES RAPPORTS ENTRE PEUPLES

Cartes : IV a et **b, VII** et **XVII.**

Bibliographie : G. ZELLER, *Histoire des relations internationales* (sous la direction de P. RENOUVIN), t. II, 1492-1660, 1953. H. LAPEYRE, *Les monarchies européennes du XVI*ᵉ *siècle. Les relations internationales*, 1962.

L'expression « relations internationales » appliquée au XVIᵉ siècle est probablement anachronique bien que des nations existent déjà ou se forment, mais les rapports entre souverains ne sont plus de simples relations entre personnes ou dynasties. Par ailleurs la période étudiée voit le recul de la Chrétienté devant les Turcs et l'affirmation de son morcellement en nations. Cependant les guerres d'Italie entraînent le premier conflit à l'échelle européenne, apportent une transformation de l'art de la guerre et amènent les progrès de la diplomatie.

Progrès et reculs de la Chrétienté

De la prise de Constantinople (1453) au premier siège de Vienne (1529) par les Turcs, la Chrétienté a perdu la péninsule des Balkans et la plus grande partie de l'Europe danubienne. Sans doute les peuples chrétiens dont le territoire est conquis ne disparaissent pas, mais leur destin les isole pour trois siècles de la Chrétienté occidentale avec laquelle d'ailleurs la plupart, de rite orthodoxe, n'avaient que des liens spirituels assez lâches. Il est juste de dire que plus au nord, la Chrétienté orthodoxe a progressé avec la naissance de l'Etat russe qui prend le relais de Byzance comme rempart de la Chrétienté contre les infidèles.

L'UNIFICATION DE LA RUSSIE

Le Grand Prince de Moscou, Ivan III (1462-1505), suzerain des autres princes russes, réalisa l'unification territoriale de la Russie, refoula les Lithuaniens et se fit reconnaître par eux comme souverain de toute la Russie. Il refusa le tribut aux Tatars et se proclama autocrate, indépendant de tout souverain étranger, étendit son domaine jusqu'à l'océan Glacial et, dépassant l'Oural, atteignit l'Ob.

Cependant la Russie est coupée de l'Europe occidentale par les Polonais, Lithuaniens, Allemands (chevaliers teutoniques, chevaliers porte-glaive, Hanséates) qui la considèrent comme barbare. En 1494 les Hanséates suppriment leur comptoir de Novgorod. Il est vrai qu'il s'agit d'un pays presque uniquement rural, à l'occupation humaine très lâche, ne possédant guère d'autres villes que Moscou, la ville sainte, Novgorod la grande et Pskov, centre d'un maigre commerce de transit. L'essentiel de l'activité se concentre dans des agglomérations éparpillées, centres de grands domaines. Une féodalité assez lâche lie les seigneurs *(boïars)* au souverain.

Malgré son caractère asiatique dû à une assez longue sujétion à l'égard des Tatars, la Russie sous Ivan III affirme son caractère chrétien et s'organise comme rempart oriental de la Chrétienté. Par son mariage avec Sophie Paléologue, nièce du dernier empereur byzantin, Ivan III se posa en successeur de l'ancien empire chrétien d'Orient. Moscou prétendit être la « troisième Rome », sanctuaire unique de la vraie foi face aux chrétiens d'Occident et aux infidèles.

Ivan III essaya également de se donner des moyens à la hauteur de telles prétentions. Mais la volonté du souverain se heurta au Conseil des boïars. Ivan III commença à constituer un véritable ordre d' « hommes de service » *(pomiestchiks)* qui s'engageaient à lui pour la vie et qu'il rémunérait avec une terre. Les uns servaient comme hommes d'armes, d'autres comme agents d'une bureaucratie en plein essor. Le développement de l'économie monétaire, sensible depuis que les Tatars ne drainaient plus l'or sous forme de tribut, transformait l'économie domaniale. Les redevances en nature et les corvées étaient souvent remplacées par des redevances en argent. Les paysans s'endettaient et, pour éviter de perdre leur liberté, s'enfuyaient. Ivan III leur interdit de quitter le domaine et ils tombèrent sous la dépendance des seigneurs et *pomiestchiks*. La société rurale russe évoluait dans le même sens que celle de l'ensemble des pays situés à l'est de l'Elbe.

Les progrès de la Russie engageaient la Chrétienté orientale vers un grand développement. Mais ce pays apparaissait si différent de l'Occident que celui-ci ne pouvait s'apercevoir de ces progrès et était plus sensible aux reculs que les Turcs infligeaient à la Chrétienté.

L'AVANCE DES TURCS

L'Empire turc était avant tout une armée, celle des Ottomans, en partie féodale, faite d'une cavalerie, les *spahis*, jouissant d'un bénéfice viager, le *timar*, et d'une infanterie, le corps des janissaires, recruté par razzias parmi des enfants chrétiens élevés dans la religion musulmane et voués au célibat. Ces derniers devenaient des soldats d'élite, fanatisés mais exigeants, capables de massacrer le souverain tel Bajazet II qui ne les menait pas assez à la guerre. L'artillerie était nombreuse et redoutable. Sur la flotte, surtout composée de galères, ramaient des captifs chrétiens. Cette puissance militaire était entretenue par une capitation levée sur les chrétiens et des tributs versés par les princes vassaux ou même voisins.

L'Empire turc était un Etat despotique où la volonté du souverain ne rencontrait aucun obstacle légal. Le sultan se posait en successeur de l'empereur byzantin. Il gouvernait avec un grand vizir et des vizirs formant le divan. L'Empire était divisé en provinces ou *sandjaks* administrées par des pachas. Des chrétiens renégats composaient la plus grande partie du personnel.

Face au monde musulman, le sultan se donnait comme défenseur de la vraie foi. Sélim Ier (1512-1520) battit les Persans hérétiques (1513), s'empara d'Alep, Damas, Jérusalem, Le Caire, Alexandrie et devint le protecteur des villes saintes de La Mecque et Médine. Il prit le titre de khalife ou commandeur des croyants (1517). Comme l'Etat barbaresque qui se constitua à Alger sous la direction de Khaïr-el-din Barberousse à partir de 1518 demanda la protection du sultan, l'Empire turc unifia le monde arabe (à l'exception de Bagdad) sous sa domination.

Du côté des chrétiens l'offensive turque s'était portée notamment contre les possessions vénitiennes d'Orient, et même contre la Vénétie. Mais Venise, assez mal soutenue par une Sainte Ligue comprenant le Pape, la Hongrie, la France et l'Espagne, préféra négocier avec le sultan. Elle renonçait aux possessions de Grèce qu'elle avait perdues mais sauvait son commerce avec l'Orient (1503). Ainsi la diplomatie s'introduisait dans les rapports entre chrétiens et musulmans. Sur un point même les chrétiens réalisaient des progrès momentanés. De 1505 à 1510, les Espagnols occupaient des points importants de la côte d'Afrique du Nord : Melilla, Oran. Mais la constitution de l'Etat barbaresque rendit précaire la position des Espagnols.

Soliman le Magnifique (1520-1566) reprit l'offensive contre l'Europe. Il s'empara de Belgrade (1521), chassa de Rhodes les chevaliers de Saint-Jean-de-Jérusalem qui s'installèrent à Malte (1522), écrasa à Mohacs, où il trouva la mort, le roi de Bohême et de Hongrie, Louis II Jagellon (1526), et mit le siège devant Vienne en 1529 et 1532. Ce fut le point extrême de l'avance turque en Europe. La Hongrie fut partagée en deux : la Hongrie royale passée à Ferdinand de Habsbourg, réduite à une mince bande allant des Karpathes à l'Adriatique, et la plus grande partie de la plaine hongroise, gouvernée par un prince chrétien vassal du sultan, avec Bude qui fut pendant près de deux siècles la principale forteresse turque face à l'Occident. Par le traité de Constantinople (1564), l'empereur reconnaissait le fait et s'engageait à verser au sultan un tribut annuel dont il ne fut relevé que par le traité de Svitatorok (1606).

Devant les Turcs conquérants l'idée de croisade a pratiquement disparu. Le pape Jules II prélève sur la décime payée pour la croisade des sommes destinées à la reconstruction de Saint-Pierre de Rome. Innocent VIII reçoit l'ambassadeur du sultan en audience solennelle en présence du Sacré Collège et de différents représentants des nations chrétiennes.

Les divisions de la Chrétienté

On put se demander si dans les premières années du xvie siècle la Chrétienté n'allait pas retrouver une unité nouvelle grâce à l'humanisme. « Les humanistes européens formaient une république des lettres reposant sur de fréquents échanges épistolaires » (H. Lapeyre). Il n'en fut rien.

La guerre semble toujours un fléau inévitable comme la peste et la famine. Par ailleurs le patriotisme dépasse l'attachement à la petite patrie et prend lentement la forme de la conscience nationale dans l'âme populaire, où elle se mêle d'éléments religieux avec Jeanne d'Arc ou Jean Huss. Des poètes de la Renaissance l'expriment en termes nouveaux, grâce souvent à des réminiscences de Virgile et de Tite-Live. Ils s'ingénient également à donner à leur nation des origines fabuleuses et glorieuses. La France, l'Angleterre et l'Espagne sont les pays où l'on fait le plus souvent appel au sentiment patriotique.

Si les souverains ambitionnent d'acquérir gloire et provinces et mènent une politique dynastique, ils s'identifient plus fréquemment que par le passé avec une nation dont ils épousent les sentiments et les intérêts. Pourtant n'y a-t-il pas une certaine équivoque dans l'association de l'attachement au souverain et du sentiment national ? Les provinces passent d'un prince à l'autre à la suite de conquêtes ou d'héritages, non par annexion, mais par transfert de souveraineté. Provence, Bourgogne et Bretagne acceptèrent le roi de France comme souverain à la suite d'un véritable contrat. Dans ces trois cas, la réunion allait dans le sens d'une adhésion latente à la nation française. Ainsi François Ier ayant dû céder la Bourgogne à Charles Quint pour recouvrer la liberté refusa d'exécuter cette clause en utilisant l'opposition des Etats de Bourgogne et du Parlement de Paris. Il donnait ainsi une expression inattendue du droit des peuples à disposer d'eux-mêmes. L'attachement au souverain pouvait donc être à la fois une composante et une expression du sentiment national.

Toutefois les héritages et mariages peuvent amener (sauf en France) la venue d'une dynastie étrangère. Or l'attachement à un souverain d'origine étrangère n'était pas incompatible avec le sentiment national, comme on le voit dans l'Empire des Habsbourg. Encore fallait-il que Charles-Quint se montrât Castillan en Castille et Flamand en Flandre et qu'il y laissât gouverner des hommes du pays. Ainsi, à partir d'Etats nationaux, se constituaient des « Etats-nébuleuses » (P. Chaunu), collections de souverainetés diverses.

Les frontières apparaissaient souvent encore comme des limites de mouvances, bien des souverains et des seigneurs possédant des terres de part et d'autre. Cependant la cartographie se précisait. Le progrès des langues nationales renforçait la notion d'étranger.

Dans la mesure où les ambitions des souverains étaient soutenues par les peuples, on peut parler d'impérialisme. Il y eut un impérialisme français qui culmina avec la candidature de François Ier à l'Empire (1519), mais qui après la défaite de Pavie fit place à la défensive. L'impérialisme allemand est plus ancien puisqu'il s'appuyait sur l'Empire, souveraineté universelle que les Allemands considéraient comme leur vocation. C'est à la fin du xve siècle qu'on l'appelle *Saint Empire romain de nation allemande*. L'élection impériale de 1519 montra la vivacité des aspirations allemandes. Mais, affaibli par la formation de principautés de plus en plus indépendantes, l'empereur ne pouvait mener de politique active que grâce aux forces des Etats qu'il possédait dans l'Empire et hors de l'Empire. La Castille fournit à Charles Quint la plupart de ses moyens en hommes et en argent. L'impérialisme allemand et l'impérialisme castillan ne furent guère associés que contre la France et à condition de ne pas se gêner. Ainsi Charles Quint dut-il abandonner à son frère Ferdinand l'administration de ses Etats héréditaires d'Autriche en 1522.

On peut parler d'impérialismes maritimes à cette époque, mais surtout dans le Nouveau Monde. En Europe, malgré des mesures économiques qui présentent parfois un aspect nationaliste, les rivalités sont plutôt entre ports ou villes qu'entre pays et les frontières ne gênent guère les échanges internationaux.

Les guerres d'Italie

On a ainsi appelé un conflit qui, né des ambitions des rois de France, constitue les premières des grandes guerres européennes (1494-1529), mais dès 1519 leur enjeu et leur théâtre débordent largement l'Italie.

Charles VIII, dont le règne personnel commence en 1492, d'esprit chevaleresque, voulait conquérir le royaume de Naples sur lequel les Valois, héritiers de la maison d'Anjou, avaient des droits. Pour s'assurer la neutralité de ses voisins, Charles VIII signa des traités avec Henri VII d'Angleterre, Ferdinand d'Aragon à qui il rendit le Roussillon et l'empereur Maximilien à qui il abandonna la Franche-Comté et l'Artois. Il comptait sur des appuis en Italie. En février 1495, Naples était conquise. La supériorité militaire des Français avait surpris les Italiens qui prirent leur revanche par la diplomatie. Une coalition fut conclue, comprenant Venise, le pape, l'Aragon, la Castille et l'Empereur Maximilien. Charles VIII abandonna le royaume de Naples.

Son successeur, le duc d'Orléans devenu Louis XII, joignit aux droits sur Naples des prétentions sur le Milanais. Contre Ludovic Sforza de Milan il gagna l'alliance de Venise et la neutralité de l'Angleterre, de l'Espagne et des cantons suisses et s'empara de Milan (1500). Puis Louis XII passa accord avec Ferdinand d'Aragon pour le partage de Naples qui fut conquise en 1501. Cependant ses troupes étaient chassées de Naples par un remarquable général espagnol, Gonzalve de Cordoue (1503-1504).

Pendant une paix relative qui dura cinq ans, le nouveau pape, Jules II, consolida les Etats de l'Eglise et conclut une alliance générale contre Venise qui prévoyait le dépècement des Etats de Terre ferme. Les Vénitiens, vaincus par les Français à Agnadel (1509), réussirent à dénouer la coalition en concluant des paix séparées avec leurs adversaires. Jules II alors se tourna contre les Français qualifiés de « barbares » en s'assurant l'aide des cantons suisses. Louis XII, mêlant le spirituel au temporel comme l'avait fait Jules II, fit convoquer un concile à Pise pour la réforme de l'Eglise. Jules II en convoqua un autre à Rome et organisa une Sainte Ligue à laquelle adhérèrent Venise, Ferdinand d'Aragon et Henri VIII d'Angleterre. Le Milanais fut défendu par Gaston de Foix victorieux mais tué à Ravenne (1512). La cause de la France s'effondrait en Italie. La France était menacée par les Suisses et les Anglais. Avant sa mort, Louis XII réussit à dissocier la coalition.

François Ier voulut reconquérir Milan et battit les Suisses à Marignan (13 et 14 septembre 1515), victoire dont certaines conséquences furent durables. Le pape Léon X conclut avec François Ier le *Concordat de Bologne*. Enfin fut signée la « *paix perpétuelle* » de Fribourg avec les Suisses qui permettaient au roi de France de recruter des mercenaires parmi eux.

Duel entre la France et la Maison de Habsbourg

La paix ne devait durer que cinq ans à peine. L'élection impériale de 1519 transforma le conflit en un duel entre la France et la maison de Habsbourg qui régnait sur les Etats héréditaires d'Autriche, les Pays-Bas, la Franche-Comté et depuis 1516 sur l'Espagne et ses possessions d'Italie et d'outre-mer. Entre les deux l'Angleterre menait une politique de bascule. Le déséquilibre des forces n'apparaissait pas évident et Henri VIII malgré l'entrevue du Camp du drap d'or ne se rangea pas aux côtés de François Ier (1520).

En 1521 François Ier, profitant de la révolte des *Communeros* en Castille, voulut aider le roi de Navarre à reprendre la partie espagnole de ses Etats. Les impériaux ripostèrent en assiégeant Mézières qui fut défendue par Bayard. Mais l'Italie resta le principal champ de bataille. Le Milanais fut très vite perdu. Desservi par la trahison du connétable de Bourbon, François Ier ne put le reprendre. Il tenta un grand effort mais fut vaincu et fait prisonnier à Pavie (1525) et dut signer le désastreux traité de Madrid (1526). On sait que, contraint de céder la Bourgogne pour recouvrer sa liberté, il se fit dispenser de cette clause par les Etats de la province et par le Parlement de Paris. La puissance de Charles Quint devenait inquiétante. François Ier put conclure la ligue de Cognac avec le pape Clément VII, Venise et plusieurs princes italiens. Henri VIII changea de camp. Un retournement se produisit. En 1527 les lansquenets de Charles Quint qui n'avaient pas touché leur solde s'emparèrent de Rome et la pillèrent, ce qui entama le prestige de Charles Quint. Les Turcs qui avaient remporté la victoire de Mohacs assiégeaient Vienne sans succès en 1529. Enfin Charles Quint était inquiet des progrès de la Réforme en Allemagne. La paix fut rétablie en 1529. Par le traité de Cambrai, François Ier gardait la Bourgogne. L'Espagne assurait son hégémonie en Italie, mais la France conservait son unité et ses forces.

Ainsi un certain équilibre se maintint pendant les années de paix 1529-1536. Charles Quint était aux prises avec la ligue de Smalkalde, cependant que François Ier négociait avec celle-ci par l'intermédiaire d'humanistes allemands et intervenait dans les affaires de l'Empire. A partir de 1534, cette politique fut gênée par son hostilité aux réformés français et les contacts pris avec le sultan en vue d'une action combinée. La guerre recommença de 1536 à 1538 puis de 1542 à 1544 sans résultats. Charles Quint profita du retour de la paix pour entreprendre la soumission des princes luthériens. Vainqueur à Muhlberg il leur imposa l'*Interim* d'Augsbourg. Mais ils signèrent avec Henri II, successeur de François Ier, le traité de Chambord (1552) et Henri II occupa les trois Evêchés de Metz, Toul et Verdun. Charles Quint renonça à l'*Intérim* pour se réconcilier avec les princes luthériens et reprendre Metz. Après son échec devant cette ville, il songea à abdiquer, non sans avoir rétabli sa situation. Il réussit en effet à placer des garnisons espagnoles dans les présides de Toscane et à conclure le mariage de son fils Philippe avec Marie Tudor, ce qui lui assurait l'alliance anglaise. Il cédait à Philippe les Pays-Bas, l'Espagne et ses dépendances extérieures (1555-1556). Cependant la trêve de Vaucelles laissait la Savoie et le Piémont à la France. Peu de mois après, Henri II se laissa entraîner dans une nouvelle guerre par le pape anti-espagnol Paul IV Carafa. Avec l'appui de l'Angleterre, Philippe II envahit le nord du royaume. Son armée commandée par Emmanuel-Philibert de Savoie écrasa l'armée de Montmorency à Saint-Quentin (1557). Les embarras financiers de Philippe II compromirent ce succès et François de Guise en profita pour s'emparer de Calais (1558). Comme Henri II désirait se consacrer à la lutte contre l'hérésie, il signa la paix de Cateau-Cambrésis (1559). Les Français évacuaient la Savoie, le Piémont et aussi la Corse dont les habitants les avaient appelés en 1553.

Le traité de Cateau-Cambrésis, décevant pour la France, devait fixer les positions des deux grandes monarchies catholiques pour un siècle. Les

rêves impériaux de Charles Quint étaient cependant ruinés. L'Europe
occidentale connaissait un nouvel équilibre, fondé sur les trois principales
nations : Espagne, France et Angleterre.

Un nouvel équilibre s'établissait également en Europe orientale, mais
plus favorable aux Turcs qu'aux chrétiens. Il était fondé sur l'amenuise-
ment des Etats placés entre Empire et Espagne d'une part, empire
ottoman de l'autre. Malgré l'hostilité de la Perse avec laquelle les
Habsbourg entretenaient des relations, les Turcs firent peser une menace
constante en Hongrie et en Méditerranée. Ils avaient subi un coup d'arrêt
devant Vienne en 1529, mais ils réussirent à occuper presque toute la
Hongrie avec Bude et firent de la Transylvanie une principauté vassale.
Ils s'assurèrent la maîtrise de la Méditerranée grâce à la flotte de leur
vassal, le corsaire barbaresque Barberousse installé à Alger et à l'aide
de François Ier, qui permit à la flotte de Barberousse de relâcher à
Toulon (1543). Ils obtinrent de Venise la cession des postes qu'elle avait
gardés en Grèce, tandis que les Espagnols reculaient en Afrique du Nord.

Conséquences des guerres

Si décevantes qu'aient été les guerres d'Italie sur le plan politique, elles
ont apporté un enseignement et marqué un tournant dans les relations
entre Etats. Leurs conséquences s'étendirent à l'art de la guerre et à la
diplomatie.

Au début du siècle les grands Etats disposaient tout juste d'un noyau restreint
de troupes permanentes. En temps de guerre il fallait faire appel au ban et à
l'arrière-ban féodal et à des milices pour assurer la défense locale. Le gros des
armées était composé de mercenaires. Des pays étaient spécialisés dans un mode
de combat. L'infanterie lourde se recrutait surtout parmi les Suisses et les lansquenets allemands. L'infanterie légère était souvent formée de « Gascons ». Cependant les mercenaires coûtaient cher, étaient exigeants et leur dévouement restait
subordonné à la régularité du paiement des soldes. On chercha à limiter leur
emploi. On y parvint alors en Espagne grâce au grand nombre d'*hidalgos* servant
comme cavaliers ou arquebusiers. En France on leva les vieilles bandes de Picardie
puis celles du Piémont.

La tactique évolua en même temps que l'armement. A la fin du xve siècle,
les Suisses donnaient le ton. Ils formaient des carrés massifs d'environ six mille
hommes, composés de piquiers entourés de hallebardiers et d'arquebusiers. La
bataille se réduisait à un choc frontal. Mais elle était livrée par consentement mutuel, car on ne pouvait que se mettre en bataille hors de la portée de
l'ennemi et s'avancer ensuite en sa direction. Celui-ci avait donc tout le loisir

de se retirer. La cavalerie n'avait en fait guère plus de mobilité sur le champ de bataille.

Cependant la cavalerie, qui formait plus de la moitié des effectifs de l'armée française en 1494, n'en constitua plus que le dixième environ au milieu du XVIe siècle. Les arquebusiers passèrent dans le même temps du dixième au tiers de l'infanterie. Le principal novateur fut Gonzalve de Cordoue qui utilisa plus fréquemment l'engagement « en enfants perdus » et les retranchements. L'arquebuse devint plus maniable. L'artillerie commença à intervenir sur les champs de bataille en liaison avec les autres armes. A cet égard Marignan fut la première bataille moderne.

Les Français avaient au début une véritable supériorité pour l'artillerie de siège. Les fortifications médiévales souvent mal entretenues devinrent inefficaces. Il fallut enterrer les murs, construire des glacis où les boulets s'enfonçaient sans dommages, les faire précéder de bastions avec saillants et rentrants pour permettre des tirs convergents. Les fortifications de Vérone rénovées en 1520 passèrent pour un modèle du genre.

La stratégie n'évolua guère. Les batailles restèrent rares et il fut toujours très difficile d'exploiter militairement une victoire. Faute de pouvoir désarmer l'adversaire, on pratiqua la stratégie des accessoires consistant à s'emparer des villes, marchés, voies de passage et à dévaster la campagne pour le forcer à se retirer faute de ravitaillement.

La marine de guerre amorça des progrès en France et surtout en Angleterre, mais le plus souvent les flottes étaient composées de bateaux de commerce armés en guerre. L'emploi de la galère n'était pas encore limité à la Méditerranée. Sa force résidait dans sa rapidité à engager la bataille. Elle transportait un grand nombre de fantassins et un combat de galères se faisait à l'abordage. Mais à cause du grand nombre d'hommes qui devait y prendre place (fantassins, chiourme) elle était tenue de longer les côtes afin d'assurer le ravitaillement. Le navire, depuis les perfectionnements de la navigation à voile, avait un plus grand rayon d'action. Il pouvait être armé d'un plus grand nombre de canons. Mais on ne percevait pas encore cette supériorité.

Tous ces progrès passaient rapidement d'un pays à l'autre. Seuls les souverains possédant de grandes ressources financières pouvaient les adopter, si bien que les guerres d'Italie amenèrent une simplification relative de la répartition des forces militaires et politiques en Europe. Les petits Etats devinrent des Etats clients.

Les guerres d'Italie virent également l'essor de la diplomatie. L'Italie fut à l'origine de la diplomatie permanente. Dès 1495, Venise envoya des représentants permanents en Espagne, France, Angleterre et auprès de l'Empereur. Les souverains firent de même. Les ambassadeurs permanents étaient recrutés parmi les agents habituels des souverains, mais les ambassades extraordinaires confiées tout au moins nominalement à de grands personnages conservaient plus de prestige.

Venise mit au point des usages diplomatiques qui furent imités partout. Les ambassadeurs entraient en contact non seulement avec les souverains, mais également avec leurs conseils et leurs secrétaires. La langue diplomatique était le latin. Les ambassades devinrent vite le siège de réseaux d'information et d'espionnage. De plus les princes utilisaient les services d'agents secrets qu'il était facile de désavouer.

Cette diplomatie permanente était devenue une diplomatie positive pour laquelle seul comptait le résultat. On peut dire qu'alors « la diplomatie est la guerre sur un autre terrain » (R. Mousnier). Dans *Le Prince* (1513), Machiavel a exposé la théorie et la pratique de la diplomatie positive, et surtout le fruit de son expérience. Coalitions, traités, engagements n'ont de valeur qu'autant que durent les circonstances qui les ont provoqués. Mensonges et ruses sont de règle, mais ils ne font pas beaucoup de dupes.

On ne peut pas affirmer que les progrès de la diplomatie aient réduit le nombre des guerres. Ils ont plutôt limité leur portée et ainsi contribué à étendre à une grande partie de l'Europe l'équilibre qui régnait depuis près d'un demi-siècle en Italie. Le coût de la guerre empêchait l'augmentation des effectifs et par là limitait les ravages trop certains des gens de guerre. En même temps il obérait les finances des Etats, encourageait le développement de la fiscalité, gênait le commerce. La guerre contribua au déséquilibre financier et aux crises sociales et morales qui après une période de stabilité relative marquent la période qui commence dans la décade 1520-1530.

L'éclatement de la Chrétienté occidentale en nations, en confessions religieuses opposées et son recul devant les Turcs, les progrès de la diplomatie montraient tout autant que les entreprises européennes en Amérique et en Asie, l'Humanisme et les progrès de la bourgeoisie, qu'un monde nouveau était né en Europe mais sans rupture avec le passé.

Textes et documents : MACHIAVEL, S. de HERBESTEIN, *op. cit.*

DEUXIÈME PARTIE

LA CRISE DE L'EUROPE

Le monde né au début du XVIe siècle devait connaître de nombreuses crises. Les événements des années 1520-1530 ont souvent valeur de signe : excommunication de Luther en 1520, sac de Rome en 1527, siège de Vienne par les Turcs en 1529, début d'une longue lutte entre la France et la Maison d'Autriche en 1521, rupture de l'unité scandinave en 1524, premiers symptômes d'une forte hausse des prix en 1521, crise du change européen en 1527... Cependant c'est seulement vers 1560 que l'image d'une Europe vivifiée par la Renaissance s'estompe pour faire place à celle d'une Europe en proie à une crise qui aboutit à ce que l'on a appelé le « tragique XVIIe siècle ». Les éléments de la crise sont divers. La crise économique est caractérisée d'abord par une montée désordonnée des prix, puis vers 1620 par un renversement de la tendance (phase B des économistes). La crise politique culmine avec la guerre de Trente Ans, la révolution d'Angleterre et la Fronde, les révoltes populaires en France. Cependant, et c'est ce qui justifie le choix de la coupure en 1560, la crise spirituelle et la crise des mentalités se dessinent au cœur même du XVIe siècle.

L'Europe sortira de cette crise par paliers : un nouveau renversement de la tendance des prix qui se produit vers 1730, l'instauration au XVIIIe siècle d'un fragile équilibre européen. Toutefois là encore l'évolution des faits spirituels et des mentalités aura précédé celle des faits économiques et politiques. C'est dans les années 1620-1630 que se manifeste l'éveil de l'esprit scientifique et au milieu du XVIIe siècle que recule la croyance à la sorcellerie et que sous l'influence du cartésianisme le rationalisme entreprend sa marche conquérante. Dans les douleurs de la crise politique et les misères de l'économie naît non sans peine une nouvelle sensibilité, celle de l'Europe classique.

CHAPITRE VIII

TRANSFORMATIONS DU CADRE ÉCONOMIQUE SOCIAL ET MENTAL

Carte V.

Bibliographie : Ouvrages cités p. 8 et p. 85. H. HEATON, *Histoire économique de l'Europe*, t. I, traduit de l'anglais, 1950. R. H. TAWNEY, *La religion et l'essor du capitalisme*, traduit de l'anglais, 1964. J.-P. GUTTON, *La société et les pauvres en Europe, XVIe-XVIIIe siècles* (coll. « Sup »), 1974. F. MAURO, *Le Portugal et l'Atlantique, 1570-1670*, 1960. P. GOUBERT, *Beauvais et le Beauvaisis de 1600 à 1730*, 2 vol., 1960. P. DEYON, *Le mercantilisme*, 1969. E. LE ROY-LADURIE, *Paysans du Languedoc*, 2 vol., 1966. J. DELUMEAU, *Vie économique et sociale à Rome dans la seconde moitié du XVIe siècle*, 2 vol., 1957 et 1959. P. VILAR, *La Catalogne dans l'Espagne moderne*, 3 vol., 1962. B. PORCHNEV, *Les soulèvements populaires en France de 1623 à 1648*, traduit du russe, 1963. R. MOUSNIER, *Fureurs paysannes, les paysans dans les révoltes du XVIIe siècle (France, Russie, Chine)*, 1967. R. MANDROU, *Magistrats et sorciers en France au XVIIe siècle*, 1968.

Nouvelles orientations économiques de l'Europe

De 1530 à 1620, l'expansion économique continue, mais il se produit un déplacement des principaux centres d'activité. Cependant la hausse des prix et l'inflation dominent la période et suscitent l'orientation des autorités vers le mercantilisme.

LA HAUSSE DES PRIX ET L'INFLATION

Commencée en Espagne au début du siècle, cette hausse gagne la France en 1524 et devient générale. Jusqu'en 1575 elle atteint surtout les prix agricoles.

Longs à discerner les raisons essentielles, les contemporains accusaient généralement la mauvaise qualité de la monnaie. On savait que la mauvaise monnaie chasse la bonne. C'est encore ce qu'affirme en 1566 Malestroit dans ses *Paradoxes*.

On commençait à se douter que l'arrivée des métaux précieux était pour quelque chose dans le phénomène et on s'acheminait vers la théorie quantitative de la monnaie.

Navarro en Espagne dès 1556 et surtout Jean Bodin en France dans sa *Réponse à M. de Malestroit*, puis l'Anglais Gresham et l'Italien Davanzatti expliquèrent qu'il existait un rapport proportionnel entre l'afflux monétaire et la hausse des prix.

Bodin voyait d'ailleurs d'autres causes à la hausse des prix, dont l'existence de « monopoles », c'est-à-dire d'ententes entre marchands, artisans et compagnons pour défendre leurs prix et salaires, ou encore les effets d'un commerce déséquilibré. L'or et l'argent arrivés en Espagne n'y restaient guère. Dans ce pays l'augmentation de la population, malgré son importance, ne suivait pas l'essor économique. Aussi y venaient des travailleurs français, en quête de hauts salaires, qui ramenaient en France leurs économies. Les marchands français y écoulaient au prix fort des vivres et des produits manufacturés destinés à l'Amérique. Jean Bodin accusait également le luxe des souverains et des cours. D'ailleurs il comprenait l'avantage que procurait à l'économie l'abondance de numéraire, mais il ne voyait pas que le remède était l'accroissement de la production. Il fut peu suivi.

En 1577, le gouvernement français tenta hardiment de supprimer la différence entre monnaie de compte et monnaie réelle. Les comptes durent être obligatoirement exprimés en écus d'or. La livre tournois devenait le franc d'argent fin qui valut le tiers d'un écu. Cela fut inopérant. La valeur des pièces d'argent était hors de proportion avec les besoins quotidiens des petites gens. Aussi, pour faire face à l'extension du petit commerce, fallut-il recourir au billon. En 1578, on frappa en France de la monnaie de cuivre dont la valeur intrinsèque était très faible, mais les Français ne l'acceptèrent que difficilement. L'Espagne abusa du billon, ce qui, en 1609, compromit la vie quotidienne des travailleurs. Par contre, l'Angleterre réussit une réforme monétaire en 1561.

On cherchait également à agir sur les prix par la taxation. L'Espagne connut plusieurs tarifications des prix des céréales assorties de peines d'exil de la ville et, en cas de récidive d'exil du pays, et de confiscation de la marchandise. Un corps de juges spéciaux fut créé en 1593, mais il fallut y renoncer devant les nombreuses récriminations qu'ils suscitaient. Partout le prix du blé faisait l'objet de taxations qui ne pouvaient que freiner le mouvement.

LE MERCANTILISME

L'intervention du souverain dans la vie économique était admise quand il s'agissait de lutter contre les famines, d'arbitrer les conflits entre les sujets et de faire régner les principes chrétiens. Dès la fin du XVe siècle on était allé plus loin. Certains conseillers avaient compris l'importance de la balance du commerce pour un Etat. Ils inspirèrent des mesures qui malgré des hésitations forment parfois une politique mercantiliste cohérente.

Il fallut attendre la seconde moitié du xvie siècle pour que naissent des doctrines mercantilistes. Dans son *Mémorial* (1558) Luis Ortiz constate que l'Espagne se vide de métaux précieux car elle exporte ses matières premières et achète des produits manufacturés, pour le plus grand bénéfice des autres peuples. Le remède était de développer l'industrie nationale en encourageant les cultures de lin, chanvre, mûrier, en favorisant l'installation d'ateliers nouveaux, en faisant venir de la main-d'œuvre qualifiée de l'étranger. L'Etat pouvait agir en réglementant la production et le commerce et en pratiquant une politique douanière.

Ces idées furent partagées en France par les officiers royaux et certains hommes d'affaires, à la fin du siècle, alors que le pays était ruiné par les guerres de religion. On trouve chez Barthélemy de Laffemas ce qui forme l'essentiel du mercantilisme : méfiance à l'égard de l'oisiveté et du luxe qui suscitent l'importation de produits coûteux, volonté d'exporter et pour cela de développer l'agriculture et surtout l'industrie. Laffemas conseillait la prohibition des soieries étrangères et le développement des industries de luxe. Pour que l'industrie produise assez, bien et à prix raisonnable, il fallait qu'elle soit réorganisée. On ne pouvait le faire qu'en s'appuyant sur les corporations. Laffemas envisageait la création de « chambres des métiers ».

En Angleterre, Gresham, dans son *Compendieux Traité*, insistait sur le fait que le montant des importations ne devait pas dépasser celui des exportations et formulait déjà le principe suivant lequel « les produits s'échangent contre les produits ».

Les souverains prirent de nombreuses mesures allant dans le sens de la mainmise de l'Etat sur certaines productions, de l'organisation et de l'unification de la production, enfin du protectionnisme. Mais ils n'avaient pas les mêmes possibilités d'action d'un Etat à l'autre. Dès la fin du xve siècle, les rois d'Espagne et de Portugal avaient mis la main sur le commerce avec leurs possessions d'outre-mer. Les métaux précieux et le poivre étaient devenus des monopoles d'Etat. Les autres souverains essayèrent d'adapter cette politique à certains des produits de leur royaume. Le but était à la fois fiscal et économique.

En France, le roi était reconnu implicitement propriétaire du sous-sol depuis le xve siècle, mais il ne commença à disposer des mines et carrières pour en accorder des concessions d'exploitation que vers 1540. Il existait une administration embryonnaire des mines que des édits d'Henri IV renforcèrent. Pour le sel, le roi donnait à ferme l'exploitation des mines de sel gemme, mais il pouvait seulement contrôler les marais salants. Pour les poudres et salpêtres, le gouvernement déterminait chaque année la quantité à produire par province pour le service du roi. Des ordonnances de 1572, 1582 et 1601 perfectionnèrent le système et renforcèrent le contrôle royal. En Angleterre, le roi ne disposait pas de semblables pouvoirs et ses droits sur le sous-sol s'affaiblirent, sauf pour les minerais contenant de l'or et de l'argent.

Cependant la politique de réglementation et d'unification économiques réussit mieux en Espagne et en Angleterre qu'en France. Ainsi les rois d'Espagne pendant tout le xvie siècle soutinrent l'organisation commune des éleveurs de moutons de Castille, la *Mesta*, contre les cultivateurs. Les ordonnances de Séville (1511) réglementaient l'industrie textile dans toute la Castille. On sait que tout le commerce des Indes devait passer par Séville. Philippe II alla plus loin. Il essaya d'imposer la même réglementation à tous les pays de l'Empire espagnol.

Le gouvernement anglais essaya d'unifier la production industrielle en promulguant des règlements nationaux. Des « compagnies » furent créées pour les métiers qui n'avaient encore qu'une organisation corporative lâche. En 1563, le *statut des artisans* décida que la fixation des salaires serait faite chaque année par les juges de paix.

Malgré les pouvoirs qu'il possédait en matière économique, la tâche du roi de France était plus malaisée, à cause de la multiplicité des privilèges provinciaux et municipaux. Afin de mieux contrôler l'industrie, les rois favorisèrent les métiers jurés au détriment des métiers libres. De minutieux règlements de métiers furent pris dès François Ier. L'édit de 1571 sur les textiles fixait les prix de vente et les modes de fabrication. D'une manière générale cette législation favorisait les maîtres. Elle fut impopulaire et inefficace. Les édits de 1581 et 1597 prétendaient faire disparaître les métiers libres. Ils subsistèrent mais reçurent en fait une organisation et il est plus juste de parler de « métiers réglés ».

Les mesures protectionnistes se multiplièrent à partir de 1530. Charles-Quint prohiba l'exportation de lin, chanvre, peaux, cuirs, soies, fer et minerai de fer. Cependant les rois d'Espagne ne purent pas faire respecter le monopole du commerce avec leur immense empire. Par ailleurs ils se contentèrent de droits de douane limités.

Certains pays comme la principauté de Liège et l'Angleterre où l'industrie capitaliste était en plein essor ne redoutaient guère la concurrence étrangère et au xvie siècle furent peu protectionnistes. Les Anglais attacheront davantage d'importance aux *Actes de navigation* qui à partir de 1651 tendront à réserver à leurs navires une partie du commerce d'importation.

En France les intérêts étaient parfois contradictoires. Des lettres royales de 1516 prohibèrent sans succès l'importation des tissus de luxe. Il fallut les renouveler plusieurs fois dans le siècle. Pour répondre aux vœux des députés de nombreuses villes aux Etats généraux, le roi interdit l'importation des objets manufacturés en 1577 et 1599. Mais Lyon n'avait pas les mêmes intérêts et s'opposa à ces mesures. Elles ne furent pas appliquées.

EXPANSION ÉCONOMIQUE

L'expansion continua à un rythme accéléré, mais irrégulier jusque vers 1620. Toutes les conditions n'étaient pourtant pas favorables. Outre la maladresse de certaines mesures mercantilistes, le financement des entreprises commerciales se faisait irrégulier. Avec le Concile de Trente l'Eglise était devenue plus vigilante à dénoncer le prêt à intérêt. Ainsi en 1571, le pape Pie V condamna le *dépôt*. On appelait ainsi la pratique, alors répandue sur les principales places d'Europe, d'avances consenties à des particuliers ou à des souverains, de foire en foire, donc à un rythme trimestriel, à des taux variant suivant le marché (J. Delumeau). Par contre on vit se répandre le *recours* qui était un *rechange* convenu entre les deux partenaires dès le début de l'opération (voir p. 42). Malgré tout l'Europe occidentale était au XVIe siècle la seule partie du monde dans laquelle existassent des places de change. Les crises de crédit dues à une expansion désordonnée marquèrent le début de la période. Après 1560 les Fugger et les Médicis par exemple ne retrouvèrent pas la place qu'ils avaient eue dans la période précédente. Par contre on vit prospérer des entreprises nouvelles, plus financières et même, dans certains pays, plus industrielles. Elles furent atteintes à leur tour par les crises de 1595-1600. Le relais fut pris par le capitalisme plus anonyme des grandes compagnies de commerce.

Le monopole portugais s'était effondré, celui de l'Espagne *(Exclusif)* se ne maintenait qu'avec peine. D'autres Etats allaient prendre leur part du commerce d'outre-mer en organisant des compagnies d'un type nouveau, inspirées par des vues mercantilistes et limitées au trafic dans un secteur géographique déterminé. Ces compagnies créées par le gouvernement devaient grouper tous les marchands intéressés par une route commerciale. Elles avaient un monopole et recevaient la protection de l'Etat. La *Moscovy Company*, créée en 1555, ouvrit une première fenêtre à la Russie par le port d'Arkhangelsk, et permit aux Anglais de drainer une partie du commerce extérieur de ce pays. L'*Eastland Company* pénétra jusqu'en Baltique en profitant du déclin de la Hanse. La *Levant Company* créée en 1581 profita du déclin de Venise et des difficultés de la France pour échanger dans les Echelles du Levant des draps anglais contre des produits d'Orient. Ces compagnies étaient des sociétés par actions auxquelles souscrivaient des marchands londoniens et des grands seigneurs, voire le souverain. L'*East India Company* reçut des privilèges importants : droit de posséder une flotte et des troupes, pouvoirs souverains sur les terres conquises et enfin exemption des droits de douanes. La Hollande suivit cet exemple. L'*Oost indische Compagnie* fut fondée en 1602, puis ce furent la Compagnie du Nord pour la pêche à la baleine, la Compagnie du Levant et la *West indische*. Les compagnies hollandaises jouissaient d'une grande liberté d'action. La France ne s'engagea dans cette voie qu'avec Richelieu.

A partir de 1560, prirent place à côté du poivre d'autres produits du Levant et des Indes : soieries, cotonnades, bois rares, porcelaine, tapis. Les artisans de ce commerce furent d'abord les Français qui, grâce aux capitulations signées avec l'Empire turc, pratiquèrent un « commerce triangulaire Espagne-France-Levant, c'est-à-dire argent-drap-produits d'orient » (F. Mauro). Puis, les Anglais et Hollandais supplantèrent les Français pendant les guerres de religion.

Par contre les exportations d'Amérique ne progressèrent que lentement. Ce furent des produits de teinture : bois brésil du Brésil, cochenille et indigo du Mexique. On voit apparaître le produit qui allait fonder la prospérité de l'Amérique tropicale, le sucre. Celui-ci arrive à partir de 1570 surtout du Brésil et des Antilles.

Face aux importations, les exportations de l'Europe vers l'outre-mer ne comptent pas encore beaucoup. Elles consistent en tissus, farines, et, en moindre quantité, produits de luxe et outillage.

L'expansion fut également soutenue par les progrès de la technique dans de nombreux domaines. La première machine à tricoter fut mise en usage en Angleterre en 1590. La fabrication des bas de soie au métier prit un grand essor.

Plus caractéristique est l'essor de la métallurgie et notamment de la sidérurgie, dû également à des besoins accrus en armes à feu, machines et objets divers.

Epingles, clous, rasoirs, couteaux, serrures, clés, fers et mors de chevaux, bandages de roues... se répandaient. On a même parlé d'une première révolution industrielle dans l'évêché de Liège, en Suède et surtout en Angleterre (J. U. Nef). Dans ce dernier pays en effet le bois devenait insuffisant pour faire face à la demande. Il fallut recourir au charbon. Le rythme de production de la houille s'accrut plus vite que la population, de 200 000 à 1 500 000 tonnes entre 1540 et 1640. Bien que les petits ateliers artisanaux se multiplient, l'augmentation de la production charbonnière et métallurgique est due surtout au développement de l'industrie capitaliste.

LE DÉPLACEMENT DES PÔLES ÉCONOMIQUES

L'expansion n'a pas été le fait de toute l'Europe dont la carte économique s'est profondément modifiée à partir de 1559-1560. Le monde méditerranéen s'est appauvri. Bien souvent les villes ont drainé l'activité des campagnes. La Sicile ne fournit plus assez de blé même quand la récolte est bonne. Il faut en importer des pays du Nord. Les forêts imprudemment exploitées reculent. Le déboisement et l'abus du pâturage entraînent la dégradation des sols. Les cultures reculent en Andalousie après l'expulsion des Morisques.

La peste atteint cruellement l'Espagne et fait des ravages dans les villes italiennes surpeuplées. La population de l'Espagne commence à décliner. La colonisation du Nouveau Monde n'en est pas seule responsable, car l'émigration outre-mer a porté sur un petit nombre d'individus, mais c'étaient des hommes jeunes. A la fin du siècle l'Espagne doit recruter dans ses armées des mercenaires étrangers, comme elle utilise l'activité des marchands et artisans de France et des Pays-Bas.

Cependant l'activité des ports et des foires espagnols se maintient encore grâce aux étrangers, et le pays ne paraît pas en déclin. Par contre l'économie italienne s'endort. Certes Gênes devient un grand centre bancaire, mais l'activité industrielle et commerciale est partout en recul. Les marchands se transforment en gentilshommes et en hommes de cour.

L'Allemagne du Sud connaît la même évolution. Ses mines d'argent ne comptent plus guère au regard des mines d'Amérique. Avec le déclin des villes italiennes la route des Alpes est devenue moins active. Les patriciens d'Augsbourg et de Nuremberg s'intéressent davantage à la terre et à l'acquisition de titres et de seigneuries.

Dans les Pays-Bas du Sud, le déclin est plus tardif et Anvers reste la plus importante place d'Europe au milieu du siècle. Mais les troubles religieux et sociaux l'atteignent à partir de 1566. La révolte puis la répression espagnole ruinent la région. Anvers est pillée en 1576. La coupure des Pays-Bas en deux lui fait perdre les bouches de l'Escaut et le port est coupé de la mer.

Le déclin de la Hanse s'accélère. La Baltique est en fait ouverte à tous, moyennant le droit de passage d'Elseneur. Malgré les troubles, les ports français de l'Atlantique jouissent d'une certaine prospérité. Mais la dernière guerre de religion, accompagnée de la guerre avec l'Espagne, met les marchands français en difficulté au profit des Anglais et Hollandais.

En effet, l'expansion se concentra à la fin du XVIe siècle en Angleterre et en Hollande. Grâce aux ressources de la pêche et aux activités mari-

times, ces pays purent nourrir et occuper une population qui continuait
à s'accroître. De plus ils possédaient une bonne monnaie. La progression
de l'Angleterre fut régulière, car ce pays, après les troubles religieux de
1545-1560, connut une paix intérieure à peine troublée par des complots
et les armadas espagnoles de 1588 et 1597.

L'essor de la Hollande fut plus rapide. Les Hollandais s'emparèrent
du commerce de la Baltique. Agissant comme auxiliaires des Espagnols
et Portugais, ils prirent pied dans les colonies. Puis, entrés en lutte
contre Philippe II, ils résistèrent et réussirent à fermer le port d'Anvers.
Ce fut le triomphe d'Amsterdam. Dans les premières années du XVIIe siècle
ils construisaient autant de navires et possédaient autant de marins que
tous les autres pays européens réunis. Ils créaient des industries diverses.
Le symbole de ce succès fut la création en 1609 de la bourse d'Amsterdam.
C'est là que se fixait le cours des blés de la Baltique et des principales
denrées coloniales. Les voies de commerce s'infléchissaient vers ce nouveau
pôle d'activité, pour le plus grand bénéfice de villes comme Francfort,
Leipzig, Hambourg et Dantzig.

LE RENVERSEMENT DE LA CONJONCTURE ÉCONOMIQUE

Comme le XVIe siècle, le XVIIe siècle a connu des crises (1630-1632,
1648-1652, 1661, 1693-1694), mais beaucoup plus graves, caractérisées
par des famines et des mortalités. Toutefois ces crises s'inscrivent
non plus sur un fond d'expansion économique, mais sur un fond
de stagnation ou même de repli. A partir de 1620-1630 les prix cessent
généralement de monter. Après la crise de 1648-1652, ils baissent pour
atteindre leur niveau le plus bas entre 1660 et 1680 (phase B des économistes). En fait cette baisse est accompagnée d'oscillations continuelles
et de grande amplitude, génératrices d'un sentiment d'insécurité. L'activité
commerciale, la rente foncière rapportent moins. Le crédit est défaillant,
les investissements sont découragés. Les petites gens ne bénéficient pas
de la baisse des prix, car si les salaires partiellement en nature subissent
peu d'atteintes, famines, épidémies, auxquelles il faut ajouter guerres
et souvent fiscalité, rendent leur situation cruelle. La crise atteint surtout
les pays qui avaient connu la plus grande expansion économique au
XVIe siècle. Par contre, elle touche plus tardivement les pays méditerranéens qui ne se sont pas lancés dans les grandes entreprises et la Hollande
dont l'armature économique est assez solide pour faire face.

On ne perçoit pas encore très bien les raisons de ce renversement de la conjoncture. L'Europe connaît une pénurie de numéraire due à la thésaurisation des métaux précieux sous forme de bijoux ou objets précieux et encore plus aux achats d'articles de luxe dans les pays d'Orient. Il s'y joint le ralentissement de la production américaine de métal précieux provoqué par l'épuisement des filons et la raréfaction d'une main-d'œuvre indigène décimée par le travail forcé et les épidémies. On a également évoqué les atteintes du « petit âge glaciaire » (voir p. 9). On ne peut écarter la conjoncture politique. Les guerres du xviie siècle succèdent trop vite à celles du xvie. De 1559 à 1660, guerres de religion et autres passent d'un pays à l'autre, reprenant souvent alors que la reconstruction nécessitée par le précédent conflit n'est pas achevée. Si l'on excepte l'exemple de dynamisme des bourgeoisies de quelques pays maritimes, les populations européennes témoigneraient plutôt d'un épuisement collectif. A cause des famines, épidémies et guerres, l'Europe du xviie siècle, sauf en quelques secteurs favorisés, présente une démographie probablement plus désastreuse que celle des pays actuellement sous-développés. C'est peut-être la raison essentielle de l'arrêt porté à une expansion économique disproportionnée aux moyens techniques dont l'Europe disposait alors.

Les cadres sociaux face à l'évolution économique

L'expansion économique plus heurtée depuis 1530 amena des conséquences sociales qui affectèrent la société et l'équilibre des ordres dans toute l'Europe.

L'ÉVOLUTION DES SOCIÉTÉS RURALES

Bien que les villes aient constitué le moteur de l'activité économique, la terre continuait à représenter la source essentielle de la fortune aux yeux des hommes du xviie siècle. « L'intérêt pour la manufacture, pour le commerce, pour les entreprises coloniales n'est encore que le fait d'une étroite minorité d'esprits hardis » (M. Vénard). Il est rare qu'au bout d'une ou deux générations une fortune acquise dans le commerce ne se transforme en une fortune terrienne : rentes foncières, fermes, seigneuries apparaissaient comme des placements plus sûrs. Cet état d'esprit ne fit que se renforcer lorsque l'expansion économique fut affectée de crises. Le phénomène s'observe partout, moins toutefois dans les pays où le sol devient exigu pour la population (Pays-Bas, surtout Hollande). Aussi seigneurs, bourgeois, laboureurs dès qu'ils le pouvaient achetaient de la terre. Dans les pays touchés par la Réforme, les terres de l'Eglise furent sécularisées. Les souverains ne gardèrent en général qu'une faible partie du sol ainsi saisi. Ils distribuèrent des domaines à quelques grands dont ils voulaient s'assurer la fidélité. Ils vendirent la plus grande part à des seigneurs, des marchands et paysans riches. Il arriva également que la noblesse réformée agisse pour son propre compte pendant les guerres de religion. Même dans les pays où la religion catholique devait triompher, se produisit un transfert des terres de l'Eglise. Afin de supporter les frais de la lutte contre les révoltés protestants, les Etats généraux de France procédèrent à une partielle mise à la disposition de la nation des biens du clergé. Celle-ci aurait porté sur le cinquième des terres de l'Eglise.

Ainsi l'aristocratie foncière se renforça de tous ceux, nobles avides ou seulement avisés, marchands, laboureurs, qui avaient du blé à vendre. D'ailleurs, sauf peut-être en Flandre et en Hollande, la considération sociale était attachée surtout à la propriété de la terre. Quand il s'agissait d'un fief cela permettait de rehausser l'éclat d'un patronyme roturier, de vivre noblement, d'exercer une autorité et de se mettre en bonne position pour se faire anoblir.

Sous l'influence de ces nouveaux seigneurs l'exploitation de la terre se modifiait. Les bourgeois y apportaient un souci du profit moins embarrassé de considérations morales. Beaucoup d'anciens seigneurs dont les revenus féodaux et seigneuriaux avaient diminué les imitaient. D'autres, moins gagnés par cette nouvelle mentalité économique, préféraient remettre la gestion de l'ensemble de leurs biens, domaine proche, rentes féodales ou autres, à des fermiers généraux de seigneurie, sortes d'intendants. Ces derniers constituaient une élite paysanne bien placée pour s'enrichir et qui cherchait à s'insinuer dans le groupe des possesseurs de terre. C'est autant pour mettre en garde la noblesse contre ce danger et l'amener à bien comprendre ses intérêts qu'Olivier de Serres publia son *Théâtre d'agriculture et mesnage des champs* en 1600 dans lequel il conseillait aux seigneurs d'être présents dans leurs seigneuries, d'en surveiller la gestion, d'exercer sur leurs paysans un véritable patronage moral. Ce livre eut beaucoup de succès car il venait à un moment où Henri IV et Sully s'efforçaient de réparer les dégâts occasionnés par les guerres de religion et de ramener les paysans au travail de la terre.

Une diversification des économies rurales s'opérait en Europe. Pour accroître les revenus de la terre, on augmentait les surfaces cultivées. Des défrichements souvent précaires furent tentés là où l'abondance de la population le permettait. On vit s'accélérer le défrichement des marais pour lequel on fit venir des techniciens hollandais, en Angleterre (dans les Fens) et en Poitou. Mais ailleurs, l'essor de l'industrie textile et dans une moindre mesure la nécessité de ravitailler des villes à la population croissante amenèrent des progrès de l'élevage. Cela se fit aux dépens de la culture, soit d'une manière catastrophique comme dans l'Italie du Sud ou même en Espagne, soit d'une manière plus lente comme en Angleterre. Dans ce dernier pays, les progrès de l'élevage sont inséparables de ceux des enclosures et de la dissociation des pratiques communautaires.

Le renforcement de l'aristocratie rurale et la hausse des prix eurent des effets cruels sur un grand nombre de paysans. La part qu'ils prenaient à la vente des produits agricoles diminua au fur et à mesure que les rentes en denrées se développaient. Dans les régions d'agriculture avancée le fermage s'était développé, mais il introduisait des baux à court terme, dont le taux s'élevait avec les prix. Les salaires augmentaient mais sans pouvoir suivre ceux-ci. Certes, là où les pratiques communautaires subsistaient elles fournissaient aux plus pauvres des ressources, d'ailleurs difficiles à évaluer. Aux effets de cette évolution se joignaient ceux de la fiscalité. Quand le plus lourd de l'impôt royal consistait en impôts directs, le paysan était particulièrement accablé.

Ainsi pour des raisons diverses et sous des formes diverses la condition des paysans eut tendance à empirer dans le cours du xvie siècle et surtout au début du xviie siècle. En Angleterre, les tenanciers sont menacés par le recul des pratiques communautaires et la constitution de grandes unités de culture. Le salariat agricole se répand. Il est vrai que les progrès réalisés par l'industrie constituent une sorte d'exutoire à la main-d'œuvre. En France où le vieux système agraire se maintient, beaucoup de paysans sont écartés du marché des denrées. L'insécurité est entretenue par la guerre de 1585 à 1598 et à partir de 1635. Le retour à une économie de troc ne serait pour la plupart des paysans qu'un mal limité si, au même moment, l'augmentation des impôts royaux n'exigeait pas qu'ils possèdent de l'argent pour les payer. Rappelons enfin que dans l'est de l'Europe le servage s'installe par le biais des corvées destinées à la mise en valeur des grands domaines.

Cependant aucune grande famine ne se produit en Europe au début du xviie siècle. La peste inflige à la population rurale vraisemblablement moins de ravages qu'à celle des villes. Le nombre des habitants se maintient généralement ou même progresse. Aussi la misère se répand et avec elle le vagabondage et la pression exercée par les malheureux des campagnes sur les villes. L'équilibre est sur le point d'être rompu. Les famines qui surviennent après 1630, la fiscalité et les guerres amèneront la crise.

LES POPULATIONS URBAINES

La formation d'une bourgeoisie capitaliste amorcée dans la période précédente se poursuivit, recrutant ses membres parmi les marchands qui joignaient la banque à leurs activités et tenaient en main une partie de la production industrielle.

Les maîtres de métier suivaient des fortunes diverses. Dans les métiers traditionnels, une ascension sociale prudente est encore possible pourvu que l'individu conserve l'appui de sa famille et que les crises locales ne détruisent pas ses efforts. Plutôt que d'investir l'épargne dans le commerce, cette bourgeoisie des métiers préfère acquérir terres, rentes en nature, rentes constituées ou rentes garanties par des institutions sûres (Hôtel de Ville de Paris, Etats provinciaux, clergé...). Mais de plus en plus, dans les Etats comme la France où règne la vénalité des offices, l'ambition de cette petite bourgeoisie est d'acheter des charges.

Chez les autres maîtres de métiers et boutiquiers, c'est la stagnation. Cette catégorie est sur le qui-vive. La hausse des prix des objets fabriqués, à partir de la seconde moitié du siècle l'avantage, mais la matière première est également plus coûteuse. Les luttes entre métiers complémentaires sont donc assez vives. Une famille nombreuse est une bénédiction pour les parents dès l'instant que les enfants travaillent. Pour ces derniers c'est souvent la décadence. Dans les métiers réorganisés par le capitalisme commercial, le maître devient un façonnier et il a perdu toute indépendance.

Les compagnons avaient bénéficié dans la période précédente d'une conjoncture favorable. De plus l'expansion avait contribué à distendre les règlements de métiers. A partir du deuxième quart du XVIᵉ siècle, se produit un renversement. Les salaires s'essoufflent à suivre la hausse des prix. Les maîtres, soit parce qu'ils sont gagnés par la mentalité capitaliste, soit parce qu'ils défendent une condition devenue précaire, élargissent le fossé qui les séparait des compagnons. Un peu partout les autorités municipales ou l'Etat, soucieux de production, durcissent la réglementation et y astreignent les métiers dits libres. Il est devenu sauf exception impossible à un compagnon de devenir maître, les tendances naturelles à l'hérédité ne rencontrant plus de frein.

Les compagnons ne pouvant avoir part aux profits de l'expansion s'organisent en confréries qui leur sont propres et que les autorités interdisent. Des coalitions se nouent qui amènent des grèves.

Ainsi se forme un prolétariat urbain connaissant la misère à des degrés divers : façonniers, compagnons des métiers du textile, gagne-deniers dont le nombre s'accroît au fur et à mesure que se développe la civilisation urbaine. Tous sont soumis aux moindres modifications de la conjoncture. Ils sont souvent amenés à mendier momentanément et parfois ne réussissent pas à se relever. Quelques espoirs restent à ces malheureux : entrer dans ces nombreuses domesticités qui au moins offrent du pain et parfois la possibilité de quelque épargne, et surtout recourir à la charité qui reste un devoir chrétien, mal pratiqué d'ailleurs, puisqu'elle s'exerce non en fonction des besoins des malheureux, mais eu égard aux mérites que veut s'acquérir le donneur. Devant la tension sociale croissante, la charité devient également une précaution dont les collectivités prennent en main l'organisation.

LA TENSION SOCIALE : ORDRES OU CLASSES ?

La tension sociale existe à tous les niveaux. Les différences de fortune se sont accrues dans tous les ordres et tous les corps. Les familles de haute noblesse ayant participé aux révoltes malheureuses sont ruinées, voient leurs biens confisqués et distribués par les souverains en récompense aux familles les ayant servis. En Angleterre, en Castille, en France, il n'existe plus de grands fiefs, mais les grandes fortunes terriennes se sont renforcées par l'addition de fiefs de moindre importance. Les remembrements s'opèrent par exemple dans la région parisienne à partir de 1560. L'inégalité entre marchands, entre maîtres de métiers, entre paysans, entre manouvriers même devient la règle.

Les genres de vie se diversifient. Les riches, anciens ou nouveaux, se distinguent davantage des pauvres. Sans doute il ne faut pas exagérer. Les contacts entre eux restent fréquents, mais ce sont des contacts de maître à domestique ou à salarié, voire même de riche à mendiant. Déjà on voit des regroupements s'opérer par quartier dans certaines villes comme Rome où l'aristocratie va s'établir dans le quartier aéré des *Monts*. Le plus souvent la construction des hôtels urbains se fait au milieu de la ville, mais le voisinage ne crée guère de familiarité.

Les comportements sociaux se diversifient également. Cela se traduit dans l'évolution du vêtement, de l'alimentation et les divertissements. La mode continue à être la préoccupation des grands, notamment, mais on dénonce ses effets dans la bourgeoisie. Alors, pour rendre l'imitation plus difficile, les gens de cour se ruinent en ornements coûteux. La mode masculine devient aussi excentrique et variable que la mode féminine. Par ailleurs les lois somptuaires sont sans cesse renouvelées, ce qui prouve non pas leur inefficacité absolue, mais le fait qu'elles n'étaient pas suffisamment appliquées au gré de leurs inspirateurs. Elles permettent tout au moins de dénoncer ceux qui chercheraient à tromper sur leur condition sociale.

Les carrosses se répandent au xvie siècle et leur possession devient un élément de distinction sociale. La même diversification se produit dans les divertissements. L'appel plus fréquent à la mythologie ne peut pas toucher les gens du peuple. Les tournois et joutes en plein air deviennent moins fréquents. Carnavals et entrées des souverains donnent toujours lieu à des réjouissances générales, mais sont de plus en plus l'occasion de bals et de spectacles théâtraux réservés à un petit nombre.

Aussi les rivalités et luttes sociales deviennent-elles plus âpres que par le passé : révolte des pauvres contre les riches, mais aussi rivalité des ordres et des corps. Les révoltes avaient été violentes dans la première moitié du xvi⁰ siècle. Dans la seconde moitié les mouvements sont plus nombreux et beaucoup plus faibles. Ce sont plutôt des émeutes de la misère et du brigandage. La raison en est probablement l'affaiblissement des compagnons de métier, les progrès de l'appareil répressif et de l'autodéfense des groupes sociaux supérieurs.

Des frictions existent également entre nobles et bourgeois. La noblesse de sang qui voit son rôle politique réduit doit défendre sa fortune. Elle le fait en se mettant au service du roi ou en entrant dans une clientèle, plus souvent que par une gestion plus judicieuse de son patrimoine. Devant la poussée de la bourgeoisie elle accentue la mentalité et le comportement de l'ordre, insiste sur la pureté de la race et l'honneur, accentue son mépris du travail.

De la bourgeoisie sort une nouvelle noblesse faite de nouveaux seineurs anoblis par lettres du souverain ou par l'achat de charges importantes de l'Etat, à qui les nobles de race refusent la qualité de gentilhomme. Ces nouveaux nobles cherchent néanmoins obstinément à se rapprocher de la vieille noblesse par des mariages ou par le métier des armes. Par ses aptitudes, ses aspirations et ses goûts qu'elle accentue, la bourgeoisie se tient écartée du peuple et professe le mépris du travail manuel. Dans la mesure où la fusion entre les deux noblesses n'est pas facile, la noblesse nouvelle et la bourgeoisie cherchent à s'imposer comme telles, soit comme c'est le cas en Angleterre et en Hollande par la puissance financière, soit comme on le voit surtout en France en essayant de constituer une sorte de quatrième ordre, celui des officiers.

Ce qui était tendance dans la période précédente est devenu règle de comportement social dans le cours du xvi⁰ siècle. Doit-on considérer qu'une société de classes est en voie de formation et supplante insidieusement la société d'ordres ?

En Hollande, depuis la rupture avec l'Espagne, cela semble bien être le cas. L'union des ordres contre l'ennemi commun n'empêche pas la bourgeoisie marchande de mettre la main sur les destinées communes en réduisant la noblesse à un rôle militaire contrôlé et en tenant le prolétariat urbain en lisière. A un moindre degré, on constate qu'en Angleterre une partie de la noblesse se vouant aux affaires, celles-ci prennent dans la considération sociale une importance qu'elles n'ont pas sur le continent.

De plus, un prolétariat urbain et rural se développe. Mais les éléments de résistance ne manquent pas : *gentry* et *yeomanry* rurales.

Dans l'ensemble de l'Europe le sentiment de classe se manifeste sporadiquement, mais de manière très limitée. Il n'existe aucune unité parmi les salariés de l'industrie capitaliste, parmi les compagnons, parmi les manouvriers d'une ville à l'autre, d'une région à l'autre. C'est moins vrai dans la bourgeoisie d'affaires ou d'offices. Encore dans cette dernière les progrès du sentiment national créent-ils des oppositions d'un pays à l'autre.

Partout la haute noblesse se déchire en clientèles rivales qui ne font pas toujours trêve devant le péril national. La petite noblesse se partage entre ces clientèles. Noblesse et bourgeoisie des offices ressentent peu de solidarité avec la bourgeoisie marchande et ne songent qu'à accroître leurs privilèges en servant le roi.

Ainsi l'évolution économique et l'évolution des mentalités tendent plutôt à renforcer la société d'ordres dans la plupart des pays. L'irrégularité croissante de l'expansion invite en effet à consolider les avantages acquis et à se réfugier derrière des statuts plus précis. La publication des traités de Loyseau, dont le *Traité des ordres* en 1611, en est un témoignage pour la France. L'anoblissement devient plus réglementé. L'emploi des épithètes d'honneur *(messire, maître, vénérable personne...)* n'est plus laissé au hasard. La possession des armoiries est un moyen de se distinguer des gens du peuple, mais dans son langage compliqué l'héraldique permet de distinguer les nobles des roturiers, et les nobles entre eux. La société tend à se figer. La mobilité sociale n'en est pas arrêtée, mais au début du XVIIᵉ siècle elle doit se faire plus discrète. Les mésalliances provoquent plus facilement le scandale.

Dans l'Europe de l'Est également les ordres se figent. Le fossé s'élargit entre seigneurs grands propriétaires et petite noblesse, mais aussi entre nobles et paysans réduits au servage. Même en Russie les distinctions s'accusent malgré la constitution d'une noblesse de service assez ouverte et le servage s'installe.

Enfin la théorie de la constitution de la société en ordres connaît une faveur nouvelle, avec le rappel constant à un passé médiéval mal connu, même en pays protestant. Par ailleurs, le XVIᵉ siècle a vu l'apogée des assemblées d'Etats qui ont consacré la séparation des ordres et exprimé parfois leur opposition, notamment en France lors des Etats Généraux de 1614.

LES RÉVOLTES POPULAIRES DU XVIIᵉ SIÈCLE

La première moitié du XVIIᵉ siècle est une époque de soulèvements graves. L'aspect religieux reste important (évangélistes de l'Empire, puritains anglais, huguenots français), mais souvent il cède le pas à l'aspect politique et social. Là où l'Etat monarchique s'affirme (France, Espagne), se multiplient les impôts. Les exigences de l'Etat s'accroissent au moment où le marasme économique est le plus grand. Les populations excédées font la guerre aux agents du fisc, notamment aux commissaires chargés des nouvelles levées. L'aspect social des révoltes contre l'Etat en France est indéniable. L'historien russe B. Porchnev y a vu des révoltes des paysans contre les droits seigneuriaux, des salariés des villes contre la bourgeoisie, l'Etat monarchique n'étant lui-même qu'une expression et un instrument du « féodalisme ». Les historiens français, dont R. Mousnier, ont montré que la réalité était plus complexe. Pour se développer, une révolte populaire devait bénéficier tout au moins de la neutralité des autres groupes sociaux. Il arriva même que la révolte soit encouragée par les grands ou les officiers royaux se servant de la misère populaire comme d'une arme contre un gouvernement détesté. La participation des gens du peuple, surtout lorsqu'il ne s'agissait que des déracinés des villes, prenait facilement le caractère d'un règlement de compte entre pauvres et riches. Lorsque l'insurrection n'était pas provoquée par des motifs politiques, elle rencontrait la complicité des seigneurs craignant que l'avidité du fisc royal ne fasse tort à la levée des impôts seigneuriaux, celle des officiers royaux atteints eux aussi par la crise économique et le poids des impôts nouveaux, celle des grands enfin, dans la mesure où ils cherchaient à limiter le pouvoir royal. Dans certains cas (Catalogne, Naples, Irlande), le particularisme devenait le caractère dominant d'une révolte qui ralliait la majorité de la population. C'est au moment où commence la répression que s'exaspèrent les tensions sociales. Seigneurs et bourgeois, débordés par l'ampleur des mouvements populaires et redoutant d'être inclus dans le châtiment, reprennent localement leur rôle de défenseur de l'ordre et se hâtent de devancer la répression par les armées du monarque. Les rebelles se trouvent seuls face aux groupes sociaux supérieurs et à l'Etat. La révolte n'a servi qu'à consolider l'Etat et la société d'ordres et de corps.

Dans les pays maritimes les querelles religieuses et politiques ont également un aspect social. Dans les Provinces-Unies qui ont arraché leur indépendance à l'Espagne (cf. p. 153), la querelle théologique des arminiens et gomaristes recouvre des oppositions sociales : matelots et ouvriers des ports, noblesse de l'intérieur soutenant la maison d'Orange contre les Etats de Hollande appuyés par la riche bourgeoisie libérale. En Angleterre, contre la bourgeoisie et la *gentry*, les rois de la dynastie des Stuart se poseraient en défenseurs des pauvres, mais ne trouvaient pas de remèdes dans le cadre de la société d'ordres à laquelle ils restent attachés. Une partie de ces pauvres est sollicitée par les « niveleurs » que la bourgeoisie voit se dresser contre elle. Dans l'Europe de l'Est, enfin, l'assujettissement des paysans aux seigneurs progresse à la faveur de l'ouverture de nouvelles voies de commerce et de l'affaiblissement du pouvoir monarchique. Mais les troubles populaires n'éclatent que lorsque l'Etat succombe aux querelles des Grands ou encore dans les régions marginales (par exemple, avec les Cosaques).

Crise des mentalités et crise spirituelle

Parallèlement à la crise de l'économie et de la société, la fin du xvie siècle et les débuts du xviie virent se développer une crise des mentalités et une crise spirituelle. Le bel optimisme des humanistes fit lentement place au pessimisme. Jamais l'homme ne s'était plus naïvement cru proche de Dieu. Or, voici que la période 1560-1660 se signale par les plus retentissantes épidémies de satanisme qu'ait connues l'Europe. Retombée de la raison, remontée des instincts un instant étouffés ? Toutefois les meilleures semences de la Renaissance ne sont pas perdues. Le classicisme, la science moderne s'élaborent dès le xvie siècle mais ne s'épanouissent que dans la période suivante. Au risque de bouleverser la chronologie des faits spirituels, il apparaît nécessaire, avant d'entreprendre la présentation des événements de cette période, d'examiner les handicaps qui pesaient sur le comportement des hommes. L'élaboration pénible des solutions à la crise sera rejetée à la fin de cette partie comme préface d'un nouveau départ de la civilisation européenne.

CRISE DE L'HUMANISME ET DE LA RENAISSANCE

L'humanisme avait été le rêve d'une élite élargie et renouvelée par l'évolution économique et sociale dans une Europe occidentale sans frontières spirituelles. Il est vrai que les humanistes en faisant du latin une langue morte le condamnaient tôt ou tard à ne plus être une langue administrative, scientifique et même politique. Par là même les langues nationales étaient promues à un brillant avenir. Ainsi la connaissance pouvait parvenir, au moins en écho, plus facilement à un plus grand nombre. L'imprimerie donnait à la circulation de la pensée des moyens nouveaux, et en augmentait la diffusion. Ainsi étaient appelés prématurément à une promotion intellectuelle des hommes, toujours plus nombreux, que rien jusque-là n'avait préparés à recevoir un message assez éloigné de leurs structures mentales.

Il n'est pas sûr que dans une certaine mesure l'imprimerie n'ait pas été d'abord un obstacle au développement de la culture. Les éditeurs devaient satisfaire une nouvelle clientèle du livre. Ils avaient songé d'abord à publier ce qui existait. Au total l'imprimerie publia au xvie siècle beaucoup plus d'œuvres du Moyen Age que d'œuvres des humanistes et fit connaître davantage les premières que les secondes. Au xviie siècle les œuvres médiévales trouvèrent refuge dans les éditions populaires qui jusqu'au xviiie siècle publièrent des *computs des bergers*, des légendes tirées des chansons de geste ou des traités de magie. De plus, lorsque les luttes religieuses étaient venues, il avait fallu abaisser l'apologétique pour mobiliser les masses. Celles-ci imposaient à leur tour leurs manières de voir. Les idées les plus généreuses se transformaient en formules, voire en mots d'ordre. Savants et lettrés s'enlisaient souvent dans les querelles d'école.

Dès le milieu du xvie siècle, l'échec de l'humanisme était patent. Les valeurs sur lesquelles s'appuyait le raisonnement s'effondraient. L'aristotélisme abandonné petit à petit n'était pas remplacé.

Fait plus grave si l'on considère l'ampleur des besoins religieux de l'époque, la Chrétienté s'était divisée et affaiblie.

Nées d'exigences religieuses très vives, les Réformes avaient provoqué une crise d'irréligion dans quelques esprits aux alentours de 1540. Dans certaines régions, les guerres de religion avaient ruiné la formation religieuse d'au moins une génération. Beaucoup de prêtres ne savaient plus dire correctement la messe. Dans les pays restés fidèles à Rome une restauration catholique était indispensable. Cela ne pouvait être qu'une œuvre de longue haleine. Moins atteints peut-être, les pays protestants n'échappaient pas à ce recul. La première génération de pasteurs, recrutée surtout parmi des prêtres et des moines, avait été excellente. Ces hommes avaient choisi la Réforme à un moment où ce choix était courageux. Puis avec les guerres de religion on avait eu des pasteurs de combat, souvent subordonnés, non seulement aux synodes, mais aux chefs politiques. Les Eglises dépendaient fréquemment de l'Etat. Les réactions prenaient des formes diverses dont celle de l'illuminisme.

L'humanisme et la Renaissance avaient favorisé l'individualisme. La Réforme avec la libre interprétation des Ecritures ouvrait le domaine de la foi à la réflexion personnelle, mais les guerres religieuses mirent en valeur des chefs plutôt que des guides spirituels. L'idéal du courtisan, inaccessible à beaucoup d'hommes étant donné le psychisme de l'époque (cf. p. 20), ne dépassa pas les cours et la diplomatie. Au début du XVIIᵉ siècle il était submergé par celui du héros, c'est-à-dire du noble, du soldat subordonnant toute son action à son honneur, à sa gloire, en fait à son orgueil, expression de sa puissance vitale et de sa sensibilité plus que de sa raison. Cette affirmation du moi entraînait un appétit de domination et le désir de dépasser les autres par l'action mais aussi par la démesure. Aventures, intrigues, duels sont la trame de l'existence du héros.

L'ART BAROQUE

L'art de la Renaissance avait fait retrouver les lois de la perspective, bannir l'anecdote, épurer la composition. Quelques artistes de génie avaient réussi à dominer un art devenu plus exigeant. La plupart étaient incapables de faire œuvre originale. Aussi la Renaissance eut-elle des rejetons fort divers. On peut difficilement dissocier baroque et classicisme, les deux aspects se trouvant déjà dans les œuvres d'art qui suivent le sac de Rome (1527).

Le respect de la discipline et de la mesure qu'évoque le classicisme se trouvait surtout depuis le milieu du XVIᵉ siècle dans le maniérisme. Aujourd'hui les historiens reconnaissent que le baroque n'est pas spécifiquement l'art de la Contre-Réforme. C'est la révolte de la sensibilité et de la spontanéité contre les règles. Dans ce sens large on le rencontre également en pays protestant. La sensibilité baroque « est fonction des crises économiques, sociales, politiques, intellectuelles déterminées par les différentes formes de Renaissance et qui s'amplifient au XVIIᵉ siècle » (R. Mousnier). Le baroque est capable d'exprimer à la fois le moi démesuré ou contradictoire et les impulsions désordonnées du subconscient. Il est à l'aise dans le surnaturel et se montre en même temps emphatique et tumultueux. Les œuvres baroques se caractérisent par leur luxuriance, par leur luxe également. Le baroque a correspondu à une société aristocratique, seigneuriale et restée rurale (V.-L. Tapié). La richesse de la décoration affirme, à une foule de misérables qu'elle séduit, sur les autels la puissance du roi des cieux et sur le fronton des palais celle des grands de ce monde.

REMONTÉE DE LA BARBARIE : VIOLENCES ET SORCELLERIE

La faiblesse du contrôle de soi donne aux impulsions et à la volonté de dépassement des formes bien éloignées des idéaux généreux de l'humanisme. La violence est partout, incontestablement plus surprenante dans des populations qui par ailleurs auraient tendance à s'affiner. Dans les rapports sociaux la force joue un grand rôle mais tend à reculer au XVIIe siècle.

Les Grands sont accompagnés d'une suite armée efficace autant qu'ostentatoire. Les châteaux forts sont armés. En Angleterre la belle époque des arsenaux privés va de 1550 à 1620 (L. Stone). Le XVIIe siècle voit le recul des troupes seigneuriales. En France l'ordonnance de Henri III réservant au roi le droit exclusif de lever des hommes d'armes (1583) est mal appliquée. Richelieu doit détruire les châteaux forts éloignés des frontières, mais les hôtels nobiliaires possèdent des salles d'armes. D'ailleurs assurer sa sécurité personnelle par les armes chez soi et en voyage est admis. Toutefois un changement se produit dont témoigne la vogue des duels qui représentent un progrès dans la mesure où ils prennent la place de l'embuscade. Les ordonnances contre les duels ne peuvent qu'en réduire la fréquence. Le duel, forme nobiliaire du combat singulier, a des équivalents dans tous les échelons de la société.

La violence des mœurs se manifeste également par le nombre des rapts et enlèvements qui croît lorsque se desserrent les liens familiaux et que recule l'autorité paternelle. Mais les scandales s'accumulent à tel point que se produit une réaction des pères de famille désirant soumettre les enfants aux mariages qui servent les ambitions familiales. Le mariage contre le gré des parents est poursuivi. Le concile de Trente et l'Etat donnent dans les pays catholiques un rôle accru au prêtre dans la célébration du mariage. L'institution des registres paroissiaux fait également de lui un véritable officier d'état civil.

Un dernier témoignage du recul relatif de la violence au milieu du XVIIe siècle est le nombre croissant des procès dans les Etats d'Occident. En Angleterre en un siècle, ils sont multipliés par six à dix (L. Stone).

La sorcellerie et les procès auxquels elle donne lieu représentent un mal endémique dont l'apogée se situe entre la fin du XVIe siècle et le milieu du XVIIe. Si certaines régions sont plus touchées que d'autres (Lorraine, Franche-Comté, Labourd), la sorcellerie est un phénomène général qui atteint à la fois pays catholiques et protestants, régions dévastées par la guerre et régions épargnées.

Il est caractéristique que les juges et tous les esprits supérieurs croient aux interventions constantes du diable. Jean Bodin, humaniste, précurseur des sciences politiques, écrit *De la Démonomanie des sorciers* (1580) et dans sa charge de juge se révèle un redoutable chasseur de sorcières. Les énormes lacunes de la connaissance scientifique laissent une place considérable au surnaturel. Dans le domaine de l'inexplicable, tout ce qui conduit à bien est attribué à Dieu, tout ce qui conduit à mal, à Satan. Ceux qui agissent par des voies incompréhensibles : guérisseurs, rebouteux et aussi tous ceux dont on se méfie, passent pour obtenir du diable le pouvoir de jeter des sorts. La rumeur publique accuse à tort et à travers. Dès que la justice civile s'en empare, le sort de l'accusé est à peu près fixé. Armé d'un traité de démonologie, le juge pose des questions qui suggèrent des réponses au malheureux épuisé par la captivité, les témoignages accablants et la torture. Certes l'Eglise ne demande qu'à sauver l'inculpé et à le guérir par les exorcismes. Mais si celui-ci avoue des forfaits, elle ne peut plus rien pour lui. Enfin l'accusé égaré ne manque pas de dénoncer de nombreux complices. Ainsi plusieurs centaines de malheureux sont brûlés dans le pays de Labourd en 1609 et plusieurs milliers dans les marges occidentales de l'Empire.

Un autre aspect du mal est la possession, envers du mysticisme. L'obsession et l'hystérie sont mises sur le compte du démon et viennent d'un philtre ou d'un sort jeté.

Le « possédé » se fait exorciser en public et accuse. Il n'obtient le repos que par la mort de son « tourmenteur ». Les victimes des procès de sorcellerie sont souvent des femmes, des bergers, quelquefois des prêtres, celles des procès de possession sont souvent des prêtres. Toutefois la publicité donnée à ces affaires finit par éveiller les soupçons de quelques médecins. L'affaire de Loudun où des ursulines, dont la supérieure, se prétendent victimes du prêtre Urbain Grandier que les juges condamnent au bûcher, suscite des controverses. On commence à parler de maladie de l'esprit. A partir de 1640, le Parlement de Paris renonce à poursuivre la sorcellerie. Il faut attendre 1660 pour qu'un reflux se produise en France et l'ordonnance de 1682 pour que la sorcellerie ne soit plus considérée comme un délit en elle-même. Mais il reste des juges attardés. Dans les autres pays le recul des procès de sorcellerie est encore plus lent.

Le reflux timide de la violence et des procès de sorcellerie au milieu du XVIIe siècle ne doit pas faire oublier que toute la période 1560-1660 se place sous le signe de ces deux maux. Wallenstein exprime bien le trouble de l'époque : tour à tour ambitieux, violent, liant finances et politique, héros de la croisade catholique, personnage fastueux entouré d'artistes et en même temps proie dérisoire des devins qui finalement paralysent son action.

Textes et documents : O. de SERRES, *Le théâtre d'agriculture et mesnage des champs* (1600), 1805. M. BAULANT et J. MEUVRET, *Prix des céréales extraits de la mercuriale de Paris, 1520-1698,* 2 vol., 1960, 1962. H. HAUSER, *La réponse de J. Bodin à M. de Malestroit (1568),* 1932. Lord BEVERIDGE, *Prices and Wages in England,* 1965. N. W. POSTHUMUS, *Inquiry into the history of Prices in Holland,* 2 vol., 1954 et 1964.

CHAPITRE IX

GUERRES DE RELIGION
ET CRISE POLITIQUE
DE LA FIN DU XVIe SIÈCLE

Carte VI a et b.

Bibliographie : H. LAPEYRE, *op. cit.* G. LIVET, *Les guerres de religion, 1559-1598* (coll. « Que sais-je ? »), 1962. P. GEYL, *The revolt of Netherlands (1555-1609)*, 1958. J. TOUCHARD et collaborateurs, *Histoire des idées politiques* (coll. « Thémis »), t. I, 1963. M. PEROT, *Les guerres de religion en France, 1559-1598* (coll. « Regards sur l'Histoire »), 1987.

Le partage de l'Europe en deux camps est devenu irrémédiable en 1560. Les esprits s'y accoutument dans la mesure où intervient le sentiment national, mais il est difficile de se résigner au partage religieux dans une même nation et quasi impossible dans un même Etat. L'unité semble le meilleur garant de la société : « une foi, une loi, un roi ». L'hérésie est une révolte contre le roi. Comme celui-ci ne règne que par la grâce de Dieu, elle est une révolte contre Dieu. Dans la seconde moitié du XVIe siècle, l'idée de tolérance n'a guère fait de progrès. Des « politiques » (l'Empereur Maximilien II, en Pologne les rois Sigismond-Auguste et Henri de Valois), surtout soucieux de paix religieuse et parfois assez indifférents au dogme, soutiendront à grand-peine l'idée de tolérance en prenant des mesures de circonstances. Les autres Etats ne connaissent rien de semblable. Notons que les mesures de tolérance civile ne s'adressent qu'à la noblesse. En France l'édit de janvier 1562 et aux Pays-Bas la paix de religion de 1576 se révèlent inapplicables et ces deux pays connaissent des guerres de religion échelonnées sur de longues périodes : 1562-1598 en France, 1566-1609 aux Pays-Bas. Seule la lassitude impose les solutions préconisées par les « politiques ».

Le facteur religieux apparaît donc comme prépondérant. C'est lui qui a mis en mouvement les foules et qui explique l'acharnement de la lutte (H. Lapeyre). Il est inséparable du facteur affectif. Les profanations et les déprédations des protestants dans les églises, la vengeance habituelle dans toute guerre civile, le sentiment national qui joue contre les interventions étrangères trouvent des échos dans des populations de caractère violent et entretiennent la guerre. Le facteur politique est important. Henri II, peut-être parce qu'il a aidé les protestants allemands révoltés contre l'Empereur, considère les protestants français non seulement comme des hérétiques, mais comme des rebelles et des traîtres en puissance. L'affaiblissement de la volonté royale à la mort de Henri II favorise la révolte. Le facteur social ne peut être négligé. La force du parti protestant en France est venue de la conversion de la noblesse qui a mobilisé vassaux et clients. Plus tard la Ligue catholique procède de même tout en faisant parfois appel au prolétariat urbain contre la bourgeoisie et les maîtres de métier protestants.

Les guerres de religion en France

Elles éclatent en 1562 dans une France qui connaît depuis 1559 une situation tendue. François II (1559-1560), âgé de quinze ans et maladif, laisse le pouvoir aux oncles de la reine Marie Stuart, l'énergique François de Guise et son frère le cardinal de Lorraine. La politique de Henri II à l'égard des hérétiques est continuée, sans succès d'ailleurs, car le protestantisme se répand et s'organise dans tout le royaume. Les grandes villes, Paris, Lyon, Orléans, Rouen, en sont les principaux foyers. De La Rochelle à Genève, une grande ligne laissant au nord le Massif central délimite l'aire d'un protestantisme méridional en passe de dominer entièrement, avec des noyaux importants (La Rochelle, Béarn, Nîmes...). En Normandie, Picardie et Touraine, le protestantisme possède des bases non négligeables. De plus il progresse dans les campagnes. En effet, la paix de Cateau-Cambrésis y a ramené des seigneurs, dont beaucoup gagnés à la Réforme, qui entraînent leurs vassaux et paysans. Après les villes, les châteaux sont des foyers de protestantisme.

Les Guise se font beaucoup d'ennemis : huguenots, grandes familles rivales et leurs clientèles. Certaines de ces familles sont d'ailleurs séduites par la Réforme. C'est le cas d'Antoine de Bourbon, roi de Navarre, premier prince du sang, et surtout de sa femme Jeanne d'Albret et de son frère l'ambitieux Louis de Condé qui deviennent les chefs du parti protestant, enfin de l'amiral de Coligny. Le premier incident grave fut la conjuration d'Amboise (mars 1560) ourdie par des gentilshommes huguenots dont le but était de soustraire le roi à l'influence des Guise. Ceux-ci dirigèrent une répression rigoureuse.

L'ESSAI DE TOLÉRANCE DE CATHERINE DE MÉDICIS

Charles IX, frère et successeur de François II, n'avait pas dix ans. Catherine de Médicis prit la régence. Cette Italienne douée d'un grand sens politique, formée par l'exemple des cours de Florence et de Rome, parvenue reine de France, avait su s'informer des traditions et des réalités du royaume. Mère passionnée, elle veilla sur le patrimoine de ses fils et s'efforça de ne compromettre en rien la monarchie. Sa réputation peu favorable vint de ce qu'elle réussit mieux que d'autres dans les intrigues alors courantes. Elle se montra avant tout opportuniste, cherchant à réconcilier Bourbon et Guise faute de pouvoir les éliminer. On a fait du chancelier Michel de L'Hospital, l'inspirateur de sa politique de tolérance. Il semble qu'il fut plutôt l'instrument des vues politiques de la régente. Celle-ci ne désespérait pas d'un retour à l'unité au prix de concessions dont elle sous-estimait la difficulté pour les catholiques.

Le mauvais état des finances contraignit Catherine de Médicis à convoquer les Etats généraux. Michel de L'Hospital y annonça la tenue d'un concile national. Cette détente encouragea les protestants. L'orateur du tiers état, un huguenot, réclama la liberté religieuse et proposa comme remède à la crise financière la saisie d'une partie des biens du clergé. En septembre se tint le décevant colloque de Poissy qui vit face à face des théologiens réformés conduits par Théodore de Bèze et des prélats catholiques conduits par le cardinal de Lorraine. Catherine cependant persista dans sa politique en faisant signer à Charles IX l'*édit de tolérance de janvier 1562* qui accordait aux protestants la liberté de leur culte en dehors des villes. Ils avaient le droit de constituer un corps puisqu'ils pouvaient demander aux officiers royaux confirmation de leurs règlements religieux, mais l'autorisation royale leur était nécessaire pour tenir des synodes. Enfin leurs ministres étaient reconnus.

L'édit de janvier apparut vite inapplicable. Là où ils étaient en force les huguenots tinrent des prêches en ville jusque dans des églises préalablement vidées de leur décoration. Des rassemblements armés se produisaient et dans le Sud-Ouest s'ébauchait une organisation militaire. Du côté catholique, François de Guise prenait la tête d'un mouvement de résistance catholique, appuyé sur les prélats et de nombreux officiers royaux. Le Parlement de Paris refusait d'enregistrer l'édit de janvier et la Sorbonne le condamnait. Des deux parts on se comptait. Le massacre de Wassy (1er mars 1562) fut le signal des hostilités. Antoine de Bourbon amenait à Paris la régente et le jeune roi qui se trouvaient à Fontainebleau. Les nobles huguenots écartant les conseils de modération de Coligny se ralliaient à Condé qui le 8 avril les appelait aux armes.

Profitant de la surprise, les huguenots parurent près du succès. Ils furent chassés de Paris mais s'emparèrent des principales villes du royaume. Dès le début la guerre amena l'enchaînement des violences. Condé se saisissait des trésors des églises pour payer ses troupes. Un peu partout nobles et bourgeois prenaient des biens d'Eglise, les paysans refusaient de payer la dîme. De part et d'autre la guerre suscitait pillages et règlements de comptes. On pensa à demander des secours étrangers. Philippe II avait promis les siens à la régente et aux princes catholiques. Les huguenots livrèrent à Elisabeth d'Angleterre Le Havre contre des renforts.

Cependant le coup de force protestant échoua. Au bout de quelques mois les principaux chefs de parti avaient disparu, tués, prisonniers ou, comme François de Guise, assassinés. Catherine de Médicis put reprendre sa politique de conciliation, mais devait tenir compte de la résistance des catholiques. Elle imposa aux deux partis l'*édit de pacification d'Amboise* (19 mars 1563), moins favorable aux protestants que l'*édit de janvier*. La situation de fait était consacrée, le culte réformé autorisé là où il existait. Mais en dehors de ce cas il était réduit aux faubourgs d'une ville par bailliage. Pour se concilier la noblesse, l'édit accordait aux seigneurs haut justiciers la liberté du culte ainsi qu'à leurs vassaux. Protestants et catholiques réconciliés reprirent Le Havre.

La politique de tolérance de Catherine sembla réussir et le royaume connut quelques années de paix. Pour affirmer partout l'autorité royale, elle emmena Charles IX devenu majeur en un voyage de deux ans à travers la France. Inquiet des contacts de Catherine II avec l'Espagne, Condé tenta d'enlever le roi, tandis que le jour de la Saint-Michel était choisi pour massacrer les principaux catholiques (« michelade »). Cette tentative brouilla définitivement Catherine de Médicis et les protestants. Malgré l'échec de l'effet de surprise, les huguenots renforcés par l'armée de Jean-Casimir, fils de l'électeur palatin, obtinrent la confirmation de l'édit d'Amboise. Les deux partis s'étant renforcés, les opérations militaires reprirent autour de La Rochelle devenue une base protestante. L'armée royale infligea de lourdes défaites à ses adversaires à Jarnac et Moncontour. Mais Coligny redressa la situation. La guerre montrait que si les huguenots tenaient assez bien certaines places, la plus grande partie du royaume leur échappait. D'autre part il semblait impossible que les catholiques puissent les éliminer. Catherine se résigna à traiter. L'édit de Saint-Germain (8 août 1570) accordait aux huguenots quatre places de sûreté pour deux ans où ils auraient le droit de mettre garnison. C'était une atteinte grave aux droits de l'Etat.

La paix de Saint-Germain marqua l'effacement de Catherine de Médicis en même temps que le succès relatif de la politique de tolérance qu'elle avait d'abord menée. En effet, Charles IX âgé de vingt ans écoutait les conseils de l'amiral de Coligny qui proposait une politique audacieuse de réconciliation des Français unis dans des entreprises extérieures aux dépens de l'empire espagnol, en Amérique et surtout aux Pays-Bas. Des tractations eurent lieu entre Guillaume de Nassau, chef des insurgés des Pays-Bas, Elisabeth d'Angleterre et Coligny, mais Catherine de Médicis, non sans raison, estimait que le royaume n'était pas en état d'entreprendre une guerre contre une Espagne qui aurait probablement l'appui des Guise. Le 23 août 1572, Catherine et quelques conseillers réussirent à convaincre le roi de l'existence d'un complot protestant et le poussèrent à un coup de majesté. Charles IX donna des ordres pour tuer Coligny et les chefs huguenots rassemblés à Paris pour le mariage d'Henri de Navarre et de Marguerite de Valois qui devait sceller la réconciliation et pour faire de même en province. L'exécution eut lieu à Paris le lendemain, jour de la *Saint-Barthélemy*. Elle fut assez désordonnée. Le sort des protestants dépendit dans chaque ville de l'attitude des autorités et de l'état d'esprit des populations. On vit des milices bourgeoises (milices des villes), au lieu de maintenir l'ordre, participer au massacre. Dans plusieurs endroits la Saint-Barthélemy fut pour la populace l'occasion de venger la Saint-Michel, et aussi d'assouvir des rancunes de caractère social. Marchands, banquiers, orfèvres, libraires comptent souvent parmi les victimes. Le massacre de la Saint-Barthélemy fit grand bruit à l'étranger, soulevant l'enthousiasme des catholiques et l'indignation des pays protestants qui reçurent un premier flot de réfugiés huguenots. En France le parti protestant ne fut pas détruit. Les places aux mains des huguenots résistèrent, notamment La Rochelle. Mais comme le duc d'Anjou, frère du roi, venait d'être élu roi de Pologne et qu'il avait besoin de l'appui des protestants allemands, Charles IX accorda un édit qui confirmait la paix de Saint-Germain. Ce ne pouvait être qu'un armistice, la Saint-Barthélemy ayant rendu impossible une politique de tolérance pour une génération.

LA MONARCHIE FRANÇAISE A L'ÉPREUVE

A la mort de Charles IX (1574), son frère et héritier Henri de Valois s'empressa d'abandonner le trône de Pologne. A son retour il trouva une situation très compromise. Il devait faire face, non seulement aux protestants, mais à l'opposition catholique des Malcontents dont son frère cadet, Monsieur, duc d'Alençon puis d'Anjou, prince ambitieux, déloyal et versatile, avait pris la tête. Le contraste le plus grand existait entre les intentions du nouveau roi et l'état du royaume. Prince doué, mais de mœurs douteuses, il avait une très haute idée de la majesté royale et le sens de l'Etat. Il a laissé une œuvre législative importante, mais qui paraît dérisoire faute des moyens nécessaires. La nation par contre se dissolvait dans les rivalités des factions, des ambitions personnelles et des intérêts. Les oppositions anciennes entre provinces, villes, entre villes et campagnes, corps de métiers, étaient surexcitées par l'insécurité croissante. Deux forces politiques grandissaient au milieu de cette confusion : les clientèles et les villes. Parmi les clientèles, celle de Guise (Henri le Balafré) tirait ses forces du nord et de l'est du royaume. Henri de Navarre qui avait échappé à la Saint-Barthélemy en abjurant et était revenu à la foi réformée apparaissait à la tête de celle des Bourbon. Cependant les villes devenaient en fait les places de sûreté de l'un ou l'autre parti, mais leur population était de moins en moins docile. Les hostilités reprirent entrecoupées de trêves (1575-1580).

Les Guise organisèrent la Ligue catholique. Une paix relative commença en 1580 pendant laquelle fut agité le projet de mettre le duc d'Anjou à la tête des révoltés des Pays-Bas. Mais en 1584 celui-ci mourait. L'héritier de Henri III était Henri de Navarre. Les guerres de religion prirent un tour dramatique nouveau préparant de grands affrontements. En même temps l'effacement de la France en Europe faisait de ce pays le champ où s'opposaient les ambitions de l'Espagne et les intérêts de l'Angleterre et des princes protestants. Philippe II d'Espagne assurait des subsides à la Ligue. Le pape déclarait Henri de Navarre déchu de ses droits à la couronne. Les Guise trouvèrent l'appui spontané de Paris où la pénurie des subsistances, les prédications enflammées et le chômage entretenaient l'agitation. Les grandes villes suivirent. Les milices bourgeoises devinrent les instruments de la Ligue. La noblesse restait assez réticente et la Ligue revêtit un caractère populaire et communal. De son côté, Henri de Navarre, héritier du trône, devenait le chef incontesté des huguenots et recevait des subsides d'Elisabeth d'Angleterre et des troupes de l'Electeur palatin.

Ne voulant se lier à aucun parti, Henri III était réduit à l'impuissance. Comme il essayait de reprendre Paris en main, la population se souleva *(journée des Barricades)* et il dut s'enfuir (mai 1588). Dès lors il chercha à ruser, mais dut nommer Henri de Guise lieutenant général du royaume et réunir les Etats généraux. Ceux-ci assemblés à Blois étaient favorables à la Ligue dans leurs trois ordres. Guise apparaissait comme le maître du royaume. Le roi devait l'éliminer. Faute de moyens, l'exécution ne pouvait être qu'un assassinat. Les principaux chefs ligueurs furent arrêtés.

Ce coup de majesté provoqua un soulèvement général contre Henri III. Le pape l'avait excommunié, la Sorbonne déliait les sujets de leur serment de fidélité, des prédicateurs justifiaient le tyrannicide et le duc de Mayenne, frère d'Henri de Guise, créait le Conseil général de la Ligue. Henri III ne pouvait que se réconcilier avec le roi de Navarre et rallier tous ceux qui restaient encore attachés à la monarchie. Unissant leurs forces, les deux rois vinrent mettre le siège devant Paris, mais le 1er août 1589 Henri III fut assassiné par le moine Jacques Clément. En mourant il désignait Henri de Navarre comme son successeur et l'engageait à revenir à la religion catholique.

LES ÉPREUVES DE LA NATION ET LE SALUT

La Ligue nomma Mayenne lieutenant général du royaume. De son côté, Henri de Navarre devenu Henri IV s'efforçait d'agir, non en chef de parti, mais en roi. Par la Déclaration de Saint-Cloud (4 août), il promettait de maintenir la religion catholique, de se faire instruire « par un bon, légitime et libre concile général ou national » et de réserver à des catholiques le gouvernement des places qu'il occuperait. Aussi rallia-t-il ceux que l'on appela les catholiques royaux : les princes du sang, une partie de la noblesse, quelques prélats et des officiers royaux. Malgré cela, l'étranger semblait maître de la situation.

Henri IV fit appel à l'Angleterre, aux princes protestants d'Allemagne, aux Hollandais. Il leva le siège de Paris et essaya de s'installer en Normandie pour recevoir les secours anglais (victoires d'Arques (1589) et Ivry (1590)). Le pape Grégoire XIII l'avait déchu de ses droits et excommuniait ses partisans. Philippe II d'Espagne pensait mettre sur le trône de France sa fille l'infante Isabelle-Claire-Eugénie, petite-fille de Henri II. Paris reçut une garnison espagnole et l'armée d'Alexandre Farnèse contraignit Henri à lever de nouveau le siège de Paris (1591).

Cependant la Ligue se divisait. Une fraction révolutionnaire, les *Seize*, s'appuyait sur les éléments populaires et soutenait la politique de Philippe II. Par contre l'attitude du pape et du roi d'Espagne réveillait le sentiment national, notamment chez les officiers royaux qui attendaient la conversion du roi pour se rallier à lui. Un pamphlet, *La Satire Ménippée*, attaquait la Ligue. Pour régler le problème royal, Mayenne convoqua des Etats généraux à Paris en 1593. L'ambassadeur d'Espagne y soutint la candidature de l'infante qu'on marierait à un prince français. Les modérés montrèrent que cette candidature était contraire à la loi salique, proposèrent l'ouverture de négociations avec le roi et réussirent à faire ajourner toute élection (28 juin). Le 27 juillet Henri IV abjurait à Saint-Denis. Une trêve était conclue entre la Ligue et les troupes royales. Le 27 février 1594, Henri IV était sacré à Chartres. Les grandes villes se rallièrent à lui, dont Paris qu'évacua la garnison espagnole (22 mars). Henri IV accepta de solliciter l'absolution pontificale qu'il reçut en 1595.

Ce n'était qu'un premier pas vers la fin des épreuves. Philippe II ayant dû renoncer à ses desseins dynastiques espérait au moins prendre possession de quelques provinces avec l'aide des ligueurs irréductibles. Henri IV lui déclara la guerre. Au prix d'avantages personnels il obtint le ralliement des principaux chefs ligueurs. Cependant les Espagnols menaçaient le royaume de tous les côtés : Pyrénées, Franche-Comté, surtout Pays-Bas et même Bretagne, car ils avaient établi une base dans la région du Morbihan. Henri IV les contint en Bourgogne, mais ils s'emparèrent de Calais et Amiens (1597). Cette dernière ville ne fut pas reprise sans peine. Les difficultés financières qu'il rencontrait contraignirent Philippe II à traiter.

L'année 1598 fut celle du rétablissement de la France. Le 13 avril était signé l'*Edit de Nantes* qui reprenait des dispositions des précédents édits de tolérance. Son originalité fut d'avoir été suivi d'application. La liberté du culte était accordée partout où celui-ci était exercé librement en 1597 et au domicile des seigneurs hauts-justiciers, mais non à Paris et là où séjournait la cour. L'accès à tous les emplois était reconnu aux protestants ainsi que des chambres mi-parties dans quatre parlements. Par des articles secrets ils obtenaient 151 places de sûreté pour huit ans et la reconnaissance de leurs ministres et de leur organisation. Le 2 mai fut conclue la paix de Vervins. L'Espagne acceptait le retour aux clauses de Cateau-Cambrésis. La France ruinée sauvait son indépendance et gardait son territoire intact.

Révolte et guerre de religion aux Pays-Bas

De 1566 à 1609 les Pays-Bas connurent des événements qui ne sont pas sans analogie avec ceux qui ensanglantaient la France. Dans les deux cas on vit des calvinistes aux prises avec des catholiques soutenus par l'Espagne. Les faits sont souvent simultanés et imbriqués. L'aspect national y est prépondérant dès le début, mais, contrairement à ce qui se passa en France, le tiers parti de catholiques modérés ne réussit pas à maintenir l'unité. L'opposition religieuse entraîna une division politique durable.

ORIGINES DES TROUBLES

Charles Quint avait agrandi et unifié l'héritage qu'il tenait aux Pays-Bas de la maison de Bourgogne. Les Pays-Bas constituaient au milieu du XVIe siècle dix-sept provinces correspondant non seulement à la Hollande, la Belgique (sauf l'évêché de Liège) et le Luxembourg actuels, mais aux parties françaises de la Flandre et du Hainaut et à l'Artois. Par la

Transaction d'Augsbourg (1548), il avait groupé ces provinces en les affranchissant de la juridiction impériale. Une *Pragmatique Sanction* unifia le droit successoral dans les dix-sept provinces qui ne pourraient ainsi avoir qu'un souverain, le « seigneur naturel » des Pays-Bas. Il avait fait de Bruxelles la capitale de cet Etat dont la constitution était fédérale. Chaque province avait son gouverneur *(Stathouder)* et ses assemblées des trois ordres. Les Etats généraux des Pays-Bas étaient composés des délégations des provinces. Trois conseils assistaient le souverain : Conseils d'Etat, privé (justice) et des finances. L'avènement de Philippe II comme seigneur naturel ne rencontra pas de difficultés. Cependant, beaucoup moins voyageur que son père, Philippe II alla résider en Espagne, considéra les Pays-Bas comme une dépendance de ce royaume et voulut l'administrer depuis Madrid, laissant sur place comme « gouvernante » sa sœur naturelle, Marguerite de Parme, et le cardinal Granvelle.

Malgré le maintien de la législation de Charles Quint contre l'hérésie (les *Placards*), le calvinisme progressait dans les provinces wallonnes voisines de la France et à Anvers.

Granvelle se heurta à l'opposition de puissants seigneurs, le comte d'Egmont, Guillaume de Nassau, prince d'Orange, dit Guillaume le Taciturne, et le comte de Hornes. Ils finirent par arracher à Philippe II le rappel de Granvelle, mais ne purent obtenir l'adoucissement des *Placards*. Il se forma une ligue de modérés, le « Compromis ». En 1566 l'alliance se fit entre l'opposition politique de la haute noblesse et l'opposition religieuse des calvinistes.

DE L'UNITÉ POLITIQUE AU PARTAGE RELIGIEUX PUIS POLITIQUE (1566-1579)

Les calvinistes et les catholiques « politiques » se trouvaient unis contre Philippe II au début des événements comme ils le furent en France à la fin, car l'effet de la fureur iconoclaste des huguenots fut effacé par la brutalité de la répression par les Espagnols.

En août 1566, des calvinistes attaquèrent églises et monastères. Le soulèvement des nobles calvinistes fut facilement réprimé et Guillaume d'Orange dut s'enfuir en Allemagne. Cependant Philippe II avait envoyé aux Pays-Bas le duc d'Albe à la tête d'une armée et muni de pouvoirs étendus. Le gouvernement des Pays-Bas passait aux mains des Espagnols en violation des privilèges des provinces. Un tribunal extraordinaire, le *Conseil des troubles*, prononça de nombreuses condamnations. Egmont et Hornes furent décapités. Cette répression par l'étranger souleva l'indignation générale. La gouvernante Marguerite de Parme donna sa démission. Toutefois le succès de l'Espagne semblait complet. Le duc d'Albe repoussait facilement une tentative d'invasion de Guillaume d'Orange et faisait accepter par les Etats généraux des impôts nouveaux. Le calme revenu, Philippe II accordait son pardon en 1570.

Cependant l'insurrection reprit en 1572. Les « Gueux », nom donné aux insurgés, s'étaient réfugiés et réorganisés à l'étranger. Ils attaquaient les navires espagnols et s'emparèrent du petit port de La Brielle à l'embouchure de la Meuse avec l'aide de corsaires anglais et rochelais, et avec celle de Coligny son beau-père, Guillaume d'Orange prenait Mons et Valenciennes. La Saint-Barthélemy priva Guillaume d'Orange d'un précieux appui. Albe reprit en main des provinces du Sud. A ce moment, Philippe II se décidait à assouplir sa politique. Il rappela Albe et accorda un nouveau pardon. La forme fédérative des Pays-Bas permettait aux provinces restées catholiques de s'entendre avec les provinces de Hollande et Zélande où le culte catholique avait été aboli. Le sac d'Anvers par les soldats du roi d'Espagne renforça l'accord et quelques jours après était signée la *Pacification de Gand* (8 novembre 1576) qui laissait la liberté religieuse aux deux provinces calvinistes et suspendait les *Placards*. Le nouveau gouverneur, Don Juan d'Autriche, dut accepter la pacification de Gand et le départ des troupes espagnoles, mais à Bruxelles le pouvoir passa aux mains d'un comité révolutionnaire. Guillaume d'Orange devint lieutenant général des Pays-Bas.

Ce triomphe des calvinistes ne correspondait pas à leurs forces réelles. Grâce à l'armée d'Alexandre Farnèse envoyée par Philippe II, Don Juan bloqua les troupes de ses adversaires dans Anvers. Guillaume d'Orange était débordé par ses partisans qui essayaient de supprimer le culte catholique en Flandre. Il proposa aux Etats généraux la *Paix de religion* qui instituait une assez large tolérance. Redoutant l'autorité de Guillaume d'Orange certains de ses partisans cherchaient à remettre la seigneurie des Pays-Bas à un prince étranger, le duc d'Anjou, frère de Henri III. Les provinces du Sud d'où les huguenots avaient été chassés restaient catholiques et il s'y forma un parti de Malcontents hostiles à Guillaume d'Orange.

Le 6 janvier 1579, des députés des provinces d'Artois, Hainaut et de Douai constituèrent l'*Union d'Arras* dont le programme était : *Pacification de Gand* et réconciliation avec Philippe II. Le 23 janvier les calvinistes ripostèrent par l'*Union d'Utrecht* qui groupait les provinces du Nord, Anvers et Gand, rejetant l'entente avec l'Espagne. Le facteur religieux l'emportait et on allait vers un partage politique.

PROVINCES-UNIES CALVINISTES ET PAYS-BAS CATHOLIQUES

L'Union d'Arras signa avec Alexandre Farnèse, resté seul chef après la mort de Don Juan, la paix d'Arras (27 mai) qui garantissait la *Pacification de Gand* et le maintien des privilèges des provinces.

Guillaume d'Orange qui aurait voulu le maintien de l'unité et la tolérance était rejeté du côté des calvinistes intransigeants. Il niait la légitimité de Philippe II et faisait appel au duc d'Anjou. Celui-ci vint aux Pays-Bas, s'y montra maladroit, et mourut en 1584. Un mois après, Guillaume d'Orange était assassiné. Le pouvoir resta aux Etats généraux des Provinces-Unies — on commence à appeler ainsi les provinces ayant adhéré à l'Union d'Utrecht —, mais plus particulièrement aux Etats de Hollande, au Grand pensionnaire de cette province, Oldenbarnevelt, et à Maurice de Nassau, fils de Guillaume d'Orange, stathouder de plusieurs provinces.

Cependant Alexandre Farnèse menait méthodiquement l'œuvre de reconquête dans le sud et l'est des Pays-Bas. Gand, Bruxelles, Anvers, Nimègue, Groningue étaient reprises. Mais Philippe II dispersa ses forces en lui confiant l'invasion de l'Angleterre et la lutte contre Henri IV. Farnèse disparut en 1592 et n'eut pas de successeur de même valeur. La guerre franco-espagnole ruina l'espoir d'une reconquête des Pays-Bas. En 1596, France, Angleterre et Provinces-Unies concluaient une alliance. Maurice de Nassau reprit les provinces de l'Est. Philippe II consentit à faire la paix avec la France pour sauver les provinces du Sud. De plus, il céda les Pays-Bas à l'archiduc Albert et à l'infante Isabelle, son gendre et sa fille. Au cas où les archiducs n'auraient pas d'enfants, les Pays-Bas feraient retour à l'Espagne. Les troupes espagnoles restaient. Seuls les députés des dix provinces méridionales vinrent aux Etats généraux de Bruxelles (1598). La guerre se poursuivit après la mort de Philippe II et, en 1609, Philippe III dut signer la trêve de douze ans qui consacrait la reconnaissance *de facto* de l'indépendance des Provinces-Unies.

Conséquences des guerres de religion

Quarante années de guerres civiles dans les pays qui étaient parmi les plus riches et les plus actifs de l'Europe occidentale devaient avoir des conséquences multiples pour celle-ci.

BILAN ÉCONOMIQUE ET CONSÉQUENCES SOCIALES

De nombreuses régions de France et des Pays-Bas offraient à la fin du XVIe siècle un spectacle de désolation. Aux ravages de la guerre il faut joindre ceux de la famine quand les cultures sont abandonnées, et des épidémies encouragées par les déplacements des troupes et l'exode des populations. Le mal ne fut peut-être pas aussi profond qu'on l'a dit car l'économie se releva vite. Le centre qui eut le plus à souffrir fut Anvers, victime du sac de 1576 et de la fermeture des bouches de l'Escaut par les Zélandais. Sur les ruines d'Anvers, Amsterdam édifia sa prospérité. La guerre provoqua un grand déplacement des fortunes. Dans les Provinces-Unies l'Eglise perdit tous ses biens au profit surtout de la riche bourgeoisie marchande. Mais elle en perdit également dans les pays où triompha le catholicisme, soit par des spoliations non restituées, soit par suite de la vente d'une partie des domaines monastiques dans le but de payer les armées catholiques. Le clergé séculier fut privé de dîmes pendant quelque temps. La bourgeoisie marchande dans bien des cas pâtit de l'insécurité et du ralentissement des affaires. Cependant certains profitèrent des événements : favoris, grands seigneurs qui firent payer cher leur ralliement, financiers (parmi lesquels des Italiens), fournisseurs d'armées, marchands de grains, spéculateurs de toute sorte. Enfin les communautés rurales et les villes durent s'endetter pour faire face à l'entretien de leurs fortifications, payer des hommes d'armes ou acheter des vivres. Elles perdirent leur indépendance.

BILAN SPIRITUEL

La guerre fut peu favorable à la vie artistique. La peinture hollandaise et la peinture flamande entre les grands artistes du XVIe et ceux du XVIIe siècle marquent un creux. Par contre les lettres connurent une nouvelle inspiration de caractère douloureux ou militant : catholique avec Ronsard (mort en 1585) dont les derniers sonnets attaquent les calvinistes, réformée avec du Bartas († 1590) ou Agrippa d'Aubigné († 1630). On peut y joindre une masse de libelles, les œuvres de quelques mémorialistes de talent, Montluc, La Noue, et aussi d'écrivains stoïciens, ou désabusés comme Montaigne. L'humanisme de la Renaissance a été emporté par l'action politique. Il a dû se plier à l'orthodoxie catholique réaffirmée au concile de Trente ou à l'orthodoxie qui chez les calvinistes s'est dégagée des nécessités de l'union. On peut penser, par contre, que les guerres de religion ont fait progresser l'idée de tolérance. Toutefois là où une des confessions est extirpée par la force elle n'est pas toujours remplacée. Le christianisme est menacé dans certaines régions par l'indifférence, l'ignorance du dogme et il ne se maintient que sous forme de pratiques que gagne la superstition. Cependant, à la fin du XVIe siècle, l'élite catholique a repris confiance. Elle peut désormais fonder sa foi sur les décrets du concile de Trente et s'appuyer sur l'œuvre missionnaire des Capucins et des Jésuites. Bien que le roi de France sous l'influence des juristes gallicans n'ait pas reconnu les décrets du concile, quelques prélats commencent à les appliquer. Si l'enseignement primaire semble avoir partout reculé, les collèges de Jésuites et académies protestantes se répandent et préparent une nouvelle génération cultivée. Le fossé entre culture des élites et culture populaire s'est élargi.

ÉVOLUTION DES IDÉES POLITIQUES

Quoiqu'ayant compromis l'idée même de nation, les guerres de religion se terminent par un retour en faveur de celle-ci. Les Provinces-Unies

naissent comme nation. Les Français affirment l'existence de leur nation,
en se contraignant à la tolérance, condition de survivance, et en refusant
à leur roi le choix de sa religion. Mais la monarchie fait l'objet d'attaques
venues suivant les circonstances des protestants ou des catholiques.
La *Franco-Gallia* de Hotman en 1573 et les *Vindiciae contra tyrannos*
en 1579 affirment que la souveraineté doit avoir l'assentiment du peuple.
« Il n'y eut jamais homme qui naquit avec la couronne sur la tête et le
sceptre en main. » L'idée de contrat entre le roi et son peuple progresse.
Il appartient à la *sanior pars* de la nation, en fait l'assemblée des ordres,
d'empêcher le roi de violer la loi divine. S'il le fait, il devient un tyran
et les vrais croyants peuvent se révolter. Ces idées animèrent les calvinistes
hollandais. Elles reçurent leur application aux Provinces-Unies. Cependant
après 1585 elles furent reprises par les catholiques français qui, en outre,
rappelèrent que le pape pouvait déposer un souverain hérétique. Le
jésuite Mariana alla jusqu'à justifier l'assassinat du tyran d'usurpation
(*De rege et regis institutione*, 1598). Les « *monarchomaques* » inspirèrent
l'assassinat de Henri III, de Guillaume d'Orange et plus tard encore
de Henri IV. Cependant les défenseurs de la monarchie rappelèrent
l'existence des lois fondamentales qui, certes, fixaient aux rois des obligations, mais garantissaient les règles de succession et l'indépendance à
l'égard du pouvoir spirituel. Tandis que certains, comme Dumoulin et du
Haillan, estimaient que la monarchie française devait faire une place aux
Etats généraux, Jean Bodin dans *La République* (1576) donnait une
théorie de la monarchie absolue d'une netteté jamais atteinte : la volonté
du roi ne pouvait être limitée que par la loi de Dieu et la loi naturelle,
c'est-à-dire qu'il devait respecter les personnes, les familles et les biens
de ses sujets. Les Etats généraux ne participaient pas de la souveraineté.
Ils ne pouvaient que consentir à la levée d'impôts nouveaux. Cette théorie
permit la restauration du pouvoir monarchique sous Henri IV. C'est
d'elle encore que se réclameront Richelieu et Louis XIV.

Ainsi les guerres de religion firent naître ou préciser aux Pays-Bas
et en France deux théories de la souveraineté qu'illustrèrent au XVIIᵉ siècle
la monarchie absolue en France et la monarchie contrôlée d'Angleterre.

Textes et documents : Pierre de L'ESTOILE, *Journal*, éd. L.-R. LEFEBVRE, Paris,
1943. *La Satire Ménippée*, éd. Ch. LABITTE, 1880. L. GUICCARDINI, *La description de
tout le Pays-Bas*, éd. par P. CISELET et M. DELCOURT, 1943.

Chapitre X

EUROPE MÉDITERRANÉENNE
ET EUROPE DU NORD-OUEST

Carte VII.

Bibliographie : Ouvrages cités, p. 97. F. Braudel, *La Méditerranée et le monde méditerranéen à l'époque de Philippe II*, 2 vol., 1966. F. Braudel, P. Chaunu, P. Vilar, *L'Espagne au temps de Philippe II* (coll. « Age d'or et réalités »), 1965. L. Cahen et M. Braure, *op. cit.* P. Geyl, *op. cit.*

Les guerres de religion ont non seulement causé l'effacement de la France dans la seconde moitié du XVIe siècle, mais elles l'ont transformée ainsi que les Pays-Bas en champ de bataille et laissé face à face l'Espagne et l'Angleterre. On a même parlé de duel anglo-espagnol et fait de Philippe II, qui règne de 1555 à 1598, et Elisabeth, qui règne de 1558 à 1603, les champions de deux causes religieuses. C'est oublier que la disproportion des forces entre Espagne et Angleterre retarda l'affrontement direct jusqu'en 1588. Il existait entre les deux nations bien d'autres causes de rivalité, notamment d'ordre économique. D'ailleurs leurs forces n'étaient pas exactement de même nature. Il paraît plus juste d'opposer deux Europe : une Europe méditerranéenne dominée par l'Espagne et une Europe du Nord-Ouest où l'Angleterre occupe une place croissante, mais non exclusive.

L'Espagne et l'Europe méditerranéenne au temps de Philippe II

Le règne de Philippe II correspond à l'apogée de la puissance espagnole. La Castille reste le centre de l'Empire espagnol. Elle fournit les principales ressources, tirées de son sol ou de ses colonies, le plus grand nombre d'agents royaux et de soldats. Philippe II s'y établit à partir de 1559 et ne la quitte plus. Les autres parties du royaume d'Espagne reçoivent l'impulsion castillane, même lorsqu'elles ont gardé leurs privilèges *(fueros)*.

En outre, Philippe II est le seul souverain ibérique qui ait réalisé l'unité de la péninsule, puisqu'il monte sur le trône de Portugal en 1580. A partir de la Castille les forces espagnoles se manifestent dans deux directions : l'Italie et la Méditerranée où elles se trouvent aux prises avec les infidèles, l'Océan et les Pays-Bas où elles se heurtent aux hérétiques.

LA MONARCHIE DE PHILIPPE II

Philippe II donna un cadre à la monarchie espagnole et lui imprima un caractère nouveau qu'elle conserva sous la dynastie des Habsbourg.

D'intelligence médiocre, renfermé, il avait reçu une éducation castillane qui ne lui permettait guère de comprendre les problèmes qui se posaient dans les provinces extérieures de son empire. Scrupuleux et méfiant, il se décidait avec lenteur. Il ne s'abandonna jamais à l'influence de ses conseillers, Antonio Perez et le cardinal Granvelle qui penchaient pour la négociation, ou le duc d'Albe pour la manière forte. Il vécut dans une solitude croissante qui s'explique probablement par des malheurs familiaux. En 1563, il avait entrepris la construction de l'Escorial qui fut menée à bien par l'architecte Juan de Herrera. L'Escorial fut par la volonté de Philippe II une construction originale : ex-voto en l'honneur de la victoire de Saint-Quentin, monastère et nécropole de la famille royale tout autant que forteresse, résidence royale et centre du gouvernement. L'Escorial abrita le cœur de la monarchie espagnole.

Philippe II ne modifia pas les organes de gouvernement que lui laissait son père. Outre le Conseil d'Etat, il était entouré de conseils spécialisés : Castille, Aragon, Italie, Indes, Guerre, Inquisition..., dont il surveillait l'activité car il avait le goût de tout voir par lui-même. La bureaucratie castillane s'alourdit. Le service des dépêches prit une importance considérable. La lenteur des courriers ajoutait à celle des décisions royales.

Jusqu'en 1568 l'ordre fut peu troublé. L'hérésie protestante avait été facilement éliminée après quelques *autodafés* à Valladolid et Séville (1559-1560). En Catalogne régnait une certaine insécurité caractérisée par un brigandage endémique. La date de 1568, qui vit le soulèvement des Pays-Bas et des Morisques, semble marquer une étape importante dans l'évolution de la monarchie espagnole. La révolte des Pays-Bas mit fin à l'importance que ces provinces avaient prise sous Charles Quint dans la vie de l'Empire espagnol, et les condamna à n'être plus dans l'esprit de Philippe II qu'une dépendance extérieure de l'Espagne (cf. p. 154). Le soulèvement des Morisques de l'ancien royaume de Grenade provoqua une guerre de deux ans (1566-1568) et confirma Philippe II dans l'idée de croisade contre les Turcs car les révoltés avaient établi des contacts avec les Barbaresques qui firent pression sur les établissements espagnols d'Afrique. Philippe II confia la répression à son demi-frère Don Juan. Comme les opérations traînaient, Philippe II fit déporter des Morisques dans d'autres régions de Castille. Il semble bien que ces alertes aient décidé Philippe II à fermer l'Espagne aux influences étrangères et hétérodoxes (M. Reglà).

L'ITALIE ET LA MÉDITERRANÉE

Philippe II possédait la moitié du territoire de l'Italie : Sardaigne et Sicile, royaume de Naples, Milanais et des garnisons *(présides)* sur quelques points de la côte de Toscane. Son influence s'étendait sur les autres Etats italiens depuis que la France ne pouvait plus lui faire contrepoids.

Après une période troublée, l'Italie connut la paix. La Contre-Réforme y triomphe et crée une sorte d'unité morale. Les possessions espagnoles étaient dirigées de Castille par le Conseil d'Italie. Partout les institutions locales restèrent aux mains d'une majorité de gens du pays et elles subirent peu de changement. L'influence espagnole fut particulièrement forte dans la république de Gênes, à Florence et dans les duchés de Parme et de Mantoue. Florence était devenue une monarchie héréditaire. En 1569, Cosme de Médicis obtenait du pape le titre de grand-duc de Toscane. Tout en conservant les apparences de l'ancienne république, il exerça un pouvoir absolu. Lorsqu'il acquit Sienne, l'unité de la Toscane fut réalisée (1557).

Venise, le Saint-Siège et le Piémont marquèrent plus d'indépendance à l'égard de l'Espagne tout en se plaçant dans son camp.

Venise, malgré la perte d'une partie de ses possessions en Méditerranée orientale, restait une puissance mi-italienne, mi-orientale. Les Etats du pape se renforcèrent surtout sous le pontificat de Sixte Quint. Grâce aux efforts de l'administration pontificale le brigandage fut contenu et le ravitaillement mieux assuré. Après la mort de Paul IV (1559) la papauté se montra généralement favorable à l'Espagne. Le Piémont fut restauré. Le traité de Cateau-Cambrésis rendait ses Etats à Emmanuel-Philibert († 1580), souverain remarquable qui reprit aux Suisses le Chablais et le Genevois moins Genève (1567). Emmanuel-Philibert cessa de convoquer les Etats provinciaux et gouverna en souverain absolu. Il s'attacha à perfectionner l'administration de ses Etats et abolit le servage. Les passages des Alpes échappaient à la France. L'Etat de Savoie-Piémont couvrait les accès de l'Italie espagnole.

Philippe II pouvait tirer de l'Italie un supplément de force : blé de Sicile, soldats de Lombardie, navires et prêts d'argent de Gênes.

L'Italie constituait la principale base chrétienne dans la lutte contre les Turcs. Les Espagnols avaient gardé sur la côte d'Afrique du Nord des *présides* qui ne suffisaient pas à neutraliser les corsaires barbaresques. En 1560 les Turcs détruisirent la flotte du vice-roi de Sicile, mais en 1565 ils échouèrent de justesse devant Malte défendue par les chevaliers et leur énergique grand-maître La Valette. Profitant des embarras de Philippe II, le sultan Sélim II commença la conquête de Chypre en 1570. Alors que Philippe II était réticent, le Pape Pie V à force d'énergie réveilla l'idéal de la croisade et constitua une ligue comprenant le Saint-Siège, Venise et l'Espagne. Une flotte considérable, surtout espagnole, fut réunie ainsi qu'une armée de 50 000 hommes. Sous le commandement de Don Juan d'Autriche, la flotte chrétienne remporta une nette victoire à Lépante (7 octobre 1571). Un sanglant combat d'abordage donna l'avantage aux chrétiens dont l'armement était supérieur. La révolte des chiourmes acheva le désastre. Les Turcs avaient perdu 15 000 tués et 10 000 prisonniers, les chrétiens avaient 8 000 morts. L'importance de la victoire de Lépante a été niée car après la mort de Pie V la croisade se dissocia et les Vénitiens, las de la guerre, abandonnèrent Chypre aux Turcs (1573). Cependant l'effet moral fut considérable. Le monde chrétien y vit l'arrêt de la longue suite de victoires turques. Des trêves furent conclues à partir de 1578. La flotte turque ne pénétra plus en Méditerranée occidentale. La Méditerranée resta désormais en dehors des grandes actions militaires et navales. Par contre elle fut le théâtre d'une incessante guerre de course que se livrèrent corsaires barbaresques et corsaires chrétiens, parmi lesquels les chevaliers de Malte.

L'OCÉAN ET L'EUROPE DU NORD-OUEST

Les combinaisons matrimoniales qui avaient permis l'unité espagnole valurent à Philippe II de réaliser l'unité ibérique.

Le Portugal connaissait des difficultés depuis le milieu du siècle. Il défendait mal ses positions en Asie contre le retour offensif des Arabes depuis que la route des épices par Suez avait été rouverte. Or le jeune roi Sébastien ne rêvait que de croisade. Il attaqua le Maroc, mais périt dans le désastre de Ksar-el-Kébir (1578). Le trône de Portugal étant vacant en 1580, Philippe II, oncle de Sébastien et son plus proche héritier, put occuper le pays grâce aux Jésuites et aux marchands portugais qui voyaient dans le roi d'Espagne un garant de la prospérité. Il s'engagea à maintenir la constitution du royaume.

L'Empire portugais se rallia sans difficultés. Philippe II était le maître des Indes occidentales et orientales, le seul souverain d'Europe possédant des établissements outre-mer. Cet empire exigeait la domination des océans. Or, celle-ci était compromise par la révolte des Pays-Bas et par l'action des corsaires anglais. La lutte contre l'Angleterre devint inévitable. Il importe de voir de quel potentiel disposait l'Espagne lorsque la guerre avec l'Angleterre devint ouverte en 1585.

FAIBLESSES ET RAYONNEMENT DE L'ESPAGNE SOUS PHILIPPE II

On s'accorde généralement à affirmer que le déclin de l'économie dans les pays constituant l'Empire espagnol a commencé sous Philippe II. Ce que l'on sait actuellement de la démographie ne confirme pas cette vue. Les départs de jeunes gens pour l'Amérique ne représentent pas encore une importante saignée et ils semblent compensés par l'immigration française et italienne. Malgré une crise de subsistance (1586-1590) suivie d'une offensive de la peste, les épidémies furent moins nombreuses que dans la première moitié du siècle. Dans toutes les provinces la population augmenta.

La Castille vit sa population passer de trois à six millions d'âmes entre 1530 et 1594. Les progrès furent inégaux suivant les régions, plus forts dans la région de Tolède que dans celle de Salamanque. Dans la région de Valence les progrès s'accentuèrent surtout à cause de la très forte natalité chez les Morisques. Au Portugal, Lisbonne, malgré la stagnation de son activité, passa de 65 000 à 100 000 habitants entre 1550 et 1600. L'Italie ne donne pas davantage l'image d'une stagnation démographique. Le rythme d'accroissement s'éleva en Sicile et dans le royaume de Naples, alors que l'augmentation était moins rapide en Toscane et même arrêtée à Venise. L'accroissement profita surtout aux villes. A la fin du xvie siècle, Naples atteignait 200 000 habitants, Palerme, Milan, Rome (malgré le sac de 1527), 100 000.

Dans la seconde moitié du xvie siècle, Philippe II reçoit d'Amérique des quantités d'or croissantes, grâce à la mise en place en 1561 de relations régulières entre Séville et le Nouveau Monde.

Chaque année deux flottes partent, en janvier et en août, vers les Antilles. Là elles se divisent en deux convois : l'un gagne La Vera Cruz et la Nouvelle-Espagne (Mexique), l'autre gagne le Venezuela et l'isthme de Panama. Au retour, des galions espagnols chargent les produits des mines du Pérou acheminés par mer sur le Pacifique puis par caravanes à travers l'isthme et en convois, à cause des corsaires, gagnent l'Espagne. Du Mexique part également tous les ans le galion de Manille qui se rend aux Philippines. Quand l'or parvient en Espagne il est transformé en pièces de monnaies qui servent à payer les troupes ou à verser des subsides. Par le système des contrats appelés *asientos*, les hommes d'affaires, surtout gênois, s'engageaient à payer en Italie et aux Pays-Bas des sommes dont le remboursement se faisait en Castille sur les revenus de la couronne. Les dépenses et la charge de la dette publique crurent plus vite que les ressources. Ces dépenses considérables contraignent Philippe II à faire banqueroute en 1557, 1575 et 1596. Cependant il réussit à éviter l'inflation par des mesures sévères. Ainsi l'exportation des blés espagnols est prohibée pour éviter la montée des prix. Cela entretient l'agriculture dans une certaine torpeur. La *Mesta* continue à étendre l'élevage transhumant aux dépens des cultures, avec la complicité du gouvernement à qui elle verse des redevances de plus en plus lourdes. L'industrie espagnole est mal protégée. Malgré les interdictions l'Espagne vend des laines brutes et importe des draps italiens et français moins coûteux.

Les caractères de la société espagnole s'accusent. L'artisanat est souvent abandonné aux mains des Morisques. L'activité économique jouit de peu de prestige en comparaison avec le service de l'Etat ou de l'Eglise. Les Grands et l'Eglise drainent une partie des richesses, alors que les *hidalgos*, nombreux et pauvres, sont souvent réduits à servir dans les troupes, à aller aux Indes ou à se faire brigands ou mendiants. Mais vagabondage et mendicité jouissent d'une certaine considération. Ainsi la politique de Philippe II est à la mesure de ses immenses Etats, mais non de leurs ressources. On sait aujourd'hui que cependant aux yeux des contemporains, l'Espagne était alors la principale puissance européenne. Les historiens espagnols ont fait généralement commencer en 1560 le « siècle d'or » de leur pays.

Le règne de Philippe II voit l'éclosion de la *comedia* et du *roman picaresque*. Il prépare les chefs-d'œuvre du xviie siècle. L'architecture manifeste sa vitalité dans la construction de nombreuses églises et d'hôtels de ville *(ayuntamientos)*. L'école espagnole de peinture s'enrichit du renfort d'artistes étrangers (Antonio Moro et le Greco). Le rayonnement de l'Espagne en Europe éclipse celui des Pays-Bas et même de l'Italie. Grâce à sainte Thérèse d'Avila et saint Jean de la Croix, l'Espagne, devenue la patrie de la foi mystique, insuffle une vigueur nouvelle à la réforme catholique. La Castille passe également aux yeux des noblesses occidentales pour la patrie de l'honneur. Les modes espagnoles tyrannisent l'Europe de la fin du xvie siècle, jusqu'à l'Angleterre protestante.

L'Angleterre et l'Europe du Nord-Ouest

Au milieu du xvie siècle, l'Angleterre est un petit royaume de quatre millions d'habitants. Hormis une très grande ville, Londres qui approche de 100 000 âmes, il possède quelques ports actifs comme Plymouth et Bristol et des villes épiscopales, mais sa population reste surtout rurale. La culture des céréales et l'élevage des moutons l'emportent sur les activités industrielles et maritimes pourtant en développement. Cet Etat rencontre des difficultés dans l'archipel britannique même. L'Ecosse se montre un voisin turbulent dont les souverains sont alliés de la France. En Irlande les Anglais ne tiennent que Dublin et ses environs (le *Pale*) et se heurtent à l'hostilité désordonnée de la population. L'Angleterre a dû à son caractère insulaire de jouer un rôle dans la rivalité entre la France et les Habsbourg. L'effacement de la France ne lui permet plus de pratiquer la politique de bascule. Or à la fin du siècle l'Angleterre fait obstacle à l'hégémonie maritime de l'Espagne et apparaît comme une grande puissance. C'est que ses transformations se font dans un sens bien différent de celles qui affectent la monarchie espagnole.

ELISABETH ET SON PEUPLE

La fille de Henri VIII et d'Anne Boleyn avait reçu une éducation humaniste très brillante, mais, tenue à l'écart sous le règne d'Edouard VI et surtout de Marie Tudor et suspectée de complot, elle montait sur le trône « avec un esprit mûri et sans générosité ». Dans ce XVIe siècle qui vit gouverner beaucoup de femmes, elle a suscité bien des étonnements. On retrouve en elle la vanité et les caprices de Henri VIII, mais aussi sa passion du pouvoir personnel poussée jusqu'au point qu'elle néglige d'assurer l'avenir de la dynastie plutôt que de partager le trône avec un mari. Femme dominatrice, assoiffée d'hommages galants, elle eut plusieurs favoris, mais elle réussit toujours à échapper à leur influence. De plus elle assuma sans faillir tous les devoirs de sa charge. Surtout, elle sut rester en accord intime avec son peuple.

Elisabeth montra une grande prudence, tant dans sa politique intérieure qu'extérieure. Assez indifférente aux problèmes dogmatiques quoique prévenue contre le catholicisme, elle se contenta de positions peu nettes. Les circonstances lui imposèrent le rôle de champion du protestantisme face à Philippe II, mais elle ne le soutint qu'en conformité avec les intérêts de l'Angleterre.

Elle fut également bien servie. Le premier secrétaire d'Etat, Sir William Cecil, devenu Lord Burleigh, issu de la haute bourgeoisie, esprit avisé, travailleur, ennemi des aventures, posséda la confiance entière de la reine jusqu'à sa mort (1598). Face à Lord Burleigh, le comte de Leicester et sir Francis Walsingham représentèrent une tendance plus audacieuse. Elisabeth ne changea rien aux institutions. L'évolution de celles-ci amena un certain effacement des fonctions du chancelier et du Lord du Sceau privé au profit du Conseil privé. Dans les comtés les pouvoirs du juge de la paix se développèrent aux dépens de ceux du shériff. Le Parlement ne fut pas un obstacle à la volonté de la reine. Elisabeth réduisit ses sessions, devança ou éluda les propositions de lois de ses membres et s'assura un pouvoir absolu de fait. On ne vit apparaître une opposition sur les questions religieuses et financières qu'à la fin du règne. Les seules difficultés réelles rencontrées vinrent de l'Irlande soulevée en 1594 par Tyrone qui battit les troupes anglaises, et pas encore soumise à la mort d'Elisabeth.

LA CONSOLIDATION DE L'ANGLICANISME

De 1558 à 1563 Elisabeth réussit à mettre sur pied un compromis religieux. L'Eglise anglaise était séparée de Rome, elle empruntait au dogme calviniste mais conservait la liturgie catholique.

Il semble que la majorité du peuple anglais était restée catholique, mais les réformés constituaient une minorité importante et active. C'est du côté des catholiques qu'Elisabeth rencontra le plus de résistance, notamment celle de la chambre des Lords et du haut clergé. Ce dernier fut renouvelé. Peu de membres du bas clergé refusèrent les changements. Cependant Elisabeth laissait croire qu'un retour à l'orthodoxie pouvait être négocié. De son côté la papauté, sur les conseils de Philippe II qui recherchait l'alliance anglaise, attendit pour condamner Elisabeth et l'Eglise anglaise. Aussi les catholiques anglais restèrent dans l'incertitude. Beaucoup d'entre eux s'habituèrent aux rites nouveaux (G. R. Elton). Cependant les événements d'Ecosse et de France avaient amené Elisabeth à agir dans ces deux pays en faveur des protestants. Elle s'y heurtait aux mêmes adversaires, les Guise, oncles et conseillers de Marie Stuart, reine d'Ecosse, qui se trouvait être également son héritière. Vaincue, Marie Stuart dut reconnaître Elisabeth comme reine d'Angleterre et renvoyer les contingents français (1561). Les huguenots français avaient livré Le Havre à Elisabeth contre l'envoi de troupes anglaises. Mais quelques mois après les Français réconciliés reprenaient Le Havre (1562). Cet échec humiliant confirma Elisabeth dans sa politique prudente. Elle se tint sur la défensive.

Les affaires anglaises interféraient constamment avec celles d'Ecosse et avec la politique de Philippe II qui donnait appui aux complots visant à détrôner Elisabeth. Marie Stuart, très attachée au catholicisme, s'était d'abord entendue avec les protestants modérés. Mais elle se les aliéna par son mariage avec son cousin Henry Darnley, Ecossais catholique. Quelque temps après, Darnley ayant été assassiné et Marie Stuart ayant épousé trois mois après Bothwell, le meurtrier présumé, un soulèvement général la contraignit à abdiquer en faveur de son fils Jacques VI et elle dut se réfugier en Angleterre où Elisabeth la mit en résidence surveillée (1568). Une révolte catholique éclatait dans le nord de l'Angleterre. La répression fut sanglante (1569). L'année 1570 marque un tournant dans l'évolution politique de l'Angleterre. Elisabeth remit en application l'Acte de suprématie. Pie V l'excommunia. Rome encourageait le séminaire anglais de Douai à envoyer des missionnaires en Angleterre. L'annonce de complots tramés pour délivrer Marie Stuart souleva l'indignation du peuple anglais et le Parlement vota des lois répressives. En février 1587 Marie Stuart fut jugée et décapitée. La résistance catholique devint moins active.

A ce moment l'Eglise anglaise se trouvait aux prises avec un autre danger. Certains voyaient dans l'anglicanisme une solution d'attente et désiraient que l'Eglise évoluât vers le calvinisme. Ils lui reprochaient sa pompe et sa richesse. On les appelait les puritains. D'ailleurs les puritains étaient dépassés par des sectes parmi lesquelles l'anabaptisme. Tous ces non-conformistes rejetaient l'autorité de l'Eglise établie et le livre de prière anglican. Ils déchaînèrent une campagne de pamphlets qui déclencha la répression. Les puritains avaient des appuis au Parlement. C'est une des raisons des difficultés que connut alors Elisabeth avec son Parlement.

Œuvre de circonstance, l'anglicanisme put survivre à Elisabeth car il ne s'opposait pas aux aspirations de la plupart des Anglais.

L'EXPANSION DE L'ANGLETERRE

Au milieu du xvie siècle, l'Angleterre est un pays encore assez replié sur lui-même. Sauf dans quelques secteurs son économie marque un certain retard. Elle n'a pas part au commerce maritime et colonial. Elle se trouve dans une certaine dépendance à l'égard des Pays-Bas qui achètent la plus grande partie de sa production agricole et textile. Cela explique que la hausse des prix ne s'y manifeste que vers 1540. Mais alors l'économie reçoit un coup de fouet qui provient de la politique monétaire inflationniste du gouvernement, de la mise en vente des monastères et de l'offensive des corsaires anglais qui s'attaquent aux galions espagnols et portugais. L'Angleterre connaît une conjoncture favorable de 1560 au milieu du xviie siècle qui se traduit par une poussée démographique et une remarquable expansion de l'industrie et du commerce maritime.

On est peu fixé sur l'augmentation de la population, mais celle-ci semble importante malgré les pestes de 1563, 1578-1583 et 1593, et les contemporains parlent de surpeuplement. L'abondance de la main-d'œuvre a fait baisser les salaires et les prix de revient et encouragé la spéculation. L'industrie anglaise bénéficie du déclin des Pays-Bas.

L'Angleterre accueillit les calvinistes réfugiés anabaptistes, puis les révoltés qui répandirent la fabrication des draperies légères et prirent le relais des sayetteries d'Hondschoote. Les hauts fourneaux se répandirent surtout dans les Midlands et le Pays de Galles et leur capacité augmenta. Le prix du fer baissa et son emploi fit des progrès. Mais le fonctionnement des hauts fourneaux ravageait les forêts, aussi les Anglais furent les premiers à abandonner les préjugés qui pesaient sur le charbon de terre dont ils étaient d'ailleurs fort bien pourvus. A la fin du xvie siècle, l'emploi de la houille s'était étendu à de nombreuses industries : briqueteries, brasseries..., et avait transformé la vie des plus riches : chauffage domestique au charbon, maisons de briques, vitres aux fenêtres. Dans un autre ordre d'idées la consommation de la bière s'était répandue partout.

Les activités maritimes de l'Angleterre débordaient maintenant les « mers de Sa Majesté » et commençaient à s'exercer sur les grandes routes océaniques.

Les premières tentatives furent timides. Espagnols et Portugais tenaient les voies d'accès aux Indes. Les marins aux ordres des marchands de Londres et Bristol cherchèrent à s'ouvrir les passages du nord-ouest et du nord-est. Ils échouèrent, mais, en 1553, Chancellor pénétrait dans la mer Blanche, puis Jenkinson rejoignait la Volga et, la descendant jusqu'à la mer Caspienne, gagnait la Perse. Vers 1560 les Anglais s'enhardissaient à pratiquer la contrebande dans l'Empire portugais devenu incapable de faire respecter son monopole. Des compagnies de commerce furent fondées à mesure que les marins anglais prenaient place sur les routes maritimes. Les *Merchants adventurers* déjà anciens purent évincer les marchands de la Hanse. La *Moscovy Company* s'assura le commerce de la mer Blanche (1555). En 1581 la Compagnie du Levant permit aux Anglais de se passer des Vénitiens et d'échanger dans les Echelles du Levant des draps contre des épices. Enfin la Compagnie des Indes orientales créée en 1600 utilisa la route du Cap que les Portugais avaient jalousement gardée (voir p. 46).

Le gouvernement anglais favorisait cet essor par des mesures appropriées comme la prohibition de certains produits industriels venus du continent (textiles). La reine souscrivait des sommes importantes dans les entreprises des corsaires. Mais l'expansion économique de l'Angleterre n'allait pas sans rencontrer des difficultés. Sur les routes maritimes les Anglais se heurtaient à des rivaux autrement plus redoutables que les Espagnols et Portugais. C'étaient les Hollandais qui dominaient la mer Baltique et avaient pris une large part du commerce des Indes. Par ailleurs, l'essor de l'industrie textile aussi bien que l'achat par des nobles ou marchands enrichis des terres des monastères avaient favorisé l'élevage, accéléré le mouvement des *enclosures*, mais également augmenté le nombre des miséreux et vagabonds des villes. De plus les salaires baissaient. Mais, contrairement à l'Espagne, l'Angleterre prit des mesures sévères pour réprimer le vagabondage et la mendicité. La loi des pauvres de 1601 faisait aux villes l'obligation de lever une taxe des pauvres et d'entretenir des ateliers de charité où les chômeurs étaient soumis à un régime rigoureux.

Le dynamisme de l'Angleterre élisabéthaine se traduit également par le goût, partagé par tous les Anglais, pour les cérémonies fastueuses, les cavalcades et le théâtre. C'est pourquoi Elisabeth maintint la pompe des rites anglicans. La Renaissance parvint tardivement en Angleterre sous la forme du maniérisme. Les poètes, dont Edmund Spenser versèrent dans la préciosité *(euphuisme)*. Comme toute la littérature anglaise, la poésie de cour célébrait la gloire du pays et de la reine, mais elle était éclipsée par le succès extraordinaire du théâtre qui attirait à la fois nobles et bourgeois, aussi bien que matelots... On joue partout, mais il se crée des théâtres permanents. Les pièces sont généralement improvisées sur des thèmes traditionnels. Le public y participe. Violence et bouffonnerie s'y mêlent. Les acteurs sont souvent des truands ou des déclassés. Quelques-uns cependant ont écrit des chefs-d'œuvre tel Marlowe tué dans une rixe à l'âge de vingt-neuf ans.

Le seul dramaturge qui ait réalisé une réussite sociale est William Shakespeare (1564-1616). Bien qu'attaquées par les poètes de cour, ses œuvres soulèvent l'enthousiasme général. Elles touchent des hommes fort différents par leur rang et leur culture. Grâce à ses aspects divers : culture littéraire, sens de la psychologie et de la politique, poésie accessible à tous, verve comique, exaltation de l'histoire nationale, l'Angleterre se reconnaît dans le théâtre de Shakespeare.

La lutte pour l'Océan et la rivalité anglo-espagnole

Elle se déroule en deux phases : une guerre latente de 1562 à 1585 et une guerre ouverte de 1585 à 1603.

LA GUERRE LATENTE (1562-1585)

Les rois de France et d'Angleterre avaient protesté contre le partage du monde entre Espagnols et Portugais. Cependant les établissements fondés en Floride par des huguenots français avaient été détruits par les Espagnols (1565). Les Anglais ne s'étaient pas engagés de la sorte et John Hawkins ayant réussi à déjouer les flottes espagnoles était allé par deux fois vendre des esclaves en Amérique.

En 1568 la tension monta brusquement entre l'Angleterre et l'Espagne. Les guerres des Pays-Bas et de France suscitaient la piraterie des « Gueux de mer » et des Rochelais aux dépens des Espagnols. Lorsque cinq navires espagnols chargés de numéraire destinés à l'armée du duc d'Albe durent, pour échapper aux Rochelais, se réfugier dans les ports anglais, Elisabeth mit l'embargo sur ce trésor. Le duc d'Albe saisit les biens des marchands anglais au Pays-Bas, puis Elisabeth procéda de même à l'égard de ceux des marchands espagnols et flamands en Angleterre. En 1572 le corsaire Francis Drake capturait par un coup hardi les convois de mules qui à travers l'isthme de Panama transportaient toute la production d'or et d'argent du Pérou amassée dans l'année. Sur la suggestion de Walsingham et de Coligny, une action française appuyée par l'Angleterre était envisagée aux Pays-Bas (cf. p. 148). La Saint-Barthélemy fit abandonner ce projet.

Une accalmie suggérée par Lord Burleigh fut de courte durée. En 1577, Drake entreprit un tour du monde suivant l'itinéraire de Magellan. Au passage il pilla Lima, Callao, alla jusqu'en Californie, gagna les Moluques qu'il plaça sous le protectorat de la reine, puis revint triomphalement par le cap de Bonne-Espérance avec un fructueux butin. Les ambitions anglaises grandissaient. Les marins anglais jetaient leur dévolu sur des territoires d'Amérique encore vides et assez éloignés de l'Empire espagnol. En 1583, sir Humphrey Gilbert prit possession de Terre-Neuve. En 1584, Sir Walter Raleigh envoya une expédition fonder un établissement en Amérique du Nord, baptisé Virginie en l'honneur d'Elisabeth. Ce fut un échec, mais l'entreprise fut renouvelée plus tard.

De son côté, Philippe II ne restait pas inactif et soutenait les Irlandais révoltés. Il réalisait d'ailleurs à ce moment l'unité des empires espagnol et portugais.

Comme la France n'était plus en état de soutenir ni même d'utiliser la cause de Marie Stuart, Philippe songea à la possibilité d'un remplacement d'Elisabeth par la reine d'Ecosse. En mars 1585 Philippe II prenait l'initiative de la rupture en mettant l'embargo sur les navires anglais qui se trouvaient dans les ports ibériques.

LA GUERRE OUVERTE

Philippe II avait envisagé dès 1583 d'attaquer en Angleterre même à la fois l'hérésie et la base des corsaires dont souffrait le commerce des Indes, mais, lent à se décider, il attendait également des circonstances favorables. Les Anglais prirent l'initiative. Drake attaqua Vigo, les îles du Cap-Vert, Saint-Domingue et Carthagène. Des contingents anglais débarquèrent aux Pays-Bas. Dès lors les préparatifs espagnols contre l'Angleterre furent activement menés. La flotte venue d'Espagne couvrirait le débarquement confié à Alexandre Farnèse. Le corps expéditionnaire rassemblé dans les Flandres devait déclencher le soulèvement des catholiques anglais.

Les préparatifs furent méthodiquement menés. Philippe II profita de l'exécution de Marie Stuart pour entreprendre une véritable campagne de propagande qui présenta l'*Armada catolica* comme l'*Invincible Armada*. Le roi d'Espagne avait rassemblé 130 navires de guerre et 30 navires d'accompagnement, 8 000 marins, près de 19 000 hommes de troupes, 180 aumôniers. La flotte emportait du ravitaillement pour six mois de campagne.

Toute l'Europe était en alerte. Le duc de Savoie préparait une attaque contre Genève, la Ligue catholique développait son action contre Henri III. De leur côté les Anglais ne restaient pas inactifs. La flotte confiée à l'amiral Howard assisté de Drake comptait autant de navires que la flotte espagnole. Les corsaires anglais à qui on avait fait appel équipaient des navires plus petits que les navires espagnols, armés de canons portant plus loin de façon à tenir à distance les navires ennemis et à éviter l'abordage pour lequel les Espagnols étaient bien entraînés. La défense du territoire fut organisée avec vigueur. les troupes des Pays-Bas rappelées et les milices locales levées et entraînées. Les Hollandais se tenaient également en alerte.

L'Armada arriva devant Calais en bon ordre, n'ayant guère souffert des harcèlements de l'adversaire. Dans la nuit du 7 au 8 août 1588, les Anglais lancèrent contre elle des brûlots qui jetèrent le désordre. Elle fut très éprouvée par leur artillerie. Les deux flottes furent entraînées par les vents dans la mer du Nord. Les Anglais abandonnèrent leur poursuite au large de l'Ecosse. Le duc de Medina Sidonia réussit à ramener sa flotte en contournant les îles Britanniques. L'Armada avait perdu près de la moitié de ses navires et le tiers de ses effectifs.

Actuellement les historiens pensent généralement qu'on a beaucoup exagéré les conséquences du désastre espagnol. L'Angleterre fut sauvée, mais la puissance navale de l'Espagne n'était pas ruinée. Les flottes de commerce de l'Espagne ne furent pas plus gênées qu'auparavant par les corsaires. Les Espagnols profitèrent de l'expérience. Ils organisèrent des patrouilles navales et fortifièrent leurs ports. Les Anglais échouèrent dans leurs tentatives sur le Portugal, les Açores et les ports de l'Amérique centrale.

Mais Philippe II était également occupé par les affaires de France. Il devait faire face à plusieurs adversaires. Quoique Elisabeth soit devenue circonspecte à l'égard de Henri IV qui avait abjuré, elle signa avec lui un traité d'alliance lorsque les Espagnols se furent emparés de Calais. En 1596, une flotte anglo-hollandaise réussit à ravager l'importante base de commerce et de guerre de Cadix. Philippe réunit une nouvelle Armada pour venger cette humiliation. Elle fut arrêtée en route par la tempête (1597). Cependant la cause catholique remportait un dernier succès. O'Neill, comte de Tyrone, écrasait les Anglais en Irlande et soulevait toute l'île contre eux. Malgré ses engagements, Henri IV fit une paix séparée avec Philippe II à Vervins (1598). Les opérations se ralentirent. En 1604, Jacques Ier, successeur de Marie Stuart devenu également roi d'Angleterre, signa avec l'Espagne une paix blanche et, en 1609, l'Espagne et les Provinces-Unies concluaient la trêve de douze ans.

Les Espagnols n'avaient rien perdu sauf les Pays-Bas du Nord dont la perte était largement compensée par l'acquisition du Portugal et de son empire, mais ils avaient dû renoncer à tous les grands desseins de Philippe II. L'Angleterre et les Provinces-Unies commençaient à tirer profit de leur activité économique. L'équilibre était établi entre les forces de l'Europe du Nord-Ouest et celles de l'Europe méditerranéenne, mais la vitalité de ces deux ensembles n'était plus comparable. Le XVIIe siècle allait consacrer la décadence de l'Espagne et la poussée des « puissances maritimes » du Nord-Ouest.

Textes et documents : V.-P. Devos, *Description de l'Espagne* par Jehan Lhermite et Henri Cook, humanistes belges..., Paris, 1969. Elton, *The Tudor constitution, Documents and Commentary,* 1960.

CHAPITRE XI

LES MARGES DE L'EUROPE OCCIDENTALE

Carte XVII.

Bibliographie : P. MILIOUKOV, Ch. SEIGNOBOS et L. EISENMANN, *Histoire de Russie*, t. I, 1932. R. PORTAL, *op. cit.* R. MOUSNIER, *Fureurs paysannes...*, voir chap. V. P. JEANNIN, *Histoire des Pays scandinaves* (coll. « Que sais-je ? »), 2e éd., 1965 ; *L'Europe du Nord-Ouest et du Nord aux XVIIe et XVIIIe siècles* (coll. « Nouvelle Clio »), 1969. A. JOBERT, *Histoire de la Pologne* (coll. « Que sais-je ? »), 1953.

Les pays situés en marge de l'Europe occidentale évoluent différemment. Les uns connaissent la décadence, c'est le cas de l'Empire turc, ou des crises violentes comme la Moscovie. D'autres jouent en Europe un rôle important, disproportionné à leurs ressources réelles : Pologne, Suède. Bien que connaissant des civilisations originales, on peut les classer suivant leur degré d'occidentalisation qui correspond assez bien, du moins chez les peuples chrétiens, à l'importance de leur commerce et de leur bourgeoisie.

Les crises de la Moscovie

L'œuvre d'Ivan III le Grand et de Basile III fut mise à l'épreuve dans le cours du XVIe siècle et au début du XVIIe avec les guerres d'Ivan IV le Terrible (1538-1584) et les troubles qui s'expliquent surtout par le caractère original qu'avait pris la société russe, société de service dont s'accommodaient mal les vieilles familles, et par la mobilité de la population souvent due au mécontentement d'une partie de la paysannerie.

LES CONSÉQUENCES DU RÈGNE D'IVAN IV LE TERRIBLE

A la mort de Basile III, Ivan IV avait quatre ans. Pendant sa minorité le gouvernement tomba aux mains des boïards qui prirent leur revanche de la soumission que leur avaient imposée les tsars précédents. Le règne personnel d'Ivan IV (1547-1584) fut marqué par le caractère qui lui valut son surnom et qui était dû à la méfiance provoquée par une enfance douloureuse et par un déséquilibre certain. De 1547 à 1556 il accomplit d'importantes réformes destinées à associer plus étroitement le peuple russe au service de l'Etat. Notamment en 1555 ce fut l'établissement du nobiliaire russe où la hiérarchie était fondée sur l'ancienneté des services que chaque famille avait fournis au prince de Moscou, services que le tsar était libre d'ailleurs de ne pas reconnaître. L'ordre des rangs *(tchine)* énumérait les groupes sociaux suivant les services que leur attribuait le tsar. Les populations devaient élire les membres de conseils *(volosts)*, composés des nobles et aussi des *starostes* (baillis) élus des paysans. Mais parallèlement le développement des bureaux *(prikaz)* continuait. Ivan IV ne faisait le plus souvent que systématiser une évolution déjà amorcée. Les résistances que rencontrèrent ses mesures l'incitèrent à exercer une véritable terreur à l'égard des boïards. La *Douma des Boïards* (conseil) et le *Zemski Sobor* (assemblée nationale) ne purent faire contrepoids à l'autorité du tsar. Ivan IV créa une garde personnelle, en même temps police politique, l'*Opritchnina*, qui procéda à la déportation sur les frontières de l'Est de boïards dont les terres héréditaires confisquées étaient remplacées par des concessions temporaires, et de citadins — Novgorod fut châtiée par le feu en 1570.

A sa mort, Ivan IV laissait la Russie dévastée par les guerres qu'il avait soutenues contre les Polonais de 1558 à 1583, contre les Tatars de Crimée qui en 1571 étaient arrivés jusqu'à Moscou et contre les peuples de l'Est. Il avait dû abandonner presque tout accès à la Baltique, mais il s'était emparé de Kazan, avait détruit le royaume tatar et conquis le royaume d'Astrakhan. Ainsi il avait ouvert aux Russes les portes de l'Asie. Cela explique le prestige qui, malgré ses erreurs, s'attache à Ivan IV dans l'historiographie russe.

Sous le règne d'Ivan IV la population russe avait pris une certaine mobilité. La Russie ne comptait vraisemblablement alors qu'environ douze millions d'habitants, ce qui lui donnait une densité dix fois moindre que celle du royaume de France. Beaucoup de paysans n'étaient pas très attachés au sol par suite des exodes, des déportations ou de leur installation récente sur les terres de l'Est, pour fuir l'impôt, les redevances accrues, la police ou les dévastations. Cependant, à mesure que l'administration progressait vers l'est, ces hommes étaient rejoints. Ils devaient cultiver le « Champ du tsar » ou étaient mis à la disposition des fonctionnaires dont ils cultivaient les domaines. Ajoutons que l'avance russe avait encerclé des peuples demi-nomades comme les Mordviniens et les Bachkirs qui mal soumis se révoltaient parfois.

Parmi les populations flottantes des frontières se trouvaient les Cosaques des steppes du Sud. Travailleurs occasionnels dans les villes, éleveurs nomades l'été, ils avaient fini par organiser des sortes de républiques où les règles sociales témoignaient d'un esprit de liberté et d'égalité. Ils accueillaient les fugitifs comme des hommes libres, aussi leurs bandes s'accroissaient régulièrement. Ils disputaient la steppe aux nomades tatars et poursuivirent une véritable croisade contre les musulmans. La hiérarchie était celle qui se dégageait de la valeur militaire. Les chefs de groupes (dizaines et centaines) étaient élus ainsi que le chef suprême de tous les Cosaques, l'*ataman*. Certains de ces Cosaques étaient enregistrés par le roi de Pologne, d'autres par le tsar, d'autres enfin, les *Cosaques zaporogues*, étaient indépendants.

La société russe était une société religieuse. Le clergé noir (moines) avait gardé un rôle important dans l'économie et la politique par ses biens immenses et indépendants. C'est dans son sein que se recrutait le haut clergé.

L'ORGANISATION SOCIALE

La société russe était une société de service ne connaissant ni hiérarchie féodale, ni corps intermédiaires. Les terres ne manquant pas servaient à payer les services. Certains des anciens nobles ou boïards restés fidèles avaient gardé leurs domaines héréditaires *(vostchinas)* en passant au service du tsar. Les biens des boïards proscrits avaient été confisqués et distribués en terres de service *(pomiestchés)* attribuées aux fonctionnaires *(pomiestchiks)*. Au bout de deux ou trois générations ces *pomiestchiks* formaient une noblesse héréditaire. Le *pomiestché* prenait d'ailleurs insensiblement les caractères d'une propriété privée. Dans les provinces frontières il était la seule forme de domaine. Cependant les *pomiestchiks* devaient satisfaire à des obligations militaires : fournir un ou deux cavaliers équipés, et certains s'endettaient.

La population urbaine ne comptait que pour 4 %. La ville, centre administratif et militaire, avait comme noyau la citadelle ou *kreml*. Autour s'étendait la *posad*, ville commerçante et artisanale à demi rurale. Enfin on trouvait souvent la *sloboda*, faubourg non soumis aux règles de la vie urbaine, où vivaient des étrangers ou des artisans envoyés par les seigneurs. Le développement des villes était freiné par l'organisation des grands domaines ruraux qui concentraient dans leur marché une partie du commerce et de l'artisanat. D'ailleurs la promotion sociale paraît avoir passé plus par les grands domaines que par les villes. Le commerce ne dérogeait pas. Le tsar, les monastères, les *pomiestchiks* trafiquaient. Le tsar établissait des monopoles suivant la conjoncture. Les marchands professionnels étaient peu nombreux et ne constituaient guère une bourgeoisie. Les plus riches étaient chargés de collecter les impôts. Les artisans formaient une partie misérable de la population, sauf les artisans étrangers résidant surtout dans les faubourgs de Moscou qui pratiquaient notamment les métiers d'art. Il n'existait pas d'organisation corporative importante (R. Mousnier).

Les paysans constituaient la plus grande partie de la population, payaient la plus grande part des impôts, fournissaient la presque totalité des soldats. On distinguait parmi eux les tenanciers libres *(khrestianés)* payant des impôts au tsar et des redevances et services au *pomiestchik*, également les paysans sans terres, les paysans endettés envers le seigneur qui pour cette raison lui étaient attachés par un service à vie. Les *khrestianés* formaient des communautés rurales *(mir)*, solidaires dans le paiement des impôts. Ils devaient au seigneur une redevance en argent ou en nature, l'*obrok*, et la corvée, ou *barchtchina*. Les seigneurs appauvris par les crises du règne d'Ivan le Terrible transformaient l'*obrok en nature* en *obrok en argent* et souvent l'*obrok* en *barchtchina* ce qui leur permettait d'exploiter davantage de terre et de vendre des céréales. Comme les paysans accablés cherchaient à fuir, plusieurs mesures interdirent leur départ.

Les tsars faisaient des efforts pour transformer la société russe en une sorte de société d'ordres. En fait elle était plutôt une société de classes car l'autorité y était liée à la possession des moyens de production (R. Mousnier).

LE TEMPS DES TROUBLES

Le successeur d'Ivan IV, Fédor (1584-1598), laissa gouverner son beau-frère Boris Godounov. Celui-ci accrut le prestige du tsar en obtenant du patriarche de Constantinople la création d'un patriarcat de Moscou qui affirmait la vocation de la « troisième Rome » (1589). Il dut cependant déjouer les complots des boïards. A sa mort, Fédor ne laissait pas d'héritier direct, son frère Dimitri ayant été assassiné en 1591. Une assemblée *(Zemski Sobor)* élut tsar Boris Godounov, dont le règne se révéla tout de suite difficile car il n'était pas un « tsar né ». La situation des petits *pomiestchiks* et des paysans endettés ou fixés au village avait engendré un banditisme permanent. Les paysans considéraient souvent ces bandits comme des vengeurs. L'année 1602 fut une année de famine.

Alors apparut un personnage qui se donnait pour Dimitri échappé à ses assassins (1603). Le faux Dimitri entra en contact avec les Polonais et les Cosaques. Il souleva les paysans de l'Ouest et du Sud et des boïards se rallièrent à lui, mais il échoua devant Moscou. A la mort de Boris Godounov le faux Dimitri entra à Moscou et fut nommé tsar (1605). Mais Dimitri appuyé par les Polonais catholiques perdit vite sa popularité et fut massacré par les boïards qui proclamèrent tsar le prince Basile Chouisky (1606). Chouisky ne réussit pas à assurer l'ordre. Des révoltes soulevèrent noblesse de Riazan, paysans conduits par Bolotnikov dans les régions ayant soutenu le faux Dimitri, Cosaques et peuples colonisés. Chez les Russes elles avaient un caractère social accusé. Les paysans souhaitaient retrouver un vrai et un bon tsar, un prince du sang de Rurik qui rétablît les libertés anciennes des paysans, réduisît les redevances et corvées seigneuriales, les impôts et le service militaire. Les excès des révoltés rallièrent les nobles à Chouisky. Bolotnikov fut capturé et exécuté.

Alors apparut un second faux Dimitri, en la personne du « pillard de Touchino » qui rallia les partisans de Bolotnikov. En 1608, la Russie eut deux tsars, mais le « pillard de Touchino » mécontenta les villes, choqua le sentiment national en faisant appel aux Polonais. Chouisky de son côté se tournait vers les Suédois et les Anglais. Le roi de Pologne Sigismond profitait de la situation pour essayer de mettre son fils Ladislas sur le trône des tsars et il assiégeait Smolensk. L'anarchie était à son comble. Les boïards déposèrent Chouisky. Ils étaient pris entre deux périls. Le péril social représenté par le « pillard de Touchino » et le péril national représenté par Sigismond de Pologne. Ils choisirent de faire face au premier. Ladislas fut élu tsar et une garnison polonaise s'installa à Moscou, immédiatement assiégée par les Cosaques du faux Dimitri. L'assassinat de celui-ci mit la solution entre la main des boïards. De Riazan partit une armée nationale qui, en novembre 1612, délivra Moscou. Un grand *Zemski Sobor* reconnut le tsar désigné de Dieu en la personne du jeune Michel Romanov, qui n'était pas compromis dans les troubles. La lassitude amena l'apaisement.

LA RESTAURATION DE L'ÉTAT RUSSE. LA FIXATION DES ORDRES SOCIAUX

Les premiers Romanov, Michel (1613-1645) et Alexis (1645-1676), reconstituèrent l'Etat. Les conseillers du jeune Michel gouvernèrent d'abord avec le *Zemski Sobor*, rétablirent l'ordre et traitèrent avec la Suède et la Pologne. Ensuite Michel laissa gouverner son père, l'énergique patriarche Philarète († 1633). Les *Zemski Sobor* ne furent plus réunis qu'à intervalles éloignés. Les bureaux reprirent leur importance, les impôts augmentèrent, mais la Russie reprit haleine (V.-L. Tapié). Cependant ce fut au prix de grands sacrifices extérieurs. Par la paix de Stolbovo (1617), les Russes abandonnaient aux Suédois l'accès au golfe de Finlande. La paix avec la Pologne fut rompue en 1632. Battus, les Russes durent renoncer à Smolensk (1634). Le tsar abandonnait également toute revendication sur l'Esthonie, la Livonie et la Courlande. En 1642, le sultan fortifia Azov et barra le Don. Ainsi les Russes étaient coupés des mers libres. Cela gênait leur commerce, attirait les marchands étrangers et contraignait le tsar à entretenir une coûteuse armée et à lever des impôts.

Les débuts du tsar Alexis, jeune et mal conseillé, furent marqués par des troubles (1648-1649). Le *Zemski Sobor* convoqué réalisa une réforme de l'Etat. Une commission de députés de cent trente villes, de l'armée et des contribuables surveilla l'élaboration d'un code qui reprenait des mesures antérieures et fut en vigueur jusqu'en 1833. Chaque ordre de la société était astreint au service de l'Etat. Il lui incombait des obligations particulières et héréditaires. Ces statuts particuliers accusaient le caractère de société d'ordres que les tsars du XVIe siècle avaient déjà tenté de donner à la société de leur pays en la mettant au service de l'Etat.

On distinguait :

1º Les serviteurs de l'Etat, dont les échelons supérieurs constituaient une noblesse, héréditairement astreinte au service militaire et qui depuis 1628 avait seule le droit (en dehors du clergé) de posséder des terres. La différence entre *pomiestchés* et *vostchinas* se réduisit. Ces serviteurs de l'Etat furent très hiérarchisés. Au sommet on rencontrait ceux qui formaient la Douma (l'un d'eux, Morozov, ne possédait pas moins de trois cents villages et hameaux avec des dizaines de milliers de paysans, et sur lesquels travaillaient dix-sept entreprises industrielles : fonderies de fer, ateliers de tanneurs, manufactures de lin, distillerie, briqueteries...). Les autres possédaient d'immenses domaines aux cultures peu étendues (dans la région de Riazan en 1616 les 21/22 du sol étaient laissés en friche). Aussi les petits nobles étaient-ils assez souvent misérables, contraints à se faire soldats et même marchands ou artisans (R. Mousnier).

2º Les contribuables des villes comprenaient des marchands peu nombreux dont certains, comme les Stroganov, géraient les monopoles du tsar. De plus en plus les marchands étaient groupés en communautés soumises à la responsabilité collective. On trouvait également des artisans au service du tsar ou des seigneurs et liés à leur condition.

3º Les contribuables des campagnes tendirent à se fondre dans la catégorie des serfs. En 1646 la loi lia au domaine les paysans qui y vivaient. Les paysans cessèrent d'avoir une existence légale propre. Le seigneur eut une sorte de droit de propriété sur leurs biens, ainsi que la juridiction sur ses domaines pour les délits de simple police et la charge de lever l'impôt du tsar sur les individus. Il devenait donc l'intermédiaire obligé entre le tsar et ses sujets.

Cette situation suscita des conflits sociaux et entretint un esprit de résistance à l'Etat. Les réformes religieuses aggravèrent le mécontentement. Les popes ou prêtres de paroisses étaient élus par la communauté villageoise ou *mir*. En 1652 le patriarche Nikon remit leur nomination aux archevêques et évêques, eux-mêmes nommés par le Saint-Synode qui était une émanation du conseil du tsar. Les paysans et les popes furent ulcérés de voir se répandre l'influence d'un haut clergé lointain. De plus, en 1650, Nikon avait introduit dans la liturgie

des changements qui choquaient beaucoup de gens. Les usages de
l'Eglise russe furent alignés sur ceux des Eglises grecques. Le texte des
prières était simplifié. Ces modifications, considérées comme sacrilèges,
provoquèrent le schisme ou *raskol* d'Avvakum qui maintint dans l'Eglise
un climat de fronde durable.

Enfin les Cosaques avaient prêté serment d'allégeance au tsar en 1654.
Celui-ci fut par là même appelé à arbitrer le conflit qui naissait avec la
formation d'une aristocratie cosaque cherchant à asservir la masse. Le
tsar ayant donné raison aux nobles, il s'ensuivit une révolte qui, dirigée
par Stenka Razine, fit rage pendant trois ans (1668-1671). Les Cosaques
révoltés entraînèrent un grand nombre de paysans mécontents, par leurs
mots d'ordre tendant à la liberté et à l'égalité. Le soulèvement gagna
même les villes du Sud-Est. Révolte et répression furent marquées par
de terribles violences. Les troubles étaient assez fréquents dans les villes,
notamment à Moscou où ils prenaient volontiers un aspect xénophobe.
En effet des ambassades occidentales y étaient ouvertes et le tsar faisait
appel à des soldats et négociants étrangers rassemblés dans la *Sloboda*.

Le milieu du XVIIᵉ siècle eut une influence considérable sur l'orientation
de la société russe qui fut pratiquement coupée en deux. Seules les couches
supérieures eurent la possibilité d'entrer en contact avec des étrangers
devenus plus nombreux et plus entreprenants depuis que la Russie avait
perdu ses accès aux mers libres.

Apogée et épuisement de la Pologne

Rempart de la Chrétienté occidentale contre l'orthodoxie venue de
Byzance, la Pologne le devint également contre l'Islam. Les Polonais
sont installés dans des steppes, des forêts et des marécages, terroirs aux
limites indécises où l'économie repose sur l'agriculture, la cueillette des
produits de la forêt et la chasse. Les villes y ont un aspect étranger,
allemand ou juif. Le principal moteur de la nation est l'aristocratie de
grands propriétaires qui contrôle la monarchie par la *Diète* et contient une
petite noblesse turbulente dans les *Diélines* de provinces. L'Etat n'a pas
d'existence propre. Si l'époque où règnent les rois Jagellons apparaît
comme le siècle d'or de la Pologne, la fragilité de l'Etat et les nombreuses
guerres extérieures constituent déjà des facteurs de faiblesse qui, à partir
de 1572, s'amplifient et amènent la Pologne à sa décadence.

L'APOGÉE

En 1569, le roi Sigismond-Auguste fut l'artisan du traité de Lublin qui consacra l'union fondamentale du royaume de Pologne et du grand-duché de Lithuanie en une république de Pologne. La Pologne du XVIᵉ siècle a été touchée par l'essor du grand commerce, la Renaissance et une Réforme au caractère tolérant.

Le grand commerce baltique aux mains des Hanséates, puis des Hollandais et Anglais, vivifia les ports, notamment celui de Dantzig, qui drainaient les produits de l'arrière-pays. Le blé prit une place de plus en plus importante aux côtés des produits de la forêt et de l'élevage. C'est pour augmenter leurs quantités de blé vendable que les seigneurs polonais et lithuaniens suivirent un mouvement général à l'est de l'Elbe. Ils renforcèrent les droits féodaux et réduisirent les paysans au servage. Autour d'une grande noblesse polonaise gravitait la petite noblesse *(szlachta)* et de plus en plus la faible bourgeoisie des villes. La grande noblesse s'ouvrit aux influences occidentales, intellectuelles et artistiques. Les cours et châteaux, quelques capitales de provinces devinrent des foyers de la Renaissance. Celle-ci se traduisit par l'adoption du latin comme langue de culture, mais aussi le développement d'une littérature nationale illustrée par le poète Jean Kochanowski (1530-1584), par des collections d'œuvres d'art et des commandes à des artistes occidentaux et polonais. La capitale Cracovie profita notamment de ce siècle d'or. Son université à laquelle est attaché le nom de Copernic eut une renommée européenne.

Le luthéranisme avait pénétré dans les milieux allemands des villes. Toutes les sectes protestantes trouvèrent un climat favorable, y compris les sociniens chassés de partout. La Pologne devint pour les nobles une terre de tolérance assez exceptionnelle en Europe. Or la disparition de la dynastie des Jagellons en 1572 ouvre une période de déclin.

PROGRÈS DE L'ANARCHIE POLITIQUE ET DE L'UNITÉ RELIGIEUSE

Entre de nombreux candidats Henri de Valois fut élu, non sans avoir dû concéder à l'aristocratie des *Pacta conventa* qui lui faisaient obligation de réunir la Diète (Chambre des nonces) tous les deux ans et d'assurer la liberté religieuse à ses sujets. La Chambre des magnats ou Sénat prit un rôle croissant. Lorsque, appelé sur le trône de France, Henri de Valois s'enfuit, il avait mal réussi et ce départ plongea le pays dans un interrègne de deux ans. Un Hongrois, Etienne Bathory, puis des Suédois de la famille Vasa, régnèrent successivement. Le pouvoir royal s'amenuisa. Les Diétines levèrent des impôts et des troupes. La Diète prétendait contrôler le roi, mais était impuissante. Ses députés recevaient un mandat impératif et les décisions devaient être prises à l'unanimité *(liberum veto)*. Presque à chaque session la Diète devait être renvoyée (rompue). Les partis s'organisaient en *confédérations* sous la direction de grandes familles appuyées sur leurs clientèles.

Au moment où le faible Etat polonais se dissolvait, se consolidait ce qui restera en définitive le principal ciment de la nation : la religion catholique. Le catholicisme avait résisté sur les marges mêmes de son domaine, notamment en Lithuanie. L'évêque Stanislas Hosius avait attiré les Jésuites et leur académie de Vilnius prenait le relais de l'université de Cracovie. Les rois Vasa favorisèrent la Contre-Réforme. L'aristocratie fut ramenée au catholicisme. Triomphant, celui-ci essaya d'entamer le monde orthodoxe et remporta un grand succès. En 1595, les orthodoxes de l'Ukraine occidentale acceptaient de reconnaître l'autorité de Rome, à condition de garder leurs rites *(Eglise uniate)*, mais ce ralliement devait se révéler plus tard comme une cause de discorde.

LES GUERRES ÉPUISANTES

La Pologne faisait si belle figure en Europe orientale que les rois Vasa crurent possible une politique extérieure ambitieuse. Ils transportèrent la capitale à Varsovie pour être plus près de la mer Baltique. Ils nourrirent des visées dynastiques du côté de la Suède et de la Russie. Dans ce dernier pays, ils apparurent comme arbitres pendant le « Temps des troubles ». Ils conservèrent Smolensk pendant un demi-siècle. Sur les bords de la Baltique, les Lithuaniens disputaient la Livonie aux Suédois et Russes mais durent la céder à la Suède (1629). Enfin, gardiens vigilants de la Chrétienté contre les Turcs, ils prirent la tête de croisades et remportèrent des victoires (Chocim, 1623), d'ailleurs sans lendemain.

Au milieu du XVIIe siècle, la Pologne dut faire face aux attaques simultanées de ses voisins, ce que les historiens polonais appellent le « Déluge ». En Ukraine, la Pologne s'appuyait sur les Cosaques. Or ceux-ci, mécontents des tentatives des seigneurs pour les attacher à leurs domaines comme serfs et pour les amener à reconnaître l'autorité de Rome, se révoltèrent et se placèrent sous la suzeraineté des tsars. L'armée russe en profita pour prendre Smolensk. C'est ce moment que choisit Charles X-Gustave de Suède pour attaquer la Pologne. Le pays fut submergé, Varsovie et Cracovie prises (1655). Cependant une réaction nationale, populaire et catholique, se produisit. La Pologne fut sauvée mais la paix d'Oliva (1660) confirmait la possession de la Livonie à la Suède, celle d'Androussovo accordait Smolensk et Kiev à la Russie (1667).

Au moment de l'épreuve, le roi Jean-Casimir avait promis des réformes. Il ne réussit ni à abolir le servage, ni d'ailleurs à rendre la couronne héréditaire et abdiqua (1674). L'invasion avait laissé des ruines. Enfin la Pologne n'était plus une nation tolérante : les sociniens furent chassés.

La brillante participation de la cavalerie du roi Jean Sobieski à la défaite turque devant Vienne (1683) entretenait l'illusion sur un Etat qui était tombé dans l'anarchie. Ayant contribué à sauver l'Occident des Turcs, la Pologne s'en éloignait plutôt par l'évolution de ses structures sociales.

L'éveil de la Scandinavie

Contrairement aux autres pays des marges de l'Europe occidentale, les pays scandinaves, favorisés par le contact avec l'Océan, s'intègrent davantage à l'économie de la façade atlantique et participent à la politique européenne.

L'ÉVEIL ÉCONOMIQUE

L'expansion économique de l'Occident n'atteignit la Scandinavie qu'au xviie siècle. Jusque-là les relations de la Scandinavie avec le monde occidental s'étaient effectuées par l'intermédiaire de la Hanse germanique, notamment des marchands de Lübeck et des banquiers de Hambourg. Les artisans allemands y étaient nombreux. Mais à la fin du xvie siècle les courants commerciaux se déplacent vers la mer du Nord. Le Danemark se contentait trop souvent de la rente que constituait pour son roi la perception des péages du Sund à Elseneur et s'ouvrait moins au grand commerce que ses voisins septentrionaux. En Norvège, autre possession du roi de Danemark, le port de Bergen devenait un centre important d'exportation. La Suède cherchait obstinément à s'ouvrir une fenêtre vers la mer du Nord et, malgré l'hostilité du Danemark, Gustave-Adolphe fondait en 1619 le port de Göteborg. Dans ces deux ports les Hollandais dominaient. L'exemple le plus connu des hommes d'affaires hollandais ayant réussi dans le nord de l'Europe est Louis de Geer (1587-1652), marchand d'armes et banquier d'origine liégeoise qui fut à Amsterdam l'agent de Gustave-Adolphe et mit la main sur une partie de la production de cuivre, fer, canons et navires de la Suède. Il fit venir en Suède des ouvriers wallons qui donnèrent aux aciers suédois leur réputation.

Le Danemark exportait surtout des grains et du bétail et cela déterminait une évolution sociale du type de celle de l'Europe orientale. Cependant les habitants des îles danoises introduisirent les vaches hollandaises et s'orientèrent vers la production des laitages. L'élevage se répandait également dans les autres pays scandinaves. La Norvège produisait du poisson qu'elle échangeait contre des grains. Elle fut surtout jusque vers 1660 le grand fournisseur de bois des marines hollandaise puis anglaise. Le roi et les nobles cherchaient à se réserver le monopole de l'exploitation du bois. La Suède et son annexe la Finlande étaient également riches en forêts, mais leur éloignement alourdissait le fret. Aussi préférait-on tirer du bois le goudron plus exportable. La Suède possédait surtout des mines. La production du cuivre de Falun connut un véritable *boom* à la fin du xvie et au début du xviie siècle. Le roi s'adjugea le monopole de l'exportation. Cependant la production la plus importante fut celle du fer, notamment fer de qualité supérieure fabriqué suivant les procédés wallons. Fer et cuivre représentaient 60 à 80 % en valeur des exportations suédoises (P. Jeannin). Par contre la métallurgie de transformation ne se développait guère, sauf la fabrication des armes.

Malgré cet essor de l'économie, la population des pays scandinaves restait faible car les défrichements étaient précaires. La Suède ne dépassait pas un million d'habitants. Seules Copenhague et Stockholm se hissaient au rang de villes moyennes. Toutefois, marchands et marins scandinaves commençaient à prendre place dans les grandes voies maritimes. La Scandinavie se rattachait à l'économie occidentale.

L'ÉVOLUTION POLITIQUE ET SOCIALE

La dispersion de la population et la difficulté des communications intérieures entretenaient un certain archaïsme de la société et des mœurs et maintenaient une autonomie locale vivante dont les principaux organes étaient l'assemblée paroissiale et le jury (P. Jeannin).

Aux mains du roi, chef de la religion, l'appareil d'Etat était assez rudimentaire. Le roi tirait ses ressources de ses domaines, agrandis depuis la sécularisation des biens d'Eglise, et, au Danemark, du péage d'Elseneur. La couronne était élective au Danemark et héréditaire en Suède, mais dans les deux cas le souverain devait souscrire une charte d'avènement. Le roi s'engageait à gouverner conformément à la loi, à respecter les privilèges de la noblesse. Il ne pouvait rien faire sans le Conseil ou *Riksrad* dont les membres étaient inamovibles. Il existait des Etats provinciaux *(landdag)* et en Suède des Etats généraux ou *Riksdag*.

Des quatre ordres de ces royaumes : clergé, noblesse, bourgeois et paysans, seul celui de la noblesse comptait. Au Danemark, la noblesse possédait presque la moitié des terres, des droits de justice étendus et avait sur les paysans une autorité plus grande qu'ailleurs. Le roi, dont les revenus personnels étaient importants, chercha à se rendre héréditaire comme il l'était déjà dans ses Etats de Norvège et Slesvig-Holstein. Les déboires de Christian IV dans ses entreprises allemandes arrêtèrent l'évolution vers une monarchie à l'occidentale.

En Suède, la noblesse réalisa des progrès substantiels dans la première moitié du XVIIᵉ siècle. Ses domaines s'étendirent aux dépens de ceux de la couronne, puis de la propriété paysanne qui représentait encore au début du siècle 50 % des terres. De plus les nobles purent jouer un rôle à la tête de l'Etat avec l'organisation des collèges mis à la tête de chaque ministère *(polysynodie)*.

Cependant le *Riksrad* rencontrait un contrepoids dans l'existence du *Riksdag*. Le roi intervenait dans la désignation des députés à cette assemblée, sauf pour ceux de la noblesse. Aussi le *Riksdag* offrit à Gustave-Adolphe une tribune (P. Jeannin). Gustave-Adolphe put organiser une armée efficace et mener une politique active qui coûtèrent cher. Le gouvernement augmenta les impôts indirects *(accise)*, exploita les monopoles commerciaux, remit la perception des impôts à des fermiers dont il remboursa les avances en vendant aux nobles les biens de la couronne et le droit de lever des taxes sur les terres paysannes. La mort de Gustave-Adolphe et la minorité de la reine Christine donnèrent aux nobles l'occasion d'accroître leur puissance. La Constitution de 1634 renforça les pouvoirs du *Riksrad* aux dépens du *Riksdag*. Les aliénations de biens et droits de la couronne privèrent celle-ci des impôts sur les deux tiers des terres du royaume. Les paysans libres devinrent pratiquement tenanciers des nobles. L'énorme puissance de l'aristocratie prenait une allure féodale (P. Jeannin).

Cette situation devait engendrer des troubles. Il en sortit une réaction monarchique dans la seconde moitié du siècle qui se manifesta sur l'ensemble de la Scandinavie.

La survie en Europe des chrétientés orientales

De l'écrasement de la croisade à Nicopoli en 1381 à la prise de Bude en 1529, l'Empire ottoman s'était étendu sur la totalité de la péninsule des Balkans, la Transylvanie, la plus grande partie de la plaine hongroise, enfin les plaines de Valachie et de Moldavie. Sauf dans ces deux derniers pays, la conquête ottomane avait ruiné les états existants, mais elle n'y avait substitué qu'une administration turque relativement légère, les gouverneurs ou pachas se bornant à exiger le tribut des populations chrétiennes ou *Raïas* gage de leur sujétion et garantie de leur liberté religieuse et à prélever sur les familles des enfants que le sultan faisait élever pour le corps des janissaires ou le sérail. Les Turcs n'en utilisent pas moins les services de notables chrétiens, bourgeoisie marchande et cultivée du quartier du Phanar à Constantinople, aristocraties locales de grands propriétaires terriens ou de chefs montagnards. Lorsqu'ils se convertissent, ces chrétiens peuvent faire de brillantes carrières.

Les structures politiques ayant disparu, le seul lien que ces populations conservent entre elles reste l'Eglise orthodoxe autour de laquelle se cristallise l'identité nationale des Grecs, Bulgares, Serbes, Roumains. L'Eglise catholique subsiste également en Croatie et en Hongrie. Dans ce dernier pays cependant, privée de l'appui de l'Etat elle résiste difficilement à la Réforme qui a pu pénétré alors que la conquête turque n'était pas encore achevée. Si le luthéranisme gagne parmi les quelques colons allemands, le calvinisme progresse chez les Hongrois et pousse des pointes jusqu'en Transylvanie. Menacé à son tour par la Réforme, le clergé orthodoxe abandonne le slavon comme langue liturgique et adopte les langues nationales, notamment le roumain en Valachie et en Moldavie. Peu à peu se constituent les Eglises autocéphales de Valachie, Moldavie, Serbie, Moldavie dont les patriarches se rendent indépendants de celui de Constantinople.

Sur les marges de son Empire, le sultan nomme des notables locaux comme voïévodes (gouverneurs) en Transylvanie, ou accepte la vassalité des hospodars de Valachie et de Moldavie. Aussi ces pays demeurent des entités politiques, d'ailleurs fragiles, à l'histoire compliquée dont les princes louvoient sans cesse entre la Porte qu'ils redoutent et les Habsbourg dont ils se méfient. En Hongrie et en Transylvanie, la famille Zapolya au xvie siècle, Bethlen Gabor dans la première partie du xviie siècle, s'opposent très souvent à la Maison d'Autriche. En Moldavie, Etienne le Grand (1457-1504) et son fils Pierre Rares (1527-1546) avaient prolongé la résistance à la conquête. A la fin du xvie siècle, Michel le Brave réussit même momentanément à unir sous son autorité les trois principautés de Moldavie, Valachie et Transylvanie, préfigurant ainsi la Roumanie moderne (1599-1601).

Aussi les principautés ne connurent guère la paix. Les villages sont construits en bois, fréquemment abandonnés devant l'ennemi et incendiés, mais rapidement reconstruits. Les forêts servent de refuges. Seules les villes les mieux situées, comme Belgrade, Bucarest, Iassy, bénéficient du rattachement à l'espace économique turc et servent de relais aux caravanes apportant des produits d'Orient. Malgré le traité de Svitatorok (1606), qui autorisait les sujets de l'empereur à commercer librement dans l'Empire ottoman, un des effets les plus nets de la conquête turque aura été de fermer presque complètement ces pays aux grands mouvements de l'Occident, notamment à la Renaissance, sauf peut-être dans la Hongrie et la Croatie catholiques. La civilisation byzantine s'y maintint malgré la chute de Byzance, jusque dans la première moitié du XIXe siècle.

Textes et documents : S. de HERBESTEIN, voir chap. V.

Chapitre XII

ANGLETERRE ET PROVINCES-UNIES ENTRE LES SOCIÉTÉS D'ORDRES ET LES SOCIÉTÉS DE CLASSES

Cartes VI a et **VIII a.**

Bibliographie : P. Jeannin, L. Cahen et M. Braure, voir chapitres précédents. B. Benassar, *L'Angleterre au XVIIᵉ siècle* (Cours multigraphié), 1968. G. Davies, *The early Stuarts, 1603-1660*, 2ᵉ éd., 1961. G. M. Trevelyan, *Histoire sociale de l'Angleterre*, traduit de l'anglais, 1949. L. Stone, *Social Change and Revolution in England, 1540-1640*, Longman, 1965. P. Geyl, *The Netherlands in the seventheenth century, 1609-1648,* 1961.

Au milieu de la crise du XVIIᵉ siècle, Angleterre et Provinces-Unies, bénéficiaires du déplacement des centres économiques de l'Europe, présentent des cas particuliers. L'essor économique et l'orientation religieuse d'une grande partie de la population oblitèrent les structures sociales traditionnelles, rendent la société en apparence plus mobile, et l'acheminent vers un nouvel idéal social, probablement atteint en Hollande au milieu du siècle, à atteindre encore dans l'Angleterre en effervescence. Les structures politiques traditionnelles en subissent les effets. En Hollande où règne une conception médiévale de l'Etat, elles tendent à se libéraliser. En Angleterre, au travers de tensions qui vont jusqu'à une longue et cruelle guerre civile, se développent deux tentatives de gouvernement autoritaire : l'une, celle de Charles Iᵉʳ, se fondant sur l'absolutisme monarchique traditionnel, l'autre, celle de Cromwell, sur la force armée, la foi puritaine et la nécessité de rétablir l'ordre.

L'essai d'absolutisme monarchique en Angleterre

En 1603, la dynastie des Stuarts réalisa l'union personnelle de l'Angleterre et de l'Ecosse en la personne de Jacques Iᵉʳ († 1625), fils de Marie Stuart, déjà roi d'Ecosse. Peu de temps après, Jacques Iᵉʳ obtenait la soumission de l'Irlande. Malgré ces succès initiaux, si importants pour la destinée de l'Angleterre, la dynastie des Stuarts eut une histoire troublée. Jacques Ier était un prince dépourvu de dignité, mais instruit, habile — il avait rétabli l'ordre en Ecosse — et ayant une haute idée du rôle des souverains. Il avait écrit un traité, le *Basilicon doron (Le don royal)*, soutenant le droit divin des rois. Enfin il se montrait très favorable à la hiérarchie anglicane. Son fils Charles Ier témoignait d'une grande dignité et partageait les théories monarchiques régnant en France et en Espagne. Mais, faible de caractère, il était amené à des concessions qui à ses yeux n'avaient aucune valeur puisque les droits de la couronne étaient imprescriptibles. En fait les premiers Stuarts n'exercèrent que peu d'action sur l'évolution du peuple anglais.

« UNE SOCIÉTÉ EN MOUVEMENT »

L'essor économique amorcé sous Elisabeth s'amplifie. Certes la population n'augmente guère, car épidémies et disettes restent fréquentes, à cause de la faiblesse des rendements agricoles, sauf exceptions très localisées. Par contre l'industrie réalise des progrès.

La production de charbon atteint un million et demi de tonnes par an au milieu du siècle. La technique minière se perfectionne. L'industrie textile se diversifie. On voit même apparaître le coton dans l'ouest de l'Angleterre (Manchester). Si en Baltique les Anglais ne peuvent lutter contre les Hollandais, ils trouvent de larges compensations du côté de Hambourg, des Provinces-Unies où ils exportent, et de l'Espagne avec laquelle les relations commerciales ont repris en 1604. En 1640, la marine anglaise assume 93 % des exportations et 79 % des importations. Le mercantilisme qui se répand sur le continent tente également l'Angleterre. Les monopoles d'Etat se multiplient d'une manière désordonnée qui provoque le mécontentement des milieux d'affaires.

Ceux-ci sont composés de marchands et armateurs enrichis par l'essor du commerce des Indes. Ils s'emparent de la direction d'un nombre croissant d'ateliers. Ils y appliquent un esprit où se mêlent capitalisme et puritanisme, le succès dans les affaires étant le signe de la bénédiction divine (Max Weber). A eux se joignent les propriétaires fonciers de la région de Londres qui participent aux affaires de l'Etat et des cadets de noblesse. En effet, la noblesse est beaucoup plus ouverte qu'ailleurs. Jacques Ier vend les titres de noblesse et crée celui de baronnet. Ainsi s'individualise une noblesse rurale *(gentry)*, assez souvent issue de la bourgeoisie, avisée et économe, qui a profité des sécularisations, arrondit ses domaines, les donne à cultiver à bail, procède à des enclosures, s'enrichit, participe à l'administration en assumant les charges de juges de paix et éventuellement brigue une députation au Parlement. C'est de ces deux groupes sociaux que sortiront les éléments politiques les plus actifs de l'opposition dans ce pays où l'instruction est relativement répandue.

Face à eux on trouve d'une part l'aristocratie peu nombreuse des *landlords* et d'autre part les masses populaires. Le groupe des *landlords* est renouvelé par l'extinction des familles et la faveur royale qui distribue les monopoles à des particuliers. C'est de lui que vient le parti de la cour qui domine l'administration centrale. A l'opposé le sort des masses populaires ne fait qu'empirer. Le salariat s'est répandu et l'armature corporative recule, aussi les masses sont-elles plus sensibles à la montée des prix, à la famine et au chômage. Le prolétariat urbain d'ailleurs reçoit le renfort des ruraux à qui la surpopulation et le système des enclosures ne permettent plus de vivre. Inversement la méfiance pour la mendicité et le vagabondage se développe. La misère n'apparaît plus comme le gage de l'élection divine, mais comme celui de la réprobation. Cependant le pouvoir royal essaye d'y remédier par la fixation des salaires et l'organisation d'ateliers de charité qui mécontentent les pauvres dont ils aliènent la liberté à cause d'un régime très dur, par le réveil des règlements corporatifs qui mécontentent milieux d'affaires et *gentry* et apparaissent aux partisans du Parlement comme un empiétement du pouvoir royal.

Les divers mécontentements sociaux et politiques prennent aussi un caractère religieux. Les Stuarts et le parti de la cour, tout en maintenant leur hostilité à l'Eglise romaine, renforcent la hiérarchie épiscopale et la place des rites d'origine catholique. Aussi ils heurtent la *gentry* attachée à l'interprétation de la Bible par le père de famille et le seigneur, ainsi que les hommes d'affaires individualistes, tandis que les masses populaires se tournent parfois vers les sectes issues de l'anabaptisme. Ainsi se constitue le monde des puritains, passionné, uni seulement dans son hostilité à l'Eglise établie, où se côtoient ceux qui souhaitent conserver une Eglise d'Etat du type de l'Eglise presbytérienne d'Ecosse et ceux qui rejettent toute organisation ecclésiastique comme les Indépendants. Les Anglais étaient sollicités par deux conceptions de la société et de la religion qui étaient loin de s'opposer exactement. De plus, au moins jusque dans les premières années de la guerre civile, la monarchie n'est aucunement mise en cause.

LA MONARCHIE ET LE PARLEMENT

A défaut d'une pratique politique bien nette, les Anglais avaient au début du xviie siècle conscience que la nation constituait un *Commonwealth* (= république, c'est-à-dire dans le sens de l'époque : Etat) dont l'existence était réglée par la *Common Law* (= coutume, voire constitution coutumière). Mais celle-ci était susceptible d'interprétations divergentes.

Le roi prétendait à la souveraineté absolue, désirait gouverner avec son seul Conseil privé (roi en Conseil) et demandait éventuellement l'aide du Parlement (roi en Parlement). Dans le premier cas les ordres royaux étaient des *proclamations*, dans le second, des *acts* qui avaient valeur de lois (statuts). Par ailleurs on pensait que, le roi ne pouvant se tromper, seuls ses conseillers portaient la responsabilité des erreurs de la politique royale. Par contre l'autorité du roi en Parlement était inattaquable. Elle seule pouvait modifier la *Common Law*. Comme Elisabeth, Jacques Ier ne réunit que rarement le Parlement et pour de courtes sessions. Celui-ci était composé de deux assemblées, celle des Lords, dont la plupart, vu le renouvellement de l'aristocratie, étaient des créatures du roi, et les Communes réunissant des députés élus par les bourgs et les comtés. Le patronage aidant, les comtés étaient représentés le plus souvent par la *gentry* et les bourgs par les hommes d'affaires. Certains députés tels Pym et Hampden se montrèrent de véritables chefs. Le plus souvent ils se bornaient à dénoncer ce qu'ils considéraient comme des abus.

Face au Parlement, le roi ne disposait pas d'organes aussi efficaces que le roi de France et il ne pouvait s'appuyer sur un corps d'officiers royaux aussi nombreux. Le Conseil privé et les cours de prérogative (*Chambre étoilée* pour les affaires politiques et *Cour de Haute Commission* pour les causes ecclésiastiques) étaient impopulaires. L'administration locale était abandonnée aux députés-lieutenants, aux shérifs et aux juges de paix nommés par le roi parmi les principaux propriétaires fonciers. Ils exerçaient à titre bénévole et se montraient peu zélés à appliquer les ordres contraires aux intérêts de leur groupe social. Il n'existait pas d'armée permanente. Les finances royales ne pouvaient compter que sur les ressources de la Couronne et sur la levée de droits déjà consentis par le Parlement, parmi lesquels les douanes, qui furent fortement augmentées en 1604. Aussi le roi préférait limiter les dépenses par une politique extérieure prudente plutôt que de demander au Parlement des subsides. En cas de besoin il recourait à des emprunts forcés. La position du roi d'Angleterre se compliquait du fait qu'il était également roi d'Ecosse et gouvernait le royaume d'Irlande. En Ecosse, le roi n'était pas chef de l'Eglise. Le Parlement avait la forme traditionnelle d'Etats généraux. L'Irlande fut relativement calme pendant quelques dizaines d'années et la loi anglaise y fut introduite. Le gouvernement y jouait des oppositions entre Gaëliques, Anglo-catholiques et colons protestants. Cependant ces deux royaumes ne causèrent pas trop de soucis avant 1638.

Sous Jacques Ier un certain équilibre subsista entre le roi et l'opinion. En 1605 un complot catholique, la *Conspiration des poudres*, fit contre Rome l'unité nationale autour du roi. Toutefois Jacques Iᵉʳ gouverna avec des favoris dont Buckingham, se montra dépensier et prodigua des monopoles aux courtisans. Sa politique extérieure timorée lui aliéna une partie de l'opinion. Il fit la paix avec l'Espagne, désavoua Sir Walter Raleigh qui avait effectué une tentative malheureuse contre les colonies espagnoles et le laissa condamner à mort, rechercha la main d'une infante espagnole pour le prince de Galles au moment où l'opinion attendait qu'il soutînt son gendre l'Electeur palatin aux prises avec les Habsbourg d'Autriche. Cependant il savait céder à temps, et quelque temps avant sa mort déclara la guerre à l'Espagne (1625). Charles Iᵉʳ par contre essaya de rallier les Anglais par une politique extérieure active. La guerre fut mal préparée par Buckingham. La flotte anglaise échoua devant Cadix et ne réussit pas à secourir les Rochelais assiégés par Richelieu. Le roi demanda des subsides au Parlement convoqué en 1628, mais Coke et Selden présentèrent la *Petition of Right* où étaient condamnées les arrestations arbitraires et la levée d'impôts non consentis par le Parlement. Le roi céda à la requête, mais en 1629, Buckingham ayant été assassiné, Charles Iᵉʳ marié à une princesse française catholique résolut de se passer de Parlement.

LE GOUVERNEMENT PERSONNEL ET SON ÉCHEC

Le roi fut aidé dans sa tentative par Laud qu'il nomma archevêque de Cantorbery et par un ancien opposant, Lord Strafford. Les Anglais appelèrent cet essai d'absolutisme la « Tyrannie ». Laud s'employa à restaurer le temporel de l'Eglise établie et à réintroduire dans la liturgie des rites d'origine catholique. Cela provoqua une vive opposition des puritains. La Cour de Haute Commission ecclésiastique réagit en prononçant des excommunications et des emprisonnements. Des puritains allèrent s'établir en Amérique. Pour résoudre les problèmes financiers, Charles Iᵉʳ fit la paix avec la France (1629) et l'Espagne (1630) et, sous le prétexte de défendre le commerce anglais contre les Hollandais, étendit aux villes de l'intérieur le *Ship-money* levé sur les ports. Cet impôt rencontra des résistances. Le procès de Hampden qui refusait de payer servit l'opposition. Le roi trouva difficilement à emprunter de l'argent lorsqu'il dut faire face aux Ecossais révoltés. L'essai de Charles Iᵉʳ peut se comprendre dans un effort général de lutte contre la crise effectué par les monarques. L'exemple était donné par la France de Louis XIII et Richelieu. Toutefois, à la différence de ce qui se passait sur le continent, l'absolutisme en Angleterre se heurta à une bourgeoisie active. Il semblait condamner l'individualisme économique en sauvant les vieilles structures sociales par la lutte contre le prêt à intérêt et les enclosures. Face à cette action conservatrice, les opposants ne représentaient pas nécessairement le libéralisme. Certains allaient s'établir dans les colonies d'Amérique.

Par ailleurs, plus chanceuse que la dictature de Richelieu, la « Tyrannie » de Charles Ier bénéficiait de la paix et de la prospérité économique. Il fallut des circonstances extérieures pour faire éclater le mécontentement réel des Anglais.

Très imprudemment Charles Ier pratiquait en Ecosse une politique d'assimilation et Laud tenta d'y établir la hiérarchie épiscopale. Indignés, les habitants d'Edimbourg signèrent un pacte ou *Covenant* auquel se rallia toute l'Ecosse (1637). Tout en affirmant leur loyalisme au roi, ils rétablissaient l'organisation de l'Eglise presbytérienne. Charles Ier était hors d'état de les soumettre. Ses conseillers spéculant sur l'antagonisme anglo-écossais le poussèrent à convoquer le Parlement pour demander des subsides (1640). Celui-ci vit revenir les opposants de 1629 et le roi le dissout au bout de trois semaines *(Court Parlement)*. Mais, les Ecossais ayant envahi l'Angleterre, il fallut convoquer de nouveau le Parlement *(Long Parlement)*.

La Révolution et la République

Avec le *Long Parlement* l'Angleterre entra dans une période de troubles qui mena à la guerre civile, au renversement de la monarchie nationale, rare exemple dans les « Temps modernes », et à son remplacement par une dictature militaire. Cela n'arrêta pas l'expansion économique du pays, mais prolongea d'une quinzaine d'années l'effacement politique de l'Angleterre en Europe.

LA VICTOIRE DU PARLEMENT

Le *Long Parlement* comptait 60 % de propriétaires fonciers, des marchands et hommes de loi, mais plus de la moitié des députés avaient reçu une formation universitaire ou juridique. L'homme le plus remarquable, Pym, revenait aux Communes résolu à briser la « Tyrannie » et à rétablir le rôle du Parlement. Strafford, mis hors la loi, fut condamné à mort par les Lords sous la pression populaire. Laud devait également être exécuté en 1645. Le roi fut contraint de renoncer à son droit de dissolution. La Chambre étoilée, le *Ship-money* et l'organisation ecclésiastique de Laud furent balayés. La chute de Strafford eut des conséquences inattendues en Irlande où celui-ci avait gouverné rudement. Les Irlandais se soulevèrent contre les colons écossais et anglais de l'Ulster, suivis par les

Anglo-catholiques. Ne voulant pas confier au roi l'armée destinée à la répression en Irlande, le Parlement imposa à Charles Ier la *Grande Remontrance* qui lui faisait obligation de choisir des conseillers jouissant de la confiance des Communes. Charles Ier tenta un coup de force. Il vint au Parlement pour arrêter cinq députés dont Pym et Hampden, mais ceux-ci étaient en lieu sûr et soulevaient Londres. Charles Ier abandonna la ville à l'émeute. Il fut suivi par 40 % des députés.

LA GUERRE CIVILE ET L'APPARITION DE L'ARMÉE COMME FORCE POLITIQUE

Les Anglais étaient divisés en deux camps : les *Cavaliers*, partisans du roi, et les *Têtes rondes*, partisans du Parlement. Au début ces deux camps n'étaient pas séparés par des différences sociales bien nettes et les changements de camp furent fréquents.

Le roi tenait bien le Nord et l'Ouest alors que le Parlement organisait ses forces dans le Sud et l'Est, plus développés économiquement. D'ailleurs Têtes rondes et même Cavaliers étaient peu experts à la guerre et manquaient de ressources. Des deux côtés on vit combattre des gentilshommes et des miliciens mal payés et on leva des impôts. La plus grande partie du peuple anglais subissait la guerre civile. Le roi eut avec les Irlandais quelques contacts qui le déconsidérèrent. Le Parlement en eut avec les Ecossais, sans beaucoup d'efficacité. En 1644 la guerre s'enlisait. Pym et Hampden étaient morts. Des tractations s'engagèrent, mais l'intransigeance du roi les fit échouer.

La guerre était relancée. Il fallait la faire. Le Parlement eut recours à Olivier Cromwell, gentilhomme campagnard qui s'était distingué à la tête de son régiment, les « Côtes de fer », discipliné et fanatisé. C'était un homme simple et énergique, un puritain passionné persuadé qu'il avait une mission à accomplir. Il se révéla un organisateur. Le Parlement décida de remodeler l'armée sur l'exemple des « Côtes de fer » *(new model)*. En 1645 l'armée royale fut écrasée à Naseby. Charles Ier s'enfuit en Ecosse. Cependant, comme il refusait toujours de reconnaître le *Covenant*, les Ecossais le livrèrent au Parlement de Londres pour 40 000 livres.

La fuite de Charles Ier en Ecosse avait ouvert une seconde guerre civile dans un climat bien différent de celui de l'année 1642. Les Anglais étaient en proie à une grande agitation religieuse, politique et même sociale. Les sectes se multipliaient (indépendants). Les tendances politiques les plus hardies pouvaient s'exprimer. Les *Levellers* (niveleurs) avaient un chef : John Lilburne, et un programme : *l'accord du peuple*. Ils réclamaient la liberté de conscience et de presse, l'élection annuelle des députés dans des circonscriptions d'égale importance et celle des administrateurs, mais ils refusaient le droit de vote aux personnes assistées et aux salariés. Ils étaient peu nombreux sauf dans l'artisanat londonien, mais ils gagnaient lentement l'armée. Ils étaient d'ailleurs dépassés par un petit groupe, les *Diggers* (défricheurs) de Winstanley qui réclamaient l'égalité sociale et en 1649 entreprirent en quelques endroits de s'installer sur les communaux et les friches et de les cultiver en commun. Cependant l'armée était mécontente. Elle allait être licenciée alors que le paiement des soldes était en retard et elle ne restait pas insensible aux idées des indépendants et des niveleurs.

Charles Ier chercha à profiter de cette situation et négocia avec le Parlement. De son côté l'armée constitua un Conseil comprenant, outre les généraux, des officiers et soldats élus. Le Conseil de l'armée négocia avec les niveleurs, occupa Londres, puis en décembre 1648 exigea l'expulsion de 140 députés presbytériens. Le *Long Parlement* élu en 1640 était réduit à une centaine de membres. On le surnomma le *Parlement croupion*. Il vota une déclaration révolutionnaire affirmant que le peuple était après Dieu la source de toute souveraineté et que les Communes exerçaient le pouvoir suprême dans la nation. Enfin l'armée imposa le procès, la condamnation et l'exécution de Charles Ier qui eut lieu le 9 février 1649.

LA RÉPUBLIQUE

La mort du roi avait profondément ému l'opinion, mais la nation était également lasse et accepta le pouvoir de fait. Le Parlement abolit la royauté et supprima la Chambre des Lords. Il rencontra de grandes difficultés : résistances royalistes et agitation des niveleurs, révolte de l'Irlande, union des Ecossais autour de Charles II, fils du roi décapité, enfin désapprobation générale en Europe.

L'énergie de Cromwell triompha de l'hostilité des Irlandais et des Ecossais. Envoyé d'abord en Irlande, il y mena une guerre sans pitié (le massacre de Drogheda, 1649). Les propriétaires des meilleures terres du Nord-Est en furent dépossédés et durent les cultiver pour le compte des nouveaux maîtres anglais ou s'exiler. Il fallut trois ans pour achever la soumission de l'île. Cromwell appelé contre les Ecossais remporta la victoire de Dunbar (1649), mais il fallut encore repousser l'armée écossaise de Charles II qui s'était avancée jusque dans le centre de l'Angleterre (1650). Charles II dut abandonner la partie. En 1652, le Parlement proclama l'union de l'Angleterre et de l'Ecosse.

Ces événements avaient attisé l'hostilité des Hollandais contre l'Angleterre. Guillaume II d'Orange, *stathouder* de Hollande, gendre de Charles Ier, avait été tenté d'intervenir. Cela s'ajoutait à la rivalité commerciale entre les deux pays qui se manifestait partout : dans les ports européens, les îles de la Sonde, les Antilles, l'Amérique du Nord. Le 9 octobre 1651,

le Parlement avait voté l'*Acte de navigation* selon lequel tous les produits
coloniaux devaient être importés sur des navires anglais et les produits européens sur des navires anglais ou de leur pays d'origine. Cet acte visait les
Hollandais, rouliers des mers, et provoqua la rupture entre les deux pays.

Les Hollandais, d'abord mieux entraînés, bien commandés par les amiraux
Tromp et Ruyter, remportèrent des succès jusque dans l'estuaire de la Tamise.
Le Parlement se trouva dans une situation critique. Il avait besoin d'une forte
marine, mais l'armée était devenue inutile et menaçante. Devançant une dissolution possible de l'armée, Cromwell chassa le *Parlement croupion* (avril 1653).
Le gouvernement fut assuré par un Conseil composé surtout de militaires. Le
Conseil des officiers élabora une nouvelle constitution : l'*Instrument*, qui remettait
tous les pouvoirs à Cromwell avec le titre de *Lord Protecteur* des Républiques
d'Angleterre, Ecosse et Irlande.

LA DICTATURE DE CROMWELL ET SON ÉCHEC

Deux tendances sollicitaient Cromwell : chercher l'apaisement ou
établir le règne des saints. En fait, l'action de Cromwell déconcerte
souvent. Il ne pouvait supporter une opposition parlementaire et gouverna
par l'armée. Très soucieux des intérêts des hobereaux, il était hostile à
l'égalité politique, mais invoquait souvent l'égalité religieuse au sein du
peuple de Dieu. « Opportuniste convaincu que Dieu le guidait » (P. Jeannin), il agit suivant l'inspiration du moment.

L'*Instrument* unifiait les îles britanniques qui devaient envoyer aux Communes
une représentation uniforme. Le droit de vote était rigoureusement censitaire.
En réalité seul comptait auprès de Cromwell le Conseil des généraux. Le Parlement
de 1654 ayant montré quelque indocilité fut dissous au bout de quatre mois.
Les îles britanniques furent réparties en onze gouvernements militaires aux mains
de majors généraux, investis de pleins pouvoirs, chargés de la répression de l'agitation des royalistes et des niveleurs et prenant toutes mesures pour faire régner
un ordre moral puritain (fermeture des tavernes, des théâtres...). En 1657 le
Parlement domestiqué offrit la couronne à Cromwell qui la refusa, craignant sans
doute une réaction des officiers. Toutefois il accepta les attributs royaux et le
droit de désigner son successeur.

Les Anglais se soumirent à cette dictature qui mit fin à de longues
années d'effacement. En 1654 une paix avantageuse fut signée avec
les Hollandais. Ces derniers reconnaissaient l'*Acte de navigation*, chassaient
Charles II et les émigrés royalistes. Cela permit à Cromwell de reprendre
le rôle de champion du protestantisme qu'avait tenu Elisabeth et de
s'immiscer dans le conflit franco-espagnol. L'Espagne lui offrait de
prendre Calais et la France, Dunkerque. En fait, Cromwell avait laissé

les marins anglais attaquer les Antilles et s'emparer de la Jamaïque (1655). Mazarin obtint son alliance et l'envoi de troupes. Les Anglais reprirent pied sur le continent et gardèrent la Jamaïque. Malgré tout Cromwell restait assez lucide pour apprécier la fragilité de son œuvre. Il avait l'appui très réticent des milieux d'affaires. Les finances étaient en mauvais état. Le puritanisme lassait. Sa mort (3 septembre 1658) fut accueillie avec soulagement par une grande partie de l'opinion.

Richard Cromwell fut nommé Lord Protecteur sans difficulté. Il n'avait pas l'autorité nécessaire pour en imposer à l'armée et faire face à une situation détériorée. Il abdiqua au bout de six mois. Le *Parlement croupion* fut rappelé. C'était la condamnation de la dictature. Les généraux se disputaient le pouvoir. Le *Parlement croupion* fut chassé par le général Lambert et celui-ci vaincu par le général Monk qui se mit d'accord secrètement avec Charles II. Un nouveau Parlement fut élu *(Parlement-Convention)*.

Charles II saisit l'occasion pour faire une proclamation apaisante. Il promettait l'amnistie, le respect de la liberté de conscience et aussi de payer l'arriéré des soldes de l'armée. Le Parlement rappela le roi qui le 29 août 1660 rentra dans Londres follement acclamé.

L'Angleterre avait à panser de nombreuses plaies, mais la lassitude y aidait. Les Anglais devaient garder longtemps de cette époque extraordinaire un souvenir pénible : aversion de la dictature militaire, des excès du puritanisme et des idées égalitaires. Du moins elle consacrait la rentrée de leur pays parmi les grandes puissances. « La révolution anglaise du xviie siècle a été la préface à une longue stabilité qui ne fut nullement préjudiciable à l'évolution » (P. Jeannin). Elle coïncida avec une accélération de l'expansion économique.

L'apogée des Provinces-Unies

La scission des Pays-Bas est un fait capital. Les deux parties connurent des destins différents. Dans les Pays-Bas espagnols coupés de l'activité maritime par la fermeture des bouches de l'Escaut, réduits par les annexions françaises, l'autorité du « souverain naturel » profita de la disparition des Etats généraux, mais laissa subsister une autonomie locale entretenant une certaine somnolence. Les Provinces-Unies, au contraire, se hissèrent à une situation européenne hors de mesure avec l'exiguïté de leur domaine et leur population (deux millions d'habitants), mais leur histoire politique fut assez troublée.

INDÉPENDANCE ET PROSPÉRITÉ DES PROVINCES-UNIES

Les fils de Guillaume le Taciturne, Maurice de Nassau († 1625) et Frédéric-Henri († 1647), avec les charges de capitaine général, c'est-à-dire chef de l'armée des Etats généraux, et de *stahouder* de plusieurs provinces dont la Hollande, menèrent la lutte contre l'Espagne. La trêve de douze ans (1609-1621) ne fut pas renouvelée. Après des échecs, sous la conduite de Frédéric-Henri, les Hollandais prirent pied au sud du Rhin dans des pays qui devinrent la possession commune des Provinces-Unies et furent appelés Pays de Généralité. En même temps ils prirent la place des Portugais aux Indes, à Curaçao et au nord-est du Brésil. En 1639, Tromp remportait sur la flotte espagnole une grande victoire au large de Douvres. Les Espagnols estimèrent suffisamment redoutable la force des Hollandais pour conclure avec eux à Munster une paix séparée au début de 1648, par laquelle ils abandonnaient les Pays de Généralité et reconnaissaient *de jure* l'indépendance des Provinces-Unies. Le Portugal s'était séparé de l'Espagne en 1640, mais cela n'arrêta pas les entreprises des Hollandais dans les colonies portugaises. Cependant au traité de Bréda (1654) puis en 1661 les Hollandais durent restituer le Brésil, mais ils gardèrent la Malaisie, Ceylan, Le Cap, Surinam, Curaçao.

Peuple de marins et de marchands, maîtres de l'estuaire du Rhin et commandant ainsi un arrière-pays actif, les Hollandais firent de leur petit pays l'Etat le plus prospère de l'Europe, alors que les autres pays étaient la proie de famines et d'épidémies et connaissaient une grave crise économique. Les Hollandais étaient présents dans tout le monde. Ils faisaient un actif commerce avec tous les Etats européens, dominaient la Baltique, s'étaient introduits en Méditerranée et dans l'empire turc. Hors d'Europe, leur action s'exerçait par les comptoirs qu'ils possédaient depuis La Nouvelle-Amsterdam (devenue New York) jusqu'à Formose et par le commerce qu'ils faisaient malgré l'interdiction avec les colonies espagnoles (interlope) dont Curaçao était la base. Ils restèrent les seuls Européens autorisés à commercer avec le Japon après que celui-ci se soit fermé au commerce étranger (1638). Au milieu du XVIIe siècle on estimait que plus de la moitié des navires circulant en Europe étaient hollandais.

La Hollande tire sa prospérité de la mer, mais la part qu'y prend l'exploitation du sol n'est pas à négliger. Les Provinces-Unies ont réussi à résoudre mieux que les autres Etats le problème des subsistances.

Le sol hollandais est en partie l'œuvre des hommes qui l'ont défendu, voire en partie reconquis sur les eaux et amendé là où il n'était que landes. Le *Waterstaat* qui coordonne la lutte contre la mer et les fleuves date de 1579. Dès le milieu du XVIIe siècle il a déjà à son actif l'aménagement de vastes polders en Hollande et en Zélande. Dans les régions côtières l'élevage, la production des beurres et fromages, la culture des plantes à racine et des oignons à bulbe permettent de réduire les famines et d'exporter, ainsi que l'exploitation poussée des ressources de la mer du Nord. Les pêcheurs hollandais se hasardent jusque sur les côtes anglaises. Les produits alimentaires coloniaux : cacao, sucre, tiennent une grande place. Enfin, à une époque où l'alcool ne représentait pas encore un très grave danger pour la santé, l'usage du rhum a constitué un puissant moyen de combattre les épidémies et il a contribué à l'énergie des marins hollandais.

Les Etats généraux des Provinces-Unies avaient proposé la fusion de compagnies de commerce fondées à la fin du XVIe siècle. L'*Oost indische Compagnie*, fondée en 1602, reçut le monopole du commerce avec les pays de l'océan Indien et du Pacifique où les Hollandais se substituèrent aux Portugais et chassèrent les Anglais de l'Insulinde.

Les flottes d'Amsterdam et de Batavia assumaient les liaisons entre la Hollande et les pays des épices. Leurs cargaisons étaient alimentées ou redistribuées par les cabotages de l'océan Indien et d'Europe. Les parts des souscripteurs *(Aktien)* rapportaient des dividendes de l'ordre de 15 à 20 %. La compagnie jouissait d'une très grande liberté d'action. Elle était devenue une entreprise de la nation hollandaise à qui elle fournissait directement ou non des ressources considérables. Elle soutenait les Etats généraux par ses redevances. Elle était dirigée par dix-sept directeurs, les *Heeren XVII*, et par un Conseil. Tous ces personnages constituaient la haute bourgeoisie hollandaise. Ils jouaient un rôle dans la vie politique d'Amsterdam et de la province de Hollande et identifiaient leurs intérêts et ceux de la collectivité. La *West indische Compagnie* fondée en 1621, lors de la reprise de la guerre avec l'Espagne, ne fut à l'origine qu'une entreprise de pillage de l'Empire espagnol. Son apogée se situe pendant les années du Brési lhollandais (1640-1654), mais elle périclita avec l'abandon de cet immense domaine et celui de La Nouvelle-Amsterdam en 1667. Cette activité commerciale faisait vivre un peuple de marins et commerçants et suscitait une vie industrielle relativement intense (constructions navales, draperies de Leyde, toiles de Haarlem, faïences de Delft, fabriques de chocolat et liqueurs et industries spécialisées qui bénéficiaient des apports techniques de réfugiés étrangers comme la taille des diamants à Amsterdam).

Amsterdam était le centre de cette puissance économique. Elle avait bénéficié de la chute d'Anvers et drainait une grande partie de l'or arrivé à Cadix. Sa banque fondée en 1609, banque de change et de dépôt, devint en fait également une banque de crédit. Les grands effets de commerce s'y négociaient et les hommes d'affaires de tous les pays et de toutes les confessions s'y rencontraient. On y trouvait notamment des juifs portugais (marranes) qui y jouissaient de la plus grande liberté d'action. Certes, les Provinces-Unies n'étaient pas toutes à l'image de la Hollande, mais dans cette province au moins, les cadres sociaux traditionnels étaient bouleversés par le rôle de l'argent. On peut penser que la société y était déjà une société de classes.

LES CRISES INTÉRIEURES

Les Provinces-Unies étaient l'union constituée à Utrecht de sept Etats souverains : Hollande, Zélande, Utrecht, Frise, Groningue, Overyssel, Gueldre, auxquels étaient joints des pays vassaux comme le comté de Drenthe ou sujets comme les Pays de Généralité. En fait, ces Etats différaient par leur importance, leur richesse, la constitution de leur société et leurs institutions.

Les provinces de Hollande et Zélande étaient dominées par une bourgeoisie d'affaires. La noblesse n'y était représentée que par la famille d'Orange. La plus grande partie de la population était faite de travailleurs, mieux garantis par l'activité économique que ceux des cités dans les autres pays européens contre le chômage et une misère excessive. Les provinces de l'Est avaient une structure sociale qui s'apparentait à celle de l'Allemagne. Le régime seigneurial encadrait une population surtout rurale. Suivant leur importance, le patriciat urbain des régents, la noblesse rurale où parfois les paysans dominaient les pouvoirs locaux, intervenaient dans la nomination des échevins et bourgmestres et des conseillers pensionnaires des villes et des provinces, c'est-à-dire des agents pensionnés.

Les nécessités de la lutte contre l'Espagne avaient cimenté l'union d'Utrecht. Mais c'était une sorte de confédération de caractère médiéval, de même type que la Suisse.

Les Etats généraux rassemblaient les députés des états provinciaux, mais chacune des provinces n'y avait droit qu'à une voix et présidait à tour de rôle. Les Etats généraux s'occupaient des affaires étrangères, des forces armées, de quelques questions économiques et religieuses et des finances communes. Ils étaient une conférence d'ambassadeurs. Les députés devaient référer sans cesse à leurs mandants. Il leur fallait consulter les états de leurs provinces, les villes, etc. Les décisions devaient être prises à l'unanimité. Il n'existait pas de pouvoir exécutif fédéral organisé. Le Conseil d'Etat était composé de douze députés des provinces, dont trois pour la Hollande. Il avait des compétences limitées à la surveillance administrative des troupes et aux contributions financières des provinces. La réalité de l'exécutif appartenait à deux pouvoirs différents : 1º le *capitaine général*, l'amiral général et les *stathouders* des provinces ; 2º le *pensionnaire* ou avocat-conseil de la province. Cette constitution assez anarchique fonctionnait par suite du rôle prépondérant de la province de Hollande qui à elle seule assumait 56 % des dépenses communes. Le capitaine général de cette province, le prince d'Orange, s'était imposé aux autres provinces et son pensionnaire était devenu en fait le chef de la diplomatie.

Deux coalitions politiques et religieuses reflétant des antagonismes sociaux s'opposaient. L'une, assez homogène, était animée par les bourgeoisies marchandes des provinces maritimes qui concevaient la gestion des Provinces-Unies comme celle d'une compagnie de commerce. Elle se montrait favorable à une république oligarchique et libérale laissant la plus large autonomie aux provinces et aux villes. Au début du siècle, elle se rangeait derrière un des fondateurs de l'union d'Utrecht, Jean Oldenbarnevelt. L'autre coalition, très hétérogène, rapprochait les sociétés seigneuriales des provinces de l'Est, dominées par une noblesse militaire, du petit peuple des villes maritimes. Elle suivait la famille d'Orange qui inclinait vers la centralisation politique. Aux intérêts économiques qui aspiraient à la paix s'opposait le parti de la maison d'Orange que la poursuite de la guerre mettait en avant.

Avec la trêve de douze ans l'opposition des deux partis s'amplifia et gagna le terrain religieux où deux conceptions de la grâce étaient en présence. La bourgeoisie libérale prit le parti des théologiens arminiens qui rejetaient la prédestination absolue, alors que la famille d'Orange se ralliait à Gomar qui affirmait la réprobation éternelle (cf. p. 75). Un groupe de pasteurs arminiens ayant adressé une remontrance aux Etats de Hollande et de Frise, ils furent appelés les *Remonstrants*. Leur principal porte-parole fut Grotius (1583-1645), pensionnaire de Rotterdam qui défendit la primauté du pouvoir civil en matière religieuse. Mais le parti d'Orange réussit à obtenir en 1617 la convocation d'un synode national à Dordrecht. Les *canons de Dordrecht* imposèrent une orthodoxie gomariste (1619). Maurice de Nassau, sous prétexte de trahison, fit condamner à mort et exécuter Oldenbarnevelt. Grotius avait réussi à s'enfuir en France. La charge de pensionnaire fut amoindrie. La diplomatie lui échappa. La reprise de la guerre renforça la position de la famille d'Orange. Frédéric-Henri apparut comme un véritable souverain. Il maria son fils, Guillaume II, à la fille de Charles Ier. Guillaume II succéda à son père dans toutes ses charges en 1647 et amplifia la politique dynastique de la famille d'Orange. Après la paix de Munster il s'opposa à la réduction de l'armée, imposa sa volonté aux Etats de Hollande. Mais il mourut quelques mois après. Le parti d'Orange était privé de chef pour plusieurs années.

La bourgeoisie républicaine hollandaise triompha. La *Grande assemblée* de La Haye subordonna l'armée au pouvoir civil et remit la désignation des magistrats aux Etats. Mais elle ne put supprimer l'usage du *Liberum veto* (1651). Cet état anarchique réussit à se maintenir grâce à l'habileté du grand pensionnaire de Hollande, Jean de Witt (1653-1672). Pour obtenir la paix de Cromwell, Jean de Witt fit voter la loi d'exclusion qui écartait la famille d'Orange des charges de capitaine général et de *stathouder*, mais cette mesure fut rapportée en 1660. Cependant, la popularité du jeune Guillaume III augmentant, les Etats de Hollande abolirent la charge de *stathouder* dans leur province par l'édit perpétuel de 1667.

L'APOGÉE ET LA CATASTROPHE DE 1672

Le caractère pacifique de l'administration républicaine ne s'étendait pas à la mer. Les Hollandais ne reculèrent pas devant des guerres avec l'Angleterre pour sauvegarder leurs intérêts économiques.

Avec le royaume voisin il existait plusieurs sujets de querelles. Les Hollandais supplantaient les Anglais dans leur trafic avec la Russie, ils les chassaient de l'Insulinde, prenaient pied en Guyane et developpaient La Nouvelle-Amsterdam. Les pêcheurs des deux nations se disputaient la pêche en mer du Nord. En 1609, le roi Jacques Ier interdit aux étrangers de pêcher le long des côtes anglaises. Grotius défendit dans le *Mare liberum* l'idée que la mer était à tout le monde, ce qui favorisait les Hollandais. L'Anglais Selden répliqua dans le *Mare clausum* publié seulement plus tard, affirmant que les Etats avaient une quasi-propriété sur les mers bordières. Le conflit n'éclata pas tout de suite à cause de la solidarité du camp protestant et des difficultés intérieures de l'Angleterre. L'*Acte de navigation* de Cromwell (1651) fut le prétexte aux hostilités. Une première guerre (1652-1654) se termina par une paix assez favorable à l'Angleterre. Cromwell et Jean de Witt n'avaient pas voulu pousser les choses à bout. Une seconde guerre éclata après la restauration des Stuarts (1665-1667). Par la paix de Bréda, les Hollandais cédèrent La Nouvelle-Amsterdam en échange de Surinam.

C'est à l'époque de Jean de Witt que se place l'apogée de la civilisation hollandaise qu'illustre une école de peinture à la fois riche et variée. Il suffit de rappeler les noms des paysagistes Hobbema et Ruysdael, de l'animalier Potter, du peintre des intérieurs hollandais Vermeer de Delft, et surtout de Rembrandt. On peut évoquer également l'activité de l'imprimerie qui bénéficie d'un climat de liberté sans égal au xviie siècle en Europe. La vie confortable et austère de la plus grande partie de la bourgeoisie hollandaise, le fait que le peuple échappe aux plus grandes catastrophes de l'époque expliquent, avec une certaine liberté d'expression, la faveur que rencontrent les études. L'instruction élémentaire y est plus répandue qu'ailleurs. L'université de Leyde est la plus active du monde protestant. La Hollande est un pays de savants (Leeuwenhoek, Huyghens). Les progrès du calcul y trouvent des applications pratiques, par exemple dans l'établissement du taux des rentes viagères.

Les Provinces-Unies étaient surtout devenues une terre de liberté politique et religieuse. Le calvinisme ne groupait qu'un tiers de la population. Les catholiques restaient nombreux et les sectes les plus diverses y trouvaient refuge. Les juifs y étaient moins brimés qu'ailleurs. L'œuvre de Spinoza est un témoignage de l'état d'esprit qui se développait en Hollande vers le milieu du siècle. Dans l'*Ethique démontrée selon la méthode géométrique*, il unifiait théologie et mathématiques. Dans le *Traité théologico-politique*, il se faisait l'avocat de la démocratie directe.

L'hégémonie commerciale des Hollandais était un obstacle à l'expansion anglaise et française, la liberté économique, politique et religieuse un défi aux difficultés économiques que rencontraient la plupart des Etats européens et aux règles du mercantilisme, à l'intolérance religieuse qui régnait généralement en Europe. La bourgeoisie républicaine pacifique ne sentit pas venir l'orage. En 1672, les Provinces-Unies furent envahies par les armées d'une coalition groupant la France et l'Angleterre. En quelques semaines la République se décomposa. Le refus de Louis XIV d'accepter ses offres provoqua un sursaut national, l'appel à la famille d'Orange, le massacre de Jean de Witt. Au traité de Nimègue, en 1678, les Provinces-Unies avaient sauvé leur territoire, mais non leur hégémonie économique qui allait passer à l'Angleterre. Leur moment de gloire était révolu. L'Angleterre prit le premier rang des puissances maritimes.

Textes et documents : O. LUTAUD, *Les niveleurs, Cromwell et la République* (coll. « Archives »), 1967. J. LEYMARIE, *La peinture hollandaise* (coll. « Skira »), 1956.

Chapitre XIII

LE DESTIN DES GRANDES MONARCHIES : ESPAGNE ET FRANCE

Carte IX.

Bibliographie : J. H. Eliott, *Imperial Spain, 1469-1716*, 1963. M. Devèze, *L'Espagne de Philippe IV*, 1970. *Historia de España y America* (sous la direction de J. Vicens Vives), t. 2, J. Reglà, *La época de los tres primeros. Austria, imperio, aristocracia, absolulismo*, Barcelone, 1971. A. Dominguez Ortiz, *Las clases privilegiadas en la España del Antigua Régimen*, Madrid, 1973. R. Mousnier, *L'assassinat d'Henri IV* (coll. « Trente journées qui ont fait la France »), 1964 ; *La plume, la faucille et le marteau* (recueil d'articles), 1970 ; *Les institutions de la France sous la Monarchie absolue*, 2 vol., 1974 et 1980. B. Porchnev, *op. cit.* V.-L. Tapié, *La France de Louis XIII et de Richelieu*, 2e éd., 1967. O. Ranum, *Les créatures de Richelieu*, traduit de l'anglais, 1966. H. Méthivier, *Le siècle de Louis XIII*, « Que sais-je ? », 1964.

On s'accorde aujourd'hui à reconnaître que la Hollande et l'Angleterre s'orientaient lentement vers une nouvelle forme d'Etat, destinée à un grand avenir : l'Etat libéral, fondé sur la présence d'une importante bourgeoisie. Il était impossible au xviie siècle de nourrir les mêmes vues. La Hollande était un petit Etat où une « prospérité insolente » corrigeait les effets d'un gouvernement médiéval et anarchique. L'Angleterre apparaissait comme un Etat à part, dont la révolution faisait scandale et que ses souverains n'avaient pas réussi à ramener vers les voies raisonnables de la monarchie absolue. Au contraire, ce dernier régime était illustré par deux grands Etats, l'Espagne et la France, qui servaient de modèles à tous les royaumes et principautés se dégageant des institutions médiévales. Toutefois le destin de ces deux monarchies divergeait : la première, épuisée par une politique trop ambitieuse, stagnait. Dans la seconde, en proie à des crises intérieures très dangereuses, s'élaborait un type original de monarchie de droit divin, absolue, appuyée sur une administration relativement efficace qui tirait ses agents d'une bourgeoisie moins tournée vers les grandes affaires commerciales que celle des puissances maritimes. Le changement dans le rapport des forces de ces deux monarchies n'apparut aux contemporains qu'à la lumière des événements militaires (défaite espagnole de Rocroi, 1643). Bien que son déclin fût déjà amorcé la monarchie espagnole apparaissait encore vers 1640 comme la première d'Europe.

Le déclin de la monarchie espagnole

La plus grande partie du XVIIe siècle appartient à ce qu'on a appelé le « Siècle d'or » de l'Espagne. La civilisation espagnole brille d'un vif éclat. Le gouvernement espagnol continue à mener une politique impérialiste ou tout au moins s'épuise dans la défense de possessions extérieures alors que la dépopulation et la stagnation économique réduisent ses ressources. Les contemporains ne perçoivent ce déclin que tardivement.

DÉPOPULATION ET STAGNATION ÉCONOMIQUE

D'après les évaluations les moins pessimistes la population de l'Espagne serait tombée de huit millions et demi d'habitants à six millions et demi entre 1590 et 1650.

On a avancé des raisons diverses. L'émigration en Amérique a été très exagérée. Le nombre et le tonnage des bateaux limitaient les départs. Tout au plus priva-t-elle l'Espagne d'éléments jeunes et dynamiques et agit-elle du point de vue psychologique. Elle lui permit aussi d'écarter des éléments turbulents, rendit moins agressive la mendicité endémique et contribua probablement au maintien de l'ordre. Ces départs furent amplement compensés par une immigration française notamment en Catalogne. Plus importante a été l'expulsion des Morisques effectuée en 1609-1611, un peu plus de 270 000 âmes. Les ravages de la guerre en Catalogne et la fiscalité ont également agi.

Toutefois la raison essentielle de la dépopulation se trouve dans la répétition des épidémies. La peste, devenue endémique dans l'Europe méditerranéenne du XVIIe siècle, manifeste des poussées violentes. En 1649-1650, Séville perdit la moitié de sa population. D'ailleurs la dépopulation ne toucha pas l'ensemble de l'Espagne. La Catalogne connut même une sensible augmentation avant 1630. Par contre les provinces de Murcie, Andalousie, Aragon et Castille furent atteintes par le départ des Morisques, laborieuses populations d'artisans et de jardiniers qui vinrent enrichir l'Afrique du Nord, surtout le Maroc. La Castille, base de la puissance espagnole, cessa d'être un réservoir d'hommes de la monarchie espagnole. Les possessions italiennes de l'Espagne connaissaient également une stagnation démographique due aux épidémies et aussi, semble-t-il, au phénomène assez nouveau de la dénatalité. L'émigration s'y manifestait. La population n'augmentait que dans certaines villes comme Naples, mais sans être soutenue par des raisons économiques.

Les caractères particuliers de la vie économique s'accusent. Malgré diverses mesures interdisant à ses bergers de faire paître les moutons sur les terres cultivées, la *Mesta* continue ses ravages (cf. p. 33) aux dépens de la culture des céréales. La production de vins, source d'exportation, diminue après l'expulsion des Morisques. L'industrie textile garda la première place, mais la laine est plus souvent exportée brute que tissée. L'industrie de la soie travaillant pour la cour et les grands se maintint. Le commerce resta florissant jusque vers 1640. Les foires de Medina del Campo attirèrent une partie importante du commerce intérieur. Les ports, où Français et surtout Génois remplaçaient les Flamands, restèrent actifs, en particulier Cadix, principal centre économique de l'Espagne. Les effets de l'indépendance portugaise (1640) ne semblent pas avoir été catastrophiques, mais contribuèrent à amorcer la décadence économique.

La société espagnole resta dominée par le haut clergé et la haute noblesse. Cette dernière se réduisait en nombre et augmentait sa richesse par l'abus des majorats qui concentraient les héritages entre les mains des fils aînés. On vit s'accroître le nombre des prêtres misérables, des moines, souvent errants, des *letrados* sortis des universités, qui fournissaient des agents royaux, des *hidalgos* cadets de familles nobles. La vie économique reposait sur une bourgeoisie effectuant peu de progrès et une paysannerie où le nombre des propriétaires reculait alors que s'accroissait celui des *jornaleros*. Enfin c'est l'apogée du *picaro*, souvent d'origine nobiliaire, témoignant d'un grand mépris pour le travail manuel et lui préférant une vie d'aventure et de mendicité, qui captait l'intérêt des grands, des écrivains et des artistes.

LES ROIS ET LEURS CONSEILLERS

Philippe III (1598-1621) et Philippe IV (1621-1665) apparaissent comme des dégénérés. Tous deux eurent le sens de la dignité monarchique, mais abandonnèrent le gouvernement à des *validos* (favoris) avides, tel le duc de Lerma († 1625). Cependant la monarchie espagnole avait encore belle allure et sembla bien près d'atteindre certains objectifs de Philippe II lorsque Olivarès (1587-1645), intelligent et énergique, eut pris en main la direction de l'Etat. Olivarès poursuivit l'œuvre d'unification menée depuis plus d'un siècle. L'autorité des conseils de la guerre, des finances, des Indes, d'Italie... fut affaiblie au profit de la *Consulta*, conseil officieux et secret. Les attributions des *cortès* des différents Etats dont se composait la monarchie espagnole furent réduites. L'armée conservait toute sa force mais elle était de moins en moins espagnole. La marine fit face aux entreprises des redoutables rivaux hollandais, anglais et français. Mais tout cela coûtait cher. Olivarès réforma la bureaucratie et augmenta les impôts notamment dans les provinces périphériques jusque-là protégées par des *fueros* (privilèges). Cependant l'inflation prit une allure inquiétante.

Le règne de Philippe III fut pacifique. Olivarès réveilla l'impérialisme espagnol. Il apparut à un moment où la conjoncture était favorable. En 1621 les Pays-Bas revinrent à l'Espagne après la mort des archiducs à qui l'administration en avait été confiée. La trêve de douze ans expirait. La victoire de la Montagne-Blanche montrait la force du camp catholique en Europe (voir p. 224). L'entente entre les deux branches de la maison de Habsbourg avait été ressoudée en 1619. Le malheur d'Olivarès fut de trouver en face de lui le cardinal de Richelieu. Sous la conduite de ces deux hommes, l'Espagne et la France s'engagèrent dans une lutte implacable troublant profondément les deux pays par les sacrifices exigés, suscitant révoltes et guerres civiles.

En 1631 le roi avait apaisé une révolte de la Biscaye en confirmant les *fueros* de la province. En 1640 la monarchie espagnole craqua de toutes parts. Des soulèvements séparatistes éclatèrent en Catalogne, au Portugal, puis en Aragon et en Andalousie. Ils eurent des conséquences dramatiques dans les deux premiers pays. Olivarès ayant refusé de négocier avec les révoltés catalans, ceux-ci proclamèrent la déchéance de Philippe IV et transférèrent leur hommage à Louis XIII. La sécession dura jusqu'en 1652. La France paralysée alors par la Fronde ne put défendre les Catalans. L'union avec l'Espagne avait profité à la bourgeoisie portugaise, mais le peuple portugais dans son ensemble déplorait de se trouver entraîné dans les guerres menées par l'Espagne qui lui avaient valu la perte de l'Insulinde et du Brésil occupés par les Hollandais et des levées d'impôts et de troupes. Olivarès jugea habile de nommer gouverneur militaire du pays Jean de Bragance, descendant de la dynastie nationale par une branche bâtarde. Mais celui-ci rallia l'insurrection de Lisbonne (1er décembre 1640) et fut proclamé roi sous le nom de Jean IV. L'Espagne dut soutenir contre les Portugais, aidés par la France et l'Angleterre, une guerre de vingt-huit ans avant de reconnaître leur indépendance par le traité de Villaviciosa (1668).

En 1642, Richelieu mourait. L'année suivante, Philippe IV se débarrassa d'Olivarès et le remplaça par don Luis de Haro, diplomate plus qu'homme d'Etat, qui put arrêter le soulèvement de l'Italie espagnole (révolte de Masaniello à Naples en 1647), bénéficia de la guerre civile survenue en France (1648-1652), mais ne réussit pas à enrayer la décadence de son pays.

LE SIÈCLE D'OR DE L'ESPAGNE

Pendant cette période où commence la décadence de la monarchie, la civilisation espagnole prend en Europe la première place. Le mouvement humaniste n'avait pas été complètement étouffé par l'Inquisition, malgré des autodafés comme celui de Cordoue en 1627. Les universités gardent une certaine vie. Le droit et l'histoire font l'objet de publications importantes. Le théâtre, la poésie et le roman connaissent une floraison exubérante (Lope de Vega, Tirso de Molina). Guillen de Castro († 1631), Alarcon († 1639), Calderon († 1681) font évoluer le drame espagnol vers des règles plus strictes de composition et une forme soignée. La poésie s'égare dans la préciosité avec Gongora, mais le roman produit des œuvres saisissantes avec Cervantès († 1616) et Quevedo († 1645). A la suite du Greco une brillante et originale école de peinture est illustrée par Ribera († 1656), Zurbaran († 1663), Murillo († 1682) et surtout Velasquez († 1660) (cf. p. 247).

Le thème essentiel de la civilisation espagnole est fourni par une certaine recherche de l'absolu que l'on trouve aussi bien dans le mysticisme religieux, le sens de l'honneur, le nationalisme du peuple espagnol, l'éloignement de l'activité économique et la démesure des vues politiques et coloniales. L'Espagne renouvela le mysticisme religieux. A la suite de sainte Thérèse d'Avila et de saint Jean de la Croix, les carmels se multiplièrent, les artistes furent animés d'une inspiration visionnaire. Le sens de l'honneur développa et précisa les règles chevaleresques jusque dans les couches populaires. Cet honneur capable de braver les autorités est un des thèmes favoris du théâtre. Le sens de la grandeur espagnole s'exprime dans la littérature. La lutte contre les Maures est une veine inépuisable. Velasquez dans *La reddition de Bréda* peint la première armée d'Europe. Mais le réalisme est également présent partout, dans le théâtre, le roman et la peinture. Le mendiant, le *picaro* dont Pablos de Buscon et Quevedo présentent avec complaisance la fierté et l'indépendance, se mêlent aux scènes mystiques. Les artistes les plus choyés n'hésitent pas à peindre d'une manière impitoyable rois et reines, prisonniers consentants de leur hérédité et de leur grandeur comme ils le sont de leurs vêtements et de leurs attributs.

Admirée, haïe ou moquée, l'Espagne est partout imitée, jusque dans le monde protestant. C'est d'Espagne que viennent les carmels réformés. A l'idéal du courtisan succède celui du gentilhomme, héros qui emprunte à l'Espagne son code d'honneur générateur de duels. Les auteurs espagnols sont traduits et plus souvent encore imités par les écrivains italiens, anglais (Dryden) et français : d'Espagne, les précieux (Mlle de Scudéry), les bouffons (Scarron) et de grands écrivains tels Corneille et Molière tirent une partie des sujets de leurs pièces. Les vêtements noirs, contraignants sont à l'imitation de l'Espagne. Cependant commence à se répandre la légende de l'ogre espagnol, assoiffé de sang, que rapportent les corsaires des puissances maritimes et tous ceux qui enfreignent l'*Exclusif* en trafiquant dans les immenses colonies espagnoles, l'empire sur lequel le soleil ne se couche jamais. En même temps naît la caricature du matamore, héros vantard, vite déconfit, dont le succès s'accroît avec les déboires de la politique espagnole. A partir du milieu du siècle, ce n'est plus vers l'Espagne, mais vers la France que se tourne l'Europe.

Le relèvement de la France sous Henri IV

Entre les deux images de la France de 1598 sauvée mais ruinée, qui sort de la guerre civile et de la guerre étrangère, et la France triomphant en Europe et soumise au roi de 1661, s'interposent des scènes tragiques : assassinat de Henri IV, invasion, guerre civile, accompagnant la crise économique et même sociale. Dans cette période on trouve à peine quelques moments de répit relatif de 1598 à 1614 et de 1653 à 1661.

LA RESTAURATION DE L'AUTORITÉ ROYALE

La monarchie française est sortie des guerres de religion renforcée dans ses principes. La loi salique a reçu une confirmation éclatante avec l'avènement d'un lointain cousin de Henri III. Certains points des lois fondamentales du royaume ont même été précisés. Le roi doit être Français et catholique. Henri IV qui accorde la tolérance religieuse aux Français admet qu'elle n'existe pas pour le roi. Mais seul l'excès de désordre a permis à l'appel au roi que constitue la *Satire Ménippée* (cf. p. 150) d'être entendu par l'ensemble de la nation. Toutefois des théories hostiles à la monarchie avaient circulé tour à tour chez les protestants et les catholiques. Elles devaient passer en Angleterre, mais n'étaient pas oubliées en France. Le mérite personnel de Henri IV fut d'apporter la preuve que le roi pouvait répondre au besoin de paix du royaume.

Henri IV est un des rares rois de France qui eût à conquérir son royaume. Il mit au service de son action un tempérament vigoureux et une expérience mûre. Il connaissait son royaume. D'apparence franc et humain, agissant avec tact, il attira les sympathies. Cependant sa position restait difficile, d'autant plus qu'avec l'âge il devint moins clairvoyant. Cet aspect humain et la souplesse de sa politique ont pu accréditer la légende d'un roi débonnaire. Cependant il n'abandonna jamais rien des principes : « Un roi n'est responsable qu'à Dieu seul et à sa conscience. » Ce n'était pas seulement une vue idéale : seul « bâton porte paix ». Malgré ses promesses il ne réunit pas les Etats généraux. Les gouverneurs et les corps de ville furent surveillés. Il multiplia les commissaires départis (cf. p. 103). Il fit un exemple de l'exécution du maréchal de Biron, un ancien

compagnon d'armes ayant comploté avec l'Espagne (1602). Il ne pouvait y avoir
d'autorité sans des finances à peu près en état. Sans doute l'assainissement pratiqué par Sully, surintendant des finances, a été exagéré. Les tailles furent momentanément diminuées, mais aides, gabelles, traites furent accrues et plus exactement
exigées. On recourut aux expédients (dot de la reine Marie de Médicis). Les créanciers de l'Etat se virent retrancher jusqu'à trois quartiers (= trois trimestres)
de rentes par an. Certains de ces expédients engageaient l'avenir de la monarchie.
La mise en vente d'offices royaux et l'institution du droit annuel ou *paulette* (du
nom du financier qui en assura la levée) moyennant la reconnaissance de la
propriété de la charge, rapportèrent beaucoup : les offices devenant des propriétés,
leur prix nominal décupla dans la première moitié du siècle. Toutefois ils prirent
un caractère patrimonial qui fit du monde des officiers une sorte de quatrième
état dont l'accès fut de plus en plus difficile aux nouveaux venus. Les titulaires
des offices les plus élevés constituèrent avec l'octroi de titres de noblesse une
noblesse de robe à qui le roi abandonnait une bonne partie de l'exécution de ses
volontés. Cet « ordre » des officiers, dévoué au roi, n'eut pas toujours sur le gouvernement du royaume des vues semblables à celles du roi.

L'application de l'Edit de Nantes ne se faisait pas sans difficultés, malgré de
multiples aménagements. L'Edit lui-même comportait une amnistie générale, le
rétablissement du culte catholique partout, la tolérance pour « ceux de la R.P.R. »
(religion prétendue réformée), la permission de célébrer leur culte là où il l'était
de fait, chez les seigneurs haut justiciers et dans les faubourgs de deux villes par
bailliage, l'institution de chambres mi-parties dans le Parlement de Paris et
dans quelques parlements de province pour régler les litiges mettant aux prises
des sujets des deux religions. Les protestants devaient payer la dîme et ne gêner
en rien le culte catholique. A ces articles généraux se joignaient des articles secrets
n'ayant pas à être enregistrés par les parlements, qui faisaient des concessions
à la fois aux catholiques et aux protestants. Le roi reconnaissait l'existence
légale des pasteurs, des consistoires et synodes et il concédait aux protestants
151 places de sûreté, mais interdisait le culte réformé là où les chefs ligueurs
l'avaient exigé en capitulant. Un brevet accordait aux pasteurs et académies
protestantes une partie de leur entretien par l'Etat. En fait les « chambres de
l'Edit » ne comptèrent généralement qu'un seul conseiller protestant. Le culte
catholique resta interdit en Béarn qui comptait au moins 90 % de sujets de cette
religion. Enfin il fallut envoyer des commissaires royaux pour régler de nombreux
conflits locaux. Le compromis restait très fragile.

LE RELÈVEMENT ÉCONOMIQUE

La France était ravagée. Les travaux des champs avaient souvent été
interrompus, provoquant la misère. Dans les villes le chômage sévissait
et entraînait une recrudescence de mendicité. Dans la population moins
bien alimentée qu'au début du siècle, les épidémies tendaient à devenir
parfois des endémies. De plus le retour de la paix n'avait pas ramené
l'ordre immédiatement. Des bandes de soldats licenciés faisaient régner

la terreur comme celle du compère Guilleri qui sévit sur les marges de la
Bretagne et du Poitou jusqu'en 1604. Les paysans excédés se révoltaient
parfois (*croquants* du Périgord en 1594-1595). Leur châtiment était
assuré par les nobles et le pouvoir royal. Seul le relèvement économique
pouvait ramener le calme. Il fut assez rapide pour plusieurs raisons.
D'abord les troubles n'avaient pas atteint profondément la vitalité du
pays et le retour de la paix avait fait naître une bonne volonté générale.
Henri IV n'avait qu'à appliquer les ordonnances de ses prédécesseurs
que les événements avaient empêché de mettre en application (l'édit sur
les métiers de 1581 fut renouvelé en 1597). Enfin, Henri IV fut aidé par
d'excellents conseillers. Il n'eut pas une politique économique, mais il
mit l'autorité royale restaurée au service de quelques mesures fort simples
suggérées par deux conseillers protestants, Sully, surintendant des
finances et grand voyer de France, et Barthélemy Laffemas, simple
familier du roi.

Sully, soucieux de finances et d'ordre public, pensait avant tout à résoudre
le problème des subsistances et des rentrées d'impôts. Comme sa politique financière, sa politique économique était à vues très traditionnelles. Il encouragea
l'agriculture par une série de mesures limitées destinées à venir en aide aux laboureurs : réduction des tailles qui pesaient surtout sur les paysans, défense de saisir
le bétail et les instruments aratoires, remise en état des forêts, restauration des
communaux et des droits d'usage, organisation de la lutte contre les loups, défense
de chasser dans les blés et vignes. L'aide à la noblesse rurale fut marquée par
l'autorisation donnée dans les années de bonnes récoltes d'exporter le blé et par
l'encouragement apporté à Olivier de Serres, gentilhomme protestant du Vivarais,
auteur du *Théâtre d'agriculture et mesnage des champs* publié en 1600 qui appelait
la noblesse à se détourner de l'action politique pour se consacrer au développement de ses revenus par une saine gestion de ses domaines et l'introduction de
cultures nouvelles, tel le mûrier (voir p. 132). Pour accroître l'étendue du terroir,
l'Etat encouragea également des entreprises de dessèchement des marais, par
exemple le Marais Vernier, en recourant à des ingénieurs hollandais. Sully, grand
voyer de France, fit également des efforts pour restaurer les routes : plantis d'arbres
destinés à en garantir le tracé et la largeur, et pour améliorer les voies d'eau. Le
creusement du canal de Briare reliant la Seine à la Loire fut entrepris.

Laffemas se faisait en France l'écho des doctrines mercantilistes (cf. p. 125).
Il pensait à développer la production d'objets de luxe pour éviter des sorties d'or
provoquées par les importations. De 1601 à 1603 se réunit une « Commission du
commerce » qui esquissa une politique économique. Quelques manufactures furent
fondées sous le patronage royal : toiles fines, tapisseries (à Paris), dentelles,
cuirs ouvragés. Laffemas pensait surtout à la production de la soie dont la mode
était devenue tyrannique dans la noblesse. Sully se rencontra avec Laffemas pour
encourager le développement de la culture du mûrier. Lyon et Tours restèrent

les principaux centres de production des soieries. Le commerce extérieur reprit
quelque importance. Les exportations de vins et sels venaient en tête. Mais la
création d'une Compagnie des Indes orientales ne put être menées à bien. Contrairement à ce qui se passait en Angleterre et en Hollande, en France les capitaux
étaient attirés plus par l'achat de terres, d'offices et le passage dans la noblesse
que par l'activité économique.

LE MÉCONTENTEMENT ET L'ASSASSINAT DE HENRI IV

Cependant le mécontentement n'avait jamais cessé. La bonne réputation des
finances de Sully est due au remboursement partiel des dettes et à la constitution
du trésor de la Bastille. Mais la charge fiscale avait augmenté beaucoup, les rentiers
étaient mécontents du retranchement des quartiers de rentes, le rétablissement
de la livre comme monnaie de compte n'avait pas arrêté la spéculation. Le roi
s'était mis dans la main des *partisans* ou financiers à qui il avait affermé la perception de nombreux impôts. L'institution de la paulette mécontentait la noblesse
d'épée qui voyait d'un mauvais œil se constituer la noblesse de robe. Le mécon-
tement général réveillait les idées des monarchomaques suivant lesquelles il
était permis de tuer le tyran et qui avaient trouvé leur application dans l'assassinat
d'un certain nombre de souverains et de chefs. Or Henri IV apparaissait toujours
à certains anciens ligueurs non réconciliés non seulement comme un tyran mais
comme un usurpateur (R. Mousnier). Déjà il avait fait l'objet d'une dizaine
d'attentats. Les Jésuites avaient été expulsés de France (1594-1603) sous le
prétexte que l'un d'eux avait inspiré le geste d'un régicide.

A ces motifs s'ajoute la rupture avec l'Espagne en 1610. Jusque-là, Henri IV
s'était borné à une courte guerre contre le duc de Savoie à qui par le traité de
Lyon (1601) il avait imposé l'échange du marquisat de Saluces, dernière possession
française conservée en Italie, contre la Bresse, le Bugey, le Valromey et le pays
de Gex, ce qui éloignait la frontière de Lyon et mettait le royaume en contact
direct avec les cantons suisses. Henri IV soutint les Hollandais contre l'Espagne
et favorisa la conclusion de la trêve de douze ans (1609). A ce moment éclatait
l'affaire de Clèves qui opposait en Allemagne l'Union évangélique dont il avait
favorisé la formation et la Ligue catholique appuyée par les Habsbourg (cf. p. 222)
et il s'apprêtait à conduire une expédition militaire. Henri IV semblait reprendre
aux côtés des protestants la lutte contre l'Espagne, champion du catholicisme.
Les passions s'exaspéraient. Ravaillac, ancien ligueur, assassina le roi la veille
du jour prévu pour son départ à la tête de ses troupes.

Or le geste de Ravaillac eut un résultat inverse de celui qu'avait
escompté son auteur. Personne n'osa lui décerner les mêmes louanges qu'à
Jacques Clément. Henri IV fut considéré comme un roi martyr et un
lourd opprobre s'attacha au régicide. La monarchie absolue et de droit
divin en sortit renforcée, ce qui ne signifie pas que les Français étaient
prêts à accepter n'importe quelle manière de gouverner.

LES TROUBLES DE LA MINORITÉ
ET DES DÉBUTS DU GOUVERNEMENT PERSONNEL DE LOUIS XIII

Les historiens se sont souvent montré sévères pour cette période qui sépare le règne de Henri IV du « ministère » de Richelieu (1610-1624) où l'on vit le désordre croître dans les finances, les Grands et les protestants prendre les armes, la France mener en Europe une politique décevante. En 1610, Louis XIII avait neuf ans. Une rude tâche attendait la régente Marie de Médicis, femme médiocre, dominée par un couple étrange : Léonora Galigaï sa sœur de lait et le mari de celle-ci, Concini. Deux partis s'offraient : continuer la politique de Henri IV avec les ministres de celui-ci ou chercher une entente avec l'Espagne. Ceux qu'on appellera « Bons Français » et « Bons catholiques » s'opposeront au moins jusqu'en 1630. Ces deux expressions ne doivent pas inviter à voir deux partis politiques opposés systématiquement. Les « Bons Français » étaient de sincères catholiques dévoués à la cause de la religion dans la mesure où celle-ci ne nuisait pas aux intérêts de l'Etat. Inversement les « Bons catholiques » étaient dévoués à l'Etat dans la mesure où le dévouement à celui-ci ne nuisait pas à la religion.

La régente comprit que le royaume avait besoin de paix. Elle chercha une détente avec l'Espagne, marquée par le mariage de Louis XIII avec une infante, Anne d'Autriche (1614), et en définitive sauva ce qui pouvait être sauvé de l'autorité royale. Non sans mal, car le rapprochement avec l'Espagne inquiétait les protestants qui, sous l'impulsion de Henri de Rohan, se donnèrent une organisation militaire. Les princes essayèrent d'en imposer à la régente en dénonçant les favoris italiens. Marie de Médicis les désarma momentanément en leur accordant des pensions qui vidèrent le trésor royal. Il fallut réunir les Etats généraux. Toutefois les trois ordres ne réussirent pas à s'entendre. Le tiers état, composé surtout d'officiers royaux, s'opposa à l'introduction des canons du concile de Trente proposé par le clergé et fit échouer l'union des ordres contre la monarchie, proposée par la noblesse. La noblesse demanda la suppression de la paulette et de la vénalité des charges et s'indigna de ce que l'orateur du tiers avait considéré les trois ordres comme « trois frères, enfants de leur mère commune, la France ». Le clergé et le tiers firent appel à la régente. Le 23 février 1615, les députés furent invités à déposer leurs cahiers de doléances et les séances furent suspendues. La royauté restait l'arbitre. De 1615 à 1617 se produisit un redressement auquel participa un jeune prélat, Richelieu. Les nobles furent vaincus, leur chef Condé embastillé. Mais Louis XIII écarté du pouvoir par sa mère intervint par un coup de majesté, le meurtre de Concini (24 avril 1617), éloigna sa mère et disgracia Richelieu.

Roi-soldat, timide et autoritaire, inexpérimenté et consciencieux, Louis XIII subit l'influence de favoris. Luynes lui inspira une politique favorable au parti catholique, mais dut faire face au soulèvement des partisans de Marie de Médicis et des grands et à celui des protestants. En 1620 Louis XIII réunit le Béarn à la France, y rétablit le catholicisme, se rapprocha des Habsbourg, et attaqua sans succès les places protestantes. Devant l'échec de cette politique, Louis XIII rappela sa mère, les ministres de Henri IV et enfin fit entrer Richelieu au Conseil en 1624. La période des hésitations n'était pas achevée, mais la forte personnalité de Richelieu donna un style nouveau à la manière de gouverner.

La France de Louis XIII et Richelieu

Les rapports du roi et de son ministre ont donné lieu à bien des légendes. Louis XIII s'était vu imposer par sa mère Richelieu qu'il fit cardinal en 1622 puis ministre en 1624. Cadet d'une famille de petite noblesse assez batailleuse du Poitou, celui-ci avait été un excellent évêque de Luçon avant de jouer un rôle aux Etats généraux de 1614. D'une énergie indomptable malgré une santé ébranlée, l'esprit logique, clair et réaliste, de caractère hautain et dur, il fut constamment mû par le souci de la grandeur du royaume. Il n'eut pas de système politique. Les circonstances lui suggérèrent une politique de salut public. Louis XIII reconnut assez vite la supériorité de Richelieu et eut confiance en lui. Richelieu ne se départit jamais de la soumission aux volontés du roi. A la longue les vues des deux hommes coïncidèrent avec un assez rare bonheur.

LES HÉSITATIONS DE RICHELIEU (1624-1630)

Les débuts de Richelieu furent difficiles. Il essaya de reprendre la politique des conseillers de Henri IV, renoua l'alliance avec les Provinces-Unies, se rapprocha de l'Angleterre (mariage de Henriette de France, sœur de Louis XIII, avec le futur Charles Ier). En 1625, une nouvelle révolte des protestants et les visées espagnoles sur la Valteline le mirent en difficulté. Il fallait sérier les problèmes. Afin de soumettre les protestants il se rapprocha avec l'Espagne par un compromis sur la Valteline (paix de Monçon, 1626). Les protestants constituaient en fait un ordre dont l'organisation était calquée sur celle du clergé. Avec leur organisation militaire et leurs places fortes ils formaient un « Etat dans l'Etat », disposant d'alliances étrangères comme celle de l'Angleterre. Contre eux Richelieu mena une guerre d'Etat et non une guerre de religion (V.-L. Tapié). La principale base des protestants était La Rochelle qu'il assiégea par terre et dont il fit bloquer le port par une digue afin d'empêcher l'arrivée des renforts amenés par Buckingham. Malgré une résistance tenace, La Rochelle affamée dut capituler en novembre 1628. Une courte campagne dans les Cévennes acheva le succès de l'entreprise. Par l'édit de grâce d'Alès (juin 1629), le roi garantit l'application de l'Édit de Nantes, mais révoqua les privilèges accordés dans ses annexes, consolidant un régime de tolérance religieuse qui devait durer un demi-siècle et assurer l'obéissance de ses sujets protestants. La paix fut immédiatement rétablie avec l'Angleterre.

Au lendemain de la soumission de La Rochelle, la France était placée devant un choix capital. Les « Bons catholiques », émus par la misère croissante, les révoltes populaires, la perspective d'une guerre opposant les deux puissances catholiques, voulaient la paix et une politique de réformes. Richelieu les laissa faire tant que dura la guerre contre les protestants. En 1629 fut promulgué le *Code Michau* qui porta réforme de l'armée et de la justice en tenant compte des doléances des Etats de 1614 mais ne fut pas appliqué. Cependant Richelieu était inquiet de la puissance espagnole. Celle-ci avait constitué autour du royaume un véritable « chemin de ronde » et n'hésitait pas à soutenir les complots jusque dans la famille royale par des contacts avec la reine Anne d'Autriche et Gaston d'Orléans, frère et héritier de Louis XIII, les révoltes des Grands, voire des huguenots. Enfin les événements d'Allemagne tournaient en faveur des Habsbourg. Déjà Richelieu avait montré sa volonté d'arrêter l'action des Espagnols en Italie où la succession de Mantoue mettait aux prises un prince soutenu par l'Espagne et le duc de Nevers soutenu par la France. La grâce d'Alès indigna le parti dévôt. Dans l'*Avis au roi* de janvier 1629, Richelieu affirma qu'il fallait parer au plus pressé : faire face à l'impérialisme des Habsbourg en sacrifiant la politique de réformes.

Richelieu et ses adversaires mobilisèrent l'opinion par des pamphlets et firent le siège du roi. Pour l'instant Richelieu, devenu « principal ministre » en novembre 1629, avait l'initiative. Une armée française occupa les principales places du duché de Savoie-Piémont et assura la succession de Mantoue au duc de Nevers, tandis qu'à la Diète de Ratisbonne le P. Joseph mettait en échec les projets de l'Empereur Ferdinand II. Le 10 novembre 1630 les ennemis du cardinal crurent avoir atteint leur but *(Journée des Dupes)*. Les vaincus payèrent cher leur tentative. En 1632 se produisit un dernier sursaut. Le duc de Montmorency, gouverneur du Languedoc, en accord avec Gaston d'Orléans souleva sa province, fut vaincu, arrêté et exécuté. Grâce à son action implacable, Richelieu avait les mains libres du côté des Grands et des protestants.

MONARCHIE ET SALUT PUBLIC

Si la politique de Richelieu fut réaliste, le cardinal partagea sur la monarchie les vues des écrivains politiques qui depuis l'assassinat de Henri IV exprimaient la réaction contre les monarchomaques. On trouve ces vues exposées notamment dans le *Traité de la Souveraineté* de Lebret (1632) et dans le *Testament politique* dont il a probablement surveillé de près la rédaction vers 1638. La personne royale est considérée comme « la vivante image de la Divinité ». Le roi n'a de comptes à rendre qu'à Dieu seul et le respect qui lui est dû prend un aspect mystique. L'Etat est conçu comme l'expression de la nation, corps vivant dont le roi est la tête. La « Raison d'Etat » devient la loi naturelle de ce corps. Le roi connaît seul les véritables intérêts de l'Etat et les conditions du « salut public », l'expression est employée par Richelieu. Pour assurer le salut public, le roi ne doit rencontrer aucun obstacle. L'obéissance au roi, devoir religieux, est imposée par la raison d'Etat. Richelieu innove dans la justification d'un pouvoir ministériel fort. Le roi ne peut voir tout par lui-même. Il est légitime qu'il se décharge sur ses conseillers du soin du gouvernement. Mais il ne doit pas prendre l'avis des Grands, encore moins des Etats généraux car « c'est chose pernicieuse quand le peuple prend la hardiesse de faire ses plaintes publiquement ». Il est nécessaire au contraire qu'il n'y ait « qu'un seul pilote au timon de l'Etat ». C'est naturellement le premier ministre.

Richelieu favorisa l'application des canons du concile de Trente et l'expansion catholique, mais il exigea des assemblées du clergé le vote de dons gratuits, voulut limiter la prolifération des couvents et surveilla l' « invasion mystique » venue d'Espagne. Il témoigna beaucoup de sympathie à la noblesse, « un des principaux nerfs de l'Etat ». Il la défendit contre les duels devenus un véritable fléau en appliquant sans faiblesse des édits de Henri IV. En même temps il menait la lutte contre la turbulence des Grands et de leurs clientèles, notamment en faisant démolir les châteaux forts hors des provinces frontières. Richelieu accepta la vénalité des charges qui en déchaînant la course aux offices poussait la bourgeoisie à s'enrichir par le commerce, mais il dénia aux Parlements tout droit à intervenir dans les affaires politiques. En 1641, il réglementa le droit de remontrance. Le peuple ne fit pas l'objet de beaucoup d'attention, mais l'insensibilité que Richelieu témoigne à son égard est celle de la plupart des esprits cultivés. « Si les peuples étaient trop à leur aise, il serait impossible de les contenir dans les règles de leurs devoirs. »

Le gouvernement de Richelieu fut un gouvernement de guerre et cela entraîna le développement des moyens de lutte, la centralisation administrative et le contrôle de l'opinion.

Les éléments permanents de l'armée ne dépassaient guère 10 000 hommes. Lors de la guerre contre l'Espagne il fallut réunir plus de 150 000 hommes, mercenaires français et étrangers. Richelieu dut improviser une administration militaire mise aux mains d'officiers royaux dont il fit des intendants d'armée chargés de contrôler les effectifs et de surveiller la discipline des hommes, l'obéissance des officiers, l'armement, le ravitaillement, les charrois et les hôpitaux remis à des entreprises. De médiocre en 1635, l'armée française accomplit en huit années les progrès qui permirent les victoires de Condé et de Turenne. Richelieu s'intéressa personnellement à la marine militaire et à la marine commerciale. Pour lutter contre les Rochelais, il avait fallu faire appel à l'aide étrangère. Richelieu se fit attribuer la charge de « grand maître, chef et surintendant de la navigation ». Une administration de la marine fut également improvisée, pour les flottes du Levant composée surtout de galères, et du Ponant faite de navires achetés à l'étranger ou construits en France.

Le principal ministre ne borna pas là le développement des moyens d'action du royaume. Reprenant les idées de Laffemas, il eut une ambitieuse politique économique fondée sur le mercantilisme. Cependant l'aide aux manufactures se borna à la création de droits de douanes. Des édits somptuaires limitant le port des vêtements de luxe dans la bourgeoisie visèrent à réduire les importations d'objets coûteux. Il chercha à entreprendre la « conquête du grand commerce » et à placer la France sur un pied honorable dans le commerce maritime. Le Code Michau en matière de frêt et de cabotage pose des principes dignes d'un Acte de navigation ; Richelieu autorisa les nobles à pratiquer le grand commerce, mais ces mesures restèrent lettre morte. Il chercha à imiter les compagnies de navigation qui avaient si bien réussi aux Hollandais : *Compagnie des cent associés* qui s'engagea à transporter des colons au Canada où Samuel Champlain avait dès 1609 fondé Québec, *Compagnie des Isles* destinée à peupler les Antilles. Les établissements de Montréal, Saint-Louis-du-Sénégal et Fort-Dauphin, la Guadeloupe, la Martinique et l'île Bourbon posaient des jalons pour l'avenir. Cependant les entreprises françaises n'eurent pas le succès attendu. La politique économique ambitieuse de Richelieu était prématurée eu égard aux moyens et à la mentalité française d'alors (H. Méthivier).

Pour plier le pays à cette politique, les institutions furent infléchies dans le sens de la centralisation. Le « Conseil des Affaires », formé d'un petit nombre de conseillers (ministres d'Etat), prit les principales décisions. A ses côtés le traditionnel Conseil du roi poursuivit sa spécialisation en Conseil d'Etat et des finances (sorte de juridiction contentieuse), Conseil privé ou des parties (évocation des causes devant le roi, cassation). Les quatre secrétaires d'Etat s'occupaient toujours des relations chacun avec un quart du dedans du royaume, mais commencèrent à se spécialiser vers 1635. L'un d'eux constitua le secrétariat à la Guerre, un autre le secrétariat à l'Etranger. Richelieu accéléra la tendance à réduire le rôle des Etats provinciaux. La plupart ne furent plus convoqués. Il dut laisser leur organisation aux Etats de Bourgogne, Provence, Bretagne, Dauphiné et Languedoc. Richelieu surveilla et déplaça les gouverneurs de province ou fit assurer leurs fonctions par des lieutenants-généraux.

Le roi ne pouvait compter sur les officiers royaux pour faire appliquer les mesures les plus impopulaires. Ils respectaient trop les formes traditionnelles et avaient des attaches avec leurs administrés. Aussi, à partir de 1635 utilisa-t-il de plus en plus des commissaires, d'abord là où stationnaient des troupes, puis partout. Ce furent les intendants, personnages qui recevaient une commission d'étendue variable suivant les cas généralement justice, finances et police (c'est-à-dire administration) et éventuellement armée, toujours très courte et révocable. En fait les intendants se subordonnèrent les officiers royaux des finances (trésoriers et élus).

Les intendants devaient constituer la pièce maîtresse de l'appareil d'Etat de la monarchie.

Enfin Richelieu attacha beaucoup d'attention au contrôle des esprits. Il entretint près de lui un véritable bureau de presse. Des libellistes préparaient l'opinion aux décisions du cardinal. Il pouvait les désavouer à l'occasion. En 1632 il reprit l'idée de Théophraste Renaudot d'une publication hebdomadaire comme il en existait déjà à l'étranger. Ce fut la *Gazette* qui présentait les nouvelles sous un jour favorable. La censure des livres fut renforcée. Richelieu s'attacha des écrivains et fit proposer à quelques hommes de lettres de se réunir en un corps sous sa protection. C'est ainsi que fut établie l'*Académie*, par lettres patentes de 1635. Composée de quarante membres recrutés par cooptation, elle devint un instrument dans les mains du principal ministre.

RÉSISTANCES ET DICTATURE DE GUERRE

Le gouvernement de Richelieu rencontra de vives résistances de toutes parts : Grands, autorités locales, masses populaires, excédés par les manières autoritaires du ministre et la fiscalité croissante.

Les finances étaient en effet le point faible du système de gouvernement. Les besoins s'accrurent avec la guerre contre l'Espagne. Le gouvernement vécut d'expédients : crues de tailles et de gabelles, nouvelle taxe de consommation d'un sol par livre sur les ventes, création d'offices vénaux, alternatifs ou triennaux (deux ou trois titulaires pour une même fonction, exerçant à tour de rôle), emprunts forcés aux officiers, aux traitants et fermiers d'impôts. En 1640 fut créé le louis d'or, par abaissement du titre habituel des monnaies d'or.

Les intendants furent chargés d'imposer les édits fiscaux aux parlements, aux villes, communautés de métier et d'habitants et acquirent vite une mauvaise réputation. La France avait déjà connu des troubles populaires. Ils devinrent endémiques avec des paroxysmes, en 1630 à la suite d'une grande peste et de deux mauvaises récoltes qui provoquèrent famine et cherté des vivres, 1636 qui vit des émeutes urbaines et la révolte des *Croquants* entre Loire et Garonne, 1639 avec les *Nu-pieds* de Normandie, 1643-1644... Les mêmes faits se reproduisent partout : attroupements armés, violences contre les commissaires, receveurs, commis et fermiers d'impôts qui sont malmenés, quelquefois massacrés, maisons incendiées. Le mot d'ordre est souvent : « Vive le roi sans gabelle ! » Il y eut fréquemment conjonction des mécontentements des paysans, des citadins et des officiers (voir p. 138). Les pouvoirs locaux n'étant pas sûrs, seule l'armée pouvait rétablir l'ordre rapidement. Il suffisait d'ailleurs de peu de soldats et de quelques châtiments exemplaires, tant était grande la terreur inspirée par les troupes qui se comportaient comme en guerre. Mais l'envoi de troupes tardait souvent, vu les distances et la difficulté de distraire des soldats des provinces frontières tout au moins en été.

Richelieu fut plus inquiet des complots de cour. Même après la Journée des Dupes, il ne se passa guère d'année où l'on ne découvrît quelque intrigue avec l'Espagne. Anne d'Autriche était parmi les plus infatigables artisans de ces complots qui avaient généralement pour chef nominal Gaston d'Orléans, versatile et lâche. Les châtiments furent impitoyables, quel que fût le rang des coupables.

Richelieu put vaincre parce qu'il se constitua une clientèle de fidèles, en utilisant la faveur royale à distribuer honneurs et places. Les créatures de Richelieu appartiennent à des milieux divers : Eglise, épée, robe. Le garde des sceaux Séguier, futur chancelier, les surintendants des finances et les secrétaires d'Etat furent des fidèles de Richelieu. Les intendants furent pris surtout parmi les maîtres des requêtes du Conseil d'Etat. Enfin Richelieu réussit à tendre sur le royaume tout un réseau de police et d'espionnage. Ainsi, sans que les institutions fussent bouleversées, par des moyens déjà connus, mais dont il fit un usage systématique, Richelieu réussit à exiger des sacrifices jamais atteints jusque-là par les Français. Le salut du royaume et une misère épouvantable en furent les résultats.

Richelieu mourut le 4 décembre 1642 en recommandant Mazarin à Louis XIII. Louis XIII mourant institua un Conseil de Régence comprenant, outre la reine, Gaston d'Orléans, lieutenant-général du royaume, le prince de Condé, Mazarin, principal ministre, le chancelier Séguier et deux ministres d'Etat. Les décisions y seraient prises à la pluralité des voix. Le règne de Louis XIII s'acheva le 14 mai 1643. Cinq jours plus tard, la victoire de Rocroi apportait à la politique de Richelieu un couronnement posthume, mais la guerre continuait et le pays était épuisé.

La Fronde et la restauration de l'autorité royale

Une minorité est toujours une période délicate. La guerre et la misère présentes ne pouvaient qu'aggraver les difficultés.

LA RÉGENTE ET MAZARIN

L'avènement du roi-enfant — Louis XIV n'avait pas cinq ans — fut suivi de surprises. Le 18 mai la régente faisait annuler le testament de Louis XIII par le Parlement afin de se débarrasser du Conseil de Régence. Implicitement elle rendait un rôle politique au Parlement. En même temps elle conservait Mazarin comme principal ministre. La France passait aux mains d'une reine connue jusque-là pour son attachement à l'Espagne et ses trahisons et, d'un Italien à peine francisé. Le ministériat continua d'une manière imprévue. Mazarin, cardinal sans être prêtre, peut-être mari secret de la reine, dicta à celle-ci sa conduite.

Pourtant il était loin d'avoir l'allure de Richelieu. Né en 1602 dans l'entourage pontifical, il avait fait une rapide carrière au service de la Papauté : capitaine, diplomate, vice-légat d'Avignon, nonce à Paris où Richelieu le remarqua. En 1639, Mazarin était naturalisé Français et entrait au Conseil des Affaires. Il dissimulait mal sous une humilité affectée une ambition et une avidité de parvenu, au service de sa fortune personnelle et de sa famille. Hormis son habileté diplomatique, on connaît moins ses qualités : courage physique, obstination, puissance de travail. Enfin il témoigna, non seulement à la Couronne mais à la France, un dévouement passionné qu'il partagea avec l'ancienne conspiratrice devenue régente.

L'entourage de la reine essaya sans succès d'obtenir le renvoi de Mazarin. Une conspiration contre le ministre, la *Cabale des Importants* (septembre 1643), valut à ses auteurs arrestations et exils. Pendant cinq ans, une cour brillante et subissant l'influence de l'Italie dissimula mal une situation économique et financière dégradée qui devait atteindre le pouvoir royal lui-même. Pour soutenir la guerre, le surintendant des finances, Particelli d'Hémery, recourut aux crues d'impôts, aux ventes d'offices et à des taxes ingénieuses comme l'*édit du Rachat* (imposant aux cours souveraines, sauf le Parlement, l'abandon de quatre années de gages contre la remise de neuf années de paulette). Ainsi le gouvernement s'aliénait le monde des officiers, la bourgeoisie, les Parisiens. Les émeutes populaires continuaient, la noblesse relevait la tête, les officiers se concertaient (syndicat des trésoriers de France et des élus). L'opposition aux intendants était générale, d'autant plus que l'exemple de la révolution d'Angleterre enhardissait les mécontents. Le Parlement de Paris prit la tête du mouvement.

LA FRONDE

L'essor de la monarchie française, ralenti depuis la mort de Richelieu, fut gravement compromis pendant les années 1648-1652 où l'on vit le pays de nouveau plongé dans la guerre civile. La simultanéité des mouvements insurrectionnels en Europe aux alentours de 1648 (Naples, Angleterre, Provinces-Unies, France) est frappante, mais il n'existe pratiquement aucun lien politique entre ces divers événements. Des causes communes peuvent-elles expliquer cette flambée révolutionnaire ? On se trouve au centre d'une crise économique, mais celle-ci ne frappe pas également les pays d'Europe occidentale. Il paraît plus sûr de voir dans la Fronde un phénomène strictement français, caractérisé par une crise de l'Etat sur un fonds de crise de la société et de l'économie.

Le fléchissement de l'économie a été provoqué par de mauvaises récoltes, entraînant famines, épidémies, misère, que la guerre et les désordres politiques aggravent. C'est une époque de grande mortalité et de chômage rendant de nombreux travailleurs disponibles pour la révolte. Les nombreuses épreuves ont exaspéré les luttes de caractère personnel, semé le trouble dans les corps et communautés plutôt que suscité des consciences de classe. Les pauvres luttent pour la vie. La guerre a répandu dans le royaume nombre d'errants, gens chassés de chez eux par les armées, soldats blessés ou déserteurs. La mendicité est devenue agressive. Depuis plus de vingt ans les révoltes populaires se sont multipliées et malgré la vigueur de la répression l'ordre n'inspire plus le même respect. La petite bourgeoisie, inquiète du marasme économique, souffrant des crues d'impôts et des retranchements de rentes, saisit les occasions que lui offre l'attitude des Grands et surtout du Parlement et ne se reprend que par peur des excès populaires. Les Grands saisissent leur revanche. Ils s'appuient sur des clientèles nobiliaires, souvent turbulentes et besogneuses, assez difficiles d'ailleurs à manier tant y règne l'individualisme. Nombreux sont les acteurs de ce drame qui jouent les héros, comme Paul de Gondi, futur cardinal de Retz, coadjuteur de l'archevêque de Paris, et le « Grand Condé », souvent opposés entre eux. Le rôle des dames, comme la Grande Mademoiselle, fille de Gaston d'Orléans, accentue le caractère romanesque de la Fronde et donne à l'agitation de certains le caractère d'une mode. Les Grands recherchent la popularité (ex. le duc de Beaufort surnommé le roi des Halles). Ils utilisent volontiers les gens sans aveu pour susciter des troubles, d'ailleurs Mazarin en fait autant contre eux. En fait, en dénonçant les malheurs réels dont souffrent les populations, une partie de la noblesse prétend retrouver dans le royaume un rôle politique et social que l'évolution économique et le renforcement du pouvoir royal ont réduit.

Ces aspirations anciennes n'auraient probablement pas suscité une révolte aussi dangereuse contre le pouvoir royal si celui-ci n'avait été trahi par la noblesse de robe ayant à sa tête les cours souveraines : parlements, cours des aides, chambres des comptes, les « grandes robes » qui alliaient la compétence et une fortune accrue par l'augmentation du prix de leurs charges. La Cour avait besoin des cours souveraines pour l'enregistrement des édits. Le Parlement s'était même vu reconnaître le droit de casser le testament du roi. Les officiers royaux avaient pris conscience de leur importance et aspiraient à former un « quatrième état ». Des syndicats d'officiers se constituaient pour défendre leur mission, leurs privilèges et leur indépendance. Or la Cour avait mécontenté les officiers en leur demandant des sacrifices financiers. Les parlements prirent la tête de l'opposition, fournissant à celle-ci des arguments constitutionnels et une sorte de programme : revenir à un passé idéalisé. Il fallait en particulier supprimer le ministériat, entorse à la monarchie absolue, et les intendants, ses agents arbitraires, usurpateurs de l'autorité des officiers. Les parlements où pouvaient siéger les pairs de France, le degré suprême de la noblesse, devaient être consultés sur les affaires publiques, reconstituant

ainsi l'ancienne *Curia regis*. Le Parlement donna à la Fronde le caractère
d'une révolution réactionnaire (R. Mousnier). Heureusement pour la
monarchie il ne se présenta aucune classe sociale politiquement capable
pour profiter de la brèche ainsi ouverte, comme ce devait être le cas en 1789.

Pour l'heure, les différents mécontentements se cristallisaient autour
de quelques idées simples : retour au temps du bon roi Henri, abolition
des impôts créés depuis 1635, renvoi des intendants et gabeleurs, confiance
dans le roi et les parlementaires acclamés comme les « Pères de la Patrie »
et surtout haine de Mazarin. Bien que moins chargés d'impôts que la plupart
des Français, les Parisiens étaient particulièrement sensibles à l'agitation
politique.

A l'appel du Parlement, les cours souveraines se réunirent. Elles
votèrent une déclaration en 27 articles qui condamnait la fiscalité
(réduction des tailles, garantie des rentes et gages, suppression des
traitants) et affirmait les prétentions des officiers (répartition et levées
d'impôts par les seuls officiers, plus de créations d'offices, plus d'arrestations arbitraires pour les seuls officiers). Les membres des cours souveraines demandaient surtout le rappel des intendants. La déclaration
royale du 31 juillet accorda à peu près tout, mais le 26 août, profitant de
la victoire de Lens, Mazarin fit arrêter Broussel, un des conseillers les
plus populaires du Parlement. Paris se couvrit immédiatement de barricades. Le 28, la régente céda et fit relâcher Broussel.

Cependant la signature de la paix de Westphalie permit de libérer quelques
troupes. Dans la nuit du 5 au 6 janvier 1649, la reine et quelques fidèles s'enfuirent
à Saint-Germain-en-Laye sous la protection de l'armée de Condé. Louis XIV
gardera un souvenir amer de cette fuite. Dans Paris bloqué par l'armée royale,
le Parlement prit le gouvernement en main et organisa la milice bourgeoise.
Des pamphlets, les *mazarinades*, déchaînaient la population contre le ministre
et agitaient parfois des idées révolutionnaires (c'est le moment de l'exécution de
Charles Ier). Paul de Gondi rapprocha le Parlement et les Grands. Ces derniers
organisèrent la révolte en province. Cependant les parlementaires craignaient
l'action populaire et redoutaient de faire le jeu de l'Espagne. Le blocus de Paris
amena quelque lassitude. Le 11 mars le Parlement traita avec Mazarin qui maintint les concessions faites, sauf la réunion des cours souveraines. La Fronde
parlementaire se terminait.

Condé brouilla tout. Il se donnait pour le tuteur de la monarchie qu'il avait
sauvée. Mazarin le fit arrêter (18 janvier 1650). La guerre civile reprit. Avec la
complicité de parlements de provinces, et l'appui secret de l'Espagne, Guyenne,
Limousin et Bourgogne étaient en révolte. Le gouvernement royal fit face, dissocia
des mouvements d'ailleurs mal coordonnés. La reprise de Bordeaux, la défaite de
Turenne à Rethel (15 décembre 1650) semblaient achever la Fronde des princes.

La victoire de Mazarin fit craindre au Parlement le rétablissement des intendants. Ce fut l'union des deux Frondes. Mazarin s'éloigna tout en continuant à inspirer la politique de la régente. Dans l'été 1651, les Frondes étaient de nouveau désunies. Gondi brouillé avec Condé négociait avec la reine. Le Parlement qui ne voulait pas être dessaisi de ses prétentions politiques au profit d'Etats généraux proclamait la majorité de Louis XIV (7 juillet) et faisait acclamer le roi dans Paris. Condé devait quitter la ville et traitait avec l'Espagne (6 novembre).

En 1652 la France connut de grandes épreuves. Condé à Bordeaux avait lié parti avec le comité révolutionnaire de l'*Ormée* qui gouvernait la ville et tenait le sud-ouest du royaume et la Provence. La Cour était à Poitiers sous la protection de l'armée commandée par Turenne. A Paris régnait la plus grande confusion. L'armée de Condé bloquée par Turenne sous les murs de Paris fut sauvée par la Grande Mademoiselle qui lui en ouvrit les portes. La terreur régna dans la capitale. Condé ne se sentant plus en sûreté dut s'enfuir et le roi rentra le 21 octobre. Il fut interdit au Parlement de se mêler des affaires de l'Etat et des finances. Mazarin rentrait à son tour en février 1653. Il y eut encore quelques « Queues de Fronde » en 1653, notamment à Bordeaux où l'*Ormée* révolutionnaire était soutenue par les condéens et l'Espagne. Le 27 juillet Bordeaux capitulait.

LES CONSÉQUENCES DE LA FRONDE

La France était épuisée par les ravages des troupes s'ajoutant à une conjoncture économique désastreuse. En 1652 se produisait une forte mortalité qui devait laisser des « classes creuses » jusqu'à la fin du siècle. Bien des patrimoines étaient ruinés et les transferts de propriété avaient pris une certaine ampleur, notamment en Ile-de-France. Les droits en nature (dîmes, champarts) et rentes foncières étaient exigés avec plus d'âpreté que jamais par les seigneurs appauvris. Les communautés rurales étaient endettées. Brutalité et superstition avaient progressé.

Les Grands et le Parlement s'étaient déconsidérés. Mazarin à la tête d'une clientèle éprouvée rétablit peu à peu les intendants dans les provinces, mais les finances restèrent le point faible. Le Parlement ne fut vraiment soumis qu'après la séance du 13 avril 1655, où Louis XIV lui imposa l'obéissance. Mazarin prépara le règne personnel de Louis XIV en faisant l'éducation de celui-ci, mais ce n'est pas une France matée qu'il lui remit. Certes la paix victorieuse avec l'Espagne était signée, toutefois la guerre avait duré jusqu'en 1659. Du moins Louis XIV avait en main les instruments politiques de Richelieu reconstitués par Mazarin.

Textes et documents : R. Mousnier, J.-P. Labatut, Y. Durand, *Deux Cahiers de la noblesse (1649-1651)*, 1965. Y. Durand, *Cahiers de doléances des paroisses du bailliage de Troyes en 1614*, 1966. R. Mousnier, *Lettres et mémoires adressés au chancelier Séguier (1633-1649)*, 2 vol., 1964.

Chapitre XIV

L'EUROPE DÉCHIRÉE
(1609-1661)

Cartes VIII b et IX.

Bibliographie : G. ZELLER, *op. cit.* G. PAGÈS, *La guerre de Trente Ans*, 1939. G. LIVET, *La guerre de Trente Ans* (coll. « Que sais-je ? »), 1963. V.-L. TAPIÉ, *La guerre de Trente Ans* (Cours de Sorbonne), 1964-1965.

Pendant que la monarchie se consolidait en France et que l'Europe du Nord-Ouest s'ouvrait à l'essor économique, l'Allemagne relativement paisible pendant la seconde moitié du XVIe siècle s'enflammait et devenait le champ de bataille principal de la guerre de Trente ans qui, en s'élargissant, entraînait toute l'Europe. Il convient d'examiner en premier lieu les conditions qui dans l'Empire sont à l'origine de cette dernière guerre de religion devenue une guerre à l'échelle mondiale.

L'Empire entre deux guerres de religion

Si les questions religieuses ont pris une importance considérable dans la politique de l'Empire, il ne faut pas sous-estimer les transformations qui s'accomplissent dans d'autres domaines.

ÉVOLUTION ÉCONOMIQUE ET POLITIQUE

L'économie avait peut-être été moins troublée par les guerres de religion en Allemagne qu'elle ne le fut en France. La sécularisation de nombreuses principautés ecclésiastiques avait même donné un coup de fouet à la production des produits agricoles et forestiers. Le blé et le bois, notamment, deviennent l'objet d'échanges avec le sel et le poisson. Dans ce commerce, l'Allemagne du Nord est plus favorisée que l'Allemagne du Sud. Pays où les grands domaines s'organisent avec l'extension des corvées. Traversée de grands fleuves, elle s'ouvre sur la mer du Nord et la Baltique par lesquelles le contact s'établit avec la façade atlantique de l'Europe devenue le principal pôle économique du monde. Enfin les Hollandais y prennent un rôle prépondérant aux dépens des Hanséates. La bourgeoisie marchande des villes allemandes se replie sur les affaires et ne joue qu'un rôle politique très effacé.

L'évolution politique favorise la naissance de grands Etats. Les villes libres comptent moins qu'auparavant. La petite noblesse belliqueuse connaît un déclin irrémédiable. La Réforme a accru l'indépendance des princes. Mais ils ont été aidés par les états des provinces qu'ils possèdent. A la fin du XVIe siècle, les assemblées d'états arbitrent les affaires de succession, empêchent le morcellement des Etats, viennent en aide aux princes en consentant l'impôt, mais également participent à l'administration en levant ces impôts (F. L. Carsten). La souveraineté territoriale *(Landeshoheit)* fait des progrès. Parmi les princes, Maximilien Ier de Bavière est probablement celui qui a le mieux réussi. Mais les Habsbourg ont donné l'exemple dans leurs Etats patrimoniaux d'une administration propre. Dans ces conditions l'Empire n'est plus qu'un principe fédérateur de la nation allemande, respecté à condition qu'il ne gêne pas les princes. A chaque élection impériale, un contrat *(Wahlkapitulation)* est imposé à l'Empereur, limitant ses pouvoirs hors de son domaine propre. Cependant l'attachement à l'Empire reste grand car il unit la nation allemande face aux étrangers, Turcs et aussi Français (V.-L. Tapié).

RENVERSEMENT DE LA SITUATION RELIGIEUSE

Le protestantisme continua à progresser jusque dans les années 1570. La paix d'Augsbourg fut appliquée d'une manière relâchée et les sécularisations continuèrent malgré l'interdiction. L'Empereur Maximilien II était gagné à la Réforme (1564-1576). Toutefois le luthéranisme avait perdu de sa vigueur au profit du calvinisme non reconnu par la paix d'Augsbourg. En 1559, l'Electeur palatin Frédéric III en fit la religion de ses Etats et un refuge pour ses coreligionnaires chassés de chez eux. L'université de Heidelberg devint le plus actif foyer de l'expansion protestante.

Cependant le catholicisme se réveilla sous l'effet de la Contre-Réforme et de la Réforme catholique. En 1552 les Jésuites avaient fondé à Rome le *Collège germanique* destiné à l'évangélisation de l'Allemagne. Le missionnaire le plus célèbre fut le P. Pierre Canisius († 1597), qui fit du collège jésuite d'Ingolstadt une pépinière de princes catholiques et le principal foyer de Réforme catholique dans l'ouest et le sud de l'Allemagne. Canisius s'adressait également à la masse. La Contre-Réforme gagna les ducs de Bavière et les archiducs autrichiens s'en firent les instruments.

LES POINTS DE FRICTION

Entre calvinistes et catholiques la tension ne tarda pas à se manifester. En 1582 l'archevêque de Cologne passa à la Réforme et voulut conserver son évêché. Il en fut chassé par les troupes espagnoles et bavaroises. Au début du XVIIᵉ siècle les incidents se multiplièrent. La ville libre de Donauwerth ayant refusé aux catholiques le droit de célébrer publiquement leur culte, l'Empereur la fit mettre au ban de l'Empire (1608). A l'instigation de Christian d'Anhalt, les protestants, sauf l'Electeur de Saxe, formèrent l'*Union évangélique* qui négocia avec l'Angleterre, les Provinces-Unies et la France. Maximilien de Bavière forma alors la *Ligue catholique* (1609) qui signa un traité d'alliance avec l'Espagne. Les deux ligues s'opposèrent pour la succession de Clèves et Juliers, principautés rhénanes qui ouvraient l'accès de l'Allemagne du côté des Provinces-Unies Henri IV, inquiet du rapprochement des deux maisons de Habsbourg, s'apprêtait à aider l'Union évangélique lorsqu'il fut assassiné. La guerre fut évitée, Clèves et Juliers partagés entre les deux candidats dont l'Electeur de Brandebourg. La tension se déplaça vers la Bohême.

La Bohême représentait dans l'Empire un cas particulier. Elle formait un Etat comprenant les pays de la couronne de Saint-Venceslas, la Bohême proprement dite, la Moravie, la Silésie et les Lusaces, ayant chacun leur diète. La couronne était élective, mais depuis 1526 les Habsbourg s'y étaient maintenus. La situation religieuse y était complexe car la Bohême était restée en dehors de la paix d'Augsbourg. On y trouvait des utraquistes, Frères moraves et taborites auxquels s'étaient joints des luthériens, calvinistes, anabaptistes et sociniens. La majorité des Tchèques et Allemands était passée à la Réforme lorsque face à l'université utraquiste de Prague fut créé le collège jésuite de cette ville (1558) qui entreprit la reconquête catholique. Cherchant des appuis contre une révolte des archiducs, Rodolphe II accorda à la Bohême la *Lettre de Majesté* (1609) instituant une liberté religieuse jamais atteinte jusqu'alors. Eglise, université, école passaient sous le contrôle de la Diète qui nommait pour cela un conseil de dix *Défenseurs de la foi*. L'Empereur Mathias (1611-1619) n'eut pas l'autorité nécessaire pour imposer une application rigoureuse de la Lettre de Majesté. En 1617, une Diète restreinte à ses membres protestants se réunit malgré l'interdiction du souverain. Sous l'impulsion du comte Thurn, elle mit en accusation le Conseil de Régence qui gouvernait pour le roi absent. Le 23 mai 1618 une discussion violente au château royal, le Hradchiny, aboutit à la défenestration de deux conseillers et de leur secrétaire. Le mouvement unissait Allemands et Tchèques, protestants de toutes sectes soucieux de l'indépendance de la Diète, contre le pouvoir royal inspiré par les catholiques.

La guerre de Trente Ans

De guerre religieuse limitée à l'Empire, le conflit devint rapidement politique, voire économique à l'échelle de l'Europe. Il entraîna des difficultés intérieures pour chacun des Etats qui intervinrent. Enfin les négociations ne cessèrent pas d'interférer avec les opérations militaires.

L'ÉCRASEMENT DE LA BOHÊME ET LA VICTOIRE CATHOLIQUE

La révolte des Etats de Bohême qui tendait à restaurer le passé n'était pas sans ressemblance avec les soulèvements des nobles et des protestants qui agitaient la France sous la minorité de Louis XIII (V.-L. Tapié). Les révoltés donnèrent à la Bohême une constitution qui étendait le pouvoir des Etats. Le Conseil de Régence fut remplacé par un directoire où les trois ordres : seigneurs, noblesse, villes, étaient représentés. Mais il ne fut pas question d'enlever la couronne au roi Mathias qui d'ailleurs inclinait à négocier. A la mort de ce dernier les Etats refusèrent de reconnaître Ferdinand II, élève des Jésuites, pourtant élu depuis 1617, qui entendait mener une politique de Contre-Réforme. Ils offrirent la couronne à l'Electeur palatin, le jeune Frédéric V, chef de la Ligue évangélique, qui s'installa à Prague en octobre 1619. Cette élection modifiait l'équilibre religieux et politique instauré en 1555, donnait la majorité aux protestants au sein du collège des princes électeurs. Elle affaiblissait la cause catholique en Europe. Elle ruinait la puissance des Habsbourg en Europe centrale. Les Etats de Bohême organisent une confédération de Bohême à laquelle se rallient la Moravie, la Silésie et les Lusaces et s'allient les Etats de haute et de basse Autriche révoltés contre leur souverain. Ferdinand II, au moment où il est élu Empereur, doit faire face à une révolte généralisée de ses Etats. Sa capitale, Vienne, n'est sauvée que de justesse.

La guerre cependant n'avait pas été sérieusement préparée par Frédéric V. Il disposait de la médiocre armée des Etats de Bohême. L'Union évangélique voulait éviter d'engager des troupes en Bohême et préférait couvrir le Palatinat. Les Tchèques avaient reçu des promesses d'aide de la part du prince de Transylvanie, Bethlen Gabor, qui avec la permission du sultan espérait s'emparer de la Hongrie restée aux mains des Habsbourg (Hongrie royale). Venise leur fournit de l'argent. Enfin les Provinces-Unies, qui envisageaient la reprise de la lutte contre l'Espagne à l'expiration de la trêve de douze ans, heureuses de voir fixer ailleurs les forces des Habsbourg, envoyaient également des secours. Du côté catholique l'Empereur pouvait compter sur l'appui de la Ligue catholique dirigée par Maximilien de Bavière et dont les troupes l'aidèrent à reprendre l'Autriche. L'Espagne restait le champion du catholicisme et avait pris la tête de la maison de Habsbourg, fournissait à Ferdinand des subsides et mettait à sa disposition l'armée espagnole des Pays-Bas commandée par Spinola, moyennant une promesse de cession de la Haute-Alsace.

Cependant des efforts furent faits en faveur de la paix. Louis XIII et ses conseillers songeaient à maintenir l'équilibre en Allemagne. Le gouvernement français avait proposé sa médiation aux deux camps. Il réussit à faire signer le traité d'Ulm aux deux Ligues allemandes (3 juillet 1619). Leurs armées ne devraient pas se combattre, celle de la Ligue évangélique défendant le Bas-Palatinat contre les Espagnols de Spinola, celle de la Ligue catholique défendant l'Empereur contre ses sujets révoltés. Pour des raisons différentes, le gouvernement anglais poussait à l'apaisement. Le peuple manifestait sa sympathie pour le Palatin, mais le roi Jacques Ier, beau-père de Frédéric V, cherchait à se rapprocher de l'Espagne car il espérait faire épouser une infante à son fils, le futur Charles Ier. En Allemagne même un courant conservateur désirait le maintien du *statu quo*. C'est ainsi que l'Electeur de Saxe, luthérien, préférait soutenir l'Empereur aux abois que le Palatin calviniste.

En 1620, Frédéric V, qui avait mécontenté les Tchèques par son mépris de leurs coutumes, dut faire face au nord aux troupes saxonnes et au sud à celles de l'Empereur et du duc de Bavière. Ces dernières donnèrent à leur campagne l'allure d'une croisade. La bataille de la Montagne-Blanche (8 novembre) apparut comme une providentielle victoire sur l'hérésie. Prague fut prise. Les Etats de Bohême et de Moravie capitulèrent. Frédéric V s'enfuit.

Les conséquences de la Montagne-Blanche marquèrent la Bohême pour près de trois siècles. Les privilèges du royaume furent abolis. La lettre de Majesté fut poignardée par le bourreau. Un tribunal d'exception condamna à mort 27 chefs rebelles, tant allemands que tchèques. Pour payer les amendes qui frappèrent les seigneurs fugitifs, leurs biens furent saisis. Leur famille ne put qu'en racheter des parcelles. Cela entraîna l'élimination d'une partie de la noblesse tchèque et le transfert de ses biens à des Allemands. En 1627 une nouvelle constitution fut octroyée par le roi. La couronne devenait héréditaire dans la famille des Habsbourg. Le roi ferait seul les propositions de loi aux Etats. La chancellerie de Bohême était transférée à Vienne. Le clergé était restauré comme ordre et le catholicisme devint la religion de l'Etat. La même année les Tchèques durent se convertir ou quitter le royaume.

Le 21 janvier 1621, Frédéric V était mis au ban de l'Empire. Autour de lui les défections se multipliaient. L'Union évangélique fut dissoute. Bethlen Gabor conclut avec l'Empereur une paix avantageuse. En 1622 une Diète restreinte réunie à Ratisbonne transférait au duc de Bavière la dignité électorale de Frédéric V et le Haut-Palatinat. Le Palatinat rhénan passait sous l'administration provisoire des Espagnols et des Bavarois. Ferdinand II avait reconquis son pouvoir, mais il était à la merci de ses alliés, la Bavière et l'Espagne. Les troupes espagnoles qui s'étaient installées en Valteline, vallée faisant communiquer le Milanais et le Tyrol, prenaient position sur le Rhin, reliant ainsi les Pays-Bas aux possessions italiennes du roi d'Espagne. Avec l'avènement de Philippe IV (1621) et de son actif ministre Olivarès, la politique espagnole redevenait conquérante.

L'INTERVENTION DES SCANDINAVES
ET LA GUERRE COUVERTE AVEC LA FRANCE

Le camp protestant était divisé. La Suède et le Danemark cherchaient sans doute à intervenir à ses côtés, mais étaient surtout préoccupés par leur rivalité commerciale que les Provinces-Unies entretenaient pour s'assurer le commerce de la mer Baltique. Le roi de Danemark, prince d'Empire par son duché de Holstein, avait obtenu pour son fils cadet l'administration des évêchés de Verden et de Brême. Comme ces territoires étaient menacés par l'avance des troupes catholiques de Tilly et aussi pour devancer une initiative suédoise, Christian IV conclut une alliance avec le cercle de Basse-Saxe, les Provinces-Unies et l'Angleterre, alors en guerre avec l'Espagne. En France, Richelieu devenu ministre avait trop de difficultés pour agir à l'extérieur. Il avait signé un accord avec l'Espagne au sujet de la Valteline. L'Empereur confia la levée et le commandement d'une armée à un noble tchèque, Wallenstein (1583-1634), qui s'acquitta de cette tâche grâce à l'action du banquier de Witte. Tandis que Tilly battait Christian IV à Lutter, Wallenstein atteignait la mer Baltique et se faisait attribuer le Mecklembourg (1626).

L'année 1629 vit l'apogée de Ferdinand II et de la politique d'Olivarès. Christian IV devait signer la paix de Lübeck par laquelle il abandonnait les évêchés de Brême et Verden. Olivarès avait essayé de tourner la puissance maritime des Provinces-Unies en suscitant les entreprises baltiques de Wallenstein. Mais celui-ci nommé par l'Empereur « général des mers Océane et Baltique » se heurta aux Suédois. Ferdinand prit l'*Edit de restitution* qui annulait toutes les sécularisations faites en violation de la paix d'Augsbourg. Les succès de l'Empereur jetèrent l'inquiétude en Allemagne, non seulement chez les protestants, mais même chez certains princes catholiques, comme Maximilien de Bavière que Richelieu poussait à prendre la tête d'un tiers parti catholique. Lorsque Ferdinand II réunit la Diète à Ratisbonne en 1630 pour demander l'élection de son fils comme *roi des Romains*, c'est-à-dire comme successeur désigné, il se heurta aux intrigues du P. Joseph que Richelieu avait envoyé auprès de la Diète. Celle-ci non seulement refusa d'accéder à la demande de l'Empereur, mais le contraignit en se séparant de Wallenstein à renoncer à une politique ambitieuse.

L'impérialisme des Habsbourg avait en 1629-1630 rencontré deux obstacles : la prise de position de la Suède en Baltique et le réveil de la politique française. Après la défaite de Christian IV, Gustave-Adolphe avait les mains libres pour agir dans le nord de l'Allemagne et il pouvait apparaître comme le seul champion du protestantisme dans l'Empire. Depuis la prise de La Rochelle (1629) et la Journée des Dupes (cf. p. 211), Richelieu était débarrassé des principaux obstacles intérieurs. L'ouverture d'une route reliant les possessions italiennes de l'Espagne aux Pays-Bas signifiait pour la France la constitution d'un « chemin de ronde » permettant de l'encercler. La Savoie et la Lorraine penchaient vers l'Espagne. Paris à 150 kilomètres de la frontière, le danger était grand. Richelieu opta pour la lutte contre la Maison d'Autriche. Le plus pressé était d'attirer à soi les princes catholiques inquiets de la politique espagnole. A plus long terme Richelieu songeait à remplacer l'Espagne à la tête du monde catholique. Dès la prise de La Rochelle, Louis XIII entreprit une campagne contre le duc de Savoie, s'assura de Casal et Pignerol, fit reconnaître le duc de Nevers comme duc de Mantoue et signa avec l'Espagne un traité satisfaisant au sujet de la Valteline (traité de Cherasco). Une alliance fut conclue avec Maximilien de Bavière (1631). Dans le même temps était négocié avec la Suède le traité de Bärwald par lequel la France promettait, contre le respect du culte catholique, d'entretenir une armée suédoise opérant dans l'Empire.

Cependant en quelques mois la situation en Allemagne et les calculs de Richelieu se trouvèrent bouleversés par les victoires de Gustave-Adolphe. Lorsque celui-ci, à la tête d'une armée remarquable (voir p. 233), entra en campagne, il ne pouvait compter que sur l'appui assez réticent du Brandebourg. Les princes protestants préféraient sauvegarder leurs intérêts par une entente avec Ferdinand II devenu plus modéré. Mais le 20 mars 1631 le sac de Magdebourg par l'armée de Tilly émut l'opinion protestante et rallia les princes hésitants à Gustave-Adolphe. Le 17 septembre 1631, Gustave-Adolphe, dont l'armée était grossie de nombreux mercenaires de Wallenstein licenciés, remporta la victoire de Breitenfeld qui fut saluée comme une revanche de la Montagne-Blanche. Affolé, l'Empereur rappela Wallenstein. Gustave-Adolphe était devenu le véritable arbitre de l'Europe. Tandis que les Saxons occupaient la Bohême, il se dirigeait vers le Rhin et s'installa à Mayence. Ses armées ravageaient l'Alsace. La Lorraine était menacée. Le duc de Lorraine, Charles IV, intriguant avec l'Espagne et avec Gaston d'Orléans, Richelieu fit occuper quelques forteresses de cet Etat. Cependant Wallenstein rentrait en scène. Il avait imposé à l'Empereur des conditions qui lui donnaient un rôle considérable. Les opérations prirent l'aspect d'un duel entre deux grands chefs. Pendant que Gustave-Adolphe battait Tilly, occupait la Bavière et entrait à Munich ayant à ses côtés Frédéric V, Wallenstein reprenait la Bohême. Gustave-Adolphe se replia vers le nord. Les deux armées se heurtèrent à Lutzen (16 septembre 1632). Dans une mêlée confuse et sanglante Wallenstein eut le dessous mais Gustave-Adolphe fut tué.

Les Allemands auraient peut-être pu travailler à une réconciliation, mais les puissances étrangères n'y avaient pas intérêt. L'Espagne et la Suède poussaient leur politique. La France, et les Provinces-Unies déjà en guerre contre l'Espagne, ne se souciaient pas de se trouver seules aux prises avec Madrid. L'année 1633 fut remplie d'intrigues. Le chancelier Oxenstierna, maître de la Suède pendant la minorité de la reine Christine, et Richelieu cherchaient à retenir les princes allemands leurs alliés. Par ailleurs l'Empereur était inquiet de la politique personnelle de Wallenstein qui négociait avec l'Electeur de Saxe une réconciliation des Allemands. Il avait pris des contacts secrets avec la France et la Suède. Celles-ci consolidaient leurs positions dans l'Empire. Les indécisions de Wallenstein, les soupçons que son attitude éveilla chez l'Empereur ruinèrent l'espoir de rétablir la paix en Allemagne par l'abaissement de l'Empereur. Destitué par Ferdinand II, et trahi par ses lieutenants, Wallenstein fut assassiné (25 février 1634).

Cependant, appuyés par les renforts espagnols, les Impériaux remportaient sur les Suédois et Saxons la victoire de Nordlingen (5-6 septembre 1634). Richelieu ne put empêcher l'Electeur de Saxe de faire la paix avec l'Empereur. Le traité fut signé à Prague le 30 mai 1635. Ferdinand II faisait de grandes concessions aux luthériens. Un compromis était trouvé pour l'application de l'édit de restitution, les ligues devaient être dissoutes. Les partenaires de la paix d'Augsbourg s'étaient retrouvés. Mais la situation était bien différente de celle de 1555. La paix en Allemagne ne faisait l'affaire ni de l'Espagne, ni de la France. Les Espagnols se renforçaient sur le Rhin et s'emparaient de l'Electeur de Trêves protégé de la France. La France conclut des alliances avec la Suède et les Provinces-Unies (février et avril 1635) et le 19 mai déclarait la guerre à l'Espagne. La paix allemande avec l'Empereur n'était pas davantage possible que la paix allemande sans lui. De plus la guerre allemande devenait une guerre internationale.

LA GUERRE EUROPÉENNE

L'Europe fut en feu pendant de longues années (même l'Angleterre en proie à la guerre civile à partir de 1642). Les combats s'étendirent sur mer et dans les colonies où les Espagnols furent aux prises avec les Hollandais et après 1640, les Portugais. Dans cet ensemble de conflits assez mal liés entre eux, se détachent la guerre entre la Suède et l'Empereur et de plus en plus le duel entre la France et l'Espagne, représentées jusqu'en 1642 par les deux grands ministres Richelieu et Olivarès.

L'impérialisme des Habsbourg depuis 1630 a évolué. Il semble moins conquérant et plus soucieux de consolidation des fortes positions héritées. De son côté Richelieu engage la France dans la guerre à un moment peu favorable, mais que la nécessité lui impose. Il s'agit d'empêcher la consolidation du « chemin de ronde » espagnol autour de la France ou pis (car avant 1638 l'héritier de la couronne est Gaston d'Orléans qui complote avec les Espagnols), le retour à la situation déjà connue par la France à la fin du xvie siècle. Les frontières françaises sont particulièrement vulnérables dans le Nord et le Nord-Est.

On a nié que Richelieu ait envisagé une politique des frontières naturelles. Or depuis la Renaissance, marquée par une poussée de nationalisme, l'idée de « mettre la France en tous points où fut l'ancienne Gaule » telle que César décrivait celle-ci était très répandue chez les lettrés. Elle allait dans le sens des sentiments anti-espagnols des « politiques » du xvie siècle, aussi bien que du désir de sécurité. Que Richelieu ne l'ait pas exprimé clairement, comme cela avait été affirmé, ne change rien. Il ne pouvait s'agir pour un homme d'Etat du xviie siècle que de l'œuvre de plusieurs générations. Richelieu étant un réaliste connaissait trop bien les limites des forces françaises. De plus les annexions de territoires importants prenaient à l'époque la forme de transferts d'allégeance. Elles étaient donc liées aux conjonctures dynastiques et pas seulement aux situations de fait. Enfin Richelieu qui avait besoin de l'alliance de princes allemands était tenu à une certaine prudence. On peut plus légitimement parler d'une politique de consolidation de la frontière française là où elle était le plus faible, c'est-à-dire où la France n'avait pas encore atteint des frontières naturelles, ou plutôt lorsque la situation devint plus favorable, d'expansion dans le cadre des frontières naturelles, même si dans certains cas Richelieu juge plus efficace d'occuper des positions situées au-delà comme Pignerol ou Brisach qui ouvrent l'accès aux pays voisins. C'est pourquoi on vit le régime de « protection » des Evêchés se transformer progressivement en régime de souveraineté (création d'un parlement à Metz en 1633), l'occupation du duché de Lorraine avec cession de points stratégiques, puis celle de l'Alsace. Cela constituait pour le moins une première étape consciente vers ce que l'on considérait déjà comme une politique des frontières naturelles.

Les débuts de la guerre confirmèrent les appréhensions de Richelieu à l'égard de la puissance espagnole.

Une offensive combinée des forces françaises et hollandaises dans les Pays-Bas espagnols échoua. Par contre, en 1636, les Espagnols prenaient Corbie et les avant-coureurs atteignaient Compiègne ; l'Empereur déclara la guerre à Louis XIII et ses troupes assiégèrent Saint-Jean-de-Losne, cependant que la flotte espagnole s'emparant des îles Lérins les transformait en une importante base navale. En Allemagne, les opérations dispersées étaient décevantes pour les armées françaises et suédoises. La situation se rétablit à partir de 1638. Français et Suédois resserrèrent leur alliance. Bernard de Saxe-Weimar, au service de la France, s'empare de Brisach, le Suédois Baner occupe la Silésie et le nord de la Bohême (1639-1640), l'amiral hollandais Tromp bat la flotte espagnole (1639). Les Français qui, à l'appel de Richelieu s'étaient repris, chassaient les Espagnols de Corbie et s'emparaient d'Arras (1640).

Le duel franco-espagnol passait au premier plan. C'était une guerre entre deux nations. Les deux adversaires usèrent de tous les moyens. Olivarès cherchait à soustraire la Lorraine aux Français et Richelieu le Piémont-Savoie à l'influence espagnole. Richelieu dut reconquérir la Lorraine et occupa Casal et Turin. Révoltes et complots fournirent l'occasion d'intervenir dans les affaires intérieures de l'ennemi. Olivarès soutint tous les adversaires de Richelieu. Richelieu encouragea la révolte de la Catalogne qui demanda la protection de Louis XIII, et celle du Portugal (1640). Les événements tournaient en faveur de la France. Philippe IV (1621-1665) disgracia Olivarès quelques mois après la mort de Richelieu. Le succès de la politique française s'accompagna du succès des armes. Cinq jours après la mort de Louis XIII, le 19 mai 1643, le jeune duc d'Enghien remportait la victoire de Rocroi sur l'armée espagnole réputée la meilleure d'Europe.

Dans l'Empire les événements étaient plus confus, d'autant plus que les négociations n'avaient jamais cessé. Le nouvel Empereur, Ferdinand III (1637-1657), se montrait plus souple que son père. Les Suédois échouaient devant Prague mais allaient jusqu'en Moravie. Ils avaient évacué cette province lorsque Rakoczi, prince de Transylvanie, conquit la Slovaquie (1644). L'Empereur réussissait à entraîner le Danemark dans une guerre contre la Suède et la Hollande (1643). La flotte danoise fut détruite et la France imposa sa médiation. Au traité de Bromsebrö, le Danemark évitait le démantèlement, mais devait céder les îles d'Œsel et Gottland aux Suédois et concéder aux Hollandais le retour à des péages plus légers pour leurs navires qui passaient le Sund (1645).

De 1644 à 1648 le conflit comporte deux aspects. D'une part, la lassitude aidant, la paix est en vue. Un congrès international se préparait déjà à la mort de Richelieu. Il s'ouvrit en décembre 1644, à Munster pour les Etats catholiques et à Osnabruck pour les Etats protestants. D'autre part, chacun cherchant à traiter dans les meilleures conditions possibles, les opérations militaires continuaient partout. Mazarin poursuivait la politique de Richelieu avec des vues plus ambitieuses. Il intervenait activement en Italie, soutenait l'insurrection de Masaniello à Naples, et envisageait un troc des Pays-Bas espagnols avec la Catalogne, ce qui inquiéta les alliés hollandais *(Gallus amicus sed non vicinus)*. Mais l'expédition du duc de Guise à Naples se soldait par un échec et les Espagnols reprenaient pied en Catalogne. L'Allemagne restait le champ de bataille essentiel et les ruines s'y accumulaient. Français et Suédois essayaient d'occuper les Etats héréditaires des Habsbourg, mais rencontraient les plus grandes difficultés à combiner les opérations de leurs armées. Après la victoire remportée en commun à Zummarshausen, Turenne et le Suédois Wrangel s'ouvraient la route de Vienne. Au moment où la paix fut signée avec l'Empereur on se battait à Prague. Dans le même temps le duc d'Enghien devenu prince de Condé remportait sur les Espagnols une nouvelle victoire à Lens (1648).

LES TRAITÉS DE WESTPHALIE (24 octobre 1648)

La tâche du congrès était double : rétablir la paix dans l'Empire et définir une nouvelle *Constitutio germanica* ; rétablir la paix entre l'Empereur, la France et la Suède en assurant à ces dernières des « satisfactions ». Environ 130 princes allemands obtinrent d'être représentés. De nombreuses puissances y envoyèrent des diplomates. Plusieurs mois passèrent à régler des questions de protocole, ce qui aux yeux des contemporains avait une extrême importance et d'ailleurs permettait de poser quelques principes. Les traités de Westphalie ne rétablirent pas la paix générale. En effet, la diplomatie espagnole réussit un coup de maître ne amenant les Provinces-Unies à une paix séparée. Mazarin para le coup en signant à son tour une paix séparée avec l'Empereur. Les traités de Munster et Osnabruck assuraient la paix à l'Empire (24 octobre 1648), mais l'Espagne n'y souscrivait pas. Malgré sa défaite de Lens, elle comptait sur le développement des troubles qui avaient commencé en France pendant l'été 1648.

Les satisfactions accordées à la France furent importantes. Elle obtint à titre définitif les Evêchés, garda Brisach et Pignerol et le droit de mettre garnison à Philippsbourg. La Lorraine serait restituée à son duc sauf Moyenvic. Les droits divers de l'Empereur en Alsace étaient transférés au roi de France. Comme l'Empereur redoutait de voir le roi de France représenté à la Diète germanique, ce dernier fut reconnu

seigneur suprême des terres lui appartenant directement. Cette clause
détachait de l'Empire les nouveaux sujets du roi. Cet imbroglio ne pouvait
profiter qu'à celui qui était en position de force. Les Provinces-Unies
firent reconnaître leur indépendance, ainsi que la possession des Pays de
la Généralité, conquis sur les Espagnols au sud du Rhin. Comme les
Provinces-Unies, les cantons suisses étaient détachés de l'Empire. La
Suède obtint la Poméranie occidentale, les évêchés de Brême (sans la
ville) et Verden, et la ville de Wismar. Le Brandebourg qui avait espéré
la succession de Poméranie recevait la Poméranie orientale, l'archevêché
de Magdebourg, les évêchés d'Halberstadt et de Kammin. Le fils de
Frédéric V retrouvait le Palatinat rhénan et son siège électoral, tandis
que Maximilien de Bavière gardait le Haut-Palatinat et la dignité électorale (huitième électorat).

Une nouvelle *Constitutio germanica* sortit des traités de Westphalie. 350 Etats
recevaient la *Landeshoheit* (suprématie territoriale), c'est-à-dire l'indépendance,
à la seule restriction de ne pas conclure de traités dirigés contre l'Empire et l'Empereur. La question des restitutions était réglée par l'adoption de la date de 1624
comme date de référence. Les calvinistes obtenaient le même statut que les catholiques et luthériens. Le droit d'émigrer était reconnu aux sujets de religion différente de celle de leur prince, et les biens des émigrants étaient garantis par des
indemnisations. Toutes les questions religieuses devaient être réglées par la Diète
à l'unanimité, ce qui exigeait de longues transactions entre catholiques et protestants et donnait à la Diète un caractère en fait permanent. Cette Diète paralysée
devenait une sorte de Sénat dont l'Empereur ne pouvait plus se passer. Les historiens s'accordent à reconnaître que les traités de Westphalie marquèrent un recul
de l'Allemagne. Cependant, dans la mesure où ils affranchirent les principaux Etats
de la constitution médiévale de l'Empire, ils ont permis les progrès d'Etats
modernes, en particulier les Etats héréditaires des Habsbourg et l'Etat brande-
bourgeois-prussien. Dans le cadre de ces Etats indépendants l'imitation des
monarchies occidentales devenait possible (Fr. Dickmann).

De la prépondérance espagnole à la prépondérance française

La guerre franco-espagnole continua dans la plus extrême confusion.
La fin de l'année 1648 et les premières semaines de l'année 1649 virent
de grands bouleversements politiques en Europe occidentale.

Ce fut l'exécution de Charles Ier le 9 février, cependant que le 6 janvier la
Cour de France devait quitter Paris et que commençait la Fronde. La guerre civile
paralysa la France pendant quatre années et y sema les ruines. Lorsque l'ordre
fut rétabli (1653), Condé était passé du côté des Espagnols. Pendant ces années
d'impuissance pour la France, l'Espagne espérait éviter une grave défaite.

Le fait nouveau était surtout que l'Angleterre sous l'impulsion de Cromwell avait repris sa place parmi les principales puissances. Elle se posait en rivale des Provinces-Unies sur les mers. En 1650, à la mort du *stathouder* Guillaume II d'Orange, la bourgeoisie hollandaise dont le grand pensionnaire Jean de Witt faisait la politique se montra pacifique, mais soucieuse de ses intérêts commerciaux. Le Parlement anglais ayant voté un *Acte de navigation* défavorable aux Hollandais (cf. p. 192), une guerre opposa l'Angleterre aux Provinces-Unies et au Danemark, marquée d'ailleurs par des opérations peu décisives (1652-1654). La bourgeoisie hollandaise pour rétablir la paix n'hésita pas à reconnaître l'*Acte de navigation*. Le Danemark accordait aux Anglais les mêmes tarifs qu'aux Hollandais pour le péage du Sund. Un traité signé avec le Portugal valut aux Anglais des avantages commerciaux importants. L'Angleterre était en mesure d'arbitrer la guerre franco-espagnole.

Comme la France soutenait la cause des Stuarts, l'Angleterre penchait plutôt vers l'Espagne qui lui offrait de prendre Calais. Mais celle-ci ne sut pas saisir l'occasion et Mazarin offrit aux Anglais de prendre Dunkerque. Une alliance fut signée en 1657. Les Anglais s'emparèrent de la Jamaïque et appuyèrent par mer les opérations de Turenne devant Dunkerque. Turenne remporta sur Condé et les Espagnols la victoire des Dunes (1658). A ce moment la position de la France se consolidait par la conclusion de la *Ligue du Rhin* dont elle était garante, qui, destinée à maintenir dans l'Empire l'ordre instauré aux traités de Westphalie, isolait les Habsbourg. Mazarin pouvait donc négocier la paix dans de bonnes conditions.

Le traité des Pyrénées (7 novembre 1659) valait à la France le Roussillon, l'Artois, plus quelques places de Flandres, Hainaut et Luxembourg. La Lorraine était restituée à son duc, moins quelques districts occidentaux. La réconciliation des deux couronnes était affirmée par le mariage de Louis XIV avec l'infante Marie-Thérèse. Cette dernière renonçait à ses droits à la succession d'Espagne moyennant le versement d'une dot de 500 000 écus d'or.

L'ordre établi par les traités de Westphalie risquait d'être modifié par les affaires du Nord et de l'Est. Des ambitions commerciales et politiques s'affrontaient en Baltique. La Pologne y apparaissait comme un point faible d'autant plus qu'elle était de nouveau en guerre contre la Russie. Depuis l'abdication de la reine Christine (1654), régnait en Suède un prince assez aventureux : Charles X-Gustave qui n'hésita pas à réveiller de vieilles prétentions dynastiques sur la Pologne. Il eut l'aide de l'Electeur de Brandebourg qui supportait mal d'être pour son duché de Prusse le vassal de la Pologne et cherchait à agrandir la médiocre façade maritime que les traités de Westphalie avaient donnée à son électorat.

L'Empereur réconcilia la Pologne et le Brandebourg. Ce dernier obtenait la souveraineté complète de la Prusse (1657). Ce retournement inspira à Frédéric III de Danemark l'idée d'une revanche sur la Suède. Cependant Charles X crut pouvoir en finir avec le Danemark et s'assurer la possession du Sund. L'Empereur réussit à coaliser contre la Suède tous les Etats riverains de la Baltique.

La Hollande s'y joignit pour conserver ses positions en Baltique. La Suède allait à la catastrophe.

Mazarin rétablit patiemment la situation des alliés de la France. La constitution de la *Ligue du Rhin* et la paix avec l'Espagne lui permirent de proposer sa médiation. Trois traités (Oliva et Copenhague, 1660, et Kardis, 1661) établirent la paix. La Suède obtenait la Scanie, et le Brandebourg quelques postes. Le Sund était ouvert à toutes les puissances maritimes.

Une longue série de guerres se terminait donc par la victoire des armes et de la diplomatie françaises. La France en sortait avec des frontières consolidées et son territoire ne devait plus connaître d'invasion profonde avant 1814. Elle avait arbitré les affaires italiennes, allemandes, baltiques et s'était fait reconnaître une incontestable primauté en Europe. Mais, au-delà du changement d'équilibre politique, quarante années de guerre avaient introduit en Europe des transformations multiples touchant aussi bien l'économie, la société que les mentalités.

Les conséquences des guerres pour l'Europe
La guerre et la civilisation européenne

La généralisation de la guerre a laissé des traces multiples sur la civilisation européenne. Les caractères de la guerre expliquent l'accumulation des ruines matérielles et morales qui ont provoqué l'effacement chez certains Etats et un nouveau départ chez d'autres.

LES ARMÉES

La guerre de Trente Ans vit partout une augmentation considérable des effectifs dont le recrutement s'effectua de plusieurs manières. Les sujets devaient participer à la défense de leur ville, de leur province et plus rarement de l'Etat. L'arrière-ban des vassaux proprement dit pesait sur les possesseurs de fiefs, donc surtout sur la noblesse. Mais celle-ci étant déjà sollicitée par l'armée, il n'atteignait que des hommes inaptes, mal entraînés ou sans bonne volonté. D'ailleurs le service militaire n'était pas nécessairement un service personnel. Il pouvait être simplement la fourniture d'hommes équipés. La Suède mit cependant au point un système efficace de cantons pour le recrutement de 10 000 hommes (le centième de la population). Mais cela ne représenta bientôt qu'une faible partie de l'armée suédoise. Assez souvent le souverain traitait avec un *condottière*, sorte d'entrepreneur. L'armée d'un condottière était basée sur une série de contrats : contrats liant le souverain, le « seigneur de la guerre », au condottière, celui-ci aux colonels et capitaines, les capitaines aux recrues. Enfin les souverains procédaient à des levées d'hommes. C'était un droit régalien. En France, le roi donnait commission à des colonels et capitaines, préalablement munis de brevets qui leur conféraient ce grade, de lever et commander leurs hommes. Ces officiers étaient propriétaires de leur compagnie. Pour les lever et les entretenir ces officiers recevaient une certaine somme. Des commissaires des guerres surveillaient l'emploi des fonds et effectuaient des _montres_ ou revues. Mais les tricheries étaient fréquentes, les effectifs réels constamment inférieurs aux effectifs théoriques. Le jour de la montre, les capitaines embauchaient des _passe-volants_ : domestiques, civils, voire soldats appartenant à d'autres corps, pour atteindre le nombre voulu et ils gardaient l'argent destiné à la solde et à l'entretien des hommes manquants.

L'organisation des corps s'assouplit. Les armes à feu se sont répandues. Bien qu'allégé le mousquet est encore peu maniable. Depuis l'invention de la cartouche, il faut encore deux minutes pour armer et tirer. Aussi les deux tiers des fantassins sont-ils des piquiers sur qui vient buter la cavalerie et que l'on abat au canon. Les cavaliers utilisent de plus en plus carabine et pistolet, qu'ils vont décharger sur l'ennemi avant de tourner bride. Mais la charge à l'arme blanche reste encore la tactique préférée. L'artillerie et les bagages de l'armée sont transportés par des attelages « à l'entreprise ». Le service de santé n'est guère organisé que dans l'armée suédoise. Chez les condottières l'armée est une véritable entreprise. Le cas le mieux connu est celui de Wallenstein. Celui-ci s'est adressé à un financier, Hans de Witte, qui avance l'argent et se fait rembourser par le produit des domaines et les impôts des principautés que l'Empereur a accordées à Wallenstein en paiement, ainsi que par les contributions levées sur les pays ennemis. Il a des facteurs dans différentes places qui traitent avec les maîtres de forges, les marchands, les entrepreneurs de charrois, pour procurer à l'armée armes, munitions et vivres. C'est une organisation autonome. Dans les autres cas, le souverain traite avec des particuliers, les munitionnaires, qui parfois forment un parti ou syndicat. Richelieu essaye de contrôler leur activité en envoyant aux armées des intendants. L'administration des armées à ses débuts est entièrement civile.

Le comportement de ces troupes est fonction de la conception que l'on a des opérations aussi bien que du recrutement des hommes. Les opérations militaires consistent à occuper des villes, des nœuds de communication, des provinces où il reste des vivres, à se saisir de gages pour forcer l'adversaire à négocier, mais on ne pense pas à détruire l'armée ennemie. L'occupation de ces points, les nécessités du ravitaillement amènent les chefs à disperser leurs troupes. On se regroupe pour une action importante, mais une armée victorieuse fond très vite, à plus forte raison une armée vaincue. La tactique reste aussi rudimentaire que la stratégie. Le choc frontal est encore la règle. Cependant Gustave-Adolphe et Condé manœuvreront par les ailes.

Sauf pour certains corps, les armées prennent un caractère international. Les Italiens, puis de plus en plus les Allemands, fournissent beaucoup de mercenaires. Les paysans déracinés par le passage des armées s'engagent ou suivent les troupes. Une armée traîne avec elle des valets, des marchands, des femmes et enfants. La solde devient le seul lien entre le soldat et la cause qu'il sert. S'il n'est pas payé, il pille davantage ou passe dans une autre armée. La désertion est considérable. Cependant la mortalité est beaucoup plus forte pendant les longs quartiers d'hiver que dans les batailles. Le soldat de la guerre de Trente Ans passe pour le type même du soudard. De même que les armées véhiculent les épidémies, elles contribuent à un recul des mœurs. La brutalité se généralise. Les populations civiles se vengent sur les soldats isolés des incendies, pillages, assassinats et viols. Le chef doit avoir une autorité morale, plus que des compétences techniques, pour diriger une armée. Aussi ne s'étonne-t-on pas de voir des ecclésiastiques à la tête des troupes.

LES EFFETS DE LA GUERRE

La guerre n'est très meurtrière que par ses conséquences. Les combats font fuir les populations. Elles ne reviennent pas toujours à temps pour assurer les labours et les semailles et c'est la famine. Le blocus, le pillage des réserves et l'insécurité des routes provoquent le même résultat. La peste avait débuté localement avant les hostilités, mais mouvements de troupes et exodes des populations la répandirent. La dispersion des foyers, la sous-alimentation provoquent une baisse de la fécondité. Certaines provinces furent particulièrement touchées. Le Palatinat, la marche de Brandebourg, la Poméranie, la Bohême perdirent entre le tiers et les deux tiers de leur population. Les campagnes souffrirent plus que les villes. Par contre, certaines régions (Suisse, Prusse) virent leur population augmenter par l'afflux de réfugiés. Les ports de la Baltique furent florissants. De nombreuses personnes quittèrent leur pays pour cause de religion ou appelées à la colonisation de terres ravagées. Brandebourg, Palatinat virent affluer des Allemands d'autres régions, des Suisses, des Hollandais. En Lorraine, Richelieu et Louis XIV favorisèrent l'installation de paysans français et la limite des deux langues se déplaça en faveur du français. L'Allemagne ruinée survécut. Le brassage de la population allemande contribua à l'unité du peuple allemand. Dès 1661, l'écart s'était atténué entre la population allemande qui réparait lentement ses pertes et la population française qui venait de subir les guerres de la Fronde et la prolongation du conflit avec l'Espagne.

Les ruines matérielles proviennent peu des combats, beaucoup plus souvent du feu. Il faut y joindre le pillage des maisons abandonnées dont les voisins prélèvent les matériaux pour réparer leur demeure. La culture est ruinée par l'abandon et le manque de bras. Les friches envahissent les terroirs cultivés. Les paysans ruinés vendent leurs terres. La propriété paysanne se réduit, surtout à l'est. A l'ouest de l'Elbe, le métayage progresse et le sort des paysans ne s'est pas amélioré. A l'est, la reconstruction a été faite par le seigneur et à son profit. Le manque de main-d'œuvre l'a incité à fixer à la terre les paysans libres. Le servage se répand. La coupure de l'Allemagne en deux régions de structures économique et sociale différentes s'accuse avec la guerre de Trente Ans.

La guerre a provoqué des remous profonds dans l'esprit public et la sensibilité des Allemands. L'opinion est exprimée jusque vers 1635 par de nombreux pamphlets, souvent inspirés par les princes, accompagnés de gravures grossièrement coloriées qui dénoncent les malheurs de la guerre ou magnifient les victoires. Mais, après cette date, les pamphlets sont plus rares, l'opinion est lasse. Par contre se répandent les périodiques soumis à la censure des Etats. A la fin de la guerre, universités et écoles sont désertées. La jeunesse est sollicitée par la guerre. La population est gagnée par la violence. L'ivrognerie fait des progrès effrayants. La restauration religieuse menée par l'Eglise dès les lendemains du concile de Trente est retardée et la sorcellerie se répand. La guerre n'a pas favorisé l'art, bien que quelques églises soient restaurées (en style baroque) quand la sécurité revient. La littérature allemande a produit quelques œuvres pessimistes dont le célèbre *Simplicius Simplicissimus* de Grimmelshausen qui montre l'homme isolé pour qui la guerre est le métier le plus lucratif et somme toute le moins dangereux, ayant perdu l'idée du devoir, devenu impropre aux œuvres de paix, mais animé de rêves messianiques. Dans les autres pays, le fossé qui sépare les élites sociales des masses populaires s'est approfondi, mais la violence est générale comme en témoignent la mode des duels dans la noblesse et la brutalité des révoltes populaires.

Textes et documents : GRIMMELSHAUSEN, *Les aventures de Simplicius Simplicissimus; La Vagabonde Courage* ; traduits par M. COLLEVILLE, 1951.

CHAPITRE XV

LA DIFFICILE NAISSANCE
DE L'EUROPE CLASSIQUE

Bibliographie : Ouvrages cités p. 8. J. DELUMEAU, *Le catholicisme entre Luther et Voltaire* (coll. « Nouvelle Clio »), 1971. R. TAVENEAUX, *Le catholicisme dans la France classique* (coll. « Regards sur l'histoire »), 2 vol., 1980. D. LIGOU, *Le protestantisme en France de 1598 à 1715 (ibid.)*, 1968. L. COGNET, *Le jansénisme* (coll. « Que sais-je ? »), 1961. J. ORCIBAL, *Saint-Cyran et le jansénisme* (coll. « Les maîtres spirituels »), 1961. V.-L. TAPIÉ, *Baroque et classicisme*, 1957. P. BARRIÈRE, *La vie intellectuelle en France du XVIIe siècle à l'époque contemporaine*, 1961. J. TOUCHARD, *Histoire des idées*, t. I.

Pendant la période de crise de la seconde moitié du XVIe siècle et de la première moitié du XVIIe, s'élabore la civilisation de l'Europe classique à laquelle contribuent la restauration religieuse effectuée par les réformés et les catholiques, l'éveil de l'esprit scientifique, la dualité entre baroque et classicisme, enfin les progrès de l'absolutisme. Dans tous les domaines la recherche de l'autorité s'impose à des hommes profondément ébranlés par les troubles du XVIe siècle.

La restauration religieuse

Bien que divisés en deux groupes religieux, les Européens ont en commun des formes de pensée et des préoccupations (P. Chaunu). Pendant la fin du XVIe siècle et le début du XVIIe s'élaborent les catéchismes des différentes confessions et se fixent les orthodoxies : canons du concile de Trente (1563), *Livre de Concorde* chez les luthériens (1580), articles du synode de Dordrecht chez les calvinistes (1619). Le rôle des laïcs, prépondérant chez les réformés, devient important chez les catholiques. Enfin, dans les deux camps, les problèmes de la grâce et de la prédestination hantent les âmes. Mais, à côté de traits communs, les traits particuliers l'emportent. L'Eglise romaine doit relever ses ruines, tandis que les Eglises protestantes essayent de maintenir leurs positions.

LA RESTAURATION DE L'ÉGLISE ROMAINE

L'Eglise romaine se réforma dans son chef et dans ses membres. La papauté, les ordres religieux, le clergé séculier grâce à des efforts tenaces furent renouvelés. Avec l'austère Pie V (1566-1572), le catholicisme fut doté de ses principaux instruments doctrinaux : le *catéchisme romain*, le nouveau *bréviaire* et le nouveau *missel*, la *Vulgate*, ou traduction officielle de la Bible mise au point suivant l'enseignement des humanistes, enfin les listes de livres mis à l'*Index*. Sixte Quint (1585-1590) se montra un organisateur impitoyable. Les Congrégations qui administraient l'Eglise (congrégations du *Saint-Office* ou Inquisition, des rites...) mirent en place la centralisation romaine. Les papes firent effort pour établir leur autorité sur les évêques et, par l'intermédiaire des nonciatures qui prirent alors une grande extension, pour être présents auprès des souverains. La création de la *Congrégation de la propagation de la foi* en 1622 ôta à ces derniers la haute main sur les missions dans les colonies européennes. Rome humiliée en 1527 se relevait. Les papes continuaient à l'embellir et la rendaient digne de son rôle de capitale du catholicisme et de principal pèlerinage de la chrétienté. L'œuvre des ordres religieux, auxiliaires de la papauté, fut considérable.

Au milieu du XVIIe siècle, forts de leurs saints et martyrs (Ignace de Loyola, François Xavier, Canisius), de leurs treize mille membres, de leur cinq cents collèges, les Jésuites sont présents partout. Leur efficacité vient surtout de l'enseignement qu'ils ont renouvelé dans leurs collèges souvent placés aux points stratégiques de la Contre-Réforme : collège romain (1551), collèges d'Ingolstadt, de Prague (1554), de Clermont à Paris (1555)... Ils instruisent gratuitement des enfants de toutes les conditions sociales, suivant une *Ratio studiorum* codifiée en 1599 qui fonde l'enseignement secondaire : groupement des élèves en classes progressives, émulation incessante. Ils recueillent et transmettent l'héritage de l'humanisme. Ils n'oublient pas pour autant le but premier de leur fondateur et l'exemple de François Xavier, puisqu'on les voit hors d'Europe évangélisant Indous, Chinois, Indiens d'Amérique latine. Leur ubiquité, leur influence dans de nombreux domaines, jusque dans l'art, leurs succès notamment auprès des jeunes gens de l'aristocratie leur attirèrent beaucoup d'inimitiés.

Dans les milieux populaires des villes et même des campagnes, les Capucins exerçaient une action comparable à celle des Jésuites, par l'exemple de leur pauvreté et leur dévouement dans toutes les catastrophes : épidémies, incendies, guerres. Ils dirigent des missions en pays réformé. Certains se sont d'ailleurs acquis une belle place dans le renouveau mystique (Benoît de Canfield). A côté d'ordres créés au XVIe siècle et au début du XVIIe siècle, voués surtout à l'enseignement et à la charité, on assista à la réforme d'ordres anciens. L'exemple le plus important est celui du Carmel renouvelé par l'ardeur mystique de sainte

Thérèse d'Avila (1515-1582) et de saint Jean de la Croix (1542-1591). Si l'on fait exception des Carmes, la plupart de ces ordres tendent à se mêler au monde. A l'exemple des Jésuites de nombreux réguliers ont reçu la prêtrise et exercent leur apostolat dans le siècle. Malgré les réticences générales — on pensait alors qu'aux femmes il fallait le cloître ou un mari —, au milieu du XVIIe siècle commençaient à se répandre des sœurs hospitalières vivant dans le siècle : les Filles de la charité.

Si les réguliers se rapprochent du siècle, les prêtres séculiers s'efforcent de mieux se distinguer des laïcs. Le sacerdoce est exalté et impose aux prêtres discipline, compétence et dignité. La tâche à accomplir était immense. Le mouvement vint à la fois d'en haut et d'en bas.

Le recrutement des évêques s'améliora lentement à l'appel de Barthélemy des Anges, archevêque de Braga, et de Charles Borromée (1538-1584), archevêque de Milan, modèle du prélat selon le concile de Trente. On manquait de séminaires malgré les recommandations du concile. Des congrégations de prêtres furent fondées : Oratoire de Paris de Bérulle (1611), Prêtres de la Mission ou Lazaristes de Monsieur Vincent (1625), Sulpiciens de Monsieur Ollier (1641)... On vit les prêtres soumis au port de la soutane, plus instruits, plus préoccupés d'apostolat, se tenir plus écartés des réjouissances populaires ou mondaines. Un modèle d'action pastorale fut donné dès le début du XVIIe siècle par saint François de Sales, qui veilla à l'enseignement du catéchisme et à l'action charitable. Dans la seconde moitié du siècle, la religion avait retrouvé tout son prestige dans les pays restés fidèles au catholicisme.

LA RESTAURATION DE LA VIE RELIGIEUSE

La restauration de la vie religieuse fut non seulement l'œuvre des clercs, mais également celle des laïcs qui souvent avaient été livrés à eux-mêmes par la faiblesse du clergé et la décadence de la vie paroissiale pendant les guerres de religion. Au milieu du XVIe siècle, le monde catholique était ébranlé. L'optimisme des érasmiens semblait emporté par les conflits politiques et sociaux. Cependant l'humanisme survécut sous la forme de l'humanisme dévot dont les principaux artisans furent les Jésuites.

Bellarmin (1542-1621), dans son traité *De la connaissance de Dieu*, maintint la réhabilitation de l'homme et de la nature opérée par les humanistes. L'homme (et pas seulement le chrétien) était capable d'œuvres méritoires. Molina exposait que Dieu avait donné au chrétien, avec la grâce suffisante, la liberté qui lui permettait par sa foi et ses œuvres d'atteindre au salut. Il devenait donc possible à chaque chrétien de faire son salut par l'accomplissement de ses devoirs d'état, d'où l'insistance apportée par les confesseurs à l'examen des cas individuels. Cette casuistique dans laquelle brilla le P. Escobar tendait à rendre le christianisme facile et risquait de mener à des compromissions. L'humanisme dévot inspira l'œuvre de saint François de Sales dont le livre : *Introduction à la vie dévote*, contribua largement à la religiosité du siècle (1608).

Par ailleurs François de Sales cherchait à associer le plus grand nombre de fidèles à son action pastorale. Dévotion adaptée à chacun et dévotion active faisant confiance aux œuvres caractérisent le réveil de la vie religieuse qui se produisit d'abord en Italie et en Espagne, puis en Europe centrale, enfin en France et dans les Pays-Bas où les guerres de religion en retardèrent le développement.

L'action dévote s'exerça en Europe par l'enseignement, les missions et la charité. Les Jésuites ne furent pas les seuls artisans de la rénovation de l'enseignement. Les Oratoriens et les Doctrinaires fondèrent en France de nombreux collèges.

Souvent l'initiative de l'ouverture de petites écoles vint de laïcs qui n'obtinrent pas sans mal l'accord des autorités civiles et religieuses et fondèrent des congrégations enseignantes nombreuses mais peu durables. Outre les missions de reconquête en milieu protestant comme celles de François de Sales dans le Chablais ou de saint François Régis dans le Vivarais, les missions de restauration se multiplièrent : des équipes de prêtres installés pendant quelques semaines dans un groupe de villages, prêchant, confessant, donnant la communion, cherchant à apaiser les différends et laissant à leur départ une confrérie. Dans la vie quotidienne les missions apportaient au moins une distraction, souvent elles laissaient une marque profonde sur les âmes. Cet effort soutenu pendant la plus grande partie du XVIIe siècle a épuré lentement les pratiques religieuses. Les cérémonies propitiatoires, les pèlerinages et la pratique des sacrements reprirent vie.

Un des effets de cette foi en action fut la révolution survenue dans l'exercice de la charité. L'aumône qui avait souvent pour but d'obtenir des mérites au donataire fut effectuée davantage en fonction des besoins de celui à qui elle était destinée. D'où, à côté des actions individuelles des tentatives d'organisation visant à une efficacité que les misères du temps rendaient plus souhaitable.

A cet essor de la charité est liée la figure légendaire de saint Vincent de Paul. Dans ce qu'on a appelé le « siècle des saints », M. Vincent est un bon exemple de dévotion active. Il s'attaqua à de nombreux problèmes : formation des prêtres, missions dans les campagnes et organisation de la charité. Avec Louise de Marillac, il groupa des dames et les Filles de la charité qui se dévouèrent notamment lors des misères provoquées par la Fronde.

L'activité des croyants touchait à la politique. En France une confrérie resta célèbre : la *Compagnie du Saint-Sacrement* fondée en 1627 par le duc de Ventadour, recrutée dans les groupes sociaux les plus divers mais comptant beaucoup de grands personnages et d'ecclésiastiques.

Par souci d'efficacité l'action de la Compagnie devait rester secrète. Cette action probablement exagérée par ses adversaires la conduisit non seulement à des œuvres charitables, mais à intervenir dans la vie civile et à dénoncer hérétiques et libertins. Elle inquiéta assez vite le pouvoir royal, qui craignait une cabale des dévots, et même la hiérarchie ecclésiastique.

NOUVELLES EXIGENCES RELIGIEUSES ET CONTROVERSES

La mystique se renouvela. La connaissance de Dieu par des voies supra-sensibles ne devait pas être simple extase mais conduire à l'action. Déjà à cette époque existaient plusieurs foyers de mysticisme comme le salon de Mme Acarie, illustré par Bérulle. Celui-ci insistait beaucoup sur l'Eucharistie et plaçait au centre du dogme l'Incarnation et par conséquent le Christ et la Vierge. Il invitait les âmes à s'unir à Jésus, non par effort de la volonté comme le désiraient les Jésuites, mais par abandon à lui. A la religion optimiste des Jésuites, Bérulle opposait une foi austère. Les œuvres de Bérulle, assez obscures, furent connues surtout par la plume brillante de son disciple Saint-Cyran (1581-1643) et le rigorisme de l'école française marqua le catholicisme français du XVIIe siècle. C'est à la vigueur de ce courant, tout autant qu'à l'action de la Compagnie du Saint-Sacrement ou à la police royale, que succombèrent les libertins spirituels, sceptiques disciples de Montaigne.

Cependant le rigorisme pouvait rejoindre par certains aspects les tendances pessimistes contenues dans l'enseignement de saint Augustin. Celles-ci insistant sur la déchéance de l'homme étaient devenues suspectes aux catholiques pour avoir été réaffirmées par Luther. Contre la prédestination le jésuite Molina affirmait un large libre arbitre de l'homme. La controverse se réveilla lorsqu'en 1640 fut publié l'*Augustinus*, ouvrage posthume de l'ancien évêque d'Ypres, Jansénius, qui eut un succès inattendu grâce à Saint-Cyran. Celui-ci, ami de Jansénius, était devenu aumônier du couvent de Cisterciennes de Port-Royal, réformé par la jeune Mère Angélique Arnauld (1609). Port-Royal de Paris attirait un grand nombre de femmes de la bourgeoisie parisienne. Cependant Port-Royal-des-Champs était occupé par un petit groupe d'hommes issus de la bourgeoisie de robe, les « Solitaires de Port-Royal » qui se vouaient à la prière et à l'étude. Saint-Cyran amena Port-Royal au jansénisme. Richelieu, qui craignait des contacts avec l'Espagne (Jansénius avait attaqué la politique française dans le *Mars gallicus*), fit emprisonner Saint-Cyran.

En 1653, Rome condamnait cinq propositions tirées de l'*Augustinus*. Port-Royal était devenu un haut-lieu de spiritualité, le jansénisme s'était répandu dans la magistrature parisienne. Il attirait également bien des vaincus de la Fronde. Enfin, en le combattant vigoureusement, les Jésuites, soldats du pape, lui valurent la faveur des gallicans nombreux dans les parlements, les universités et l'épiscopat. Tandis qu'Arnauld répondait à la condamnation pontificale par des arguties, Blaise Pascal (1623-1662), retiré à Port-Royal en 1654, publiait les *Lettres à un provincial* (1656-1657), œuvre puissante de polémique qui rallia une partie de l'opinion. Cependant l'assemblée du clergé imposa à tous les ecclésiastiques la signature d'un *formulaire* d'adhésion à la condamnation portée contre les cinq propositions (1656). Port-Royal refusa de signer. Le formulaire fut imposé par le roi (1664). L'accord ne put se faire qu'en 1668 par la Paix de l'Eglise qui prescrivait le silence sur cette question. La querelle janséniste prouvait la puissance d'un réveil religieux qui ne se laissait pas étouffer par le conformisme.

LA VIE RELIGIEUSE DANS L'EUROPE PROTESTANTE

L'évolution du protestantisme fut marquée par trois phases : après l'élan luthérien, une phase de repli suivie par l'élan calviniste (P. Chaunu). Le luthéranisme traversa une crise grave, à la fois de caractère théologique et pastoral.

A la mort de Luther, Mélanchthon avait incliné la réforme allemande vers un retour à l'érasmisme et tenté un rapprochement avec les catholiques. Mais il se heurtait à une vive opposition exprimée notamment par la voix de Flacius Illyricus qui réaffirmait la nullité de l'homme devant Dieu. Il fallut attendre 1580 pour que soit établie une Formule de concorde fixant l'orthodoxie luthérienne. D'ailleurs les masses étaient peu touchées par ces controverses. « La piété des fidèles resta proche de celle de Luther... et, par Luther, proche de celle du Moyen Age. »

Les missionnaires calvinistes profitèrent souvent de cette indécision. Ils pouvaient opposer aux attitudes peu nettes des luthériens sur certains points de dogme la simplicité croissante de leur théologie. En fait le calvinisme se rapprochait de la réforme sacramentaire. Les calvinistes n'attendaient pas l'accord de l'Etat pour fonder des Eglises. Les pasteurs étaient élus par les fidèles et dépendaient des consistoires dominés par la noblesse et la bourgeoisie. Enfin le calvinisme avait une capitale, Genève, qui accueillait les réfugiés protestants, formait des pasteurs dans son Académie et envoyait des missionnaires. Genève constituait un lien entre les différentes Eglises nationales. Cité assiégée, elle s'était donné par les ordonnances de 1576 un gouvernement théocratique. Le consistoire inspira la politique du Conseil de la ville, obtint un droit de regard sur toute la vie de la cité et imposa aux habitants une atmosphère puritaine.

Portés à l'intransigeance par les guerres religieuses, les calvinistes insistaient non seulement sur la prédestination au salut, mais sur la prédestination à la damnation. Cependant, une fois le danger passé, se produisit une détente notamment dans la bourgeoisie hollandaise. Arminius († 1609) restreignait la portée de la prédestination, mais il fut attaqué par Gomar. Le conflit fut à la fois politique et social (cf. p. 197). Pour trancher ce problème théologique les Etats généraux de Hollande convoquèrent un synode à Dordrecht auquel participèrent des envoyés de l'Europe calviniste. Les articles de Dordrecht affirmaient la prédestination. Les pasteurs arminiens furent déposés. Certains allèrent se réfugier dans les pays où l'orthodoxie calviniste ne pouvait s'appuyer sur le bras séculier, notamment en France. C'est en France également qu'eurent lieu les tentatives de conciliation entre les deux tendances, menées sans succès par Moyse Amirault.

Le protestantisme marqua partout un certain recul pendant la première moitié du xviie siècle. Ce reflux est dû soit au sort des armes (Bohême, Pays-Bas espagnols), soit à l'épuisement causé par la lutte (France), soit à des luttes intestines (Empire). En France les communautés protestantes avaient pu se donner un cadre de vie : temples, académies (Sedan, Saumur). Mais le protestantisme de cour avait perdu toute valeur militante et les abjurations se multipliaient dans la noblesse et chez les pasteurs, cependant que l'indifférence au dogme se répandait chez les fidèles. Des tentatives d'union avec les catholiques eurent lieu jusqu'à la veille de la Révocation de l'Edit de Nantes.

La situation était différente en Angleterre. La haine de Rome gardait la Réforme de tout rapprochement avec l'Eglise catholique. Cependant à l'époque de l'archevêque Laud l'anglicanisme évolua vers le catholicisme en insistant sur le sacerdoce, la hiérarchie et la liturgie. Toutefois, une réaction se produisit, celle des puritains. Sûrs de leur salut, les puritains n'hésitaient pas à braver les orthodoxies et à fonder des sectes.

Le xviie siècle a connu deux sortes de sectes, les unes nées avec la Réforme : mennonites et sociniens, les autres nées dans l'Angleterre ardente du temps des Stuarts. Les anabaptistes sauvés par Menno Simmons († 1559, cf. p. 83) dissociaient vie religieuse et vie civile. Ils obtenaient des adhésions dans la bourgeoisie hollandaise. Les antitrinitaires chassés de partout avaient trouvé momentanément refuge en Pologne où Fausto Sozzini († 1604) réussit à leur donner une unité et à organiser une capitale spirituelle autour de Rakow. Le catéchisme de Rakow (1605) fixa le dogme. Mais les sociniens furent chassés de Pologne (cf. p. 178) et traqués dans tous les pays catholiques et protestants. L'Angleterre donna naissance à de nouvelles sectes qui ne survécurent guère à la révolution sauf celle des *Quakers*, fondée par George Fox, qui négligeait le dogme, se montrait hostile aux Eglises établies, invitait les « amis » à trembler devant Dieu, d'où leur nom. Fox devait d'ailleurs lutter à l'intérieur de la secte contre de nombreux illuminés.

Au milieu du xviie siècle, bien qu'affaibli par des divisions, le monde protestant témoignait encore d'une grande vitalité et participait activement au développement de la civilisation européenne, notamment dans les sciences. Mais face au dynamisme triomphant du catholicisme, il se trouvait momentanément en retrait dans les activités littéraires et artistiques.

Eveil de l'esprit scientifique

Quelques savants du XVIe siècle avaient mis en doute le système d'Aristote et de Ptolémée sans proposer pour le remplacer autre chose que des intuitions géniales comme celles de Copernic (héliocentrisme) et de Giordano Bruno (univers infini) qui ne pouvaient être présentées que comme des hypothèses. Pour sortir de cette situation il fallait que s'opérât un changement dans le mode de raisonnement. Ce fut le « miracle des années 1620 ».

LES INSTRUMENTS DE LA SCIENCE
ET LE NOUVEAU DÉPART DE LA RECHERCHE

Au début du XVIIe siècle la science s'assura des instruments nouveaux d'observation et de calcul. Tycho Brahé († 1601) élabora un catalogue d'étoiles d'une richesse et d'u e précision jamais encore atteintes. Quelques années plus tard la lunette d'approche était utilisée par Galilée pour l'observation des astres et les premiers microscopes étaient construits. Pour que les mathématiques puissent être mises au service des sciences physiques, il fallait qu'elles soient simplifiées. Ce fut le mérite de Simon Stevin († 1620), qui publia en 1585 une *Arithmétique*. Le système des notations algébriques, les premières tables de fonctions trigonométriques et de logarithmes furent publiés aux environs de 1600.

Les savants d'alors étaient préoccupés par des problèmes où physique et métaphysique se mêlaient. C'était le cas pour l'origine du mouvement que l'on attribuait depuis le Moyen Age à une force appelée *impetus*. En dépit de ces spéculations, Stevin réussit à retrouver les principes de la composition des forces, des vases communicants et de l'hydrodynamique (forme des coques de navires).

Un pas de plus fut franchi avec Kepler (1571-1630) et Galilée (1564-1642). Kepler utilisa les observations de Tycho Brahé, chercha les lois du mouvement des planètes en les traduisant en langage mathématique. Galilée s'attacha à l'étude de la chute des corps et du pendule. Il renonça à disserter sur l'*impetus* et chercha le comment plutôt que le pourquoi du mouvement. Au même moment l'observation remportait une victoire lorsque William Harvey découvrit la circulation du sang (vers 1615-1618). Le rôle de l'expérience était exposé par Francis Bacon dans son *Novum Organum* (1620), sans que celui-ci ait compris d'ailleurs le rôle que les mathématiques étaient appelées à jouer. Toutefois la science sortait vers 1620 des dissertations métaphysiques et esthétiques sur la causalité dans lesquelles elle s'était enfermée jusque-là.

LES SAVANTS, LES LIBERTINS ET L'ÉGLISE

Alors que les universités au début du XVIe siècle gardaient encore un caractère international, les savants se communiquaient leurs recherches avec beaucoup de réticences. Mais à la fin du siècle la mode des défis que se portaient les savants amena des échanges. Bien que le latin ait gardé le rôle de langue scientifique internationale, la correspondance eut lieu de plus en plus dans les langues nationales. Un conseiller au Parlement d'Aix, Peiresc († 1637), se fit la « boîte aux lettres » du monde savant. Les cercles savants se multiplièrent comme l'*Academia dei Lincei* à Rome (1603) ou le groupe rassemblé à Paris autour du P. Marin Mersenne qui devait être le noyau de la future Académie royale des Sciences. Au moment où les universités perdaient leur caractère international et n'avaient plus qu'un rôle régional, les savants se penchaient sur la solution des mêmes problèmes. Ainsi celui de la roulette (trajectoire que décrit un clou d'une roue qui se déplace) agita Mersenne, Galilée, Roberval, Torricelli, Descartes, Fermat, Huyghens... et Pascal qui trouva la meilleure solution.

Pour la plupart des esprits d'alors, sciences et métaphysique étaient liées. La montée du rationalisme provoquée par l'éveil de la science n'entamait pas la foi de la plupart des savants, même s'il restreignait le champ de celle-ci, mais elle fournissait des arguments à ceux que l'on appelait les libertins. Parmi les plus connus, on trouve Vanini, auteur des *Secrets de la nature* (1616) qui fut condamné au bûcher à Toulouse, ou le poète Théophile de Viau. La plupart gardaient une attitude prudente. Cependant, certains allaient jusqu'au pyrrhonisme (scepticisme complet), comme La Mothe Le Vayer (*La vertu des payens*, 1642).

Les libertins contribuèrent à éveiller les méfiances de l'Eglise à l'égard de certains aspects de la science. Cependant Rome ne rejetait pas les aspects pratiques des apports de la science. Ainsi, en 1582, le pape Grégoire XIII fit adopter un calendrier supprimant une année bisextile par siècle afin de mieux serrer l'exactitude du mouvement apparent du Soleil. Le calendrier grégorien fut rapidement adopté par le monde catholique, puis par l'Allemagne protestante (1700) et l'Angleterre (1752). Plus tard les Jésuites devaient se faire une réputation de solides mathématiciens, notamment en Chine. Cependant les procès de Galilée montrent quel genre d'obstacle aux progrès de la science constituait encore la lettre de l'Ancien Testament. Le désaccord entre le système de Copernic et la Bible avait été souligné par Galilée. Le Saint-Office condamna alors le système de Copernic en 1616 et Galilée fut invité à l'abandonner. Après une soumission apparente, il continua assez bruyamment à soutenir que la Terre n'était pas immobile au centre du monde. En 1633 le Saint-Office le força à signer une formule d'abjuration. C'était une invitation à une prudence purement formelle. Des hommes d'Eglise comme Gassendi († 1656) ne furent guère inquiétés, malgré la hardiesse de leurs écrits.

LE CARTÉSIANISME

Les libertins après Montaigne exprimaient l'état de doute sans but dans lequel la pensée occidentale risquait de s'enliser. Une réplique était déjà venue de la part des mystiques de l'école française, mais beaucoup d'esprits souhaitaient vaincre les libertins sur leur propre terrain, celui de la philosophie et de la science. Descartes apporta à ceux qui cherchaient à défendre le christianisme par la science universelle une méthode rationnelle.

Dans la détermination de Descartes on trouve plusieurs composantes. Il cherche en lui-même les principes de la science et reconstitue le système de l'univers par le raisonnement mathématique. Cependant l'aspect mystique n'est jamais absent. Bérulle lui aurait fait une obligation de conscience d'aboutir. En 1637 Descartes publie à Leyde, en français, le *Discours de la méthode pour bien conduire sa raison et chercher la vérité dans les sciences... qui sont les essais de cette méthode*. Descartes transforme le doute des libertins en doute méthodique destiné à préparer l'action. Toute conclusion reçue est écartée. La connaissance fondamentale est ramenée à la simple constatation de sa propre existence (« Je pense donc je suis. »). De quelques idées innées se déduisent les autres idées. Ainsi l'idée de Dieu prouve Dieu. Le monde matériel caractérisé par l'étendue et le mouvement est essentiellement mesurable et Descartes fait de la géométrie analytique qu'il découvre en même temps que Fermat un des instruments les plus efficaces de la physique.

La science cartésienne apportait une affirmation du libre arbitre dans un certain domaine accordé par Dieu et impliquait un effort pour régler son action sur la raison. Le bonheur de l'homme consiste dans l'accomplissement des choses qu'il juge les meilleures. D'où cette « générosité » dans l'action qui résulte du triomphe sur les passions (R. Mousnier).

Le succès de Descartes ne fut pas immédiat, mais après 1660 on s'accordait à penser qu'il avait rendu à l'homme confiance en Dieu, en la raison et en la science. C'est bien dans la période du trouble des esprits que se sont élaborées les certitudes de l'âge classique.

Baroque et classicisme avant 1660

L'art baroque submergea l'Europe dans la première moitié du XVIIe siècle. Beaucoup mieux que l'art classique il exprimait la sensibilité d'une époque troublée (cf. p. 141). Affranchi de nombreuses contraintes, il pouvait à la fois être un art de cour et de grands seigneurs et séduire les foules. Il affirmait les prééminences célestes de la religion romaine et terrestres de l'aristocratie par son côté théâtral, la profusion de la décoration et l'appel au merveilleux. De plus le baroque ne prétend pas à l'unité et laisse une grande liberté d'expression aux génies nationaux.

L'Italie a été son berceau. La primauté artistique de ce pays reste considérable. Les artistes italiens sont attirés dans toutes les cours d'Europe, jusqu'à Moscou et à Constantinople, et les étrangers viennent apprendre en Italie. L'Italie continue à être une pépinière d'artistes. Le génie de quelques-uns, tels le Caravage et le Guide, empêche la peinture italienne de sombrer dans la médiocrité facile. L'esprit théâtral est partout, suscitant des trouvailles habiles et audacieuses. Bernin (1598-1680) remodèle la basilique Saint-Pierre pour la glorification du pontife et ouvre le sanctuaire sur le monde extérieur par cette grandiose colonnade destinée à l'accueil aux pèlerins du monde entier. Colonnades, frontons, consoles, escaliers monumentaux composent habituellement des façades souvent incurvées placées dans un ensemble plus vaste de tours, coupoles, fontaines, d'un colossal bien proportionné. Sculptures abondantes, peintures en trompe-l'œil, marbres de couleurs variées, dorures, concentrations d'éclairage mettent en valeur des autels glorieux ou des salles d'apparat. La ville de Rome devient le champ d'une véritable scénographie qui veut conduire le pèlerin aux approches du monde divin. A côté de ces spectacles durables, le spectacle passager est élevé à la hauteur d'un art. Si Monteverdi fait naître l'opéra en donnant aux personnages des récitatifs musicaux des caractères humains (*Orfeo*, 1607), ses successeurs sont plus tentés par le décor. Enfin les cérémonies publiques font l'objet d'architectures provisoires laissant une large place à l'imagination.

Le baroque italien atteignit assez lentement l'Europe centrale sur les pas de la Contre-Réforme. Vienne et Prague en restent les principaux témoignages. En Europe occidentale, l'influence italienne rencontre l'influence espagnole. L'Italie fournit les trouvailles techniques, l'Espagne donne à la littérature et à l'art baroque un caractère national où s'expriment la volonté de grandeur en même temps que la passion religieuse et le réalisme contenu du génie espagnol (cf. p. 204). Le Flamand Rubens (1577-1640) exprime la vitalité du baroque. Epris de bonheur, choyé des souverains, il a pris sans effort les leçons des maîtres italiens les plus divers et laisse déborder sa verve dans de nombreuses toiles, cartons de tapisserie, décors de cérémonies.

Cependant le baroque rencontre des limites à son expansion en Hollande et en France. Sans doute bien des peintres hollandais montrent autant de truculence que les peintres flamands, mais le tempérament calviniste et bourgeois est indifférent à la pompe romaine, à la scénographie italienne, aux saints et héros d'Espagne et de France. Par contre la rue et le foyer, au-delà la ville et les paysages familiers sont le cadre habituel. Vermeer de Delft (1632-1675) insuffle à cet art tranquille une véritable poésie. Rembrandt (1606-1669) ne peut se contenter de ce cadre modeste. Malgré un penchant au baroque il anime les scènes les plus traditionnelles par la recherche de ce qui est au-delà de la portée des sens. C'est surtout dans les scènes bibliques et les autoportraits qu'il exprime le mieux sa spiritualité.

Rien dans la France du début du siècle n'annonçait que ce pays prendrait la tête des tendances classiques. L'influence italienne prévalait à l'époque de Marie de Médicis, puis celle de l'Espagne. Le monde des lettrés est empli de la rivalité entre les tendances précieuses et burlesques. Le puriste Malherbe, qui écrit à la fin du xvie et au début du xviie siècle, n'a guère d'influence. Il faut attendre que le courant cartésien gagne le monde des lettrés pour que l'action de Vaugelas sur la grammaire se répande hors des milieux précieux et que Corneille, auteur baroque par ses comédies, apporte dans ses tragédies une progression lente vers un idéal plus dépouillé et dote la littérature française de ses premiers chefs-d'œuvre classiques.

L'art français donne l'impression de n'accepter qu'un baroque sage (Val-de-Grâce) car les influences nationales jointes au manque d'argent incitent à limiter la profusion des décorations. Cependant les gravures représentant les fêtes et cérémonies prouvent que toutes les architectures provisoires étaient baroques. La peinture adopte les techniques et souvent les thèmes de l'Italie, mais ces influences extérieures sont contenues chez des artistes originaux comme de La Tour et Philippe de Champaigne. La réaction contre le baroque vient de Nicolas Poussin (1594-1665) qui recherche passionnément, au-delà des apparences, la vérité et la logique intérieure. Ses œuvres sont d'abord une composition. Poussin discipline une inspiration réelle et sincère, qui lui vaut d'échapper à l'académisme.

En 1661 la vague baroque était encore prépondérante. Cependant il se manifestait des résistances diverses et des velléités classiques. En France, grâce au courant cartésien le terrain était préparé pour l'éclosion de la génération qui allait s'éloigner du baroque.

Progrès des théories absolutistes

Les troubles politiques ont suscité une aspiration générale à un pouvoir fort qui a son apogée vers 1660. Contesté par les théories des monarchomaques et l'action des régicides, l'absolutisme a trouvé de nouveaux défenseurs et de nouvelles justifications.

EFFACEMENT MOMENTANÉ DES THÉORIES ABSOLUTISTES

Avec des décalages suivant les pays, les théoriciens de l'absolutisme ou leurs adversaires semblent tour à tour plus écoutés pendant la première moitié du xviie siècle.

Dans l'Empire un courant prédominant s'oppose aux tentatives faites par l'Empereur pour renforcer son pouvoir. Althusius (1557-1638), dans sa *Politica methodice digesta* plusieurs fois rééditée, donne de l'Etat une théorie fédérative.

La souveraineté appartient à la communauté. Le souverain est le magistrat suprême élu et lié à ses électeurs par un pacte. Aussi est-il permis de résister à la tyrannie. En fait il n'annonce pas une démocratie, mais présente comme modèle un Etat de forme médiévale. C'est une justification du régime politique des Provinces-Unies. Hippolytus a Lapide (1605-1678), affirmant que la souveraineté réside non pas dans l'Empereur mais dans l'Empire, justifie par avance les traités de Westphalie (cf. p. 231). En réalité ces conceptions fédérales préparent l'installation de l'absolutisme dans les principautés allemandes jouissant de la souveraineté territoriale. Même les Habsbourg auront beaucoup plus le souci de s'assurer l'obéissance des sujets de leurs Etats patrimoniaux que de rajeunir l'Empire.

En Angleterre la révolution a suscité de nombreuses œuvres politiques exprimant les vues les plus diverses, depuis le communisme utopique de Winstanley et des *diggers* jusqu'au républicanisme aristocratique de Harrington. Milton de son côté défend surtout la liberté de conscience et la liberté de la presse. Les niveleurs affirment que tout homme a le droit de consentir à la loi par l'intermédiaire de ses représentants. Cependant l'exécution de Charles Ier a montré que l'attachement religieux et mystique à la monarchie n'avait pas disparu. Charles II reçoit dans son exil la visite de nombreux Anglais dont ceux qui viennent faire toucher les écrouelles. Cromwell par sa dictature a préparé les Anglais à un retour de la monarchie et les idées de la révolution subissent une éclipse. Elles ne disparaîtront pas cependant et se fondront lentement dans les idées politiques de la bourgeoisie anglaise.

En France, la Fronde a donné lieu à la publication de libelles. Tous se montrent respectueux envers le souverain. Seul le ministériat et les intendants sont condamnés. Il n'est pas question de faire des emprunts aux théories anglaises qui sont en recul depuis que l'exécution de Charles Ier a réveillé l'émotion jadis soulevée par l'assassinat de Henri IV. Cependant on assiste à un débat sur les limites du pouvoir royal. En 1652, Claude Joly, ancien avocat au Parlement de Paris, publia un *Recueil de maximes véritables et importantes pour l'institution du roi*. Il concluait que « le pouvoir des rois est borné et fini et qu'ils ne peuvent pas disposer de leurs sujets à leur volonté et plaisir » et aussi que « les rois n'ont pas le droit de mettre des impôts sur leurs peuples sans leur consentement ». L'ouvrage fut condamné à être brûlé. La Fronde avait fait la preuve de son caractère rétrograde. La limitation du pouvoir royal n'aurait guère profité qu'aux nobles d'épée ou de robe. Les premiers se montraient incapables de soutenir une monarchie qui leur laisserait une place aussi importante et les seconds étaient soucieux de ne pas ruiner un régime à qui ils devaient leur puissance.

FAVEUR DES THÉORIES ABSOLUTISTES AU MILIEU DU SIÈCLE

Dans les années 1650 on ne voit aucune œuvre nouvelle importante prenant la défense de l'absolutisme, mais des œuvres plus anciennes rencontrent une faveur nouvelle, tels le *Testament politique* de Richelieu (cf. p. 211) ou les écrits de Hobbes, alors que l'essor du cartésianisme incline les esprits à un ordre politique rationnel.

La « politique » de Descartes a donné lieu à des interprétations différentes. Le doute méthodique n'est ni conservateur ni révolutionnaire. Descartes témoigna en réalité de beaucoup de prudence : respect du pouvoir, des lois et coutumes politiques et religieuses, distinction entre la morale du sage et celle du prince mis par ses responsabilités en dehors des règles communes.

Hobbes (1588-1679), partisan des Stuarts, laissa une œuvre abondante dans laquelle se distingue le *Leviathan* (1651). On a dit que le *Testament* de Richelieu était un « art politique », Hobbes au contraire veut constituer une science politique. La philosophie de Hobbes est rationaliste. Sa politique est positive. Il ne défend pas la fidélité à la monarchie mais la fidélité au pouvoir absolu, seul garant efficace du bien public. L'Etat apparaît à Hobbes comme une personne et doit être représenté par un seul homme avec le consentement de tous. La séparation des pouvoirs est rejetée. Le souverain ne trouve des limites à son pouvoir que dans sa seule raison. Hobbes apporte donc un renfort à l'absolutisme, mais sa souveraineté désacralisée a le devoir de réussir. Les théories de Hobbes ont aidé à la restauration de 1660, mais également nourri les exigences politiques des Anglais.

Ainsi, au moment où Louis XIV « prend le pouvoir » et Charles II restaure la monarchie, l'Europe occidentale n'a pas encore vaincu la crise du XVIIe siècle, mais elle a rassemblé les éléments de cette civilisation classique qui lui a donné une certaine unité et beaucoup de confiance en elle-même. De plus elle n'est plus resserrée dans ses propres limites. Elle a conquis les océans et pris contact avec les grands Etats du monde extra-européen. Elle commence également à bâtir de nouvelles Europe outre-mer. Enfin elle entreprend à son profit l'exploitation des richesses du monde.

Textes et documents : SAINT FRANÇOIS DE SALES, *Introduction à la vie dévote*, éd. critique d'Annecy. E. MALE, *L'art religieux depuis le concile de Trente*, 1932.

TROISIÈME PARTIE

LE MONDE EXTRA-EUROPÉEN AUX XVIe ET XVIIe SIÈCLES

Pendant le xvie siècle et la plus grande partie du xviie siècle, les Européens ont presque opéré la jonction des différentes parties habitées du globe, mais les conséquences des Grandes Découvertes sont encore assez limitées pour l'Ancien Monde, Europe comprise. Hors des limites de la Chrétienté, l'ensemble des Européens ne prend guère d'intérêt qu'à l'Islam qui apparaît comme l'antithèse obligée du christianisme et contre lequel il faut se défendre, de Gibraltar jusqu'à la Pologne. Certes les Européens ont assez vite compris que la façade atlantique en leur permettant de tourner l'Islam par le sud ou d'établir des relations avec le Nouveau Monde représentait leur meilleur atout. A la fin du xvie siècle, Anglais, Hollandais et Français disputent le trafic de l'Océan aux Ibériques. En fait, la plupart des Européens perçoivent très lentement les conséquences économiques et spirituelles des Grandes Découvertes. La colonisation des Amériques reste longtemps l'affaire des Espagnols et Portugais. D'ailleurs les relations avec l'outre-mer semblent ne devoir concerner qu'une poignée d'hommes : commerçants, missionnaires et aventuriers et en apparence l'Europe n'emprunte presque rien aux pays qu'elle a « découverts ».

Dans les pays de vieille civilisation de l'Ancien Monde, Inde et Chine particulièrement, l'arrivée des Européens n'a pas provoqué de bouleversements. La vie des empires n'a pas été modifiée. Les techniques européennes s'introduisent plus lentement dans ces pays qui laissent s'établir des relations commerciales avec l'Europe que dans l'Islam hostile. Les seules régions bouleversées par l'événement sont celles où les civilisations indigènes se sont révélées si faibles face à la civilisation européenne que les Européens ont pu imposer leur gouvernement et s'établir sur de grandes étendues. C'est le cas dans le Nouveau Monde. Mais celui-ci est alors loin de recouvrir l'ensemble des Amériques. Au total la superficie des terres régulièrement parcourues par les Européens au milieu du xviie siècle n'excède guerre celle de l'Europe. Leurs établissements ne paraissent immenses que parce qu'ils sont dispersés et peu peuplés.

Cependant, à la fin du xviie siècle, le monde est de plus en plus soudé à l'Europe. Les compagnies des Indes orientales sont sources des plus grands profits et constituent un aiguillon pour l'économie européenne. Mais déjà le Nouveau Monde a pris une place importante. Les Indes occidentales sont en passe de rattraper les Indes orientales dans le commerce européen et, tandis que l'Europe a vite renoncé à conquérir l'Asie (sauf exceptions locales), l'Amérique joue un rôle croissant dans la politique européenne. De nouvelles Europe s'y constituent que les Etats européens se disputent comme des provinces. Avec la guerre de Succession d'Espagne l'Amérique entre définitivement dans le champ politique des Etats européens.

Chapitre XVI

L'ANCIEN MONDE : ISLAM ET AFRIQUE

Cartes X a et **b.**

Bibliographie : F. Mauro, *L'expansion européenne, op. cit.* R. Grousset, *Histoire de l'Asie,* « Que sais-je ? », 1957. A. Miquel, *L'Islam et sa civilisation,* « Destins du monde », 1968. R. Cornevin, *Histoire de l'Afrique,* t. II, 1966. H. Labouret, *Histoire des Noirs d'Afrique,* 2e éd., 1950. M. Mollat (sous la direction de), *Le navire et l'économie maritime du XVe au XVIIIe siècle,* 1957.

Les Européens ne constituent pas le seul facteur étranger d'éveil dans l'Ancien Monde. L'Islam qui emprunte des voies et des formes différentes ne se révèle pas moins efficace. Dans le monde musulman, l'Empire ottoman, étendu du Maroc à la Perse et de la Moscovie à l'Ethiopie, possesseur des villes saintes et dont le souverain est le commandeur des croyants, successeur du Prophète, constitue la pièce maîtresse mais non le seul Etat important. Au xviie siècle, il représente encore une force militaire et politique, mais sa décadence masque aux yeux des Européens l'expansion musulmane en Afrique et en Asie.

Le monde musulman

ARRÊT DE L'EXPANSION OTTOMANE

L'Empire ottoman constitue un monde différent de l'Europe chrétienne, bien que les Etats chrétiens soumis au sultan aient gardé leur autonomie et que tout contact culturel ou économique n'ait pas disparu entre ces chrétiens et ceux d'Europe centrale et occidentale (voir p. 113). Rappelons que l'Empire turc repose avant tout sur l'armée des Ottomans dont le sultan est le chef. Succès ou revers de cette armée conditionnent le gouvernement de l'empire. Soliman le Magnifique († 1566) avait été le souverain le plus puissant d'Europe. Cependant il avait échoué devant Vienne en 1529 et seulement consolidé sa domination sur la Hongrie.

Cinq ans après sa mort la défaite de Lépante marquait un coup d'arrêt en Méditerranée. Les raisons de l'arrêt de l'offensive turque sont à la fois externes et internes.

L'Empire ottoman combattait sur des frontières fort éloignées. Outre le front européen et méditerranéen, il devait tenir un front oriental où il se trouvait au contact en Asie avec l'Empire persan et dans l'océan Indien avec les Portugais.

Les Turcs installés à Suez, Aden et Bassorah recevaient des appels à l'aide de la part des pays musulmans de l'océan Indien où le commerce portugais drainait l'or et créait une crise économique. Seule puissance établie à la fois en Méditerranée et sur l'océan Indien, ils rouvrirent la route de Suez.

Les guerres de Perse avaient pour objet la possession de régions importantes : Arménie et Mésopotamie, Azerbaïdjan, Kurdistan, Tabriz. Elles avaient également un aspect religieux. Les Ottomans, musulmans de rite *sunnite*, considéraient les Persans de rite *chiite* comme des hérétiques. Après cinquante années de guerres confuses, malgré l'appui lointain que l'Empereur puis Philippe II donnaient aux Persans, les Turcs avaient réussi à s'installer sur les bords de la Caspienne. Avec Chah Abbas le Grand (1587-1628), ils trouvèrent un adversaire redoutable (voir p. 256). Celui-ci attaqua Bagdad qu'il conquit en 1623. Cela détermina un sursaut des Turcs sous le sultan Mourad IV (1623-1640) qui reprit la ville en 1632.

Les Turcs ne pouvaient donc plus faire peser tous leurs efforts du côté de l'Ouest et ils s'acheminèrent vers des relations normales avec les Etats chrétiens. Ils avaient déjà établi des relations commerciales avec Venise et avec les Français. Les capitulations accordées à la France au xvıe siècle furent renouvelées, notamment en 1604. Elles valaient aux Français une situation privilégiée dans les ports ou *Echelles du Levant*. Les établissements français formaient de petites républiques, installées dans un quartier enclos, administrées par le consul sous la protection du pacha de la province. Les marchands pouvaient y trafiquer à peu près normalement, si ce n'est la gêne apportée par les *avanies* (présents exigés par les fonctionnaires du sultan). Ils se livraient à un fructueux commerce de transit. Anglais et Hollandais obtenaient également des privilèges pour leurs compagnies du Levant.

Le sultan signa avec l'Empereur le traité de Constantinople qui mettait un terme provisoire à près de cinquante ans de guerres (1568). Ce dernier payait un tribut humiliant, abandonnait la Hongrie sauf une étroite bande de terre avec Presbourg, reconnaissait la suzeraineté turque sur les principautés roumaines. La guerre ayant repris à la fin du xvıe siècle, l'Empereur profita de l'attitude indépendante d'un vassal de sultan,

Michel le Brave, qui avait réussi à unir momentanément sous son autorité les principautés roumaines de Valachie, Moldavie et Transylvanie (1599-1601). Le traité de Svitatorok signé en 1606 dispensait l'Empereur du tribut. Les sujets de l'Empereur avaient le droit de commercer librement dans l'Empire ottoman moyennant le versement d'une taxe de 3 % *ad valorem* sūr les marchandises, enfin le libre exercice de la religion catholique était garanti.

DÉCADENCE DE L'AUTORITÉ

Le déclin de l'Empire ottoman est dû surtout à des causes internes. Tout l'empire reposait sur le sultan, chef de l'armée, devenu en 1517 le chef religieux. Il avait le droit de disposer des personnes et des biens. Aussi la personnalité du sultan importait-elle beaucoup.

Les successeurs de Soliman le Magnifique furent le plus souvent inférieurs à leur tâche. A cause de la polygamie, il n'existait pas de règle sûre de succession. Les sultanes cherchaient à faire désigner leur fils comme héritier et, l'élevant dans le harem, en faisaient un jouet pour son entourage. Le sultan ne pouvait affirmer son autorité qu'en massacrant ses frères. Usés par la débauche, ils mouraient souvent jeunes, laissant leur succession à un enfant. Ils abandonnaient le gouvernement à leurs vizirs, n'intervenant que par caprice dans les affaires de l'Etat. Comme on les voyait rarement à la tête de leurs troupes, ils perdaient sur elle toute autorité.

Faute de structures politiques solides, la carence du sultan amenait l'anarchie. La nomination des grands vizirs dépendait souvent d'intrigues. Les finances dépérissaient. Aussi on multiplia les impôts. On se mit à vendre des domaines publics, les charges de juges, d'*oulémas* (docteurs et professeurs), d'*imans* (chefs de prières), enfin de *janissaires*. Pour augmenter les revenus de ces ventes, on multiplia les charges et on révoqua souvent leurs titulaires. Aussi le dévouement au sultan et la conscience professionnelle se réduisaient. Les janissaires avaient perdu toute valeur militaire au xviie siècle. En 1582 la vénalité fut étendue aux fiefs militaires ou *timars*. Ils furent même distribués en cadeaux à des eunuques ou des femmes, donnés en remboursement ou cumulés par les vizirs et pachas. Le recrutement de l'armée fut compromis. Beys et pachas possesseurs de grands domaines agissaient de manière de plus en plus indépendante pour peu que leur province soit assez éloignée de Constantinople et ils levaient des taxes illégales.

Une conséquence imprévue de cette décadence de l'administration fut l'importance prise par les chrétiens. Le sultan depuis la prise de Constantinople utilisait de gré ou de force leurs services. La participation des chrétiens à l'administration ne disparut pas. Le sultan laissa même se former des municipalités chrétiennes, c'était déjà le cas avec le Phanar de Constantinople dirigé par le patriarche de cette ville. Pour lutter contre le brigandage dans les montagnes, des milices villageoises furent autorisées. Il arrivait qu'un sultan énergique tel Mourad IV ou un grand vizir tel Koeprili (1566-1568) réprimât sévèrement les vices de l'administration. Mais ces efforts sans lendemain ne parvenaient pas à enrayer la décadence.

L'EXPANSION MUSULMANE

Elle continua dans l'Empire musulman et en dehors de lui, grâce au caractère universel du dogme et à l'adaptation constante de techniques empruntées à l'Europe occidentale, enfin à l'action des missionnaires et marchands musulmans.

Un des principaux facteurs d'expansion est la simplicité de la religion musulmane. Le credo musulman tient en quelques mots, unicité de Dieu, abandon confiant à sa volonté, absence de sacerdoce, simplicité des rites, souplesse de la morale qui n'exclut pas la possibilité d'une vie mystique et en même temps s'adapte aux coutumes locales (polygamie admise) et aux conditions politiques (morale du chef et morale des peuples), enfin promesse d'un paradis concret ouvert à tous les croyants, notamment sans jugement à ceux qui sont morts dans la guerre sainte. Cette foi peut convenir aussi bien à des chrétiens qui retrouvent dans le Coran l'écho de l'Ancien et du Nouveau Testament, qu'à des brahmanistes et même à des animistes (R. Mousnier)

Dans l'Europe turque, certains cantons se sont complètement islamisés (Albanie). De plus apostasient de nombreux captifs achetant leur liberté à ce prix, des réfugiés occidentaux aux prises avec la justice de leur pays ou avec des difficultés diverses, des marchands se fixant en pays musulman, même des déserteurs des garnisons espagnoles ou portugaises d'Afrique ou d'Asie, enfin des Morisques qui retournent à l'Islam. Or ces renégats jouent un rôle considérable dans le commerce et l'administration. Ils facilitent l'adoption des techniques européennes. Cependant il convient de ne pas exagérer. L'Europe chrétienne a rejeté l'Islam non seulement en Espagne ou aux portes de Vienne en 1683, mais dans les Balkans par l'attachement de la majorité de la population à sa religion.

En Afrique et en Asie l'expansion musulmane est moins militaire et politique que commerciale et missionnaire. Sur tous les bords de l'océan Indien étaient installés des commerçants musulmans ayant constitué dans les ports des colonies à qui les autorités locales avaient reconnu une autonomie administrative. Les Portugais préférèrent utiliser ces réseaux commerciaux que de les détruire et à leur tour les commerçants musulmans suivirent les Portugais sur les routes nouvellement ouvertes. Parmi les plus actifs auxiliaires des Portugais furent les Malais de l'Insulinde qui jouèrent un grand rôle en Indochine et en Chine. Avec l'appui du sultan les ordres religieux et les grandes mosquées envoyaient des missionnaires qui fondaient des mosquées : maisons de prières auxquelles étaient accolés hospices, écoles coraniques et parfois universités où enseignaient les oulémas. Sur les itinéraires commerciaux d'Asie et d'Afrique, l'Islam était présent bien au-delà des Etats musulmans.

Cependant ce schéma ne s'applique pas partout sans variantes. En Afrique du Nord, outre les pouvoirs locaux aux mains soit de souverains indigènes, soit de janissaires représentants de la suzeraineté turque, on trouve l'action des corsaires et des nomades. Les corsaires forment de véritables corporations qui ont à leur tête des deys disputant le gouvernement des Etats aux pachas turcs en Algérie et Tunisie ou aux sultans au Maroc. En Tunisie un dey impose son autorité en 1590. En Algérie, un membre de la famille de corsaires surnommée Barberousse, Khayr-ed-din, constitua la Régence d'Alger (1518) et fit hommage au sultan ottoman. Alger devint la principale base turque en Occident, mais avec la décadence de l'Empire ottoman janissaires et corsaires se disputèrent le pouvoir. Bien que l'Etat « barbaresque » ait étendu son autorité sur une partie des hauts plateaux, il vivait surtout de commerce et de course. Il réussit à éliminer les garnisons espagnoles ou françaises. Les commerçants non musulmans, surtout juifs et marseillais, pouvaient s'installer dans les ports moyennant paiement d'une licence et de droits sur les produits exportés. Armes et toiles d'Europe étaient échangés contre les cuirs, la cire, les laines, les grains et les produits de la course rachetés. Certains captifs reniaient leur religion et se fixaient en Algérie, mais, sauf s'il s'agissait de jeunes filles et jeunes gens destinés à la prostitution ou d'artisans spécialisés, les corsaires préféraient les rançonner en négociant leur libération avec des prêtres fixés à demeure, notamment les Lazaristes de saint Vincent de Paul. Dans l'ensemble c'est avec les Français que les Barbaresques entretinrent le plus souvent des relations normales. Corsaires et commerçants d'Alger et de Tunis s'entouraient d'un très grand luxe. Au milieu du XVIIe siècle, époque où la course connaît son apogée, Alger avait environ 100 000 habitants dont 25 à 35 000 captifs et entretenait plus de relations avec l'Europe et la Méditerranée qu'avec le continent africain.

Aux extrémités occidentales du monde musulman, les Portugais dominèrent la côte atlantique pendant le XVIe siècle et ôtèrent aux caravanes le trafic de l'or de la Mina, mais le déclin s'amorça dès le milieu du siècle et, en 1637, les Hollandais s'emparèrent de la Mina. La caravane eut sa revanche sur le trafic maritime et les nomades reprirent une importance militaire et politique qu'ils avaient momentanément perdue. Ils se tournèrent du côté du Maroc où ils réveillèrent la guerre sainte, chassèrent les Portugais de la plupart de leurs comptoirs, imposèrent une dynastie du Sud, la dynastie saadienne (1553), et permirent aux corsaires de Salé de développer leur activité. Le Maroc devint un Etat organisé sous le règne d'El Mançour qui se donna comme capitale Marrakech, mit sur pied le *Makhzen*, administration militaire des tribus soumises, et réussit à contenir les *zaouias*, centres religieux exaltés et souvent indociles. En 1578, El Mançour écrasa la croisade portugaise du roi Sébastien. En 1591, il détruisit l'empire noir de Tombouctou. Enfin il entretint des relations commerciales avec les Européens, notamment les Anglais. A sa mort (1603), le Maroc se déchira de nouveau. Une république de corsaires morisques et parfois anglais se constitua à Salé et s'affranchit du sultan en 1628. Renonçant à la guerre sainte, les Salétins firent de la course une auxiliaire du commerce, échangeant notamment des captifs contre des armes. La dynastie saadienne fut remplacée par la dynastie alaouite soutenue d'abord par les *zaouias* du Sud, dont le plus illustre représentant fut le sanguinaire et fastueux Moulay Ismaïl (1672-1727) qui installa sa capitale à Meknès dont il fit une ville royale, reprit la guerre sainte, enleva aux Espagnols presque tous leurs présides, mais finalement renoua avec les chrétiens, d'abord avec Louis XIV dont il espérait l'alliance contre l'Espagne, puis, après 1700, avec les Anglais. A sa mort, le Maroc retomba dans l'anarchie.

Sur ses limites orientales, l'Islam était affaibli par la présence d'hérésies. On en trouvait au sein de l'Empire turc et en dehors de lui, tels les haïchaschins fidèles de l'Aga Khan, mais les plus importants et les plus dangereux pour l'unité de l'Islam étaient les chiites d'Iran qui, contrairement à l'ensemble des musulmans de rite sunnite, rejetaient la tradition ou Sunna pour ne s'en tenir qu'au Coran. Sunnites et chiites se haïssaient profondément. Le chiisme était une religion d'autorité et non pas de consentement et présentait un aspect austère. Il devint la religion nationale des Persans avec la dynastie des Séfévides fondée au début du XVIᵉ siècle.

Les Séfévides étaient des nomades s'appuyant sur des tribus turques. Mais, avec Chah Abbas Iᵉʳ le Grand (1587-1629), la monarchie persane revêtit un caractère nouveau. Au lieu de choisir ses conseillers et fonctionnaires dans les tribus nomades habituelles, il constitua une tribu d' « Amis du chah » pris dans toutes les tribus iraniennes et pourvus de fiefs. Il divisa ses Etats en provinces et se donna une capitale fixe, Ispahan. Traditionnellement cette monarchie était tout entière contenue dans le roi, vicaire du prophète, placé au-dessus des lois, Chah Abbas. Le souverain constitua une puissante armée grâce aux conseils de deux gentilhommes anglais, Anthony et Robert Sherley, qui la dotèrent de 500 canons et de 60 000 mousquets. L'administration centralisée empêcha les nomades de piller, assura la police des routes, fit régner une justice d'ailleurs cruelle, leva exactement les impôts. Le rétablissement de l'ordre permit l'entretien des routes et l'essor du commerce. Les étrangers affluèrent. Chah Abbas réussit à reconstituer l'unité de la Perse et organisa des marches-frontières. Tranquille de ce côté, il se retourna contre les Turcs qu'il chassa d'Azerbaïdjan, de Géorgie et de Mésopotamie. Avec l'aide de la compagnie anglaise des Indes, il s'empara du poste portugais d'Ormuz (1622) et y installa des marchands anglais et hollandais, ce qui évita le recours aux caravanes passant par l'Empire ottoman. Chah Abbas s'arrogea le monopole de la soie qui fournissait une bonne partie des exportations en Inde, Insulinde et Europe. Inversement les draps de Hollande et d'Angleterre et les produits de luxe de l'Europe pénétrèrent en Perse. Ispahan devint une ville magnifique où se rencontraient des artisans venus d'Inde, de Chine et d'Europe. Elle fut avec ses palais et ses mosquées un remarquable foyer d'art national.

Après Chah Abbas, la dynastie séfévide se dégrada. Epuisés par la luxure et l'alcool, les souverains laissèrent l'armée se désorganiser et les fonctions administratives devenir vénales et héréditaires. Les Turcs en profitèrent pour reprendre Bagdad (1638). Le commerce resta assez florissant, mais pour l'avantage des Européens, surtout Hollandais puis Français. Louis XIV obtint des privilèges pour la compagnie française des Indes, puis la protection des chrétiens du royaume perse (1683). Il recevait une ambassade persane à Versailles en 1715, qui concluait un nouveau traité de commerce. Cependant les Afghans se révoltaient en 1722 et les Russes devenaient menaçants. La Perse tomba dans l'anarchie.

Malgré ses divisions, le monde musulman représentait un bloc relativement uni par une civilisation. La langue perse y était la langue de la poésie, la langue turque celle des armées et de l'administration, l'arabe, celle de la religion et des sciences, et chacune d'elles continuait à progresser au-dehors, notamment l'arabe compris dans tous les comptoirs de l'océan Indien. Les musulmans participaient à la vie du monde indou, du monde chinois et du monde noir d'Afrique.

Le monde noir

L'expression « les Afriques » serait, quant à la population, aussi justifiée que celle des Amériques. Au XVIIe siècle, outre une Afrique blanche musulmane, on trouvait une vaste Afrique noire très diversifiée pénétrée au nord et à l'est par les influences arabes et à un moindre degré à l'ouest par les influences européennes, une Afrique chrétienne sur les plateaux d'Abyssinie et le haut Nil, enfin une nouvelle Europe en voie de formation à l'extrémité méridionale du continent. Sauf exception, c'est l'irruption d'éléments étrangers qui suscita les grandes transformations.

L'AFRIQUE NOIRE DEVANT L'ISLAM ET LE CHRISTIANISME

L'Afrique noire, peu peuplée de sociétés peu organisées, était restée païenne, mais subit assez largement l'influence de l'Islam et, de manière plus locale, celle du christianisme.

Au sud du Sahara, le Soudan apparaissait comme une zone de contact entre des nomades blancs musulmans et des sédentaires noirs. Il vit se constituer de grands empires éphémères : Mali (xive-xviie siècles), Empire sonhraï dont la capitale était Gao et qui s'effondra sous les coups des Marocains dotés d'armes à feu (1591), empire constitué autour de la ville de Ségou et qui ne survécut pas à la mort de son fondateur (1710), royaume du Bornou au bord du lac Tchad, construit par un chef musulman nomade au xvie siècle... Le monde soudanais tourne alors le dos aux côtes, n'a de contacts avec l'extérieur que par le Sahara d'où arrivent les caravanes et se laisse pénétrer par l'Islam.

Les pays de Guinée et Congo ont par contre reçu l'influence européenne par l'Atlantique. Il y existait de petites unités sur les côtes ou le long des fleuves qui formaient péniblement des Etats comme la fédération des Achantis à la fin du xviie siècle ou comme le royaume du Dahomey qui s'épanouit au xviiie siècle. Le royaume du Bénin fut le centre d'une civilisation originale autour de la ville du même nom, mais il déclina au xviiie siècle. Plus au sud le peuple Bacongo formait un royaume au début du xvie siècle. Le souverain se convertit et entretint de bonnes relations avec le roi de Portugal. Le royaume du Congo s'effondra lorsque, attaqué par des peuples de l'intérieur, il fut victime de la rivalité entre Portugais et Hollandais (1665).

Musulmans et chrétiens se rencontraient dans l'Afrique orientale. La région du Zambèze inférieur était occupée par un peuple, les Chonas, dont le chef appelé *Monomotapa* donnait son nom à l'Etat qui aux yeux des Européens passait pour le royaume de la reine de Saba. Le Monomotapa commerçait avec les Arabes de Sofala qui vendaient tissus et perles contre de l'or et de l'ivoire. Les Portugais prirent la place des Arabes à Sofala en 1505 puis à Mombasa. Ils imposèrent leur suzeraineté au Monomotapa, y installèrent quelques plantations de plantes à épices et utilisèrent l'or du pays dans leur commerce avec l'Inde. A partir de 1660 les Arabes reprirent une partie de la côte. Madagascar n'intéressa guère les Européens. Toutefois Richelieu envisagea une installation limitée. Fort-Dauphin fut créé en 1643 et la France proclama sa suzeraineté sur l'île. En fait Colbert abandonna Fort-Dauphin au profit de l'île Bourbon déserte où s'installèrent des colons français qui développèrent les plantations de café alors que les Hollandais prenaient pied à l'île Maurice où ils furent remplacés par les Français qui en firent l'île de France en 1715. Ces deux îles constituaient une bonne escale sur la route des Indes. A Madagascar des conquérants de race malaise, les Hovas, grâce à une organisation sociale très hiérarchisée et à la création de rizières, formaient sur les plateaux le royaume Mérina et fondaient Tananarive (xvie siècle).

UNE SURVIVANCE : L'AFRIQUE CHRÉTIENNE

En Haute-Egypte et dans le massif d'Abyssinie se maintenaient des communautés chrétiennes coptes ou monophysites (voir *Précis d'Histoire du Moyen Age*). Les Abyssins formaient un Etat dont le chef, le *Négus*, imposait une autorité assez précaire à des rois vassaux et des gouverneurs devenus des féodaux, les *ras*. La présence de cet Etat chrétien avait fait naître la légende du Prêtre Jean sur qui les Portugais fondaient l'espoir d'une manœuvre d'encerclement des musulmans. C'était une illusion et au contraire le Négus fut sauvé d'une invasion musulmane par l'aide portugaise (1541). Le xviie siècle fut une époque de prospérité relative pour l'Abyssinie dont le caractère national s'affirma non seulement à l'égard du milieu musulman environnant, mais également des missionnaires catholiques. Ces derniers ayant réussi à rallier le Négus à l'autorité de Rome suscitèrent une réaction qui aboutit à leur expulsion (1632). L'Empire abyssin se repliait sur lui-même et au xviiie siècle il tomba dans l'anarchie.

LES EUROPÉENS SUR LA COTE ATLANTIQUE

Les Européens appellent alors Guinée l'ensemble des côtes du golfe de Guinée, y incluant celles du Congo et parfois même de l'Angola. Il n'était pas question pour eux de pénétrer dans l'intérieur qui inspirait de l'effroi. Les Portugais se bornèrent à établir des postes dispersés sur les points favorables à la navigation. Ils y échangeaient fer en barre, tissus, verroteries (pacotille), eau-de-vie, armes à feu contre de l'or, de l'ivoire, de la gomme, de la malaguette (poivre) et des esclaves. Contrairement à ce qu'on pourrait penser, la route des Indes n'eut pas plus d'importance que celle qui reliait l'Afrique au Brésil et aux Antilles. L'Afrique devint pour les Européens le complément du continent américain. La présence des Européens valut à l'Afrique quelques profits et des catastrophes. D'une part l'introduction des cultures vivrières de maïs et manioc ne doit pas être sous-estimée. Mais les principales marines européennes s'adonnèrent régulièrement ou clandestinement au transport des esclaves. Ce trafic d'hommes, assez limité au xviie siècle à cause des faibles nombre et tonnage des navires, ne prit de l'extension qu'au xviiie siècle. Les Européens auraient vite épuisé le stock d'esclaves de l'Afrique si la traite n'avait encouragé les razzias pratiquées par les chefs indigènes qui vendaient leurs prisonniers aux négriers. La traite devait contribuer au dépeuplement des régions côtières. Grâce au courant nord-équatorial les esclaves, évalués en « pièces de nègres », étaient transportés en Amérique avec des pertes d'au moins un cinquième. A leur arrivée on les « rafraîchissait » pendant quelques semaines avant de les vendre aux colons. Ainsi s'organisaient les voyages triangulaires : départ d'Europe avec de la pacotille, troquée en Afrique contre les esclaves, échange en Amérique de ces esclaves contre du bois brésil, du sucre ou du café, retour en Europe avec l'aide du Gulf-Stream.

Installés aux îles du Cap-Vert, à la Mina (Côte de l'Or), dans l'îlot de São Thomé et au Brésil, les Portugais dominèrent l'Atlantique sud au XVIᵉ et au commencement du XVIIᵉ siècle, mais les Hollandais s'installèrent à Gorée et prirent Mina en 1637. Les Français entrèrent dans la concurrence avec la Compagnie du Sénégal (1634). En 1659, ils fondèrent Saint-Louis, puis, s'emparant de Gorée, dominèrent le commerce du Sénégal tandis que les Anglais s'installaient en Gambie et sur la Côte de l'Or. Danois, Suédois et Prussiens eurent également des comptoirs sur la côte de « Guinée ». Pendant la guerre de Succession d'Espagne les Français se firent donner par les Espagnols l'*asiento* ou monopole de la traite des esclaves dans leur empire, qu'ils durent abandonner aux Anglais au traité d'Utrecht (1713). Les comptoirs passaient souvent de main en main au cours des guerres européennes. Au début du XVIIIᵉ siècle leur importance ne s'était guère accrue. La concurrence entre Français et Anglais animait le marché africain.

NAISSANCE D'UNE NOUVELLE EUROPE EN AFRIQUE DU SUD

Les Européens n'apprécièrent que tardivement l'intérêt du cap de Bonne-Espérance. Les Portugais avaient négligé Le Cap pour les escales de l'Angola et Sofala. C'est seulement en 1652 que le Hollandais Van Riebeck installa au Cap une première colonie de peuplement qui connut des débuts difficiles. Elle reçut en 1685 le renfort de huguenots français qui durent se fondre dans la population hollandaise, mais lui communiquèrent leur calvinisme intransigeant. De plus les Noirs hottentots furent repoussés à l'intérieur à mesure que progressait l'occupation, tandis que l'on importait des esclaves noirs. Seuls les Hottentots convertis et les métis purent rester mais dans une situation inférieure. Ainsi une communauté européenne s'installa en Afrique du Sud, mais ses rapports avec l'Europe furent assez limités.

Textes et documents : F. PIGAFETTA et D. LOPEZ, *Description du royaume de Congo et des contrées environnantes*, traduit de l'italien, 1965.

Chapitre XVII

LES MONDES HINDOU ET EXTRÊME-ORIENTAUX

Carte X b.

Bibliographie : F. Mauro, R. Grousset, M. Mollat, voir chapitre précédent, K. M. Panikkar, *Histoire de l'Inde*, 2ᵉ éd. (coll. « Que sais-je ? »), 1958. R. Mousnier, *Fureurs paysannes*, 1967. A. Toussaint, *Histoire de l'océan Indien*, 1961. P. Chaunu, *Les Philippines et le Pacifique des Ibériques*, 1966. J. Lequiller, *Nouveaux mondes d'Asie : La Chine et le Japon du XVIᵉ siècle à nos jours* (coll. « Le Fil des Temps »), 1974.

Le monde hindou

Il s'agit d'une masse humaine importante, peut-être cent millions d'individus (dont trente dans le Dekkan), soit davantage qu'en Europe, possédant une organisation religieuse et sociale qui la mettait hors d'état de repousser les étrangers mais la rendait inassimilable par eux.

RELIGION ET SOCIÉTÉ

Des croyances originales formaient le fondement de la civilisation. Aux textes primitifs, les *Védas*, s'étaient superposés des commentaires, traités mystiques, poèmes épiques, systèmes philosophiques et une tradition. Le polythéisme hindou contient l'idée que les dieux sont les aspects d'un principe unique, le *Brahman*, créateur de l'*Atman*, âme éternelle, présente dans tous les êtres et les objets. L'hindouisme implique la métempsycose, c'est-à-dire les réincarnations successives de l'âme dans des êtres ou objets dont le choix est imposé par les liens ou *Karma* contractés dans l'existence précédente entre cette âme et le monde, donc par son comportement. Un bon comportement permet la réincarnation dans un être supérieur, un mauvais dans un être impur. Vivre étant considéré comme une souffrance, on ne peut se débarrasser de la nécessité des réincarnations qu'en éliminant le Karma par des méthodes de libération appelées *Yoga*, fondées sur l'ascèse, la méditation, qui assurent la disparition de l'individu ou plutôt sa fusion dans le Brahman. C'est le *Nirvana*. Le panthéon hindou comprend d'abord Ishvara, manifestation parfaite de l'essence du Brahman. D'Ishvara viennent une infinité de dieux dont la célèbre trinité : Brahma (créateur), Vichnou (conservateur) et Siva (destructeur de l'individuel, assurant par là même le retour à l'unité fondamentale). Ces dieux peuvent s'incarner dans des hommes ou des animaux par une suite de transformations ou *Avatars*.

La religion hindoue témoigne d'une forme de pensée fort éloignée de celle des Européens, sensible aux ensembles, à la solidarité des êtres et des objets, du particulier et du général, de l'espace et du temps. Aussi témoignait-elle de faiblesses par rapport à celle de l'Europe : l'absence d'esprit d'analyse, le manque d'intérêt pour le phénomène, le mesurable, donc pour la science. Par ailleurs, l'Hindou ne concevant pas la contradiction des systèmes philosophiques ou religieux était prêt à accueillir tous les syncrétismes, par exemple à considérer le christianisme comme le Yoga de Jésus et l'Islam comme celui de Mahomet, mais ne pouvait adopter les modes de pensée étrangers.

Un autre facteur de stagnation était la division de la société en castes ou groupes fermés d'individus correspondant chacun à un degré de pureté ou d'impureté religieuse. La seule proximité entre gens de castes différentes représentait une souillure pour celui de la caste supérieure. Le mariage ne pouvait se concevoir qu'entre gens de la même caste. L'appartenance à une caste était héréditaire. Les castes correspondaient à des professions, à des origines, à des coutumes... Les hommes étaient donc hiérarchisés suivant leur degré de pureté religieuse et non suivant leurs fonctions dans la société ou leur puissance économique. Quatre groupes de castes se partageaient le monde hindou : *brahmanes* ou prêtres, guerriers, *vaisyas* (agriculteurs et commerçants), *sudras* (gens de service), sans compter les impurs ou intouchables. Au xviiie siècle on comptait peut-être parmi les *vaisyas* et *sudras* deux cents castes et deux mille sous-castes. Chaque sous-caste avait son chef héréditaire assisté d'un conseil d'anciens. Ce système divisait les Hindous face aux étrangers, mais il avait fondu ensemble les différentes races et maintenait la cohésion de la société et de la civilisation face aux envahisseurs. L'Inde apparaissait donc comme un bloc impressionnant, à la fois perméable et résistant, en fait intangible.

LA DOMINATION ISLAMIQUE DES MOGOLS

A la fin du xve siècle, l'Inde conquise par des musulmans formait dans la plaine indo-gangétique les royaumes afghans de Lahore et de Bengale et de nombreux Etats dans le Dekkan septentrional. Seul le sud du Dekkan avait échappé aux conquérants, mais il se morcela à partir de 1565 en diverses principautés appartenant à des *Nayaks* ou seigneurs. Au début du xvie siècle un prince mongol du Turkestan, Baber, s'était facilement emparé du royaume de Lahore, grâce à l'artillerie turque. Il fonda la dynastie musulmane des Mogols dont les capitales furent Delhi et Agra. Son petit-fils Akbar (1542-1605), guerrier aux vues très larges, étendit son autorité sur la plus grande partie de l'Inde. Il gouvernait lui-même grâce à des officiers, les *mansabdars*, pourvus de fiefs *(mansabs)*, affermant leurs fonctions et assistés par une foule de soldats et de scribes. L'Empire mogol à son apogée était une formation politique puissante mais sans appui économique. Le souverain confisquait les héritages des nobles, accablait les paysans d'impôts, les artisans de taxes et les commerçants d'emprunts forcés. Dans ces conditions il ne pouvait exister qu'une économie de subsistance et qu'une juxtaposition de marchés locaux. Akbar fit des efforts pour remplacer les fonctionnaires fermiers par des fonctionnaires gagés et pour limiter les prélèvements de l'Etat. Malgré cela une existence au jour le jour ne laissait quelque réconfort que dans le mysticisme religieux. Akbar le comprit et ne fut pas étranger au réveil de l'hindouisme qui se produisit alors. Il supprima les taxes sur les pèlerinages et les marques infamantes imposées par les musulmans aux hindouistes (1564). Le *Ramayana*, récit des actions de Rama, divinité consolatrice, fut récrit. A partir de 1574, Akbar, tout en restant musulman sunnite, fut à la recherche d'une religion universelle. Il réunit en 1578 un colloque de docteurs musulmans, de brahmanes et de jésuites portugais. En 1593 il promulguait un édit de tolérance mais les musulmans qui résistaient furent persécutés.

Sous les successeurs d'Akbar, ces innovations furent abandonnées. On revint au système des fonctionnaires fermiers de leurs charges, l'impôt augmenta, l'agriculture et l'industrie déclinèrent. Les famines devinrent plus fréquentes et meurtrières, alors que le faste des souverains dotait Delhi et Agra de magnifiques monuments. L'Empire commença à se dissocier. Une vigoureuse réaction musulmane eut lieu avec Aureng Zeb (1657-1707) qui voulut imposer l'Islam sunnite au royaume chiite du Dekkan et aux Hindous. En vingt-six ans de guerres il soumit le royaume du Dekkan mais échoua contre les Mahrates du Dekkan occidental, agriculteurs attachés à l'hindouisme. Un autre danger pour la domination mogole se manifestait au nord-ouest avec les Sikhs. Au début du xvie siècle sous l'influence de l'Islam, Nanak († 1539) avait prêché, dans le cadre de l'hindouisme, l'existence d'un dieu unique, éternel et tout-puissant, créateur de l'univers, appelant tous les hommes, sans distinction de castes et débarrassant la religion traditionnelle de nombreux rites. Ses disciples, les Sikhs, s'organisèrent autour d'Amritsar, devenu leur ville sainte, sous la direction de chefs religieux, les Gourous. Ils bénéficièrent d'abord de la tolérance d'Akbar, puis furent persécutés, surtout par Aureng Zeb. Ils résistèrent en constituant un ordre de guerriers, les Singhs (= lions), recrutés dans toutes les castes, ayant reçu le baptême de l'épée, mangeurs de viande, libérés des rites hindous. A la mort d'Aureng Zeb, l'Empire mogol s'effondrait sous les coups des Mahrates et des Sikhs.

LES EUROPÉENS EN INDE

Soucieux de commerce maritime et d'évangélisation, les Portugais ne tentèrent rien contre les Etats hindous. Ils se contentèrent de constituer des comptoirs fortifiés. Par contre, ils s'imposèrent par la force aux Arabes,

et se les subordonnèrent. Dans l'océan Indien le commerce maritime
était rythmé par la mousson. De mars à juin, les navires quittaient
l'Inde pour la mer Rouge ou le golfe Persique et de septembre à avril
pour l'Extrême-Orient. Les marchands arabes, perses, parsis, chinois
pratiquaient déjà les ententes commerciales, le change, l'intérêt, l'escompte,
les assurances. Les Portugais s'emparèrent du monopole du commerce
entre l'Afrique orientale et l'Inde.

Une véritable thalassocratie portugaise fut fondée par quelques chefs énergiques dont Albuquerque. La capitale en était Goa. Les Portugais s'installèrent
également à Surate, Diu, Daman, Cochin, Colombo et leurs marchands furent
également présents jusqu'à Houghli dans le Bengale. Dans leurs possessions,
ils installaient une administration à l'européenne et des évêchés. Ils imposèrent
également leur suzeraineté à des princes locaux qui leur conférèrent de grands
privilèges commerciaux. Les possessions de l'Inde s'appuyaient sur celles de
l'Afrique orientale, du golfe Persique et de l'Insulinde. En Afrique orientale, les
ports de Sofala, Mozambique, Mombaza et Magadoxo assuraient les communications avec l'Europe et des contacts fructueux avec des royaumes indigènes
dont le fameux Monomotapa, possesseur de mines d'or. Ormuz et Mascate permettaient le commerce avec le monde arabe par le golfe Persique. A l'est, la possession
des îles d'Amboine et Timor leur livra une partie du commerce de l'Insulinde et
celle de Malacca leur ouvrit la route de la Chine et du Japon.

Les Portugais pratiquaient deux sortes de commerce : le commerce
d'Asie en Europe et le commerce d'Inde en Inde. Le premier était en
partie monopole royal (épices, produits tinctoriaux, puis cuivre et or).
Il était régi par la *Casa da India* qui vendait en Europe, à partir de
Lisbonne, les produits achetés dans l'Inde et achetait en Europe les produits manufacturés destinés à la marine et à l'entretien des postes portugais. Cependant, les Hindous étant peu amateurs des produits européens,
il fallait payer en or les achats faits auprès d'eux. Les Portugais utilisèrent
pour cela l'or du Monomotapa et les produits qu'ils se procuraient dans l'Insulinde. Ainsi s'organisa un commerce d'Inde en Inde. Après la crise économique de 1545-1552, le roi du Portugal abandonna ses monopoles sauf
celui du cuivre. Malgré le réveil des musulmans, l'intervention de l'argent
des Espagnols installés dans les Philippines, l'apparition des marchands
anglais et français, le déclin de l'Empire portugais d'Asie ne se manifesta
guère qu'après 1596, avec l'arrivée de nouveaux venus, les Hollandais.

Lorsque la première flotte hollandaise arriva dans l'Insulinde, la
situation était favorable. Portugais et indigènes étaient épuisés par de
longues guerres. En 1602, les compagnies hollandaises se groupèrent dans

l'*Oost indische Compagnie* qui prenait la place des Portugais à Amboine. A l'instigation d'un gouverneur, Coen, les Hollandais entreprirent la conquête des territoires ou se les firent remettre grâce à des créances sur les princes indigènes à qui ils vendaient des produits européens. Ils y créèrent des plantations afin de payer avec leurs produits les achats faits en Inde et développèrent surtout le commerce d'Inde en Inde. En 1617, ils fondèrent Batavia. En 1684, ils dominaient toute l'Insulinde. En même temps ils chassèrent les Portugais de Colombo, Négapatam, Malacca (1636-1662). Afin d'éviter les flottes portugaises, ils prirent l'habitude de gagner l'Inde en droiture en venant du cap de Bonne-Espérance. C'est pourquoi ils installèrent au Cap une escale pour rafraîchir leurs équipages (1652). Les Hollandais se montrèrent durs avec les indigènes, mais compréhensifs envers leurs auxiliaires chinois et arabes. Ils ne cherchaient pas à évangéliser. En attirant des musulmans dans l'Insulinde ils favorisèrent sans le vouloir l'installation en Insulinde d'un Islam, d'ailleurs fortement teinté d'hindouisme et de traditions locales.

Les Anglais de l'*East India Company* créée en 1600 eurent un comptoir à Ormuz en 1622, prirent sous leur protection le reste des comptoirs portugais, se firent céder Bombay par les Portugais, Madras puis Calcutta par les princes hindous. Hors d'état de concurrencer la compagnie hollandaise qui possédait des plantations et gênés par la guerre civile, les Anglais durent abandonner l'Insulinde aux Hollandais (massacre d'Amboine, 1624). Sous Louis XIV, les Français prirent part au commerce de l'océan Indien. La compagnie française fut fondée en 1664. Elle s'appuyait sur l'île de France et l'île Bourbon occupées dès 1655. Elle se fit céder par Aureng Zeb, Surate et Chandernagor et fonda Pondichéry. Anglais et Hollandais essayèrent sans succès d'éliminer les Français. A la fin du xviie siècle, les Hollandais étaient cantonnés dans Ceylan et à l'est de Malacca. Anglais et Français restaient seuls en présence dans l'Inde.

Le commerce d'Inde en Inde se révéla plus fructueux que celui d'Inde en Europe. Il profita aux souverains hindous par les taxes levées sur les commerçants mais ne fit pas naître un capitalisme indigène. Il ne faudrait d'ailleurs pas exagérer l'importance des échanges entre Europe et Inde au xviie siècle. Les produits européens ne trouvaient guère de débouchés que sous la forme de pacotille en Afrique et en Insulinde et de produits d'équipement dans les établissements européens. Inversement, les Français en 1686 et les Anglais en 1700 prohibèrent l'importation des soieries et cotonnades pour protéger leur industrie nationale. Mais les contacts étaient suffisants pour susciter l'attention croissante des Européens envers le monde asiatique.

Les Portugais avaient reçu du pape en 1493 le patronage religieux de tout ce qui était situé en Afrique et Asie et les ecclésiastiques de toutes nations qui allaient y évangéliser dépendaient du roi de Portugal.

L'archevêché de Goa étendait son autorité sur l'ensemble de ce domaine. Appuyés par les soldats, les missionnaires convertissaient de force et superficiellement. Ils n'obtenaient des succès réels et d'ailleurs limités que par la voie des mariages entre Européens et femmes de basses castes, ce qui contribuait à discréditer le christianisme aux yeux des gens de castes supérieures. De plus, la christianisation signifiait la lusitanisation. L'arrivée de François Xavier et des Jésuites en 1542 donna un nouvel essor à l'évangélisation et à la constitution d'un clergé indigène. Mais François Xavier voyait plus loin. Il se rendit à Malacca, Amboine, arriva au Japon en 1549 et mourut d'épuisement aux portes de la Chine en 1552. Le P. Valignani réussit à rallier à Rome les quelque 150 000 chrétiens indigènes de rite nestorien réfugiés dans l'Inde bien avant l'arrivée des Européens. Enfin les Jésuites qui s'adressaient de plus en plus aux hommes des castes supérieures obtinrent d'Akbar la liberté d'évangéliser (1600). Le résultat fut médiocre.

Un jésuite italien, le P. Robert de Nobili, qui vécut dans l'Inde de 1606 à 1656, à l'exemple de tentatives faites en Chine par le P. Ricci, pensa que l'hindouisme n'était pas un obstacle à l'expansion du christianisme, qu'il fallait l'accepter et lui insuffler le message du Christ. Il réussit à se faire admettre dans la caste des brahmanes et à baptiser un certain nombre d'entre eux, espérant ainsi entraîner le reste de la population. Il y eut des jésuites dans diverses castes et l'effort de Nobili obtint un certain succès mais inquiéta l'archevêque de Goa et les autres ordres religieux. Rome cependant toléra les *rites malabares* (1623) avant de les condamner formellement en 1706 et efficacement par la bulle de 1745.

Pas plus que l'Islam, le christianisme n'avait en réalité mordu sur le monde hindou. En dehors des établissements européens, la civilisation hindoue et l'hindouisme satisfaisaient les aspirations spirituelles de ce monde immense.

Le monde chinois

La civilisation chinoise s'était imposée, non seulement à la Chine, mais au Japon ; toutefois les destinées et l'attitude devant les Européens de ces deux pays divergèrent comme d'ailleurs différaient leurs ressources naturelles, leur société et l'organisation de l'Etat.

LA CHINE SOUS LES MING

La dynastie des Ming qui régnait depuis 1368 après avoir chassé les envahisseurs mongols montrait une grande méfiance à l'égard des étrangers. Les Chinois considéraient leur pays comme le centre du monde et sa seule partie civilisée. Depuis le xve siècle ils avaient cessé de s'intéresser à l'océan Indien et repliaient leur attention sur l'Extrême-Orient. Plus que l'Inde, la Chine apparaissait aux Européens comme une immense masse humaine (officiellement 60 millions d'habitants, en fait peut-être 150 millions), d'autant plus que les habitants étaient surtout concentrés sur la frange côtière par où s'établissaient les contacts avec les Occidentaux.

Le système religieux et politique

Aucun point commun avec la civilisation occidentale n'apparaissait dans les systèmes religieux et social de la Chine. L'élément essentiel de la religion chinoise était le *Tao*, à la fois être suprême, pur et sage, fondement de l'ordre du monde et des vertus sociales, qui réglait le jeu harmonieux de *Yang*, principale mâle, et *Yin*, principe femelle, le Ciel et la Terre, de l'union desquels était sortie la création. A chacun de ces principes se rattachaient des dieux et une infinité de divinités secondaires à l'action bien établie dans un univers raisonné et hiérarchisé. L'ordre du monde impliquait un ordre politique et social immuable. Toute innovation apparaissait comme subversive. L'empereur recevait un mandat du Ciel, *Chang-Ti*, et devait maintenir cet ordre. D'où également la solidarité entre les temps, qui conduisait au culte des ancêtres. En effet la famille présente n'était que l'incarnation passagère de la filiation. Puisque les ancêtres avaient maintenu l'ordre du monde, ils devaient être vénérés et imités. Ces croyances communes aux Chinois n'excluaient pas une certaine diversité religieuse. Aux xvie et xviie siècles coexistaient le *taoïsme*, le *confucianisme* et le *bouddhisme*. Le taoïsme, issu de Lao Tseu (viie siècle av. J.-C.), invitait l'homme à s'identifier au *Tao* par ascèse tout en gardant son âme individuelle. Il inclinait soit au mysticisme enseigné dans des monastères, soit chez les gens du peuple à des pratiques assez superstitieuses. Le confucianisme était agnostique. « On ne sait rien des dieux », avait dit Confucius (vers 600 av. J.-C.). C'était surtout une morale insistant sur la famille et l'Etat aux dépens de l'individu, et sur le respect des traditions. Depuis le xie siècle, le bouddhisme, venu de l'Inde où il était proscrit, avait pris une grande extension. Il s'agissait tout autant d'une règle de vie que d'une religion. La vie étant douleur il fallait supprimer le désir de vivre et entrer dans le *Nirvana*, l'absolu où l'âme se fondait à la vie éternelle, par l'illumination, la méditation de l'univers et la pitié pour tous les êtres voués à la souffrance. En fait ces religions ne s'excluaient pas et souvent s'interpénétraient. Il n'existait pas d'Eglises rivales. Les temples locaux abritaient souvent des cultes divers.

L'Empire formait une grande famille dont le père était l'empereur. A cause de la polygamie impériale, les règles de succession étaient assez floues. L'empereur devait avant tout observer les rites dont dépendait l'ordre du monde, faute de quoi l'empire serait frappé de calamités. Tout-puissant, il recevait cependant les respectueuses remontrances d'un collège de censeurs vigilants à dénoncer tout manquement aux rites dans l'empire. Il était assisté par six ministres et des secrétaires très hiérarchisés. Entre l'empereur et les communes et familles s'interposait une administration faite de magistrats ou *mandarins* et d'une nombreuse bureaucratie, hiérarchisée en provinces, préfectures et sous-préfectures. Les mandarins avaient « à l'égard de leur supérieur les devoirs du fils et à l'égard de leurs inférieurs les pouvoirs d'un père » (R. Mousnier). Chacun était chargé dans sa circonscription du culte des ancêtres, de l'accomplissement des rites, de la justice, des finances et de l'armée.

Sous la dynastie Ming s'était répandue une philosophie politique issue de la morale confucéenne, de caractère aristocratique, autoritaire et conservateur, dont l'initiateur avait été un sage du XIIe siècle, Tchou-Hi. Yang devenait le principe d'expansion et Yin de régression. L'homme devait obéir aveuglément à l'ordre du monde. Une réaction contre cette résignation s'était produite au XVIe siècle avec Wang, qui cherchait l'intuition morale dans l'examen de conscience. Mais la philosophie de Wang était écartée au début du XVIIe siècle. Le système de Tchou-Hi eut des conséquences politiques et sociales importantes. Il inspira une philosophie politique suivant laquelle la venue de calamités signifiait que le Yin revenait, que le Ciel retirait son mandat à l'empereur. Un changement de gouvernement n'apparaissait plus comme une révolution mais comme conforme à l'ordre des choses. La doctrine de Tchou-Hi entraîna également une fixation rigoureuse de statuts correspondant à l'inégalité des individus et à la nécessaire division du travail.

La société

La société chinoise était formée de familles de caractère patriarcal de quelques dizaines de personnes portant le nom d'un même ancêtre. Le chef de famille rendait compte de ses actions aux âmes des ancêtres. Désigné par ordre de primogéniture, il exerçait un pouvoir absolu. Le gouvernement ne connaissait que lui. La famille était donc l'unité administrative de base. Pourtant sous les Ming s'était constituée la commune, fédération de familles, qui tendit à se rapprocher du village, dont le chef, assisté d'une assemblée, assumait le culte commun, rendait la justice, répartissait et percevait l'impôt. Les habitants des communes étaient solidaires et se surveillaient mutuellement.

La société chinoise comportait déjà une division entre lettrés et gens du commun. Au xviie siècle la société chinoise était devenue une manière de société d'ordres dans laquelle les talents jouaient un grand rôle puisque les fonctions étaient attribuées par concours et que l'hérédité ne jouait un rôle que dans les ordres supérieurs et avec diminution de rang à chaque succession. En tête de la société venaient les membres du clan impérial (environ 100 000 personnes), la plupart tombés au dernier rang, et les nobles, appartenant souvent à des familles militaires, les uns et les autres rarement pourvus de fonctions. A part étaient les eunuques, la plupart mutilés volontairement, agents directs de l'empereur, qui espionnaient l'administration et l'armée, géraient les manufactures et les domaines impériaux.

Les lettrés formaient une élite, ayant obtenu leurs grades par de difficiles concours, locaux, provinciaux et nationaux consistant exclusivement en compositions écrites sur des programmes littéraires. Les mandarins étaient recrutés parmi les gradués après une attente assez courte lorsqu'il s'agissait de fils de mandarins. Les promotions se faisaient après inspections suivant un classement très compliqué. Les grades étaient concrétisés par le port de boutons et les fonctions par le port de robes différentes. Les mandarins étaient pourvus de domaines. Les autres fonctionnaires vivaient surtout des honoraires qu'ils prélevaient sur leurs administrés. On peut joindre à cette élite les officiers militaires, recrutés par voie de concours spéciaux et à qui étaient attribués des titres de noblesse. L'obligation de passer les concours empêchait la pratique de l'endogamie et les héritages de mener à la constitution d'un groupe social fermé. Rares étaient les familles qui se maintenaient plus de deux ou trois générations dans les fonctions publiques. Les familles n'ayant pas encore compté de gradués fournissaient au milieu du xviie siècle 40 % des gradués les plus élevés. L'élite chinoise semble avoir eu une importance numérique relative du même ordre que la noblesse française, soit de 1 à 2 % de la population.

Les marchands accédaient quelquefois à la fortune, notamment ceux à qui l'Etat affermait l'exploitation des mines et le commerce du sel soumis à une sorte de gabelle. Ils cherchaient à pénétrer dans l'élite par l'acquisition de grades universitaires, de biens fonciers et en menant une vie fastueuse. Cependant la présence d'une foule d'artisans dans quelques villes suggère l'idée qu'un capitalisme commercial existait. Quatre Chinois sur cinq au moins étaient des agriculteurs. Le sol appartenait à de grands propriétaires. Les grands domaines étaient morcelés en tenures familiales. On rencontrait également des hommes mi-artisans, commerçants ou paysans et des ouvriers agricoles. Enfin quelques paysans étaient des paysans-soldats.

Au xviie siècle, la situation des paysans tendait à empirer. Aux catastrophes naturelles (inondations ou sécheresses, sauterelles), s'ajoutait l'augmentation de la fiscalité impériale et des exactions des fonctionnaires. L'agriculture avait progressé avec l'introduction du maïs et de la patate douce, mais moins vite que la population. La soif de terre avait entraîné une augmentation des rentes foncières dues par les tenanciers. Les paysans cherchaient à se mettre sous la protection des mandarins et l'empereur réagissait contre ceux-ci en multipliant les services des eunuques et en créant une féodalité de fidèles à qui il distribuait des fiefs, ce qui aggravait encore plus la situation des paysans. On tendait à penser que la dynastie Ming entrait dans une phase Yin et que le Ciel lui retirait son mandat. De 1619 à 1640 les révoltes se généralisèrent. Les féodaux s'organisaient contre la toute-puissance des eunuques. Les mandarins restaient dans l'expectative ou prenaient parti. Les paysans cessaient de payer l'impôt. Le brigandage se répandit. En fait il témoignait de révoltes paysannes. La Chine allait devenir une proie facile pour ses voisins mandchous.

LA CONQUÊTE PAR LES MANDCHOUS

Au xvie siècle des tribus toungouses, les Jourtchen, nomadisant aux portes septentrionales de la Chine, commencèrent à se fixer en Mandchourie. Un chef de clan, Nourha-chou (1559-1626), les organisa en Etat. Appelés désormais Mandchous, ils commencèrent à adopter la civilisation chinoise et menacèrent Pékin. En 1636 le fils de Nourha-chou se proclamait empereur et donnait à sa dynastie le nom de Tsing (pur). Cependant, en 1637, un chef de bande chinois, Li-Tsen-Cheng, prenait la tête d'une révolte dans le Sseu Tchouan. Il promettait aux paysans l'abolition de l'impôt. En 1644 Li parvint à Pékin. L'empereur abdiqua et se suicida, mais le général Wou-Seu-Kouei, qui faisait face aux Mandchous, préféra s'entendre avec eux pour combattre Li. Il eut d'ailleurs l'appui des lettrés. Li fut battu et tué, mais les Mandchous refusèrent de quitter Pékin et donnèrent le pouvoir à leur empereur Chouen-Tche. La plus grande partie de la Chine restait à conquérir. Les Ming avaient élu un empereur et tenaient le Sud avec l'aide des Portugais. Ceux-ci leur fournissaient des armes et obtinrent la conversion du dernier empereur Ming au christianisme. Les musulmans de la province occidentale du Kan Sou se révoltaient. Enfin un pirate, Koxinga, également converti, s'était rendu maître de Formose et des bouches du Yang-Tseu.

En 1683 les Mandchous avaient rétabli l'ordre complètement, grâce à leur cavalerie et à l'artillerie organisée par les Jésuites de Pékin.

Afin de ne pas être absorbés par leur conquête les Mandchous évitèrent de se fondre à la population chinoise. Ils prohibèrent les mariages mixtes et imposèrent aux vaincus le port de la natte en signe de servitude. Ils restèrent une armée, dite l'armée des bannières, répartie en garnisons placées aux points stratégiques. Pour le reste ils laissèrent le système politique en place, se bornant à le mettre à leur service et à faire disparaître les abus les plus criants. Ils supprimèrent les fiefs dont les terres distribuées aux membres du clan impérial Tsing et à ceux des bannières retournèrent au droit commun et furent affermées. Ils donnèrent aux mandarins leur revanche sur les eunuques. Les Chinois semblent s'être assez facilement résignés à la domination étrangère. Les Mandchous adoptèrent d'ailleurs la doctrine de Tchou-Hi. On a dit que la mode de fumer l'opium qui se répandit en Chine à la fin du XVIIe siècle était liée à cette résignation. Mais le rétablissement de l'ordre intérieur n'était-il pas la preuve que le Ciel avait conféré son mandat aux Mandchous ?

D'ailleurs la protection de l'Empire contre l'étranger était également assurée. L'empereur Kang-Hi (1662-1722), intelligent et énergique, assura la grandeur de l'Empire. Kang-Hi imposa la suzeraineté de Pékin aux Dzoungars nomades du Turkestan (1695), puis en 1713 il les chassa de Lhassa et intronisa un Dalaï Lama soumis (1713) ce qui lui donna beaucoup d'autorité sur les bouddhistes. Kang-Hi se heurta également aux Russes qui avaient atteint le fleuve Amour. Par l'intermédiaire du jésuite français Gerbillon un traité fut signé à Nertchinsk qui ne laissait aux Russes que cette ville sur l'Amour en échange du droit d'envoyer tous les ans une caravane à Pékin (1689).

Grâce à l'ordre intérieur et à la sécurité extérieure, la population chinoise continua à augmenter et l'agriculture poursuivit son évolution vers le jardinage. La bourgeoisie marchande continua à se développer. Les banques se multiplièrent. Le capitalisme commercial semble avoir animé de nombreux ateliers urbains et ruraux. Les arts connurent une certaine renaissance. La cité interdite de Pékin fut rebâtie (Palais d'été). La manufacture impériale de céramique atteignit alors son apogée. Mais, sauf dans la Chine du Sud où subsista un art original proche de la nature, le régime mandchou eut pour effet d'encourager la soumission aux traditions. La peinture devint un art de lettrés, inspiré par la publication de recueils de modèles comme *Les enseignements de la peinture du jardin grand comme un grain de moutarde* (1701). La littérature se consacra à la propagande, exaltant la dynastie et l'obéissance aux autorités et aux traditions. La cour des derniers Ming avait manifesté un certain intérêt pour les sciences et techniques de l'Europe. Les Mandchous apprécièrent les services des jésuites mathématiciens, mais l'essor du tchouhisme engourdit la curiosité scientifique, confirma les Chinois dans leur méfiance à l'égard des innovations et contribua à figer la civilisation chinoise.

LE JAPON

Cet Etat, de civilisation chinoise, avait un système religieux original. La religion nationale *(shintoïsme)* et le bouddhisme s'étaient associés. Les Japonais concevaient l'univers comme mû par une infinité d'esprits ou *Kami*, vénéraient les ancêtres, particulièrement ceux de l'empereur, descendant du Soleil. Cependant ils se partageaient en une infinité de sectes dont le *Zen* qui recherchait l'illumination non dans l'extase comme le Yoga hindou, mais dans l'action personnelle et avait une grande influence sur les féodaux et militaires. Par contre le régime social et politique n'était pas sans analogie avec celui de l'Occident médiéval. Il n'y avait pas entre l'empereur du Japon *(mikado)* et celui de Chine des différences de nature. Tous deux étaient des personnages religieux. Mais le mikado, confiné dans Kyoto, avait depuis deux siècles abandonné les pouvoirs politiques à un maire du palais héréditaire, le *shogoun*, tandis que s'était installé un régime féodal et seigneurial. Les gouverneurs de provinces ou *daïmios* étaient devenus des seigneurs indépendants du pouvoir central, le *Bakufu*. Ils possédaient la terre et s'étaient arrogé des droits régaliens et entretenaient des relations directes avec l'étranger. Ils avaient à leurs ordres des *samouraïs* qui constituaient une sorte de noblesse soldée, dont les fiefs consistaient en rentes versées en riz. Comme en Occident, des monastères, ici bouddhistes, possédaient de grands domaines et leurs chefs exerçaient des pouvoirs semblables à ceux des daïmios.

La plus grande partie de la population était formée de paysans cultivant le riz à la main dans de petites exploitations et pratiquant une industrie familiale (vêtements, outils). La monnaie était rare, les rétributions et impôts évalués et versés en riz. Le village était une unité d'exploitation seigneuriale et fiscale, possédant des biens communaux. Les paysans étaient solidairement responsables de l'impôt. A la tête du village se trouvait un *nanouchi* chargé d'enregistrer l'état civil et la production de chaque paysan. Des agents spéciaux levaient les droits seigneuriaux qui s'élevaient au moins aux deux cinquièmes de la récolte.

La stagnation caractérisait le Japon au xvɪe siècle. Malgré une forte natalité la population japonaise restait stationnaire à cause des nombreuses famines. Des guerres entre daïmios et des révoltes paysannes troublaient le pays. Les villes mal entretenues étaient surtout des forteresses à l'activité commerciale très faible. La vie spirituelle s'était assoupie. La religion nationale, le *Shinto*, n'avait pu s'opposer aux progrès du bouddhisme. Les lettrés jouaient un rôle administratif moindre qu'en Chine. Toutefois, grâce à une vie maritime assez active, les Japonais témoignaient de plus de curiosité que les Chinois pour le monde extérieur.

La fin du xvɪe siècle vit de grandes transformations. Le shogoun de la dynastie Ashikaga, chassé en 1568, avait fait appel à un seigneur Nobunaga qui s'était rendu maître de la province centrale très fertile d'Owari. Il y avait installé une administration modèle. Nobunaga finit par supplanter Ashikaga en 1573. Il entreprit de rétablir les pouvoirs du Bakufu. Il fallut pour cela briser la résistance des féodaux, des monastères et vaincre les révoltes paysannes. Son œuvre fut continuée par Ieyasou († 1616). Ce dernier fonda la dynastie des shogouns Tokugawa qui gouvernèrent le Japon jusqu'en 1868. De cette lutte le Japon sortit unifié sous l'autorité du shogoun dont les possessions s'étendirent sur la partie centrale de l'archipel et sur les principales villes. Pour éviter une renaissance féodale tous les daïmios furent soumis à un régime sévère : interdiction de se marier ou de construire un château sans la permission du shogoun, obligation de résider une année sur deux à la cour du shogoun établie à Yédo (l'actuelle Tokyo) et d'y laisser leur famille en otage. Astreints à une coûteuse vie de cour, les daïmios se ruinèrent et perdirent leur indépendance.

En fait le régime shogounal restait un régime féodal. On vit même les rapports vassaliques s'étendre aux patrons et employés. Dans le même temps le Japon s'isolait. Après une guerre malheureuse en Corée (1592-1598), les shogouns renoncèrent à une politique extérieure active. Le Japon se ferma progressivement aux Européens dans la première moitié du xviie siècle. En l'absence de guerre étrangère et de guerre civile, les samouraïs furent invités à s'adonner aux lettres et aux arts. Ils n'en cultivèrent pas moins l'esprit chevaleresque.

La restauration de l'ordre et la paix eurent des conséquences importantes pour l'économie et la société japonaise : essor du commerce, formation d'une bourgeoisie marchande et aggravation de la condition paysanne. Les séjours forcés des daïmios à Yédo et les voyages incessants entre cette ville et leurs fiefs réveillèrent le commerce. Les dépenses somptuaires ne pouvaient guère se solder en riz. Les daïmios eurent besoin d'argent. Ils vendirent leur riz, levèrent des taxes en argent sur les produits de l'artisanat, empruntèrent même sur les récoltes futures ou sur leurs pensions. Les samouraïs les imitèrent. Les marchands réalisèrent de gros gains. Ils formaient des ententes pour maintenir les prix à un niveau élevé. L'artisanat se développa avec la main-d'œuvre fournie par les enfants de paysans qui allaient à la ville chercher un salaire d'appoint. Les villes devinrent des centres de commerce. Au début du xviiie siècle, Yédo atteignait un demi-million d'habitants. Le succès des marchands apparut dans les crises monétaires et économiques de la fin du xviie siècle qui frappa durement daïmios et samouraïs. Les paysans firent les frais de ces transformations. Un édit de 1586 avait transféré à l'Etat une partie des droits féodaux contre versement de pensions aux daïmios. La famille Tokugawa s'adjugeait d'ailleurs ainsi 30 % de la production de riz. Les paysans durent abandonner de cette façon les deux tiers de leur récolte. Sans doute ne pouvaient-ils plus être chassés de leur terre, mais ils n'avaient pas le droit de la vendre. Par suite des progrès de l'économie monétaire, ils avaient intérêt à produire davantage et à délaisser l'industrie familiale. Ils s'endettèrent.

Le régime Tokugawa contribua enfin à figer les structures politiques, sociales et mentales des Japonais. Respect des ancêtres, des supérieurs, de l'Etat et de l'ordre du monde furent plus que jamais les fondements de la morale japonaise, sans pour cela éteindre dans la noblesse le goût de l'action. Le succès simultané des philosophies de Tchou-Hi et de Wang en témoigne. Cependant la civilisation japonaise brillait d'un vif éclat. A l'art aristocratique du XVIe siècle (période des châteaux) succéda sous les Tokugawa un art bourgeois qui répandit les thèmes traditionnels et popularisa le théâtre. Comme dans tout l'Extrême-Orient confucéen les sciences ne suscitèrent guère d'intérêt. Cette civilisation d'ailleurs se replia sur elle-même avec l'isolement croissant du Japon. Cependant dans le même temps se créaient des conditions économiques et sociales rendant possibles des transformations, sinon spontanées, mais du moins assumées par les Japonais eux-mêmes.

LES EUROPÉENS EN EXTRÊME-ORIENT

Les conditions rencontrées en Chine par les Européens étaient bien moins favorables qu'en Inde et au Japon. Officiellement la Chine, centre du monde, n'avait de rapports qu'avec les barbares qui reconnaissaient être ses vassaux. Dès la fin du XVe siècle, l'interdiction faite par l'empereur à ses sujets de commercer outre-mer ne laissait la place qu'à un trafic assez limité. Les ambassadeurs recevaient en échange de l'hommage de leur souverain l'autorisation de commercer dans les faubourgs de quelques ports et d'y installer des magasins. Les mandarins délivraient à quelques marchands chinois des licences pour commercer à l'étranger. Enfin se maintenait une importante contrebande exercée par des Chinois et Japonais.

Les premiers contacts réguliers entre Chinois et Portugais datent de l'installation de ces derniers à Malacca en 1511 et eurent pour objet la vente du poivre par les Portugais. L'insuccès de leur première ambassade qui n'apportait à l'empereur ni hommage ni tribu réduisit les Portugais à la contrebande. En outre, ayant réussi à se faire considérer comme des vassaux siamois, les Portugais purent s'installer dans l'îlot de Macao, face à Canton (1554). Depuis 1544 des relations régulières s'étaient établies entre le Japon et l'Inde portugaise par un navire annuel, la *Nao*. Les Portugais apportaient au Japon des épices, de l'ivoire, du corail de l'Inde, de la soie grège de Chine et en rapportaient des métaux, des laques, des porcelaines et surtout de l'argent. Ce trafic ne concernait guère l'Europe. L'union entre Espagne et Portugal en 1580 profita aux Portugais d'Extrême-Orient en écartant la concurrence espagnole. Les Espagnols étaient installés aux Philippines depuis 1565. Espagnols, Portugais et Chinois établirent des relations d'affaires entre Philippines et Chine. De plus, le « Galion de Manille » reliait tous les ans Mexique et Philippines. Il apportait d'Amérique l'argent nécessaire à l'achat des soieries et porcelaines chinoises qui gagnaient Manille, puis le Mexique et l'Europe. Les réales espagnoles se répandirent en Chine. Ce commerce par le Pacifique s'accrut lorsque les Hollandais firent irruption et entravèrent le commerce entre Macao et l'Inde.

A partir de 1640 le commerce européen en Extrême-Orient s'émiette. Portugais et Espagnols deviennent rivaux et les Hollandais prennent une place importante. Ils ont obtenu des Chinois la permission de s'installer à Formose. En 1642, ils s'emparent de Malacca. D'ailleurs le volume des échanges tend à se réduire jusqu'à la fin du siècle. Les relations entre Macao et Manille se sont amenuisées. Le Japon se ferme progressivement aux étrangers. En 1636 ceux-ci sont cantonnés dans l'îlot de Deshima. En 1642 les Hollandais restent les seuls Européens tolérés à Deshima. En 1688 le nombre des navires hollandais et chinois admis au Japon est réduit pour diminuer les sorties d'argent japonais. Il est interdit également aux Japonais de quitter leur pays, sous peine de mort. En Chine les Hollandais sont chassés de Formose par le pirate Koxinga (1662). L'argent du Mexique se tarissant, les Espagnols sont moins actifs.

Cependant à la fin du xviie siècle se produit une amélioration dans les relations commerciales entre la Chine et l'Occident. Les Européens peuvent installer des factoreries à Canton, mais doivent passer par l'intermédiaire de la guilde des marchands cantonnais. De nouveaux partenaires sont entrés en scène. L'*East India Company* établit des relations régulières avec Canton en 1699. La compagnie française similaire puis une *Compagnie de la Chine* eurent quelque activité jusqu'à la prohibition des soieries chinoises en France en 1713. Cependant, à partir de 1708, quelques navires français gagnent la Chine par le sud de l'Amérique, mais ce commerce des « mers du Sud » se heurte aux Anglais et aux Espagnols. Rappelons que depuis 1689 une caravane russe annuelle se rend à Pékin. Un produit nouvellement apprécié en Europe, le thé, prend une place croissante dans le trafic anglais et russe.

Le 15 août 1549 François Xavier débarquait au Japon. Après quelques tâtonnements, conscient du fossé qui sépare les religions d'Extrême-Orient du christianisme, il se borna à prêcher l'existence d'un Dieu personnel, créateur du monde, et l'immortalité de l'âme. Il ne parlait de Jésus-Christ qu'après le baptême.

Il voulut entreprendre la conversion de la Chine, mais il ne put y pénétrer et mourut d'épuisement près de Macao (1552). La présence de jésuites au Japon avait attiré des marchands portugais dans ce pays. L'évangélisation en reçut un appréciable secours matériel, mais souffrit aussi de quelque compromission aux yeux des Japonais. A la fin du xvie siècle, grâce au prestige de François Xavier et à l'action du P. Valignani, plusieurs daïmios et des hommes et femmes de la haute société s'étaient convertis. Un clergé japonais se formait. Cependant l'unification du Japon par les Tokugawa favorisa le shintoïsme et le tchou-hisme. Les raisons religieuses intervinrent dans la fermeture du Japon, notamment lorsque, après quelques difficultés, les chrétiens japonais se furent révoltés. Les Hollandais qui avaient fourni des armes à feu pour la répression furent seuls autorisés à commercer. A la fin du xviie siècle les chrétientés japonaises étaient en voie de disparition.

C'est seulement en 1554 que des missionnaires commencèrent l'évangélisation de la Chine à partir de Macao.

Un jésuite, le P. Ruggieri, prépara les voies en composant un vocabulaire latin-chinois et en conversant avec des mandarins qu'il étonna par sa connaissance des sciences européennes, notamment en mathématiques. Le principal artisan de l'évangélisation fut le P. Mathieu Ricci qui vécut en Chine de 1582 à 1610. S'étant intégré à la société chinoise, il avait adopté le costume des lettrés et il étudiait la littérature chinoise. Il tirait des principes chrétiens des livres attribués à Confucius et obtint quelques conversions. Cependant il désirait obtenir de l'empereur la levée des interdictions portées contre le christianisme. En 1601 il fut autorisé à se rendre à Pékin. L'empereur lui permit de résider dans la cité impériale. Ricci composa à l'usage des Chinois une grande carte de l'univers et traduisit la géométrie d'Euclide. En même temps il mit au point une méthode pour une évangélisation plus poussée par le passage du déisme au christianisme. Comme il s'adressait surtout aux lettrés confucéens pour qui les dieux ne représentaient que des forces naturelles et le culte que des cérémonies civiles, il permit aux chrétiens de pratiquer les cultes traditionnels à condition qu'ils les rapportent en pensée à Jésus-Christ. C'est ce qu'on appelle les *rites chinois*. De petits groupes chrétiens se constituèrent sous la direction des Jésuites. Ceux-ci se maintenaient dans la cité impériale en faisant venir d'Europe leurs meilleurs mathématiciens, astronomes, ingénieurs. Le P. Adam Schall réussit à se faire confier le service du calendrier dont dépendait la fixation des fêtes et cérémonies traditionnelles pour lesquelles les astronomes musulmans jusqu'alors employés avaient commis quelques imprécisions. Il fondit des pièces de canon pour l'empereur. Il sut opportunément passer aux Mandchous. Les quelques relations officielles avec les Occidentaux passèrent par les Jésuites. En 1650 un rescrit impérial déclarait la religion chrétienne bonne et les Jésuites pouvaient construire une église à Pékin. En 1692 le culte public était autorisé.

Cependant les Européens ne réussirent pas à mordre sur la civilisation chinoise. Comme la religion hindoue, la religion chinoise offrait aux Asiatiques, par sa variété d'aspects, des satisfactions spirituelles et des possibilités d'espoir qui à leurs yeux ôtaient au christianisme toute utilité morale.

CHAPITRE XVIII

LE NOUVEAU MONDE

Carte XI.

Bibliographie : F. MAURO, *L'expansion européenne...* J. GODECHOT, *Histoire de l'Atlantique*, 1947. P. CHAUNU, *L'Amérique et les Amérique de la préhistoire à nos jours*, 1964. J. MEYER, *Les Européens et les autres, de Cortés à Washington* (coll. « U »), 1975. G. DEBIEN, *Les engagés pour les Antilles : 1634-1715*, 1952.

Alors que l'Ancien Monde les refusait, les Européens pensèrent que l'Amérique leur était destinée. Le Nouveau Monde fut d'abord un pays de rêve, l'Eldorado, et d'aventures. Le rêve s'évanouit vite, l'aventure resta longtemps la règle. L'effondrement rapide des empires indiens donna aux Européens l'impression qu'ils se trouvaient en présence d'une nature vierge qu'ils pouvaient modeler. Comme l'Amérique offrait moins d'obstacles et plus d'intérêts que l'Afrique, ils envisagèrent d'y transplanter leur civilisation et d'agrandir leur patrie. L'Amérique fut le continent des nouvelles provinces : Nouvelles Castille, Galice, Grenade, Espagne, France, Angleterre... et des villes répliques artificielles des villes hollandaises, anglaises, françaises : Nieuwe Amsterdam devenue New York, Nouvelle-Orléans... En fait, sauf sur une mince frange côtière d'Amérique du Nord, les sociétés constituées par les Européens différèrent sensiblement de celles de leurs pays. Cela vint, non seulement de la différence des conditions naturelles et de l'introduction d'esclaves noirs d'Afrique, mais aussi de la survivance des civilisations indigènes.

L'établissement des Européens en Amérique

Quarante à quatre-vingts millions d'hommes de race mongolique vivaient dans les deux Amériques, plus nombreux dans les régions intertropicales qu'ailleurs. Leurs civilisations fort diverses étaient toutes inférieures en technique à la civilisation européenne. Aucune ne connaissait la roue ou le cheval. Le plus souvent les métaux n'étaient utilisés que comme ornement, mais la plupart de ces peuples étaient restés à l'âge du néolithique. Aussi l'idée de conquête vint tout de suite aux Européens.

LE MONDE AMÉRICAIN A L'ARRIVÉE DES EUROPÉENS

Les contacts avec les différents peuples s'échelonnèrent pendant tout le xvie siècle. Dans les cas les plus tardifs, certaines idées et techniques européennes (notamment le cheval) avaient déjà filtré avant l'irruption des Européens.

On peut classer les peuples suivant leur degré de civilisation. Sauf dans quelques régions favorisées, on trouvait surtout des primitifs : paisibles Arawaks ou belliqueux Caraïbes de la mer des Antilles, Tupi-Guaranis du Brésil. Les plus connus d'entre eux sont les Tupinambas qui occupaient la côte orientale. Ils ne possédaient qu'un outillage de pierre ou de bois, pratiquaient une culture nomade sur brûlis de maïs, patates, manioc, chassaient et pêchaient. Ils allaient le plus souvent nus, épilés et tatoués, ornés de plumes multicolores. Leurs villages groupaient des maisons abritant chacune un clan. Ils échangeaient fréquemment femmes et maris. Peuple de guerriers, ils mangeaient leurs prisonniers. Leur religion était animiste, avec un dieu suprême, créateur de l'univers. Ils croyaient à la réincarnation. A l'arrivée des Portugais leur civilisation était en déclin. Ils évoluaient vers le fétichisme.

Patagons et Araucans au sud, Iroquois, Hurons, Sioux... au nord avaient des civilisations comparables. Les Algonkiniens (Micmacs, etc.) par contre ignoraient la culture et l'art des métaux. D'une manière générale tous ces peuples étaient peu nombreux et éparpillés sur d'immenses espaces. Souvent la culture était la tâche des femmes, tandis que les hommes se réservaient la chasse, la pêche et la guerre. La polygamie était le fait des chefs ou *caciques*. Les guerres fréquentes et meurtrières amenaient parfois ces peuples à former des fédérations lâches. La plus durable fut celle des Iroquois. Malgré les différences, leurs religions présentaient des traits communs : l'existence d'un monde invisible forçait l'homme à respecter une foule d'interdits. Ainsi la chasse s'accompagnait de nombreux rites.

Etablis dans le sud du Mexique, le Honduras et le Guatemala actuels, les Mayas avaient créé une civilisation originale. L'agriculture à la main relativement intensive, basée sur le maïs, permettait de faire vivre une importante aristocratie. Ils avaient mis au point une écriture idéographique, un système de numération et un calendrier fort précis. De l'animisme primitif ils avaient dégagé la croyance à un dieu créateur, Hunab, à l'immortalité de l'âme dont le sort était lié aux circonstances de la mort. Hunab commandait à des dieux agraires qu'on essayait de se concilier par des jeûnes, offrandes, prières, danses rituelles et sacrifices humains. Organisés en cités gouvernées par des rois assistés de prêtres, ils édifiaient des villes autour de temples-observatoires, de pyramides et de palais. Lorsque les terres voisines s'épuisaient et que la ville était envahie par les nécropoles, on l'abandonnait pour en construire une autre. Au moment où les Espagnols apparurent, cette civilisation était en décadence. Les Mayas, affaiblis par les guerres, les sacrifices humains, l'idolâtrie croissante, étaient résignés à l'accomplissement de prédictions pessimistes. Cependant leurs terres malsaines ayant longtemps découragé les Espagnols, ils purent maintenir des foyers de civilisation jusqu'à la fin du xviie siècle.

La civilisation maya avait gagné les plateaux du Mexique et contribué à la formation de la civilisation aztèque. Au début du xvie siècle, les Aztèques venaient de constituer un empire dont le chef religieux et militaire s'était établi à Tenochtitlan (Mexico). Les peuples vaincus (Toltèques, Zapotèques) devaient payer tribut. Les Aztèques utilisaient le cuivre pour leur armement et leur outillage et tissaient notamment le coton. Leur alimentation à base de maïs était assez variée (haricots, chocolat) ; ils buvaient des boissons fermentées et fumaient le tabac. Contrairement à leur civilisation matérielle, leur civilisation intellectuelle était moins poussée que celle des Mayas. Leurs dieux, tels Quetzacoatl (dieu du vent) et surtout Huitzilopochtli (dieu du soleil et de la guerre), étaient des forces de la nature. Le dernier réclamait des sacrifices humains. Ils croyaient à la survie, mais sans responsabilité morale de l'individu. Leur agriculture faisait appel à l'irrigation, l'irrégularité des récoltes exigeait la constitution de réserves, les dieux réclamaient des guerres pour leur procurer les prisonniers voués aux sacrifices humains. Tout cela avait suscité une organisation autoritaire et communautaire appuyée sur les cités. La cellule de base était le clan, possesseur des terres, périodiquement distribuées de manière égalitaire aux chefs de famille, gouverné par un conseil de vieillards. Les clans élisaient un conseil tribal qui désignait le chef suprême. Mais, au début du xvie siècle, les fonctions administratives devenaient l'apanage d'une aristocratie. Les terres destinées à l'entretien des fonctionnaires passaient à leurs héritiers. Mexico apparaissait comme le symbole de la puissance aztèque (50 000 à 60 000 habitants). Les Aztèques condamnés à la guerre par leur religion soulevaient la haine des vaincus et voisins.

On rencontrait la civilisation la plus évoluée dans l'Empire des Incas récemment constitué au Pérou. Les Incas avaient unifié le peuple des Quichuas au milieu du xve siècle puis avaient étendu leurs conquêtes sur le versant occidental des plateaux andins, entre l'équateur et le tropique. Peuple de guerriers et d'administrateurs, leur œuvre a été comparée à celle des Romains. Ils construisaient des routes empierrées pourvues d'étapes et de magasins de vivres, franchissant les montagnes par des escaliers. Le portage des marchandises était assuré par des lamas et des courriers rapides circulaient dans tout l'Empire. Quoique ne connaissant pas l'écriture ils procédaient à des recensements de la population au moyen de cordelettes à nœuds *(kipous)*. Ils déplaçaient les vaincus et les installaient dans les régions à cultiver. L'Empire inca était une théocratie dont le chef, l'inca, représentait le Soleil, possédait les terres et gouvernait depuis sa capitale, Cuzco, grâce à une noblesse ayant reçu une éducation physique et morale soignée. La société était répartie en unités de travail *(ayllou)*, la terre divisée en lots attribués à chaque ménage. Une partie importante des terres était destinée à l'entretien de l'inca et de son administration, à celui des prêtres, des nobles et à la constitution de réserves. Il n'existait ni monnaie ni impôts, mais le travail était imposé sur l'ensemble des terres. De plus la corvée de l'Etat ou *mita* prenait un homme sur dix pour la poste, les mines, les travaux publics et l'armée. La religion des Incas était probablement la plus évoluée de l'Amérique. Si elle exigeait des sacrifices humains, elle faisait du paradis la récompense de la vertu.

LA CONQUÊTE

La conquête fut avant tout l'œuvre d'Espagnols, les *conquistadores*, venus de tous les milieux sociaux, notamment d'anciens soldats et des religieux, et plus particulièrement des terres les plus âpres de la Castille. D'esprit aventureux, ils firent preuve d'un courage exceptionnel. Beaucoup moururent de fatigue, faim, soif, fièvre, mais ils étaient soutenus par l'assurance de leur supériorité technique, un réel orgueil face aux indigènes et une confiance sans bornes en la protection de Dieu et la justice de leur cause. Les grands empires s'écroulèrent avec la capture de leurs souverains et à tout prendre la conquête de Mexico et de Cuzco fut plus facile que la soumission des peuples qui avaient résisté aux Aztèques et contre lesquels les Espagnols durent mener des guerres inexpiables.

Christophe Colomb avait exploré les côtes d'Hispaniola (Haïti) et de quelques autres îles et abordé la terre ferme en divers points. Cuba pacifiée par le premier gouverneur, Diego Velasquez, en 1514 devint la base des entreprises contre le continent. En 1519 une expédition comptant 400 hommes, 16 chevaux et 10 canons fut confiée à un jeune gentilhomme, Fernand Cortez. Le chef aztèque Montezuma hésita en voyant arriver Cortez : n'était-il pas le dieu Quetzacoatl dont la tradition disait qu'il reviendrait sur la mer de l'Est ? Cortez, parvenu à Mexico sans coup férir (1519), s'y conduisit en maître. Il interdit les sacrifices humains, fit détruire les idoles et s'empara de Montezuma. Les trésors furent mis au pillage, le cinquième *(quinto)* étant réservé au roi de Castille. Une sanglante révolte ayant éclaté, il fallut un siège en règle pour reprendre la ville. Cortez, nommé capitaine général de la Nouvelle-Espagne, entreprit aussitôt l'exploration et l'organisation de la nouvelle province.

Deux aventuriers, Pizarre et Almagro, furent les conquérants de l'Empire inca. Profitant d'une querelle de succession, avec une centaine d'hommes et soixante chevaux, ils s'emparèrent de Cuzco en plein cœur des plateaux andins et condamnèrent l'inca pour le meurtre de son frère (1533). L'Empire inca était détruit. Un règlement de compte opposa Almagro et Pizarre qui tous deux périrent tragiquement.

Cependant se multipliaient des expéditions assez désordonnées pour atteindre le pays d'*El dorado* (le souverain recouvert de poudre d'or), mais en vain. La conquête se ralentit quand on arriva dans les régions tempérées où les Indiens moins évolués résistèrent mieux. La conquête du Chili sur les Araucans dut être menée méthodiquement par Valdivia. Elle s'arrêta au 40e parallèle. Sur le rio de la Plata les Espagnols piétinèrent. Enfin, au milieu du siècle, ils n'étaient plus seuls à convoiter le Nouveau Monde.

Les Espagnols avaient conclu avec les Portugais le traité de Tordesillas qui reprenait à peu près les termes de la bulle *Inter Coetera* (1493), et il n'y eut pas de difficultés majeures entre les conquérants des deux peuples. Les Portugais ayant abordé au Brésil se bornèrent à occuper la côte orientale. Mais les autres peuples ne se sentaient pas liés par le traité de Tordesillas et même par la bulle *Inter Coetera*. Français et Anglais cherchaient un passage vers le nord-ouest. Dès 1597 John Cabot se porta vers le Saint-Laurent. François Ier envoya Verazzano en 1523 qui baptisa Nouvelle-Angoulême la région de l'actuelle New York, puis Jacques Cartier (1534-1542) qui explora la région de Terre-Neuve. Mais la prise de possession de la Nouvelle-France reste symbolique jusqu'au début du xviie siècle. Il sembla plus tentant aux Français de s'installer dans les endroits laissés vides. Ils regardèrent vers le Brésil. Ce fut le cas de Villegagnon qui, à l'instigation de Coligny, essaya de créer une colonie huguenote à Rio de Janeiro (1557-1563). Une tentative semblable en Floride se termina par le massacre de l'expédition (1567).

CONSÉQUENCES DE LA CONQUÊTE

La population d'un continent reçut-elle jamais choc pareil à celui que ressentirent les Indiens dans les pays immédiatement conquis par les Espagnols ? Il n'y eut pas de haine raciale générale. On a écrit que sans la femme indienne, épouse ou concubine, la colonisation eût été impossible. Tant que subsista le mirage de l'or, les Européens n'attachèrent guère d'importance aux grandes plantations qu'ils avaient constituées avec la main-d'œuvre indienne. Les Indiens qui étaient forcés d'y travailler *(Péons)* ne modifièrent guère leurs méthodes de culture mais ne purent comme par le passé consacrer une importante partie de leur activité à l'élevage, à la chasse et à la pêche. Aussi la sous-alimentation régna d'une manière endémique. Habitués à des efforts violents mais discontinus, les Indiens ne réussissaient pas mieux dans les mines où beaucoup moururent d'épuisement. Le changement brusque des conditions de vie aggrava les effets d'un phénomène constant lors des rencontres de peuples dont c'est le premier contact : l'échange des maladies. Si les Européens rapportèrent en Europe une forme virulente de syphilis, les organismes des Indiens n'étaient pas davantage habitués aux maladies de l'Europe. Le port des vêtements dans les pays équatoriaux provoqua des maladies de la peau. Les maladies pulmonaires furent plus fréquentes. Le brassage de populations entraîna l'extension de la syphilis dans les plantations où elle devint endémique. Enfin, il semble que, là où ils étaient en contact permanent avec les Européens, les Indiens aient perdu le goût de vivre. Le résultat fut un effondrement numérique et moral de la population.

Les Indiens trouvèrent des défenseurs dans le clergé. Le plus célèbre est Bartolome de Las Casas qui, en 1552, publia sa *Brevisima relación de la destrución de las Indias* où il dénonçait vigoureusement le mal. Les rois d'Espagne avaient toujours insisté pour que les Indiens fussent traités en hommes libres. Charles Quint par les *Lois nouvelles* de 1542 interdit l'asservissement des Indiens aux plantations *(péonnage)*. En fait, les Européens étaient incapables de réaliser un autre système d'exploitation et il fut impossible d'enrayer le désastre. La campagne de Las Casas eut des résultats imprévus. Il incita les autorités, pour sauver les Indiens, à utiliser des esclaves noirs dans les mines d'or et sur les plantations, d'où la traite des Noirs. Un peuplement noir important existait déjà en Amérique à la fin du xviie siècle. Les progrès de la navigation permirent un développement de la traite au xviiie siècle. De plus, l'introduction des Noirs compliqua le métissage et conduisit à une invraisemblable variété de races en Amérique tropicale. Ainsi l'Afrique devint le réservoir de main-d'œuvre de l'Amérique et une aire commerciale de l'Atlantique s'ébaucha.

Les colonies d'Amérique

CARACTÈRES GÉNÉRAUX

En fait, la plus grande partie des Amériques se révéla vite d'occupation difficile et d'intérêt limité. Les Européens furent longtemps cantonnés dans des « franges pionnières », isolées les unes des autres, qu'ils cherchaient patiemment à agrandir. Les colons de même nation cherchaient à joindre leurs colonies. Il y eut des compétitions entre Etats et colons de nations différentes pour l'occupation des côtes. On peut distinguer des colonies d'exploitation dans la zone tropicale, et des colonies de peuplement européen dans la partie tempérée de l'Amérique du Nord. Malgré de sensibles différences on doit reconnaître que les politiques suivies par les Européens présentent des caractères communs. Partout les colonies étaient proclamées parties intégrantes de la Couronne (ou de la République) et dotées d'un gouvernement local plus ou moins calqué sur celui des provinces européennes. En principe les lois de l'Etat y étaient appliquées, par exemple lois sur l'Inquisition, révocation de l'Edit de Nantes, Acte du Test (sauf exception).

Cependant les colonies constituaient des possessions de second ordre, soumises à un régime économique particulier, l'*Exclusif* ou *Pacte colonial*, l'emportant sur toutes autres considérations. L'Exclusif dérivait des droits et monopoles que les souverains d'Espagne et de Portugal s'étaient attribués sur le commerce avec les Indes. Ainsi la colonie était faite pour la métropole. Elle ne devait commercer qu'avec celle-ci, lui fournir ce dont ce pays avait besoin et n'acheter qu'à lui les produits manufacturés. Tout manquement à l'Exclusif était considéré comme contrebande. Ainsi le système de l'Exclusif tendait à introduire entre les colonies des différentes nations un cloisonnement encore plus rigoureux que celui qui naissait en Europe. Cependant la contrebande ne manquait pas de s'exercer aux dépens du vaste Empire espagnol, avec la complicité des autres Etats. Par ailleurs, aucun Etat n'était en mesure d'appliquer en Amérique, surtout dans les immenses domaines continentaux de la zone tropicale, les lois européennes dans toute leur rigueur. Les autorités locales devaient tenir compte de conditions impérieuses. De plus, comme il fallait attirer des Européens, on se montrait libéral dans l'application de nombreuses lois. L'administration coloniale eut un style particulier, et jouit d'une autonomie relative. L'indocilité des colons causait autant de soucis aux souverains que les résistances des indigènes. Cependant, au xvii⁰ siècle, les colonies ont besoin de la constante protection de leur nation.

LES GRANDS DOMAINES CONTINENTAUX

L'Amérique espagnole fut surtout l'œuvre des Castillans qui y transportèrent les institutions de leur pays. Le roi créa un *Conseil des Indes* sur le modèle des autres conseils de la Couronne, qui légiféra pour l'Amérique, proposa les fonctionnaires au choix du souverain et joua le rôle de cour suprême. Les Espagnols avaient transplanté spontanément leurs institutions municipales. Le gouvernement divisa la conquête en provinces à la tête desquelles furent placées des *audiencias*. Puis des vice-rois furent installés à Mexico et à Lima. Le roi avait donné aux principaux *conquistadores* d'immenses domaines héréditaires, les autres reçurent des sortes de seigneuries, les *encomiendas* destinées à christianiser et soumettre les Indiens. Les bénéficiaires en firent surtout des unités d'exploitation. En même temps était créée une organisation ecclésiastique avec les archevêchés de Mexico et

Lima puis des universités dans ces deux villes. Bien que les Espagnols aient accepté les mariages mixtes et malgré la collaboration de quelques caciques, ils laissèrent aux Indiens un rôle réduit dans l'administration et leur refusèrent la prêtrise notamment à cause de leur difficulté à respecter le célibat. L'évangélisation allait de pair avec la conquête. Les missionnaires jésuites et franciscains ne pouvaient faire de concessions aux cultes indigènes ni s'appuyer sur eux en transposant les conseils de saint François Xavier. Les Espagnols combattirent les sacrifices humains et la sodomie, mais ils n'essayèrent pas d'imposer les mœurs européennes aux Indiens.

La *Casa de Contratación* fondée à Séville en 1503 centralisait le commerce des Indes. Elle encouragea particulièrement la recherche de l'or. Après le pillage des trésors, les arrivages d'or en Espagne se raréfièrent. On recourut à l'exploitation minière. Les mines d'argent du Potosi (1545) donnèrent leur plein rendement lorsque l'amalgame y fut introduit (cf. p. 44). Après 1560, l'argent représentait la presque totalité des métaux précieux du Nouveau Monde. Ceux du Mexique embarquaient pour l'Europe à Vera Cruz et Cartagène. Ceux du Pérou allaient par mer de Callao à Panama, franchissaient l'isthme par caravanes de mulets et étaient chargés à Puerto Belo sur des galions à destination de l'Europe, en convois annuels. Enfin, chaque année, un galion apportait à Manille l'argent nécessaire au commerce avec l'Extrême-Orient. La production diminua fortement au xviie siècle.

Le développement économique se heurta à la crise du xviie siècle, à l'incapacité pour l'Espagne d'exploiter seule son immense empire et au manque de main-d'œuvre. L'Amérique espagnole aurait eu en 1660 une dizaine de millions d'habitants dont 80 % d'Indiens, 6 à 7 % de Blancs, un peu plus de Noirs et le reste de métis divers. L'*encomienda* disparut surtout à cause de son faible rendement. Les grands propriétaires constituèrent alors des domaines appelés *haciendas* qui vivaient sur eux-mêmes. Les propriétaires *(haciendados)* exercèrent la justice sur les esclaves et péons, ils cumulèrent les charges de capitaines des troupes royales et d'alcades de la ville. Les *haciendas* ne furent pas favorables à la production de denrées destinées à l'exportation. L'Empire espagnol attira les convoitises des Européens du Nord-Ouest. Ne devant échanger de produits avec l'Amérique que par l'intermédiaire de Séville et la *Casa de Contratación*, ils pratiquèrent la contrebande *(interlope)*. Pendant les guerres l'Espagne eut également à subir la course. En 1713, elle dut concéder à l'Angleterre le « vaisseau de permission », c'est-à-dire la franchise pour un navire par an dans un port de l'isthme de Panama. C'était insuffisant pour apporter à l'Amérique espagnole d'autres influences que celles de l'Espagne.

Une civilisation hispano-américaine naquit, qui se voulait européenne. Le castillan fut imposé comme langue administrative et religieuse et peu d'efforts furent faits pour toucher réellement la masse des Indiens. Une littérature et un art espagnols se développèrent non sans se charger d'influences locales. Le baroque espagnol offrait aux artistes souvent d'origine indigène une grande liberté dans la décoration. Les façades et retables particulièrement exubérants exprimèrent le caractère dramatique de la foi espagnole mêlée peut-être à des réminiscences des cruels cultes précolombiens.

Vers le sud, la colonisation espagnole se heurta aux demi-déserts et aux steppes. Dans ces marges de la colonisation espagnole, les Jésuites tentèrent une expérience originale. En 1607 ils obtenaient que le Paraguay fût placé sous l'autorité directe du roi d'Espagne et soustrait au système de l'*encomienda*. Les indigènes Guarani furent groupés en gros villages appelés *réductions*. Culture et élevage étaient pratiqués en commun sous leur direction. Ils firent patiemment l'éducation des Guaranis à qui ils enseignaient dans leur langue. Les réductions se heurtèrent aux Portugais et aux Espagnols. La suppression des Jésuites en 1767 causa leur ruine.

A côté de l'Empire espagnol vaste et peu actif, les Portugais réalisèrent une construction non moins durable, longtemps réduite à une frange côtière discontinue, en butte aux convoitises des Français puis des Hollandais à cause de sa prospérité, dont les principaux centres furent Bahia et Recife. Le Brésil eut une organisation administrative différente de celle de l'Empire espagnol. Il fut divisé en une dizaine de capitaineries héréditaires placées sous l'autorité du gouverneur général. Les Portugais durent défendre les terres que leur attribuait le traité de Tordesilla contre les entreprises françaises sur la baie de Rio de Janeiro et sur les pays voisins de l'estuaire de l'Amazone. Dans les deux cas le résultat fut l'extension de l'Empire portugais aux secteurs visés par les Français. De 1580 à 1640, Portugal et Espagne eurent même souverain. L'administration des deux empires ne fut pas unifiée, mais la barrière de l'Exclusif fut supprimée entre eux. Cependant cette situation entraîna l'intervention des Hollandais qui en 1621 créèrent la Compagnie des Indes occidentales. Bahia et Recife devinrent les bases du Brésil hollandais (1624-1654). Les Portugais ayant repris leur indépendance profitèrent de la guerre anglo-hollandaise pour chasser les Hollandais du Brésil. Dans la seconde moitié du XVIIe siècle ils avaient repris une forte position dans l'Atlantique sud.

Beaucoup moins peuplé que l'Empire espagnol, le Brésil (60 000 habitants à la fin du XVIe siècle, dont 25 000 Blancs et métis et 18 000 Indiens) était beaucoup plus actif. On y récolta d'abord le bois de teinture appelé *brasil*. Au milieu du XVIe siècle l'introduction de la canne à sucre fut déterminante. Elle fut aux mains de grands propriétaires possesseurs de moulins et de chaudières à sucre et vivant sur elles-mêmes. La main-d'œuvre fut constituée par des esclaves noirs et mêmes indiens provenant des razzias effectuées dans l'intérieur par les gens de São Paulo. Vers 1670 la production de la canne à sucre commença à décliner à cause de l'essor des plantations des Antilles. Peu après on trouvait au Brésil des mines d'or dont l'exploitation s'accrut rapidement dans les premières années du XVIIIe siècle.

LES ILES

Le destin des Antilles est curieux. Premières terres à recevoir les Européens, vite épuisées par eux, elles sont devenues au début du XVIIIe siècle les colonies les plus florissantes et convoitées.

Les Espagnols exploitèrent sans discernement les grandes îles et négligèrent les petites, si bien qu'au début du XVIIe siècle les Antilles étaient quasi désertées. La population indienne y avait entièrement disparu. De plus, faute de marine, ils ne purent jamais se rendre parfaitement maîtres de cette Méditerranée caraïbe qui devint le point faible de leur empire. Dès 1620 les Anglais prenaient pied à Saint-Christophe, à la Barbade et à Sainte-Lucie. Les Hollandais s'installaient à Curaçao. En 1635, les Français s'emparaient de la Martinique, la Dominique et la Guadeloupe. Puis ce fut le tour des grandes îles. Les Anglais prenaient la Jamaïque en 1655, les Français s'installaient dans la partie occidentale de Saint-Domingue dont ils se faisaient reconnaître la possession au traité de Ryswick (1697).

Les Iles commencèrent par être des bases d'opérations contre les possessions et les routes maritimes des Espagnols : interlope, flibuste (= piraterie) et, en temps de guerre, course. Elles attirèrent un monde étrange de flibustiers et aussi, dans l'intérieur, de boucaniers chassant les animaux introduits par les Européens et redevenus sauvages. Ces aventuriers vivaient une existence agitée, souvent dangereuse. Ils ne purent être intégrés aux efforts de colonisation faits par les gouvernements et constituèrent des sortes de républiques qui ne disparurent que dans la première moitié du XVIIIe siècle. Cependant, des Européens transportés aux Antilles y cultivaient le tabac et l'indigo. Mais bientôt les Antilles devinrent des îles à sucre. Le peuplement resta le problème essentiel. Pour la France, Colbert confia ce soin à la Compagnie des Indes occidentales fondée en 1664, qui reçut le monopole de la traite des Noirs de Guinée. Il fallait également des ouvriers européens. On y pourvut par le système de l'engagement. Le prix du voyage en Amérique était payé moyennant l'engagement de travailler pendant trois ans sur les terres d'un colon. A la fin du XVIIe siècle on envoya également des galériens et des prostituées. Contrairement à ce qui se passait sur le continent, les Blancs étaient plus nombreux que les gens de couleur. Ainsi, Anglais, Français, Hollandais, voire Danois, s'étaient installés aux Antilles. Au XVIIIe siècle le grignotage des îles espagnoles cessa et les Antilles furent dominées par la rivalité franco-anglaise.

ANGLAIS ET FRANÇAIS EN AMÉRIQUE DU NORD

Leur installation fut également pénible mais elle aboutit à des résultats différents : constitution d'une province française immense et peu peuplée au Canada et de colonies anglaises relativement peu étendues, assez peuplées, diverses et témoignant d'un certain esprit d'autonomie.

Les Anglais

La tentative de Sir Walter Raleigh en Virginie (1587) avait échoué. Elle fut reprise en 1607 à l'intigation de Jacques Ier qui fonda la *Compagnie de Londres*. Les colons, malgré des pertes provoquées par les attaques des Indiens, pratiquèrent la culture du tabac dont le produit permit l'importation d'outillage. En 1624 la Virginie devenait colonie de la Couronne. En 1620 une autre colonie avait été créée plus au nord par les passagers de la *May Flower* parmi lesquels comptaient des puritains fuyant les persécutions, les « Pères pèlerins ». Le peuplement fut accéléré par la misère rurale et urbaine et les crises politiques et religieuses de l'Angleterre. Les compagnies coloniales faisaient souscrire aux émigrants des engagements, contrats dits d'*endenture* par lesquels contre un engagement de travail de cinq années les nouveaux venus voyaient leur voyage payé et recevaient à l'expiration des cinq années 50 acres de terre et de l'outillage. De 1630 à 1642, à l'appel de la Compagnie du Massachusetts, partirent de nombreux puritains qui s'établirent au nord, dans la Nouvelle-Angleterre dont le principal centre fut Boston. Cette région en porta la marque. Les droits politiques n'y étaient reconnus qu'aux puritains et l'administration locale était aux mains des principaux actionnaires et des pasteurs. Cependant ce régime pesait à certains qui allèrent fonder la petite colonie du Rhode Island où régna la liberté religieuse. Pendant la République, des nobles « cavaliers » allèrent en Virginie où ils instaurèrent la grande propriété et renforcèrent l'Eglise anglicane. Au nord de la Virginie un catholique, Lord Baltimore, avait fondé la colonie du Maryland, tandis qu'au sud fut créée celle de Caroline sous le règne de Charles II.

Les estuaires situés entre Maryland et Nouvelle-Angleterre avaient tenté les Hollandais et Suédois. Les Hollandais fondèrent la Nouvelle-Amsterdam dans l'île de Manhattan au débouché de l'Hudson qui ouvrait une route vers les Grands Lacs et les pays des fourrures (1624-1664), tandis que les Suédois s'installaient sur la Delaware. Les Anglais s'emparèrent sans difficultés de la Nouvelle-Hollande et de la Nouvelle-Suède. La Nouvelle-Amsterdam devint New York. En 1680, Charles II concéda une partie de ce territoire à un quaker, William Penn, qui fit appel non seulement à des Anglais et Ecossais, mais également à des Irlandais, Hollandais, Scandinaves, Français et surtout Allemands invités à tenter la « Sainte Expérience ». Il négocia avec les tribus indiennes et rédigea une constitution libérale. Philadelphie (Amour fraternel) devint la capitale de la Pennsylvanie.

Les colonies anglaises d'Amérique présentaient à la fois des caractères communs et de notables différences. Les colons évitèrent la dispersion et préférèrent occuper solidement l'espace compris entre l'Océan et la *Fall Line*, si bien qu'il s'établit entre eux et les Indiens un front pionnier. La *Frontière* dut être défendue constamment. Elle n'avança vers l'ouest que prudemment. Les colonies eurent des gouvernements à l'instar de celui de l'Angleterre. Le gouverneur, généralement nommé par le roi, était assisté d'un conseil choisi par lui parmi les notables locaux et d'une assemblée élue suivant des modalités très variables. La plus ancienne fut celle de la Virginie (1619).

Les conditions géographiques et les circonstances de l'installation introduisirent des différences entre les colonies. Au sud on trouvait le régime des plantations, une aristocratie blanche et des esclaves noirs. Au centre régnait une grande variété ethnique, la tolérance religieuse, une économie diversifiée où l'industrie et le commerce avaient une large part. La Nouvelle-Angleterre apparaissait comme une province anglaise, avec une paysannerie prolifique, des activités maritimes (pêche à la morue, fabrication de goudron, commerce prospère avec les Iles) et une vie intellectuelle active (fondation du collège Harvard en 1636, imprimeries, presse).

Les Français

Le massacre des colons de Floride (1567) rejetait vers le nord les tentatives des Français, dans les pays du Saint-Laurent, largement ouverts sur l'intérieur. Ils pratiquèrent à la fois la colonisation et l'expansion sur de vastes espaces où ils trafiquaient des fourrures. Henri IV reprit les projets de François Ier sur la Nouvelle-France (1598). Champlain fonda Port-Royal en Acadie puis Québec sur le Saint-Laurent (1607). Pour participer à la traite des fourrures, les Français entrèrent en rapport avec les Hurons et les Algonkins dont ils se firent les alliés contre les Iroquois. En 1627, Richelieu fonda la *Compagnie des Cent-Associés ou de la Nouvelle-France*, chargée d'installer des colons, à qui il remit le monopole de la traite des fourrures. Dans le même temps la *Compagnie du Saint-Sacrement* patronnait l'évangélisation et faisait interdire le Canada aux huguenots. Sur les traces des chasseurs de fourrures les missionnaires fondèrent Trois-Rivières puis Montréal (1642). Louis XIV et Colbert donnèrent un nouvel essor à la colonisation. La Nouvelle-France fut rattachée au domaine royal. Comme la natalité était très forte, la population s'éleva assez rapidement. Une agriculture de subsistance et un artisanat permirent au Canada français de vivre sur lui-même, l'aide de la France étant très mesurée à partir de 1690.

Le Canada devint une province française à la tête de laquelle on trouvait un gouverneur (chef militaire), un intendant et un conseil souverain composé de l'évêque, des principaux officiers et des notables des principales villes. La terre avait été remise à des seigneurs chargés de la mettre en exploitation et de la peupler. Cependant le régime seigneurial semblable en principe à celui de France fut moins oppressif. La nécessité de se garder contre les Iroquois entretenait une solidarité entre seigneurs et tenanciers. Cette nécessité jointe à l'origine missionnaire de nombreuses installations imprimèrent un aspect catholique exceptionnel au Canada surtout lorsque, à l'évêché de Québec, fut nommé Mgr de Montmorency-Laval (1659). La position stratégique des Grands Lacs incita l'intendant Talon à en prendre possession au nom de la France (1671). Les postes français furent défendus avec acharnement par les milices commandées par le gouverneur Frontenac. A la recherche d'une voie conduisant à l'océan Pacifique, Jolliet et le P. Marquette découvrirent les sources du Mississipi en 1673 et, en 1682, Cavelier de La Salle descendait le fleuve et plantait le drapeau à fleurs de lis dans le delta. La même année était fondée la Compagnie de la baie d'Hudson qui consacrait son activité à la traite des fourrures. Au début du XVIIIᵉ siècle les Français débouchaient dans la Prairie.

Il n'y avait guère de contacts entre Français et Anglais si ce n'est en Acadie que ces derniers considéraient comme un prolongement de la Nouvelle-Angleterre et qu'ils occupèrent de 1654 à 1667. Les Anglais avaient également tenté de s'installer sur les rivages de la baie d'Hudson. S'étant emparés de New York, ils tinrent une voie de pénétration importante, celle de l'Hudson, et s'intéressèrent à la traite des fourrures. Anglais et Français s'accusèrent respectivement de faire la guerre en utilisant les Indiens : Hurons et Algonkins contre Iroquois. L'offensive indienne contre les colonies anglaises en 1675 aurait été provoquée par les Français, le massacre de colons français en 1689 par les Anglais. En 1690 commencèrent en Europe les guerres franco-anglaises. Elles eurent leur prolongement en Amérique. Les Anglais réussirent à occuper l'Acadie en 1711. Au traité d'Utrecht, la France devait céder aux Anglais l'Acadie, Terre-Neuve (moins un droit de pêche) et la baie d'Hudson (1713).

Textes et documents : *Les voyages de S. Champlain*, publié par H. DESCHAMPS, 1951.

QUATRIÈME PARTIE

DE L'EUROPE CLASSIQUE
A L'EUROPE DES LUMIÈRES

Depuis le début des Temps modernes les Européens ont étendu considérablement l'aire de leur présence. De nouvelles Europe sont même en formation. Sans doute la plus grande partie des continents reste encore hors de leur portée, vastes surfaces très peu peuplées d'Afrique, d'Amérique et d'Asie, et Etats de vieilles civilisations qui ont « refusé » l'Europe, mais les mers appartiennent aux marines européennes. Les progrès s'accélèrent entre 1660 et 1740. Le contact des mondes nouveaux a eu également des conséquences en Europe. L'Europe de 1740 n'est plus celle de 1660. La conjoncture économique s'est renversée vers 1730. L'expansion hors d'Europe n'est plus seulement le résultat de la volonté des hommes, elle est portée non plus par la nécessité, mais par une conjoncture économique favorable. Un « esprit nouveau » souffle dans les esprits cultivés, en Angleterre puis de proche en proche en France et dans quelques autres régions d'Europe, là où existent des bourgeoisies assez nombreuses et actives, se chargeant au passage de la réflexion des philosophes français. Une nouvelle conception du monde s'élabore. La recherche du bonheur individuel prend la place de l'œuvre collective du salut. Disparus en Angleterre et en Hollande, les ordres de la société subsistent ailleurs dans les institutions, mais apparaissent çà et là comme des survivances. Un nouvel équilibre politique s'est établi en Europe. Les puissances maritimes ont accentué leur développement, mais le recul de l'Empire turc permet l'essor de deux puissantes monarchies à l'est : l'Autriche et la Russie. Les influences occidentales pénètrent sur les marges des Balkans et à Saint-Pétersbourg.

Ces transformations se sont accomplies à des rythmes différents suivant les pays et les époques. Deux moments apparaissent particulièrement importants : 1689-1690 et 1713-1715. Le premier est marqué par la seconde révolution anglaise qui amorce la première expérience moderne de régime constitutionnel et ouvre la voie à un régime de libertés et de tolérance qui ne sont d'ailleurs pas sans limites et ne gagnent guère le continent. Le second moment est celui du rétablissement de la paix en Europe ou plutôt de l'établissement d'une paix précaire basée sur l'équilibre des puissances. Il voit la disparition de Louis XIV dont le règne semblait prolonger un état politique dépassé, bien qu'il n'ait guère fait obstacle en définitive à l'évolution des idées. Il est cependant de fait qu'à partir de 1715 les idées circulent mieux en France, dans les pays voisins et aussi dans les milieux les plus cultivés de l'Europe.

Chapitre XIX

LA FRANCE DE LOUIS XIV

Carte XIV b.

Bibliographie : Ouvrages cités p. 8. R. Mousnier, *Etat et société sous François Ier et pendant le gouvernement personnel de Louis XIV*, cours ronéotypé, 1967. H. Méthivier, *Le siècle de Louis XIV* (coll. « Que sais-je ? »), nouv. éd., 1971. P. Goubert, *Louis XIV et vingt millions de Français*, 1966. R. Mandrou, *La France aux XVIIe et XVIIIe siècles* (coll. « Nouvelle Clio »), 1967, et *Louis XIV en son temps* (coll. « Peuples et civilisations »), 1973. J. Dupâquier, *La population française aux XVIIe et XVIIIe siècles* (coll. « Que sais-je ? »), 1979. F. Braudel et E. Labrousse, *Histoire économique et sociale de la France*, t. II, *1660-1789*, 1970. A. Corvisier, *La France de Louis XIV, ordre intérieur et place en Europe* (coll. « Regards sur l'Histoire »), 1979. P. Verlet, *Versailles*, 1961.

A la mort de Mazarin, le 9 mars 1661, Louis XIV « prenait le pouvoir ». Il écrira : « Tout était tranquille en tous lieux », mais aussi : « Le désordre régnait partout. » On reconnaît aujourd'hui que ce jugement était justifié. Par ailleurs, l'opinion généralement admise est que la France sortit ruinée du long règne de Louis XIV, que sa population aurait diminué de 10 %. Pourtant des analyses régionales montrent des îlots de relative prospérité, notamment dans le Midi, les ports de l'Atlantique et les régions heureusement assez nombreuses qui ont échappé à la famine de 1709-1710. Qu'on aborde l'aspect politique, national ou même économique, le règne de Louis XIV offre donc toujours matière à controverses.

La société française

Les raisons du rôle important joué par la France de Louis XIV doivent être cherchées non seulement dans la politique royale et la force des institutions monarchiques, mais également dans le potentiel économique et humain du royaume.

LA DÉMOGRAPHIE

Il a été impossible jusqu'ici aux historiens de se mettre d'accord sur le nombre des sujets de Louis XIV. Pour 1661, les évaluations varient entre 16 et 20 millions. La vérité était vraisemblablement plus proche du dernier chiffre. Quoi qu'il en soit, la population du royaume représente à peu près le cinquième de la population de l'Europe. L'Espagne possède alors de six à sept millions d'habitants et l'Angleterre n'atteint pas ce nombre.

Les dénombrements de population effectués en 1664 et autour de 1695, restés incomplets, ne comptent que les feux contribuables.

D'après les registres paroissiaux, il apparaît que l'espérance à la vie ne dépassait pas en moyenne 25 ans (aux alentours de 70 ans aujourd'hui). Sur 100 nouveaux nés, il n'en restait plus que 75 à un an, 50 à 20 ans, 25 à 40 ans et 10 à 60. Pour que la population se maintienne comme elle le faisait il fallait une extraordinaire force vitale. Le célibat n'était pas plus répandu qu'aujourd'hui, malgré l'existence d'un clergé nombreux. Les remariages des hommes après veuvage étaient très fréquents. D'ailleurs les naissances illégitimes restaient rares, même dans les villes propices à la dissimulation de fautes commises souvent en d'autres lieux. Il en était de même des naissances suivant de peu les mariages. Le contrôle des naissances n'était pratiqué que dans les milieux de la prostitution et une partie de l'aristocratie. Cependant les familles nombreuses étaient rares à cause de la disparition de nombreux enfants en bas-âge et parce que les naissances restaient moins fréquentes qu'on l'a cru longtemps. On se mariait assez tard, entre 23 et 25 ans en moyenne chez les filles. Les conceptions étaient moins nombreuses pendant les périodes où l'Eglise recommandait la continence (surtout Carême), enfin l'allaitement espaçait les conceptions sauf chez les personnes aisées qui recouraient aux nourrices. Faute d'alimentation convenable, des naissances répétées tuaient la mère. L'épuisement physiologique, frein à la fécondité, faisait sentir ses effets pendant les périodes de famine.

Aussi les crises démographiques frappaient périodiquement le royaume : 1662, 1670, 1679-1681, 1690-1694, 1709-1710, mais il convient de préciser qu'elles ne frappent qu'inégalement les différentes provinces. Elles ne sont plus marquées par la peste. Les derniers foyers endémiques de cette maladie disparaissent vers 1670. Par contre subsistent les nombreuses fièvres qui emportent les hommes et femmes souffrant déjà de maladies de carence. C'est dire que les mortalités prennent des aspects sociaux beaucoup plus accusés. Les gens aisés y échappent. Les contemporains étaient persuadés que la population du royaume diminuait, certains s'inquiétaient du nombre des moines et religieuses, d'autant plus que tous voyaient dans la « peuplade » un facteur de prospérité. En fait ces mortalités étaient suivies de reprises extraordinaires. Elles avaient opéré une sélection en éliminant les vieillards et les faibles. Mariages, remariages et naissances avaient assez vite fait de rétablir la situation. Cependant il semble bien que le royaume soit plus peuplé en 1715 qu'en 1661. Il aurait gagné, outre un million d'habitants par les annexions, à peu près autant par l'accroissement naturel. Toutefois s'étaient formées des classes creuses qui firent sentir leurs effets jusque vers 1740.

La population reste encore rurale pour 85 %, la qualité de ville correspondant à des privilèges administratifs et non à des données démographiques. Aussi on appelle parfois villes des bourgades qui ne comptent que quelques centaines d'habitants. Généralement la ville d'une certaine importance est malsaine. Elle attire un exode rural constant. Pour les campagnards, généralement faméliques, qui s'adaptent mal, la ville est un véritable tombeau. Aussi la population urbaine n'augmente guère. De l'ensemble des villes sièges d'évêchés ou de bailliage se détachent quelques métropoles, sièges de parlement, d'archevêché où s'est développée une activité économique importante. Toutefois, vers 1700, sauf Paris qui compte environ 530 000 habitants, aucune ville n'atteint les 100 000 habitants et J. Dupâquier propose les chiffres suivants : Lyon, 97 000 ; Marseille, 75 000 ; Rouen, 60 000 ; Lille, 55 000 ; Bordeaux, Nantes, Orléans et Toulouse dépassent 40 000 et Caen, Amiens, Angers, Dijon, Tours, Metz dépassent 30 000 habitants. Sept à dix mille habitants suffisent à assurer un caractère urbain indiscutable.

LES GROUPES SOCIAUX

L'organisation sociale est fondée sur la distinction des ordres. Même là où les facteurs économiques font apparaître des classes, la notion d'ordre l'emporte sur celle de classe. La place de chacun est marquée dans les cérémonies, à l'église, et par le costume. La soie est réservée aux nobles, le drap, généralement noir, aux bourgeois, la serge et la toile aux artisans, en dehors de toutes considérations de fortune. Le *Traité des ordres* de Loyseau (cf. p. 137) reste l'ouvrage de référence quant aux « rangs et dignitez ».

A l'intérieur des trois grands ordres de la nation, on trouve des catégories appelées également ordres. Ainsi le clergé comprend deux ordres, surtout à partir des mesures qui, vers 1695, renforcent l'autorité des évêques sur les prêtres. Les rangs et dignités de la noblesse sont bien connus : princes du sang, ducs et pairs, noblesse bénéficiant des honneurs de la Cour, nobles titrés, enfin les non-titrés qualifiés seulement « écuyers ». Ces rangs ont souvent plus de valeur que la distinction entre noblesse d'épée et noblesse de robe. Dans le tiers état Loyseau distingue ceux qui « portent qualité d'honneur », font précéder leur nom d'un avant-nom (différence entre le sieur Untel et le nommé Untel) ou d'une épithète (honorable homme, honnête personne...). En tête du Tiers, viennent les officiers royaux qui ne sont pas encore passés dans la noblesse. On rencontre ensuite les « gens de lettres » qui ne sont pas officiers : gradués des universités, médecins, avocats, puis les « praticiens et gens d'affaires » : notaires, procureurs, enfin les marchands et artisans des métiers qualifiés « arts ». Au-dessous sont les « personnes viles » (le terme signifiant gens du peuple) : laboureurs, « gens mécaniques », maîtres de métier ou non, les « hommes de bras », enfin les « mendiants valides », « vagabonds et gueux » (R. Mousnier).

Sans doute certaines catégories échappent à cette classification. Les financiers, placés par Loyseau après les hommes de lettres, peuvent occuper une position beaucoup moins modeste, mais cela scandalise. Chez les « gens du commun », soit quatre Français sur cinq, le phénomène de classes se manifeste. A la campagne où il n'existe pas de corps, on peut se dire marchand dès qu'on vend quelque chose. D'ailleurs cette société n'est pas figée. L'ordre s'acquiert et il se perd. Les barrières entre les trois ordres n'empêchent pas anoblissements et dérogeance. Celles qui séparent les sous-catégories sont moins élevées. Elles procèdent soit d'un caractère institutionnel (corps, rangs), soit de prétentions ratifiées par un consensus. Même dans ce dernier cas les usages matrimoniaux tiennent le plus grand compte de ces distinctions. Sans que cela soit une obligation, on évite les mésalliances. Elles sont cependant admises au bénéfice de la femme, sauf à compenser une naissance roturière ou « ignoble » par l'apport d'une dot estimable.

La population des campagnes vit en communautés rurales dont l'organisation se perfectionne depuis que la monarchie en a fait des unités fiscales et des unités pour la levée de la milice.

La communauté a son assemblée qui groupe souvent après la messe le représentant du seigneur, le curé, les syndics de la communauté et les principaux chefs de famille. Elle désigne les asséeurs et collecteurs des tailles et entretient le ou les miliciens. Elle doit également gérer les biens communaux, les défendre contre les usurpations, régler l'exercice des droits d'usage, dont la vaine pâture. Cette tâche est beaucoup plus lourde dans l'Est de la France où les pratiques communautaires sont très développées que dans l'Ouest bocager. Enfin la communauté rurale coïncide souvent avec la paroisse. Le conseil de la « fabrique », dont les chefs sont les marguilliers, gère les biens de l'église, entretient la nef, et l'école quand elle existe. Face aux communautés se dressent les seigneuries, d'importance très inégale, couvrant parfois plusieurs communautés, alors qu'ailleurs, par suite de démembrements, on en trouve plusieurs sur le territoire d'une seule communauté. Certaines en effet ne consistent qu'en droits seigneuriaux, et ne possèdent pas de terres, encore moins de château. D'ailleurs le seigneur a souvent confié l'exploitation de la seigneurie à un fermier général, en général plus exigeant à l'égard des « vassaux ». Pendant la première moitié du siècle, les communautés se sont ruinées en reconstructions et secours aux indigents. Elles se sont souvent endettées envers le seigneur ou des bourgeois et doivent demander l'autorisation de lever des impôts (tailles négotiales). Colbert tentera d'améliorer leurs finances.

La ruine des communautés rurales est également celle des paysans. Impôts seigneuriaux, dîmes, fermages en nature et corvées sont moins difficilement acquittés que les impôts royaux en argent. Faute de pouvoir se procurer de l'argent en vendant les trop rares surplus, le paysan doit emprunter puis vendre de la terre. La propriété paysanne couvre la moitié du terroir, mais elle est très inégalement répartie. Auprès des villes et dans le nord de la France, des régions entrées dans le circuit commercial, elle subit un net recul au profit de la propriété bourgeoise et seigneuriale. La bourgeoisie continue à acquérir des terres et même des seigneuries achetées à des seigneurs endettés. Dans ces régions, les inégalités sociales se sont accrues. La noblesse médiocre et nonchalante, dont les meilleurs fils servent à l'armée et qui témoigne de son inadaptation à la société moderne est le fait des pays restés à l'écart des grandes voies de commerce. Elle ne peut se maintenir là où l'activité économique s'éveille. Les seigneuries quand elles sont des unités d'exploitation économique rapportent beaucoup plus par les rentes foncières et la vente du blé que par les droits féodaux. Cependant les droits seigneuriaux ou féodaux restent un élément décisif de prestige. Les revenus d'origine économique sont également la fortune d'abbayes, de décimateurs et de fermiers, de propriétaires qui commercialisent fermages, dîmes ou récoltes.

A côté des laboureurs du Nord ou ménagers du Midi, actifs et puissants coqs de villages surtout autour de Paris, qu'on peut considérer comme des paysans indépendants, on rencontre la masse des paysans possesseurs d'une petite exploitation comme les haricotiers du Beauvaisis ou simples manouvriers. Ces derniers sont généralement possesseurs d'une chaumière, d'un enclos, de minuscules lopins de terre et de quelques maigres têtes de bétail. Ils vivent des biens communaux, louent leur travail et fournissent de la main-d'œuvre aux industries textiles rurales. Ils sont particulièrement touchés par la levée des impôts royaux, tailles auxquelles s'ajoutent en 1695 la capitation puis en 1710 le dixième, aides et gabelles, logement des gens de guerre. Cependant les révoltes populaires sont devenues rares (révolte du papier timbré en Bretagne en 1675). Cela est dû, autant qu'au renforcement de l'autorité royale, à quelques périodes assez longues de blé abondant et bon marché qui ont rendu la condition paysanne moins insupportable.

Il est possible qu'un changement de comportement se soit produit chez les paysans à cette période. La qualité du clergé s'est améliorée lentement. C'est probablement entre 1690 et 1740 que se manifestent au mieux les effets de la réforme tridentine et les résultats des missions du XVIIe siècle. Le curé, mieux instruit, a pris une grande autorité. Il fait la guerre aux beuveries, charivaris grossiers. C'est l'amorce d'une très lente transformation.

La ville n'a guère changé d'aspect. Elle reste close et ses portes sont fermées pendant la nuit. Les conditions sociales les plus diverses y voisinent bien que des « beaux quartiers » s'y distinguent, préférés des officiers royaux, de la noblesse et des métiers et commerces les plus relevés. Par contre dans les quartiers semi-ruraux s'entassent les nouveaux venus. L'urbanisme pénètre, encore limité à quelques points dont le thème est la construction d'une place royale (Dijon, Montpellier) ou d'une place d'armes.

La ville reste attachée à ses privilèges et traditions. L'exclusion des gens du peuple des assemblées se poursuit et les corps de ville se cooptent pratiquement dans une oligarchie d'officiers et de négociants. La gestion des villes n'en souffre pas. Soucieux d'éviter l'agitation populaire, les corps de ville font de leur mieux en temps de famine ou d'épidémie. D'ailleurs leur autonomie est amoindrie par les progrès de l'administration royale. L'intendant les surveille.

La société urbaine s'est transformée. Beaucoup de nobles résident en ville : nobles de robe qui d'ailleurs vont passer une partie de l'été dans leurs seigneuries, nobles d'épée qui l'hiver quittent leurs châteaux pour la ville. Les hôtels urbains donnent le ton. On trouve aussi une petite noblesse, non fieffée, employée dans les petits offices (R. Dauvergne). La bourgeoisie des officiers et « gens de lettres » connaît une vie relativement cossue, mais laborieuse, austère et discrète. Elle se montre très attachée aux concepts d'ordres. Eléments actifs dans la société urbaine, les négociants et marchands cherchent à s'intégrer à la bourgeoisie municipale, achètent des offices et, comme toute bonne bourgeoisie, visent la noblesse.

Le monde des métiers s'est diversifié. D'un côté les métiers traditionnels, organisés en jurandes rendues de plus en plus rigides par l'action de Colbert et la défense qu'elles opposent à la création d'offices corporatifs vénaux (gardes des métiers) qu'il faut racheter. Statuts et règlements ne cessent de se préciser. Outre l'hérédité, la maîtrise s'acquiert en fait par une véritable cooptation et le versement de droits. Dans certains métiers le chef-d'œuvre disparaît ou devient insignifiant. Les compagnons sont souvent des ouvriers sans aucun espoir d'accéder à la maîtrise. Ils forment alors des associations secrètes mettant l'interdit sur l'embauche dans une ville ou un atelier. Dans les métiers régis par le capitalisme commercial (essentiellement l'industrie textile) la maîtrise s'obtient sans difficulté surtout si on possède un métier, mais le maître est à la merci du marchand qui lui fournit la matière première et vend le produit de son travail. Ce maître ne vit guère mieux qu'un compagnon, sauf dans la mesure où il réussit à se libérer du marchand. Le compagnon peut assurer une vie médiocre à sa famille en période normale, mais il est guetté par la misère dès qu'une crise de subsistance apporte à la fois hausse du prix du pain et chômage. Les villes abritent également une foule de gens dont l'activité n'est pas qualifiée « métier » : domestiques, souvent venus de la campagne, jardiniers et vignerons semi-ruraux, gagne-deniers (porteurs d'eau, brouettiers, crocheteurs...). Enfin on rencontre les pauvres et mendiants dont la création d'hôpitaux généraux réduit la masse en année normale, mais que les crises de subsistances font resurgir, malgré l'ouverture d'ateliers de charité et la distribution de secours.

La ville est un foyer religieux et culturel. La reconquête catholique du XVIIᵉ siècle s'est appuyée sur les villes. Les nouvelles communautés religieuses sont urbaines. Le transfert de l'abbaye de Port-Royal à Paris est symptomatique. Les congrégations mariales issues des collèges de Jésuites et les confréries de dévotion se sont multipliées. Leur action s'exerce non seulement dans la ligne d'un renouveau spirituel qui d'ailleurs alimente la querelle janséniste, mais aussi dans la fondation d'hôpitaux, de « charités » qui choisissent leurs pauvres et aussi d'écoles gratuites. Un peu partout des efforts sont faits. Charles Démia à Lyon annonce la création par Jean-Baptiste de La Salle de l'ordre des *Frères des écoles chrétiennes* dont l'extension se poursuit jusque vers 1740. Les maîtres-écrivains ont développé leurs écoles. L'instruction s'est répandue. Entre la petite bourgeoisie et le « bas peuple » commence à se constituer une sorte d'élite populaire recrutée dans les métiers traditionnels, qui sait lire, accède à la culture populaire et se montre attachée à sa religion.

L'apogée de la monarchie absolue

Le règne de Louis XIV est considéré comme l'apogée de la monarchie absolue, même si à certains égards l'appareil d'Etat est moins développé à la fin du XVIIᵉ siècle qu'à l'avènement de Louis XVI. C'est que, au moins pendant la première partie du règne, le droit divin connaît son apogée.

LE DROIT DIVIN

Le courant de pensée politique provoqué par l'assassinat de Henri IV culmine dans la première partie du règne de Louis XIV. Le droit divin a été affirmé depuis les progrès de la monarchie, mais il a trouvé son expression la plus parfaite sous la plume de Bossuet dans *La politique tirée des propres paroles de l'Ecriture sainte* ou dans les ouvrages dictés par Louis XIV comme les *Mémoires pour l'instruction du Dauphin.* « Le trône royal n'est pas le trône d'un homme, mais le trône de Dieu même », écrit Bossuet. Il répète ainsi la formule de saint Paul : *Omnis potestas a Deo.* La tradition monarchique et gallicane rejetait l'additif *per populum.* Bossuet combattait l'idée de pacte exprimée encore par Claude Joly peu après la Fronde et par Jurieu après la révocation de l'Edit de Nantes. Louis XIV écrivait : « tout homme né sujet doit obéir sans discernement ». Le peuple n'a pas de droits sur le souverain, mais celui-ci a des devoirs envers le peuple. Le mot « pouvoir absolu » signifie « pouvoir indépendant » (J. Truchet). Certains libertins étaient même allés plus loin. Guez de Balzac ou Naudé avaient soutenu que le roi disposait des biens et des vies de ses sujets. Cela correspondait-il à la pensée profonde de Louis XIV ? Bossuet distingue la puissance directive des lois que les rois doivent observer et leur puissance coactive à laquelle ils ne sont pas soumis. C'est-à-dire qu'ils ne peuvent être soumis ni à un contrôle, ni à des sanctions. A partir de 1685 des pamphlétaires protestants attaquent la politique de Louis XIV (*Lettres pastorales* de Jurieu, *Nouvelles de la République des Lettres* de Bayle, *Soupirs de la France esclave*) et réveillent l'idée d'un contrat entre le roi et le peuple. Ils ne rencontrent qu'un très faible écho en France. A la fin du règne, de hauts personnages tels Fénelon dénonçant les abus ne vont pas au-delà de la résurrection des « puissances secondes » : ducs et pairs, parlements, rarement Etats généraux. A la mort de Louis XIV ils ne feront pas autre chose qu'imposer au Régent la présence de conseils pris dans la haute noblesse d'épée ou de robe.

Dans la conscience collective, les rois sacrés, oints du Seigneur, dotés du pouvoir de guérir des écrouelles, ne sont pas tout à fait des laïcs. Le sacre est le mariage qu'ils contractent avec la France, « épouse mystique et la plus privilégiée », écrit Le Bret. Louis XIV fit d'ailleurs la distinction entre sa personne et l'Etat. Il aurait dit « L'Etat c'est moi », mais il déclara à son lit de mort : « Je m'en vais, mais l'Etat demeurera toujours. » Il est admis que le roi n'a pas la propriété mais la souveraineté de l'Etat. Enfin les contemporains considéraient comme le « mystère de la monarchie » que Dieu faisait au roi la grâce spéciale de mettre la volonté royale en conformité avec le bien public (R. Mousnier). Il faudra tout le XVIIIe siècle, des abus et le réveil des idées de contrôle de la monarchie pour que les Français changent d'avis.

GOUVERNEMENT PAR CONSEIL
ET GOUVERNEMENT DES COMMIS

Le vœu des Français était que le roi gouverne lui-même. Louis XIV avait compris l'impopularité du gouvernement par les premiers ministres. On lui avait donné en exemple Henri IV. Par bien des traits Louis XIV ressemblait davantage à son arrière-grand-père maternel Philippe II. Esprit réfléchi et lent, maître de soi, il s'appliqua à son métier de roi, surtout après la disparition des conseillers que lui avait légués Mazarin et qu'il avait gardés sauf Fouquet. Toutefois le roi devait gouverner « par grand conseil », c'est-à-dire consulter les conseillers-nés de la couronne, des personnes qu'il choisissait lui-même, les membres des cours souveraines, des personnes élues (Etats généraux, Etats provinciaux), notables, membres de conseils extraordinaires comme le Conseil du Commerce appelé en 1664. En fait, Louis XIV qui se souvenait de la Fronde écarta les conseillers qu'il ne pouvait choisir (sa famille) et recruta ses principaux agents et conseillers surtout dans la noblesse de robe. C'étaient ses créatures et il pouvait leur demander n'importe quoi (R. Mousnier).

En principe il n'y avait qu'un seul Conseil réorganisé en 1673. En fait on peut distinguer des conseils de gouvernement que le roi présidait et des conseils de justice et d'administration. Parmi les premiers était d'abord le *Conseil d'En haut*, composé de quelques personnages portant le titre de ministre d'Etat, qui s'occupait des affaires les plus importantes. On y trouvait le chancelier, le contrôleur général des finances et quelques-uns des quatre secrétaires d'Etat (guerre, étranger, marine, maison du roi). Le Conseil des Dépêches traitait des relations avec les provinces. Le Conseil royal des Finances comprenait, outre le roi, le contrôleur général des finances et deux conseillers d'Etat. Les conseils d'administration étaient groupés sous le titre de *Conseil d'Etat privé, finances et direction* qui comprenait plusieurs « séances ». Il examinait notamment les remontrances des cours souveraines et les affaires de rébellion et fut l'instrument essentiel de l'absolutisme royal (M. Antoine). Le travail de ces derniers conseils était préparé par des bureaux et commissions. Leurs membres étaient choisis parmi les maîtres des requêtes à qui le roi donnait la dignité de conseiller d'Etat.

Les *intendants de justice, police et finances* rétablis en 1653 reçurent une organisation définitive en 1664. C'étaient généralement des maîtres des requêtes ayant reçu une commission dans le ressort d'une généralité. Leurs tâches multiples faisaient d'eux les « maîtres jacques » de la monarchie. Ils devaient surveiller les officiers de justice, la police (administration) : ordre public, ravitaillement, routes, logement des troupes, affaires religieuses, enfin les finances : répartition de la taille, puis de la capitation et du dixième. Paris eut un régime à part : en 1667 le lieutenant général de police concentra la plupart des pouvoirs. La Reynie y fit régner un ordre jusqu'alors inconnu. Les gouverneurs de province ne furent pas réduits à un rôle décoratif. Tandis que l'intendant détenait des pouvoirs administratifs, ils représentaient le roi dans la province, commandaient à la force militaire, intervenaient dans les affaires de portée nationale. Par la disparité de leurs attributions, gouverneurs et intendants ne se heurtaient guère (R. Mousnier).

Ainsi, à côté des officiers d'épée ou de robe, le roi plaçait des commissaires, eux-mêmes officiers. Entre officiers et commissaires il n'y avait donc pas de différence d'origines. Mais les commissaires étaient les créatures du roi. Dans les moments de grande nécessité le roi pouvait se servir d'eux pour bousculer les formes administratives inefficaces. Aux officiers qui invoquaient leur conscience, ils imposaient la raison d'Etat.

Dans le même temps le gouvernement des commis fut aussi un gouvernement entouré d'une cour brillante et strictement organisée, moyen politique efficace pour désarmer la noblesse.

Celle-ci ne pouvait plus satisfaire d'ambitions qu'à la vue du roi. Contrainte à suivre une minutieuse étiquette et à faire des dépenses ruineuses, elle attendait tout du roi, pensions, gratifications et faveurs insignifiantes auxquelles Louis XIV avait l'art de donner du prix. Cette assurance contre le retour des troubles a probablement coûté moins cher que des Frondes. Les services de la Cour prirent une extension considérable, ce qui permit de domestiquer la noblesse dans les hauts postes de la maison civile (Chambre, Garde-robe, Bouche, Ecurie, Vénerie). Par contre, soucieux d'efficacité, Louis XIV fit entrer dans les gardes du corps des soldats d'élite tirés de la troupe alors que gardes françaises et gardes suisses étaient surtout chargés de surveiller Paris. La répression sévère des brigandages de la noblesse (grands jours d'Auvergne, 1665) et des révoltes populaires fit que le royaume ne connut plus de révoltes pendant la seconde partie du règne, malgré l'augmentation écrasante des impôts. Enfin, la législation fut précisée : ordonnances civile (1667), criminelle (1670), maritime (1681)...

L'ŒUVRE DE SALUT ET LES PERSÉCUTIONS RELIGIEUSES

Il n'y a pas d'opposition entre les vues du jeune roi à qui son confesseur refusait les Pâques à cause de sa vie scandaleuse et celles du vieux monarque, dévot époux de Mme de Maintenon. Louis XIV, Roi très chrétien, fut toujours conscient des responsabilités qui lui incombaient au sujet du salut éternel de ses sujets. Aussi s'appliqua-t-il à maintenir l'Eglise de France dans le sein de l'Eglise catholique, même quand cela lui coûtait, et à combattre l'hérésie sous quelque forme qu'elle se présentât.

Louis XIV entra en conflit avec le pape comme souverain temporel (affaire de la Garde corse, 1662 ; affaire des franchises relative aux privilèges dont jouissait l'ambassade de France à Rome, 1687). L'affaire de la *régale* touchait aux rapports entre l'Eglise de France et la Papauté. Le concordat de 1516 avait reconnu que le roi était le maître des biens temporels des évêchés. Pendant les vacances de ceux-ci il pouvait donc en toucher les revenus. Or ce droit n'avait pas été appliqué aux évêchés annexés depuis 1516. Louis XIV y pourvut en 1673. Le haut clergé, composé en partie de créatures, notamment de parents de ministres, ne fit aucune objection. Seuls deux évêques en appelèrent au pape. Une assemblée du clergé réunie en 1681 réagit contre l'intrusion du pape Innocent XI dans les affaires de France. La *Déclaration des quatre articles*, véritable charte de l'Eglise gallicane, proclamait l'indépendance du roi à l'égard du pape, la supériorité du concile sur le pape, la nécessité pour celui-ci de respecter les lois et coutumes de l'Eglise de France. Innocent XI refusa alors d'investir les évêques nommés par le roi. Louis XIV ne voulait pas de schisme. La mort d'Innocent XI rendit un accord possible. Le pape acceptait l'extension de la régale et le roi renonçait à la Déclaration des quatre articles qui cependant continua à être enseignée dans les séminaires.

Comme la plupart des Français, Louis XIV souhaitait l'union de tous ses sujets dans le sein de l'Eglise. On eut l'illusion vers 1668-1670 qu'on s'en approchait. La Compagnie du Saint-Sacrement avait été dissoute en 1660. La paix de l'Eglise en 1668 apaisait la querelle janséniste. Le Grand Arnauld et Nicole mettaient leur plume au service du roi. Un effort fut fait par les « accommodeurs de religion » en faveur d'une réconciliation avec les protestants. Les tendances gallicanes n'étaient pas pour déplaire aux protestants. D'autre part le protestantisme français avait perdu de sa vigueur. Les luthériens et calvinistes d'Alsace restaient à part, garantis par les traités de Westphalie. Réduits à moins d'un million, les protestants français n'apparaissaient plus comme un corps aussi homogène. Le protestantisme de cour se montrait très patient. Les pasteurs avaient peu de prestige et certains abjuraient, alors que le catholicisme était en pleine restauration. On enregistra des conversions retentissantes dont celle de Turenne. Les « accommodeurs de religion » sous-estimaient l'attachement des huguenots à leur foi. La guerre de Hollande mit pratiquement fin aux tentatives d'union.

Depuis 1661 d'ailleurs on s'orientait vers une application stricte de l'Edit de Nantes : destruction des temples construits là où l'édit ne le permettait pas, funérailles de nuit... Le problème protestant avait également un aspect social. Dans maintes localités, à une bourgeoisie protestante s'opposaient des masses populaires catholiques. A plus d'un, les protestants apparaissaient comme des hommes d'argent, d'où l'idée d'une caisse des conversions chargée de dédommager par le versement de primes ceux qui abjuraient des ennuis qu'ils pourraient rencontrer dans leurs affaires auprès de leurs anciens coreligionnaires. Les convertis furent exemptés de taille. Après la paix de Nimègue, Louis XIV eut les mains libres pour agir. Les huguenots furent exclus des offices, les chambres mi-parties supprimées, les mariages mixtes interdits. De 1680 date le procédé qui consistait à envoyer des soldats en garnison chez les protestants comme on le faisait chez les contribuables récalcitrants. Ce furent les *dragonnades*. La terreur inspirée par les « missionnaires bottés » amena des conversions en masse. Bien que Louis XIV n'ait pas ignoré totalement les conditions dans lesquelles ces conversions étaient obtenues, il considéra qu'il ne restait pratiquement plus de protestants en France et que l'Edit de Nantes était devenu sans objet.

L'édit de Fontainebleau du 18 octobre 1685 révoquait l'Edit de Nantes. Ce fut la mesure la plus populaire prise par Louis XIV. L'opinion catholique, outre la satisfaction spirituelle qu'elle y trouva, se réjouit de voir les protestants soumis à ce qu'elle considérait comme le droit commun et notamment pour les nouveaux convertis, au paiement de l'impôt. Les effets de la révocation furent imprévus. Les ministres devaient abjurer ou quitter le royaume, les fidèles n'avaient le droit ni de pratiquer leur culte, ni de partir. En fait, bravant l'interdiction, les soldats et l'espionnage, un grand nombre de protestants, peut-être 150 000, quittèrent la France grâce à des chaînes de passage. C'étaient des habitants des régions frontières, des marins, artisans, commerçants, surtout des âmes fortes. Ils furent accueillis à Genève, en Hollande, Angleterre, Brandebourg, jusqu'en Amérique anglo-saxonne et en Afrique du Sud, où ils apportèrent leurs compétences et aussi leur haine de la monarchie absolue. Dans les régions où la fuite était impossible, faute de pasteurs, les huguenots écoutaient des prédicants, quelquefois illuminés dont le zèle était entretenu par les lettres reçues du « Refuge ». Les assemblées « au désert » furent pourchassées. Le protestantisme français devint une religion familiale. Le clergé catholique ne pouvait assimiler une masse aussi considérable de « nouveaux catholiques ». On usa tour à tour de contrainte et de persuasion, avec un très faible succès. Le protestantisme français ne disparut pas comme l'avait espéré la France catholique. Dans le même temps la querelle janséniste s'était réveillée (1679). Les problèmes religieux allaient compliquer la fin du règne de Louis XIV.

La grandeur du royaume

Louis XIV la désira passionnément. Il voulut que son royaume fût puissant et respecté, par les armes, la richesse et le rayonnement littéraire et artistique. L'étude de l'armée appartenant également à l'« art militaire » sera présentée plus loin.

LA RICHESSE DU ROYAUME

Louis XIV comprit qu'il pouvait trouver dans les affaires économiques et coloniales en elles-mêmes les moyens d'une grande politique. Il eut la chance de pouvoir utiliser les services de Colbert. Celui-ci, issu de la bourgeoisie marchande en cours d'accès aux offices, agent de Mazarin, gagna sa confiance et fut recommandé par lui à Louis XIV qui lui remit des charges écrasantes : ministre d'Etat en 1661, surintendant des bâtiments, arts et manufactures en 1664, contrôleur général des finances en 1665, secrétaire d'Etat à la Marine et à la Maison du roi en 1669. C'était un esprit solide, net dans ses conceptions, souple dans leur application, un gros travailleur passionné du détail. Il se montra également avide et dur. Dévoué à son maître, il mourut épuisé par sa tâche et par les déceptions.

Ministre des finances et de l'économie, Colbert rencontra des conditions difficiles, dépenses de Louis XIV, manque d'intérêt de la plupart des Français pour les grandes entreprises économiques s'ajoutant aux effets de la dépression économique. Au moins la France bénéficia à l'époque du bon marché du pain, ce qui permit le travail dans le calme.

En 1661 la situation financière de la monarchie était catastrophique. Les revenus des années suivantes étaient dépensés par anticipation. Le surintendant des finances Fouquet éliminé, Colbert réorganisa le trésor de l'épargne et le Conseil des Finances, faisant dresser chaque année un « état au vrai » des comptes réels et un « état de prévoyance » pour l'année suivante. Il aurait voulu étendre à tout le royaume la taille réelle du midi de la France qui pesait sur les terres. Faute de cadastre il dut y renoncer. En 1669 furent constituées les Fermes générales, groupe de financiers qui prit la charge de percevoir les aides, gabelles et différents droits dans une grande partie de la France, « l'étendue des cinq grosses fermes ». Le revenu de ces impôts en fut amélioré.

Colbert envisageait de pratiquer un mercantilisme systématique basé sur l'idée de la quasi-fixité du total des richesses. On ne pouvait donc s'enrichir qu'en prenant sur le voisin. Le commerce devenait une guerre d'argent dont l'instrument essentiel était l'industrie. L'adversaire principal était la Hollande avec laquelle Colbert entreprit une guerre douanière (tarifs de 1664, puis ceux très durs de 1667). L'invasion de la Hollande en 1672 rencontra l'approbation de Colbert. Cependant, au traité de Nimègue (1678), il fallut revenir aux tarifs de 1664. La puissance économique de la Hollande était ruinée, mais pas au profit de la France.

Pour éviter les sorties d'argent, il fallait produire des objets de luxe. Pour pouvoir exporter ces objets, il fallait qu'ils fassent prime en Europe par leur qualité. Aussi Colbert donna-t-il tous ses soins aux manufactures et au contrôle de la production. Pour cela il accorda des monopoles de fabrication, des exemptions fiscales, des prêts et passa des commandes. Il attira les ouvriers spécialisés les plus habiles des pays voisins. Des manufactures royales furent ouvertes pour la fabrication des meubles et tapisseries (Gobelins, Savonnerie, Beauvais, Aubusson), des glaces, des armes. Les arsenaux de Brest, Toulon et Rochefort furent très actifs. Le titre de « manufacture royale » fut également donné à des entreprises privées privilégiées, verrerie de Saint-Gobain, draperie de Van Robais à Abbeville. Dans ces fabriques, les ouvriers étaient soumis à une discipline de caractère monastique. Le plus souvent ces manufactures étaient formées de nombreux ateliers familiaux dispersés, travaillant sous la direction d'un marchand capitaliste. Ainsi une partie de l'industrie française (draps de Normandie et Languedoc, toiles de lin et de chanvre du Maine et de l'Anjou, soies de Lyon, Tours, Nîmes) fut contrôlée par le gouvernement. Colbert voulut imposer aux autres métiers de se constituer en jurandes et s'appuya sur celles-ci pour faire appliquer les minutieux règlements de fabrication établis à la suite de longues enquêtes. Des inspecteurs des manufactures en surveillèrent l'application (1669).

L'agriculture ne fut pas négligée. Colbert encouragea les cultures industrielles : lin, chanvre, mûrier, et l'élevage des vers à soie, créa des haras pour l'armée. L'ordonnance des Eaux et Forêts de 1669 fixa de sages principes d'exploitation et permit la production de bois d'œuvre pour la marine.

Colbert voulut que la France prenne sur les mers une place digne de son rang de grande puissance. Il essaya d'intéresser Louis XIV aux marines de guerre et de commerce et aux entreprises coloniales et reprit la politique de Richelieu, avec des moyens accrus. Ce fut la fondation des compagnies des Indes orientales, des Indes occidentales, du Nord, du Levant et pour la traite des Noirs du Sénégal. Malgré la propagande, les Français préféraient placer leur argent en offices. Au sein des compagnies, il y avait opposition entre les armateurs groupés souvent contre leur gré et une bureaucratie dévouée mais quelquefois loin des réalités. Seule subsista la *Compagnie des Indes orientales*. Les efforts de Colbert ne furent pas tous perdus. Des postes français furent établis tout le long de la route des Indes (îles Bourbon et de France, Pondichéry fondée en 1674). Saint-Domingue, future perle des Antilles, était occupée. Le Canada devenait la Nouvelle-France.

LE SIÈCLE DE LOUIS XIV

L'étude du classicisme sera présentée plus loin, il ne s'agit ici que de montrer quels efforts ont été faits pour encourager les activités artistiques et littéraires et aussi les contrôler. Mais écrivains, artistes et savants durent concourir à la gloire du roi et du royaume en échange de l'aide qui leur était offerte.

Une liste des pensions fut instituée en 1663 pour les écrivains. En 1671, le roi devint le protecteur de l'Académie française dont les travaux s'accélérèrent (publication du dictionnaire en 1694). En 1680 est créée la Comédie-Française par la fusion de troupes rivales. L'Académie royale de Peinture et Sculpture reçut ses statuts définitifs en 1664. A partir de 1667 elle organisa des salons périodiques. En 1671 naissait l'Académie d'Architecture, en 1672, celle de Musique, en 1666 l'Académie des Sciences qui fut dotée de l'Observatoire. Louis XIV favorisa également la publication du *Journal des Savants*. Ces académies étaient chargées de coordonner l'activité littéraire, artistique ou scientifique dans le royaume. C'est dans le domaine des arts que ce rôle est peut-être le mieux marqué. L'Académie de France à Rome, fondée en 1666, et plusieurs Ecoles des Beaux-Arts créées en province donnèrent un enseignement inspiré par Charles Le Brun († 1690), directeur perpétuel de l'Académie de Rome et de la manufacture royale des Gobelins qui plia les artistes à une unité de conception. Dans le domaine de la musique et de la danse, J.-B. Lulli († 1687) joua un rôle semblable : surintendant de la musique, il eut juridiction sur toutes les « bandes » (orchestres) et publications musicales du royaume. C'est à une tutelle du même genre qu'on doit les débuts de la promotion de la profession de chirurgien. Le premier chirurgien du roi vit s'accroître son autorité sur le corps des « chirurgiens du roi » (1699) répandu dans tout le royaume.

Versailles symbolisa la gloire du siècle de Louis XIV. Grand dessein de

Louis XIV poursuivi patiemment pendant trente ans, mais pas conçu d'un seul jet, Versailles fut pendant la plus grande partie du règne un immense chantier de construction. Paradoxalement, la construction de ce château qui devait isoler ses successeurs de la nation maintint Louis XIV en contact avec un peuple de travailleurs de tous les métiers et de soldats employés aux travaux de terrassement au moins jusqu'en 1688. A partir de 1668, Le Vau fut chargé d'agrandir le bâtiment primitif, et Le Nôtre aménagea les immenses jardins. La décoration dirigée par Le Brun mettait la mythologie au service du roi-soleil. En 1682, Louis XIV se fixa à Versailles. Le château fut agrandi par Jules Hardouin-Mansart. Les courtisans durent quitter Paris pour vivre dans ou autour de cette immense et magnifique caserne à courtisans aménagée pour les cérémonies officielles (Galerie des Glaces), tandis que le roi allait chercher l'intimité dans le Trianon de porcelaine (1670) puis le Grand Trianon. Une ville fut créée autour du château où s'établirent divers services de la monarchie.

La fin du règne (1689-1715)

A partir de 1689 la monarchie de Louis XIV subit des épreuves croissantes auxquelles elle s'adapte par des mesures souvent neuves.

La première génération des ministres de Louis XIV disparaît avec Louvois (1691). Leurs successeurs, Pontchartrain, Desmarets..., apparaissent à tort comme des épigones. Ce sont des hommes de valeur, mais ils servent un roi rompu à la pratique de son métier, que l'âge a rendu plus autoritaire et qui est véritablement devenu son premier ministre. Leur tâche n'en est pas allégée, car la centralisation monarchique a progressé aux dépens des autonomies locales. Les intendants s'occupent de presque tout, avec plus ou moins de pouvoirs suivant les provinces (pays d'élection ou pays d'Etats), et suivant les domaines administratifs. Ils s'appuient sur des subdélégués qu'ils commissionnent. Ils sont en correspondance continuelle avec Versailles, doivent faire effectuer des enquêtes et remettre au roi des mémoires sur l'état de leur généralité. Un effort est fait pour unifier l'administration des villes. Elles doivent toutes avoir un maire (1692). Il est vrai qu'il s'agit d'une mesure fiscale puisque cet office est vénal. En 1699 sont créés des lieutenants et commissaires de police dans les villes de parlement et de bailliage.

Les conditions générales sont devenues mauvaises, les dépenses de l'Etat doublent de 1689 à 1697. La guerre (21 années sur 27), les mauvaises récoltes provoquant des famines (1693-1694 et 1709-1710) aggravent les tendances économiques défavorables qui frappent l'Europe. Ces difficultés inspirèrent des solutions quelquefois audacieuses et le plus souvent impopulaires. Pour faire face aux dépenses de la guerre, on multiplia les expédients bien connus telle la création d'offices vénaux qui ont excité la colère et parfois l'ironie. On ne s'est guère avisé que ces

créations d'offices d'apparence ridicule reflétaient assez souvent les
progrès de l'administration : les « langueyeurs de porcs » chargés de la
détection des bêtes malades, les « contrôleurs de perruques » rendus
nécessaires par la levée d'un impôt sur cet objet de luxe. Souvent ces
offices existaient déjà avant de devenir vénaux. Ils étaient généralement
achetés par leur titulaire. C'était un moyen de faire contribuer aux
charges de l'Etat l'oligarchie des officiers largement privilégiés au regard
des autres impôts. Ces dernières mesures sont à rapprocher des vérifications
de noblesse qui permettaient aux gens de noblesse récente de rester dans
le deuxième ordre moyennant finance sous peine de devenir taillables.
Il n'en demeure pas moins que le procédé causait beaucoup de mécontentement.
On alla plus loin. Le principe révolutionnaire dans une société
d'ordres d'un impôt commun aux trois ordres fut adopté puisqu'en 1695
fut levée la capitation. Tous les sujets étaient répartis en vingt-deux classes
correspondant en gros à leur rang social, taxées de 2 000 à 1 livre. Supprimée
en 1698, elle fut rétablie en 1701, mais comme un impôt de répartition.
En 1710, reprenant d'assez loin une idée exprimée par Vauban,
dans sa *Dîme royale*, le roi institua l'impôt du dixième sur les revenus.
Comme il était impossible de vérifier les déclarations de revenus, le
rendement fut faible surtout du côté des privilégiés.

A côté d'expédients traditionnels (vaisselle royale portée à la monnaie, recours
aux banquiers Crozat ou Samuel Bernard à partir de 1702, engagement des revenus
fiscaux des années à venir), certaines mesures témoignent d'une évolution des
idées en matière financière. En 1701 apparaissait la monnaie fiduciaire. Des
billets de monnaie furent délivrés en échange des pièces retirées de la circulation
pour refonte. En 1706, 180 millions de livres avaient été émis. Ces billets perdirent
vite les trois quarts de leur valeur, mais le contrôleur général des finances Desmarets
réussit à éviter la catastrophe en retirant 100 millions de livres de la
circulation, et en opérant des conversions de rente (1706). En 1715 par contre,
la France était inondée de billets d'Etat de toute sorte sur la Caisse des Emprunts,
l'extraordinaire des guerres...

Un changement de mentalité économique est également perceptible.
Le colbertisme est critiqué. En 1700 le *Conseil de Commerce* est réuni
de nouveau. Les députés des villes commerçantes et des ports, élus
des chambres de commerce qui se constituent alors, demandent la liberté
du commerce. La Compagnie des Indes vend des licences pour participer
au commerce dont elle a le monopole. D'ailleurs à partir de 1700 l'alliance
de l'Espagne permet un réveil du commerce maritime de la France dont
profitent Saint-Malo, Nantes, Bordeaux, Marseille... La paix rétablie,

le gouvernement français signe des traités de commerce avec les anciens adversaires (1713).

Des mesures de caractère humanitaire sont prises par Pontchartrain après la crise de 1694. Un édit de 1695 proclame l'obligation scolaire. Il s'agit notamment d'instruire dans la religion catholique les enfants des protestants et d'ailleurs le texte ne crée pas les moyens nécessaires.

Cependant la monarchie se trouve aux prises avec les problèmes religieux nés dans la période précédente. Le problème protestant constitue une plaie pour le royaume. La déclaration royale de 1698 suspend la persécution contre les nouveaux catholiques qui refusent d'aller à la messe, mais elle est inégalement observée. Les enfants doivent suivre le catéchisme. Pendant la guerre de la Ligue d'Augsbourg, Guillaume d'Orange avait promis aux huguenots le rétablissement de l'Edit de Nantes. La paix de Ryswick provoqua des déceptions qui suscitèrent des prophètes inspirés par l'Apocalypse. La guerre ayant repris, une révolte éclata dans les Cévennes en 1702 avec des chefs populaires tel Jean Cavalier. La révolte des Camisards fut facilement circonscrite, mais difficilement vaincue. Il fallut pour en venir à bout vingt mille soldats et l'habileté de Villars (1706). Cependant, en 1715, le pasteur Antoine Court réunissait un synode « au désert ». La tentative d'élimination de l'hérésie avait complètement échoué.

La France catholique était également troublée. L'affaire du Quiétisme fut mineure. Elle opposa Fénelon qui avait pris la défense de la doctrine du « pur amour divin » de Mme Guyon à Bossuet. Le pape censura Fénelon d'ailleurs disgracié par Louis XIV pour d'autres raisons. La querelle janséniste se réveillait depuis 1678. Elle prit un aspect plus âpre avec une nouvelle génération janséniste. Le jansénisme devint le confluent de nombreuses oppositions, même politiques. Il recueillit le courant d'indépendance du bas clergé inspiré au début du siècle par E. Richer, surtout lorsque l'autorité des évêques se renforça sur celui-ci (1693), et le courant gallican au moment où Louis XIV se réconcilia avec le pape (1693). Les jansénistes invoquaient les lois de la conscience devant le roi, le pape et les Jésuites. Leur porte-parole, le P. Quesnel, auteur des *Réflexions morales sur le Nouveau Testament* (1693), vulgarisa la doctrine janséniste, son pessimisme à l'égard de l'homme et son aspiration à une Eglise moins hiérarchisée. L'agitation reprenant à propos du *Cas de conscience* (1701), Louis XIV fit expulser les religieuses de Port-Royal et raser le couvent en 1709. En 1713 le pape, à la demande de Louis XIV, promulguait la bulle *Unigenitus* qui condamnait le jansénisme. Le Parlement et la Sorbonne n'acceptèrent la bulle qu'avec réticence et quarante prélats refusèrent de se soumettre.

Un nouvel état d'esprit se répandit jusque dans la famille royale. Le dauphin étant mort (1711), son fils le second dauphin devint l'espoir d'un petit groupe de hauts personnages. Il avait été intruit par Fénelon qui en avait fait un personnage pieux et sans ambitions. Fénelon exilé à Cambrai (1699) rêvait de devenir cardinal-ministre. Cependant les ducs de Beauvilliers, Chevreuse et Saint-Simon mettaient au point un projet de monarchie tempérée par la place rendue à l'aristocratie. Ils désiraient la paix immédiate, même au prix d'un retour aux frontières du début du XVIᵉ siècle, et l'écrasement des jansénistes et des huguenots. Ferme dans les deuils familiaux (en 1712 disparaissent le duc, la duchesse de Bourgogne et leur fils aîné), incarnant le salut de la France lors de l'invasion de 1709, Louis XIV impassible continuait à exercer son métier de roi et à jouer, dans une France fort différente de celle dont il avait pris les destinées en main en 1661, le rôle qu'il s'était fixé cinquante ans auparavant. Il apparaissait, en partie à tort, comme un symbole du passé lorsqu'il mourut le 1ᵉʳ septembre 1715 laissant son royaume à son arrière-petit-fils qui n'avait pas cinq ans.

Textes et documents : *Mémoire sur la généralité de Paris*, éd. par BOISLISLE, 1881. SAVARY DES BRUSLONS, *Dictionnaire du commerce*, 1ʳᵉ édition, 1723. R. TAVENEAUX, *Jansénisme et politique* (coll. « U »), 1965. J. TRUCHET, *La politique de Bossuet* (coll. « U »), 1966. H. PLATELLE, *Journal d'un curé de campagne au XVIIᵉ siècle*, 1965.

Chapitre XX

LES GUERRES EN EUROPE DE 1661 A 1715

Cartes XII a et b.

Bibliographie : G. ZELLER, *op. cit.* L. ANDRÉ, *Louis XIV et l'Europe* (coll. « Evolution de l'humanité »), 1950. C. G. PICAVET, *La diplomatie française au temps de Louis XIV*, 1930. C.-J. NORDMANN, *La crise du Nord au XVIIIe siècle*, 1962.

La politique extérieure de Louis XIV donne l'impression de dominer l'Europe presque jusqu'à la fin du règne. Toutefois le changement qui se produit vers 1689 est dû non seulement à la formation d'une coalition contre la France bien conduite par un redoutable adversaire, Guillaume d'Orange, mais aussi à un renversement du rapport des forces en Europe centrale : l'Autriche victorieuse des Turcs peut apporter à cette coalition le concours de forces croissantes. On ne saurait non plus passer sous silence l'évolution de l'art militaire qui donne à la France une avance dans la première partie du règne de Louis XIV, évolution dont les adversaires font leur profit surtout à partir de 1690.

La diplomatie et l'art militaire

POLITIQUE ET DIPLOMATIE

En 1661 la France a l'initiative dans les rapports entre Etats. Aussi doit-on s'interroger sur les buts de la politique de Louis XIV. La politique de prestige ne fait pas de doute : recherche obstinée de la préséance des ambassadeurs, du pavillon français. C'est également une politique de sécurité et d'intérêts.

Les annexions territoriales les plus importantes s'accomplirent dans le cadre des frontières naturelles. La création d'une province française à partir des droits sur l'Alsace acquis en 1648 est caractéristique alors que l'annexion définitive de la Lorraine, indépendante en fait de l'Empire et ne présentant plus aucun danger pour la France, est réservée pour le jour où son prince l'échangera contre un autre Etat (en 1700, il est question du Milanais). L'idée des frontières naturelles de la France est si répandue que les Hollandais, affolés en 1672 par l'invasion, offrent à Louis XIV de lui céder les pays de la Généralité situés au sud du Rhin. La politique de Louis XIV reste assez proche de celle de ses prédécesseurs. Elle n'a rien de systématique. Comme eux il utilise les circonstances et les procédés employés ne diffèrent que par leur efficacité accrue.

La diplomatie française se montra particulièrement efficace pendant toute la période, même à l'époque des revers.

Les souverains entretenaient auprès des Cours des ambassadeurs, grands personnages ou des chargés d'affaires. Les ambassades commencent à s'organiser avec des bureaux. Les négociations les plus importantes passent généralement par des plénipotentiaires. On emploie également des agents officieux et un nombre considérable d'espions. L'espionnage français se montre très bien organisé, ainsi que le contre-espionnage qui fait combiner le « grand chiffre de Louis XIV » décrypté seulement au début du xxᵉ siècle. On trouve des consulats étrangers dans les principaux ports et surtout des consulats français dans l'Empire turc. L'achat des consciences et l'exploitation des passions sont poussés au plus haut point par Louis XIV. De nombreux princes allemands, notamment l'Electeur de Brandebourg, furent régulièrement pensionnés. En Angleterre, reçurent des subsides le roi Charles II ainsi que des hommes politiques influents, voire même des chefs du parti anti-français. L'Angleterre usa de semblables procédés surtout dans l'Empire après 1689 (future « cavalerie de Saint-Georges »). Louis XIV s'ingénia également à donner à Charles II une maîtresse française. Dans le domaine de la propagande par contre se signalèrent les Hollandais auxquels les huguenots fournirent un important réseau d'appuis. Négociations et opérations militaires sont souvent menées de front en période de paix comme en temps de guerre. Les relations financières et commerciales sont rarement interrompues.

LES ARMÉES

Les armées permanentes s'organisèrent et se répandirent pendant cette période. La France fournit le modèle de l'armée monarchique. L'œuvre fut menée par Michel Le Tellier et son fils Louvois.

Administrateur aux vues larges, méthodique, infatigable et exigeant, voire brutal, Louvois sut organiser une armée qui dépassa 100 000 hommes dès 1672 et près du double vers 1690. Il la dota d'une administration civile : bureaux de la Guerre, intendants d'armées chargés de l'entretien des troupes, commissaires des guerres ayant notamment pour tâche de contrôler les effectifs par des « montres ». Le recrutement se faisait par voie d'engagements auprès des capitaines qui souvent se procuraient des soldats soit dans leur seigneurie, ce qui donnait d'excellents résultats, soit par racolage. Ce dernier procédé, surtout lorsque les besoins augmentaient, donnait lieu à de nombreux abus, tromperies, violences. C'était insuffisant. Aussi une sorte de service militaire fut-il institué. L'arrière-ban des nobles fut abandonné après 1694 et les milices traditionnelles ne furent guère utilisées que localement en cas d'invasion. Par contre, en 1688, Louvois institua la milice royale. Levée de nouveau en 1701, elle devint pendant la guerre de Succession d'Espagne une réserve de l'armée. Chaque bataillon de milice fut joint à un bataillon régulier. Enfin on eut recours à des corps étrangers. Aux régiments suisses dont le nombre s'était accru, s'ajoutèrent des régiments allemands, irlandais, italiens.

Les officiers furent soumis à une discipline stricte. Les règles de l'avancement furent fixées (ordre du tableau, 1675). Les bourgeois pouvaient devenir officiers en achetant des charges de capitaines et les nobles aisés devenir colonels en achetant des régiments, pourvu qu'ils reçussent un brevet du roi. Une carrière parallèle devint possible avec les charges non vénales de lieutenant, major, lieutenant-colonel, brigadier, mais la plupart des généraux étaient passés par les charges vénales. Enfin la création de l'ordre de Saint-Louis (1693) permit de récompenser les officiers.

L'infanterie prit un aspect nouveau lorsque le fusil et la baïonnette à douille eurent remplacé le mousquet et la pique (vers 1700). La cavalerie commença à se diversifier par des emprunts à l'armée autrichienne (hussards). En 1668 apparut l'infanterie montée que constituaient les dragons dont le nombre s'accrut rapidement. L'artillerie fut organisée en un corps autonome : le Royal-Artillerie. Un corps d'officiers spécialisés, les ingénieurs, fut chargé de construire les fortifications et diriger les sièges, tandis que des compagnies de mineurs furent créées.

Chaque régiment reçut un uniforme. Le royaume se couvrit d'un réseau d'étapes permettant l'acheminement rapide des troupes. Leur approvisionnement fut sans doute assez satisfaisant, dans l'ensemble, pour que dans les années de famine les recrues n'en manquent pas. Grâce à cette organisation les populations civiles souffrirent moins du passage des troupes en temps de paix. La constitution de magasins de vivres, fourrage, munitions assura une préparation logistique efficace des offensives.

Les fortifications jouaient un rôle considérable dans la stratégie de l'époque. Elles servaient de points d'appui aux armées et d'entrepôts. Aussi les guerres en Occident furent surtout des guerres de siège. C'est pourquoi Louis XIV prêta beaucoup d'attention à la construction par Vauban (1631-1707), devenu commissaire général des fortifications en 1677, de la « ceinture de fer ». Vauban perfectionna le système de fortifications rasantes moins vulnérable à l'artillerie et multipliant les feux croisés, qui fit ses preuves de 1708 à 1712.

L'organisation de la marine fut l'œuvre de Colbert et de son fils Seignelay. Grâce à l'organisation des arsenaux de Brest, Toulon et à la création de celui de

Rochefort, enfin à la construction d'une importante flotte, la marine française fut capable pendant un court moment de tenir tête aux marines anglaise et hollandaise. Pour trouver des équipages, Colbert mit sur pied un système de classes, ancêtre de l'inscription maritime. Les hommes de mer durent servir à tour de rôle sur les navires du roi, moyennant une solde régulière.

Avec la milice royale, les milices locales, les milices garde-côtes réorganisées en 1668, le roi put, pendant la guerre de Succession d'Espagne, disposer de plus de 400 000 hommes armés.

La France n'eut pas le monopole des innovations techniques. L'armée suédoise resta un modèle pour les armées du Nord, prussienne et russe. Cependant le prestige de l'armée française se traduit par l'adoption du vocabulaire militaire français dans toutes les armées d'Europe. La fin du xviie siècle vit la naissance d'une armée autrichienne de plus de 100 000 hommes (à partir de l'institution en 1680 des premières unités permanentes). Le principal artisan en fut le prince Eugène de Savoie, chef du *Conseil de la Guerre*. La cavalerie autrichienne fut la meilleure de l'Europe. L'Electeur de Brandebourg Frédéric-Guillaume, le grand Electeur, avait devancé l'Empereur en donnant tous ses soins à une armée permanente disproportionnée à l'importance de ses Etats (jusqu'à 30 000 hommes). Le *Commissariat de la Guerre* regroupait toutes les activités relatives à l'administration de l'armée : ressources financières, approvisionnements, équipement... La noblesse fournit les cadres d'officiers. Les hommes furent recrutés suivant le système suédois des cantons. Logés chez l'habitant et ayant le droit de travailler dans des manufactures, ils étaient fortement disciplinés par leurs officiers et leurs aumôniers. Après 1685 les réfugiés huguenots vinrent former des corps excellents. L'armée russe moderne, œuvre de Pierre le Grand, date de 1699. Tous les grands propriétaires et les communautés de paysans libres durent fournir un fantassin pour cinquante feux et un cavalier pour cent feux. Le service était de vingt-cinq ans, donc pratiquement à vie. Le tsar n'hésita pas à faire appel à des officiers étrangers en attendant que les écoles d'officiers fondées à Moscou et Saint-Pétersbourg fournissent des officiers russes. La flotte commença à se constituer en 1703. Dans cette Europe qui s'arme, l'Angleterre présente un cas particulier. Le gouvernement de Cromwell avait rendu très impopulaire l'armée permanente. L'armée anglaise ne fut importante qu'en cas de guerre et sur le continent ou en Irlande. La milice inactive dépérit. Par contre la marine rencontra davantage de faveurs. Les services de contrôle et de ravitaillement, la discipline imposée à tous en firent la première d'Europe. Mais l'Angleterre n'avait pas résolu le problème des équipages et recourait toujours à la presse, c'est-à-dire la réquisition immédiate de tous les hommes de mer se trouvant dans les ports.

L'armée change partout de caractère. Plus régulièrement nourrie et vêtue, elle compte moins de passe-volants et, tout au moins en France, davantage de déserteurs à mesure que, les effectifs augmentent, la discipline se renforce et qu'on enrôle davantage de gens sans vocation. Elle prend souvent un caractère international avec les soldats qui changent d'armée et avec la multiplication des régiments étrangers. Ainsi on trouve des régiments suisses dans presque toutes les armées. L'armée devient également un métier organisé, auxquels certains souverains accordent une fin de carrière honorable (création des Invalides en 1670). Avec les progrès de la discipline le caractère de la guerre change lentement. Des destructions systématiques et localisées remplacent les « ravages » généralisés. La maraude sévit toujours mais les massacres de populations civiles deviennent plus rares, tout au moins en Occident car les guerres contre les Turcs présentent encore des scènes rappelant la guerre de Trente Ans. Mais en même temps, en période d'invasion, l'armée et la guerre prennent un aspect national nouveau. L'Europe « se couvre de milices ». La guerre de Succession d'Espagne fut pour la France une anticipation des guerres de la Révolution.

La prépondérance française

La faiblesse de l'Empire espagnol, l'effacement relatif de l'Angleterre, les divisions de l'Europe centrale, la puissance réelle de la France et apparente de l'Empire turc constituent les principales données de la politique européenne dans les vingt premières années du règne personnel de Louis XIV. Aussi était-il naturel que la France et l'Empire turc aient cherché à profiter de cette situation, sans qu'il y ait d'alliance entre eux. Les Turcs attaquèrent Vienne par deux fois, en 1664 et 1683. En 1664, Louis XIV envoya des renforts qui contribuèrent à la victoire chrétienne de Saint-Gothard, fit occuper Djidjelli et bombarder Alger et Tunis. En 1683, redoutant la possibilité d'une coalition contre lui, il s'abstint.

LA FRANCE FACE A UNE EUROPE DIVISÉE

En Occident la situation diplomatique léguée par Mazarin était excellente. Grâce à l'habile Hugues de Lionne, la Ligue du Rhin était reconduite, le Brandebourg y adhérait. L'alliance avec les Provinces-Unies était renouvelée, l'Angleterre vendait Dunkerque à la France (1662). Le réseau d'alliances englobait la Suède, le Danemark et la Pologne, isolait l'Espagne et paralysait l'Empereur. En fait il était assez précaire, Anglais, Hollandais et Allemands se méfiant des visées françaises.

La question espagnole commença à se poser à la mort de Philippe IV (1665). La couronne était revenue à Charles II, un chétif enfant de quatre ans né du second mariage du roi. En cas de décès de

Charles II, Louis XIV et l'Empereur Léopold avaient des droits égaux
à la succession, puisqu'ils étaient tous deux fils et mari d'infantes espagnoles, la qualité d'aînée jouant cependant en faveur d'Anne d'Autriche
et de Marie-Thérèse.

Au traité des Pyrénées, Marie-Thérèse avait renoncé à ses droits à la succession en échange d'une dot de 500 000 écus, que l'Espagne avait été incapable
de payer. Les juristes français exhumèrent dans le droit privé des Pays-Bas une
coutume suivant laquelle les enfants nés d'un premier mariage avaient droit à la
succession de leur père (dévolution). Louis XIV exigea l'application du droit de
dévolution à la succession de Philippe IV dans les pays où il était en vigueur et
réclama la cession des Pays-Bas. Sur le refus de l'Espagne et profitant d'une guerre
anglo-hollandaise, les troupes françaises s'emparèrent de quelques places fortes.
L'Empereur alors aux prises avec une révolte de grands seigneurs hongrois ne
pouvait agir et accepta de signer avec Louis XIV un traité prévoyant un partage
éventuel de la Succession d'Espagne qui laisserait à la France les Pays-Bas (janvier 1668). Les puissances maritimes réagirent. Angleterre et Hollande signèrent
la paix et conclurent une alliance à laquelle se joignit la Suède (Triple Alliance
de La Haye) qui proposa sa médiation. Louis XIV se montra modéré et par la
paix d'Aix-la-Chapelle se contenta de douze places fortes aux Pays-Bas, dont
Lille, Douai et Tournai.

LA GUERRE DE HOLLANDE ET LA PREMIÈRE COALITION CONTRE LOUIS XIV

Le coup d'arrêt que les Hollandais avaient porté à la politique française
détruisit l'alliance franco-hollandaise vieille de près d'un siècle et incita
Louis XIV à réduire les Provinces-Unies à sa merci. Les Hollandais ne
rencontraient pas beaucoup de sympathies en France. La roi et la Cour
détestaient ces marchands calvinistes et républicains. Les commerçants
français trouvaient les Hollandais partout sur leur chemin et Colbert
désirait anéantir leur puissance maritime et commerciale.

Hugues de Lionne isola les Provinces-Unies comme il avait isolé l'Espagne
avant la guerre de dévolution. Par le traité de Douvres, l'Angleterre revint à
l'alliance française contre des subsides et la promesse de quelques ports hollandais (1670). La Suède en fit autant. Les princes allemands accordèrent leur
alliance (Cologne) ou leur neutralité (Bavière et même l'Empereur). Cependant
Louvois préparait une armée de 120 000 hommes et Colbert une flotte de trente
vaisseaux de ligne.
Les Hollandais sentant venir l'orage signèrent un traité d'alliance avec
l'Espagne et le Brandebourg, ce dernier inquiet pour ses possessions de Clèves.
Le grand pensionnaire Jean de Witt faisait entrer au Conseil d'Etat le jeune
Guillaume d'Orange qui était capitaine et amiral général. Mais les préparatifs
de défense furent très insuffisants.

Au printemps 1672 l'armée française traversa le Rhin à Tolhuis. Louis XIV entra à Utrecht, mais sa marche fut suspendue par les inondations que les Hollandais avaient provoquées en ouvrant leurs digues. Les Etats généraux des Provinces-Unies offrirent la paix. Ils proposaient la cession des pays de la Généralité au sud du Rhin et une forte indemnité. Louis XIV crut au début d'un marchandage et exigea plus. Les conditions humiliantes qu'il mit à la paix suscitèrent un sursaut national. Jean de Witt rendu responsable de l'impréparation à la défense fut massacré à La Haye (août 1672). Guillaume d'Orange, nommé *stathouder*, entreprit de rompre l'isolement des Provinces-Unies. L'Empereur et l'Espagne s'allièrent à lui mais sans entrer en guerre. Louis XIV comprenant son erreur accepta de négocier. Un congrès se tint à Cologne. On eut l'impression que la paix était proche. Cependant les Allemands s'étaient émus des ambitions françaises et Louis XIV maintenant craignait une action en Alsace et dans le duché de Lorraine. L'Espagne et l'Empereur s'entendirent avec les Provinces-Unies pour assurer le maintien du *statu quo* puis déclarèrent la guerre à la France. Celle-ci se trouvait seule, l'Angleterre ayant signé la paix avec la Hollande.

L'intérêt du conflit se déplaça. Il ne s'agissait plus pour la France de visées dans les Pays-Bas mais de conserver l'Alsace, maintenir la Lorraine en dehors de l'emprise alliée et retrouver les positions politiques de la France dans l'Empire.

Louis XIV suscita des difficultés à l'Empereur du côté de la Suède, de la Pologne et de la Hongrie. L'affrontement des marines hollandaise et française élargissait le conflit aux océans et aux colonies. Malgré l'appoint des forces anglaises qui se rangèrent mollement à leur côté, les coalisés ne purent entamer la supériorité militaire de la France. L'armée française évacua les Provinces-Unies et entreprit la conquête méthodique des Pays-Bas. La Franche-Comté fut occupée. L'Alsace était sauvée par Turenne dans l'hiver 1674-1675 puis par Condé. Duquesne battait la flotte hollandaise de Ruyter au large de la Sicile (1676). Cependant, à l'est, la situation était meilleure pour l'Empereur et ses alliés. La Suède subissait une grave défaite à Fehrbellin devant les troupes du Grand Electeur (1675) et l'amiral hollandais Tromp se rendait maître de la Baltique. Le nouveau roi de Pologne, Jean Sobieski, vainqueur des Turcs à Choczim, signait une trêve avec eux, mais refusait d'attaquer le Brandebourg. La Hongrie révoltée cependant causait encore des soucis à l'Empereur.

En 1676 les négociations reprirent. Un congrès fut réuni à Nimègue, mais les opérations militaires traînèrent. Les Provinces-Unies ayant sauvé leur indépendance nationale traitèrent, malgré l'hostilité de Guillaume d'Orange. Louis XIV renonçait aux tarifs douaniers de 1667 (10 août 1678). L'Espagne signa à son tour. Elle cédait la Franche-Comté. La frontière du Nord était consolidée et régularisée par la cession de nombreuses villes (Valenciennes, Cambrai) contre la restitution de quelques places avancées. L'Empereur conclut également la paix au début de 1679. Il abandonnait Fribourg-en-Brisgau, base plus défensive qu'offensive. Louis XIV avait les mains libres en Alsace. Le Danemark et le Brandebourg s'inclinèrent également. Le Grand Electeur devait restituer toutes ses conquêtes sur la Suède. Conscient du fait que rien ne pouvait se faire en Europe sans l'appui de Louis XIV, il s'allia à la France.

Celle-ci retrouvait donc une position politique très forte en Europe, mais elle devait compter davantage que par le passé avec l'hostilité des peuples étrangers.

APOGÉE DE LOUIS XIV
ET RENVERSEMENT DE LA CONJONCTURE POLITIQUE

Louis XIV, surnommé le Grand, était l'arbitre de l'Europe. Louis XIV et Louvois engagèrent la « politique des réunions ».

Il s'agissait, par une procédure unilatérale, de rattacher au royaume les territoires sur lesquels la France avait un droit de suzeraineté. Des enquêtes aboutirent au rattachement de nombreuses localités. L'Alsace fut ainsi unifiée et devint une province française. Les Evêchés furent consolidés par l'occupation des rives de la Sarre. Dans le même temps, aux Pays-Bas, les conférences franco-espagnoles de Courtrai fixaient le tracé définitif de la frontière qui se fit à l'avantage de la France (cession de Givet). Provinces-Unies et Brandebourg laissèrent faire. Louis XIV alla plus loin. Il se mit en possession de villes sur lesquelles il n'avait aucun droit, mais qui facilitaient la défense de la France (évolution vers la frontière linéaire facile à défendre). Strasbourg qui tenait le pont du Rhin fut occupé (1681). Luxembourg fut assiégé, mais Louis XIV suspendit les opérations au moment où les Turcs assiégeaient Vienne pour ne pas paraître profiter des embarras de la Chrétienté. Or, Vienne sauvée, l'Espagne lui déclara la guerre, ce qui lui permit d'occuper Luxembourg, Dixmude et Courtrai. Guillaume d'Orange essayait sans succès de former une nouvelle coalition. Le Brandebourg passé du côté français neutralisait l'Empereur. Le roi d'Angleterre Charles II, en difficultés avec son Parlement, avait besoin des subsides français. L'Espagne isolée signa la trêve de Ratisbonne qui reconnaissait à Louis XIV l'occupation de Luxembourg pendant vingt ans.

Trois événements modifièrent complètement l'équilibre des forces : la défaite des Turcs, la révocation de l'Edit de Nantes et la seconde révolution d'Angleterre.

Les événements de Hongrie évoluaient sans lien avec la politique de Louis XIV. La Hongrie royale était troublée. La reconquête catholique rencontrait beaucoup d'opposition. Cependant dans l'Empire ottoman une dynastie de grands vizirs, les Köpröli, avait enrayé momentanément la décadence. L'un d'eux, Kara Moustapha, saisit l'occasion d'une action contre Vienne. Il mit le siège devant la ville. Léopold fit appel à la Chrétienté. Le 12 septembre 1683, grâce à la ténacité des Viennois et à l'appoint de la cavalerie polonaise de Jean Sobieski, Charles de Lorraine infligeait aux Turcs la défaite du Kahlenberg. Cette bataille eut des conséquences décisives. Elle détermina la dernière croisade qui allait révéler la faiblesse de l'Empire turc et entraîna son recul en Europe centrale. La France était restée à l'écart. La situation évolua très vite. Venise, la Pologne et la Russie s'étaient jointes à l'Empereur dans une Sainte-Ligue sous l'égide du pape (1684). Les Russes attaquèrent la Crimée sans succès, mais les Polonais occupaient la Podolie et les Vénitiens les îles Ioniennes et la Morée (Péloponnèse). Cependant en 1686 les Impériaux s'emparaient de Bude, le « bouclier de l'Islam ». Ils écrasaient les Turcs à Mohacz en 1687. La révolte hongroise était vaincue. La Diète hongroise reconnut la couronne de Saint-Etienne héréditaire dans la famille de Habsbourg et renonça au droit de résistance au souverain. Le prince de Transylvanie transférait son hommage du sultan au roi de Hongrie. En 1688 Belgrade était prise, les janissaires se révoltaient. L'Empire turc ne fut sauvé de l'effondrement que par la reprise des hostilités à l'ouest.

La révocation de l'Edit de Nantes renforça la détermination des Etats protestants contre Louis XIV. Elle fit basculer le Grand Electeur qui s'était fait complice de la politique des réunions. Cependant, si l'Empereur renforçait sa position, la lutte contre les Turcs détournait ses forces de l'Ouest. Louis XIV eut alors le choix entre deux politiques. Le ministre des affaires étrangères Croissy lui proposait de rassurer l'Europe. Louvois suggérait de compenser le renforcement de la position impériale par la prise de nouveaux gages. Louis XIV suivit ce dernier avis et la politique de force continua : bombardement et humiliation de Gênes (1685), affaire des Franchises avec le pape qui aboutit à l'occupation d'Avignon (1688). Dans le même temps il revendiquait pour sa belle-sœur, princesse palatine, la duchesse d'Orléans, des droits allodiaux sur le Palatinat et prétendait imposer à l'archevêché de Cologne un candidat dévoué à la France. Le 24 septembre 1688 il donnait à l'Empire un délai de trois mois pour accepter un règlement général conforme à ses exigences. Ces coups de force avaient rapproché l'Empereur, l'Espagne, la Bavière et de nombreux princes allemands du Sud qui avaient conclu la Ligue d'Augsbourg (juin 1686) par laquelle ils se promettaient appui mutuel contre toute nouvelle entreprise française. L'Empereur était paralysé par ses victoires sur les Turcs qui fixaient ses forces à l'est. La Ligue d'Augsbourg ne pouvait rien faire sans l'appui de l'Angleterre.

Mais au mois de décembre 1688 Jacques II, qui avait succédé à son frère Charles II sur le trône d'Angleterre, devait s'enfuir devant une révolte généralisée dont Guillaume d'Orange avait pris la tête. Ce dernier était reconnu roi en février 1689. La coalition contre Louis XIV s'organisa dans le cours des années 1689 et la guerre commençait. En 1690 elle s'étendit à l'ensemble de l'Europe occidentale.

La France résiste à l'Europe

De 1690 à 1713 la France eut à soutenir deux guerres séparées par une courte période de paix (1697-1701). L'Autriche achevait victorieusement la guerre contre les Turcs.

LA GUERRE DE LA LIGUE D'AUGSBOURG

Les alliés avaient pour objectif de ramener la France aux frontières des traités de Westphalie et des Pyrénées. Face aux coalisés, la France disposait de l'avantage que lui procurait l'unité du commandement et des « lignes intérieures » de communication. Appuyée sur les forteresses de Vauban, elle n'avait qu'un seul but : la défense de son territoire, alors que ses adversaires étaient sollicités par d'autres soucis. L'Empereur Léopold continuait la guerre contre les Turcs et Guillaume d'Orange redoutait un soulèvement des jacobites, partisans des Stuarts. La guerre commença par la dévastation du Palatinat. Ce ne fut pas à l'époque le seul exemple d'application en pays étranger de la tactique de la terre brûlée, mais elle apparut particulièrement odieuse parce qu'elle fut pratiquée sur un large espace et d'une manière systématique. Cette opération se révéla désastreuse du point de vue psychologique et moral et devait laisser des haines durables.

Les Français attaquèrent les points faibles de la coalition. Catinat infligea la défaite de Staffarde au duc de Savoie (1690), le duc de Luxembourg celle de Fleurus aux Espagnols tandis que, aidé par la flotte française de Tourville et Châteaurenault, Jacques II soulevait l'Irlande. Le même jour la flotte anglaise était battue à Beachy Head et Guillaume l'emportait sur Jacques II à La Boyne, le forçant à rembarquer. La France ne sut pas profiter de sa supériorité navale. La marine coûtait cher et à Versailles on ne comprenait pas exactement l'enjeu de la guerre sur mer. Après la destruction de navires français à La Hougue (1692), les Français pratiquèrent plus souvent la guerre de course où s'illustrèrent notamment Jean Bart et Dugay-Trouin.

Le sort de la guerre se joua donc sur terre où les succès continuaient (victoires sur Guillaume d'Orange à Steinkerque et Neerwinde, sur le duc de Savoie à La Marsaille). Mais les opérations se ralentirent en 1694. Les adversaires étaient épuisés. La France connaissait une terrible crise de subsistance et de mortalité qui ruina la fiscalité. De leur côté les Anglais commençaient à se lasser de la « guerre du roi Guillaume », d'autant plus que la course faisait subir des dégâts à leur commerce. Les Hollandais préféraient ne pas interrompre leur commerce avec la France. L'Empereur avait dû relâcher ses efforts contre les Turcs et ceux-ci reprenaient Belgrade. Pour maintenir les princes allemands dans la guerre il devait leur faire des concessions (neuvième électorat constitué pour le duc de Hanovre, 1692). Des pourparlers secrets commençaient.

Le duc de Savoie se détacha le premier de la coalition et signa avec Louis XIV le traité de Turin (1696), moyennant la restitution de Pignerol et Casal. Les Français en profitaient pour s'emparer de Barcelone. Par ailleurs, du Canada, Frontenac menaçait New York. Les négociations générales s'ouvrirent à Ryswick où les différents traités furent signés successivement. Louis XIV accorda aux Hollandais le droit d'occuper des places des Pays-Bas espagnols sur la frontière française (places de la Barrière). Il reconnut Guillaume III comme roi d'Angleterre et s'engagea à ne plus soutenir Jacques II, ce qui fut très pénible à son sens de l'honneur monarchique. Il rendit Luxembourg à l'Espagne, la Lorraine, Fribourg et Kehl à leurs princes, mais garda Strasbourg et Sarrelouis et se fit reconnaître la partie occidentale de Saint-Domingue (Haïti).

La coalition était brisée, le royaume gardait l'essentiel des conquêtes faites depuis 1659, mais Louis XIV devait désormais mener une politique prudente et pacifique.

A l'est, le sursaut turc avait été de courte durée. Pierre le Grand s'empara d'Azof en 1696. Les troupes de Léopold libérées par la paix de Ryswick furent transférées dans les Balkans où sous le commandement du prince Eugène elles remportèrent la victoire de Zenta (1697). La paix fut signée à Carlowitz (janvier 1699). Les Turcs abandonnaient la Hongrie et la Transylvanie aux Habsbourg, la Dalmatie à l'Autriche, Azof à la Russie, la Podolie et une partie de l'Ukraine à la Pologne.

GUERRE DE LA SUCCESSION D'ESPAGNE

A Ryswick, Louis XIV avait montré qu'il était résolu à finir son règne dans la paix. Il avait compris qu'il était devenu impossible de poursuivre une grande politique à la fois sur terre et sur mer. Par l'acquisition de Saint-Domingue, il semble avoir pris le parti de la mer. Or la France eut à soutenir la guerre peut-être la plus longue et la plus pénible qu'elle subit pendant les « Temps modernes ».

La succession d'Espagne

L'instant apparaissait proche où Charles II d'Espagne dont la santé déclinait mourrait sans enfants. Le sort de l'immense monarchie espagnole intéressait toutes les puissances d'Europe. La réunion de la couronne d'Espagne à la couronne de France ou aux possessions agrandies depuis 1699 des Habsbourg d'Autriche était exclue.

Louis XIV négocia avec Guillaume d'Orange et le grand pensionnaire de Hollande, Heinsius. Un accord se fit sur un petit-neveu de Charles II, le jeune prince électoral de Bavière, mais celui-ci mourut en 1699. Un second accord fut établi qui envisageait un partage. La couronne d'Espagne reviendrait à l'archiduc Charles, second fils de l'Empereur Léopold. En compensation la France recevrait les possessions italiennes de l'Espagne qu'elle échangerait contre la Lorraine, la Savoie et Nice. Cette solution n'eut l'agrément ni de Léopold, ni de Charles II.

Ce dernier mourut le 1er novembre 1700 laissant un testament qui s'opposait au partage de ses Etats et les léguait au duc d'Anjou, second petit-fils de Louis XIV. Louis XIV réfléchit du 9 au 16 novembre et accepta le testament. L'orgueil dynastique ne fut pas la seule raison de cette décision. De toute façon la guerre avec Léopold semblait difficile à éviter. D'un côté la France était assurée de l'alliance de l'Espagne, de l'autre du soutien réservé des puissances maritimes. Par ailleurs la réunion du Conseil de Commerce en 1700 prouve que les soucis économiques prenaient une certaine importance. L'alliance pouvait laisser l'espoir d'une ouverture des colonies espagnoles au commerce français.

L'acceptation du testament de Charles II par Louis XIV ne provoqua pas de réactions immédiates si ce n'est de la part de Léopold. Les milieux d'affaires anglais étaient hostiles à une reprise de la guerre pourvu que le commerce qu'ils faisaient avec l'Amérique n'en souffrît pas. Mais Louis XIV mit trop de hâte à se nantir des avantages que la présence de son petit-fils à Madrid pouvait lui procurer. Pour réveiller l'Espagne, Philippe V faisait appel à des Français dans l'administration et le commerce. Il leur accordait le monopole de la traite des Noirs dans son empire, puis il demandait à des troupes françaises de relever les garnisons dans les places de la Barrière. Deux mesures de Louis XIV apparurent comme des provocations : le maintien des droits de Philippe V à la couronne de France et la reconnaissance à la mort de Jacques II de son fils Jacques III comme roi d'Angleterre.

Guillaume III et Heinsius furent les artisans de la Grande alliance de La Haye qui se rangea aux côtés de l'Empereur (septembre 1701). Guillaume III étant mort en mars 1702, l'âme de la coalition fut Heinsius, très bien secondé par d'excellents généraux, Eugène de Savoie et Marlborough. Face à la coalition, la France devait défendre les possessions de la couronne d'Espagne et pour cela disperser ses forces. Elle ne pouvait compter que sur l'alliance de la Bavière. La Savoie et le Portugal lâchaient Louis XIV en 1703, ce dernier à la suite du « traité de Méthuen » signé avec l'Angleterre, qui liait les intérêts économiques des deux pays (échange de vins contre des laines, ouverture du Brésil au commerce anglais). A l'est, des contacts étaient pris avec François Rakoczi qui soulevait une partie de la Hongrie et de la Transylvanie contre l'Empereur. Cependant Louis XIV ne pouvait pas tirer parti de la situation en Europe orientale. La Turquie était en pleine anarchie. Le jeune roi de Suède, Charles XII, était aux prises avec une coalition unissant Danemark, Saxe, Pologne et Russie (1699). Ayant vaincu le Danemark grâce aux puissances maritimes, puis les Russes à Narva (1700), il commençait la conquête de la Pologne.

La longue guerre

Si l'Espagne disposait d'une armée et d'une flotte médiocres, la France avait une nombreuse et excellente armée, mais l'armée autrichienne était maintenant bien organisée et aguerrie. Les généraux alliés, l'Anglais Marlborough et le prince Eugène, étaient supérieurs à la plupart des généraux français (sauf Vendôme et Villars). Plus grave était l'absence d'une flotte importante au moment où il fallait défendre non seulement les côtes françaises et espagnoles, mais les communications avec l'immense Empire espagnol. La France avait encore une forte marine qui ne fut dépassée en tonnage par la marine anglaise que vers 1707, mais elle compta surtout sur ses corsaires. Sur terre la guerre fut d'abord favorable aux Français qui, partant de Bavière, envisagèrent de marcher sur Vienne. En 1704 la supériorité des alliés se manifesta. Le 13 août, Marlborough et le prince Eugène écrasèrent les Français à Hoechstaedt et arrivèrent sur le Rhin, cependant que les Anglais s'emparaient de Gibraltar. Dès lors les revers s'accumulèrent pour les Français et les Espagnols. En 1706, défaite de Ramillies et perte des Pays-Bas, défaite de Turin et évacuation de l'Italie du Nord. L'archiduc Charles qui s'était installé à Barcelone entrait même à Madrid pour quelques semaines. En 1707, Naples était perdue. A l'est Rakoczi était éliminé. L'arbitre de l'Europe semblait Charles XII qui avait réussi à mettre sur le trône de Pologne son protégé Stanislas Leszczynski et recevait au camp d'Altranstadt les sollicitations des Etats d'Europe occidentale. Louis XIV le pressait d'intervenir dans la guerre de Succession d'Espagne. Marlborough réussit à le détourner vers la Russie.

La situation s'aggrava encore en 1708 lorsque Louis XIV voulut reprendre les Pays-Bas (défaite d'Audenarde). Les places fortes du Nord commencèrent à tomber. Lille dut se rendre après un long siège. Les armées ennemies « faisaient le dégât » jusqu'à la Somme. La France était épuisée. La crise de subsistance de 1709 impressionna la Cour parce qu'elle frappait surtout le nord de la France et qu'il devenait difficile de donner du pain aux troupes. Déjà Louis XIV s'était résigné à demander la paix. Les conditions faites par les alliés furent dures et humiliantes. Philippe V devait renoncer à la couronne d'Espagne. Louis XIV céderait l'Alsace et Strasbourg. Les alliés exigeaient de plus qu'il les aide à détrôner Philippe V.

Louis XIV refusa et s'adressa à la nation. Le 12 juin 1709 son appel fut lu en chaire dans toutes les paroisses. Un sursaut national se produisit. L'armée fut reprise en main et le 11 septembre à Malplaquet, Villars réussissait à enrayer l'avance des alliés. L'impôt du dixième fut levé sans trop de difficulté. En Espagne se produisait un mouvement semblable. Les villes offraient des subsides à Philippe V. Les alliés avaient fait envers la France la même erreur d'appréciation que Louis XIV envers la Hollande en 1672. En 1710 les pourparlers furent rompus.

La situation évolua à la fin de 1710. Vendôme à la tête de l'armée espagnole battait les Anglo-Hollandais à Villaviciosa (décembre). En France la récolte de 1710 ayant été convenable, la crise s'apaisa. En Angleterre, le Parlement éliminait Marlborough et les partisans de la guerre à outrance. Les faits décisifs furent les décès successifs de Léopold (1705) et de son fils aîné Joseph Ier (1711) qui mettaient l'archiduc Charles sur le trône impérial. La France et l'Angleterre engagèrent des négociations. Un congrès s'ouvrit à Utrecht en 1712, mais les partenaires étaient suspendus au sort des opérations militaires. Le prince Eugène assiégeait Landrecies, la dernière place qui défendait la route de Paris. La Cour suppliait Louis XIV de se retirer à Blois. Louis XIV confia son armée à Villars qui remporta la victoire de Denain (24 juillet 1712) et dégagea la frontière.

Habilement Louis XIV fit enregistrer par le Parlement la renonciation de ses héritiers à la couronne d'Espagne et rompit avec le prétendant Stuart. La paix put être signée dans les premiers mois de 1713 entre la France, l'Espagne, l'Angleterre, les Provinces-Unies, le Portugal, la Savoie, la Prusse. Villars put alors tourner ses forces contre l'Empereur, franchit le Rhin et occupa Fribourg. La paix fut signée avec les Habsbourg à Rastadt, puis avec l'Empire (1714).

L'EUROPE OCCIDENTALE D'UTRECHT ET RASTADT

Les traités réglèrent des questions dynastiques, territoriales, coloniales et commerciales.

Philippe V était reconnu comme roi d'Espagne moyennant sa renonciation à la couronne de France. La reine Anne qui avait succédé à Guillaume III n'ayant pas d'héritier, sa succession fut reconnue à la famille de Hanovre. Le Hohenzollern qui s'était fait conférer par l'Empereur le titre royal était reconnu par les puissances comme roi en Prusse. Le duc de Savoie devenait roi en obtenant la Sicile.

La France perdait Ypres, Furnes, Menin et surtout Tournai. Une rectification de frontière sur les Alpes se faisait par échange entre Château-Dauphin et Exilles situés outre-mont et Barcelonnette situé en deçà. La principauté d'Orange était réunie au royaume. La France gardait donc à peu près ses conquêtes du XVIIe siècle. La monarchie espagnole essuyait de plus grosses pertes. L'Empereur recevait les Pays-Bas, le Milanais, les présides de Toscane et Naples. L'Angleterre gardait Gibraltar et Minorque.

Outre-mer l'Angleterre obtenait des avantages certains : Terre-Neuve, l'Acadie, et les territoires de la baie d'Hudson. L'Espagne lui cédait l'*asiento*, monopole de la traite des Noirs, et le droit d'envoyer chaque année un navire de commerce à Puerto Belo situé dans l'isthme de Panama (« vaisseau de permission »). C'était la possibilité d'un fructueux commerce. En réalité ces avantages étaient peu décisifs car la France n'était pas éliminée des océans et colonies. La Hollande devait se contenter d'un rôle commercial toujours important mais dépassé par les deux grands partenaires.

L'EUROPE ORIENTALE DE STOCKHOLM, NYSTADT ET PASSAROWITZ

Des changements modifiaient profondément l'équilibre en Europe orientale au détriment de la Suède et de la Turquie.

Charles XII avait sous-estimé la Russie qui possédait maintenant une armée aguerrie. Il commit l'imprudence de marcher sur Moscou en passant par l'Ukraine. Le 8 juillet 1709, son armée fut détruite à Poltava. Charles XII dut se réfugier chez les Turcs. Il essaya en vain de pousser le sultan à la guerre. La coalition contre la Suède se reforma. Elle s'élargit même à la Prusse et au Hanovre attirés par la curée (1714). La Suède perdit toutes ses possessions au sud de la Baltique. Revenu dans son pays, Charles XII fut tué en assiégeant une place norvégienne (1718). Il laissait le trône à sa sœur Ulrique-Eléonore à qui les nobles imposèrent une constitution aristocratique (1719). Elle dut négocier. Par les traités de Stockholm (1719), les évêchés de Brême et Verden étaient cédés au Hanovre, Stettin et la Poméranie occidentale à la Prusse. La Suède ne gardait que Stralsund. Par le traité de Nystadt (1721) la Russie obtenait la Livonie, l'Esthonie, l'Ingrie, une partie de la Carélie et Vyborg. L'Empire suédois n'existait plus et la Suède cessait de compter parmi les grandes puissances.

La Turquie connaissait un nouveau recul. Le tsar Pierre le Grand confiant en ses forces après sa victoire de Poltava attaqua imprudemment le sultan, comptant sur l'appui des chrétiens des Balkans. Il fut battu et capturé et dut rendre Azof (traité du Prut, 1711). Les Turcs alors s'enhardirent à attaquer Venise et reprirent la Morée. Mais l'Autriche ayant les mains libres à l'ouest depuis la paix de Rastadt intervint. Les Turcs battus à Peterwardein durent signer le désastreux traité de Passarowitz (1718). Si le sultan reprenait la Morée, il devait céder à l'Autriche le banat de Temesvar et Belgrade, c'est-à-dire la porte des Balkans que l'Autriche organisa en confins militaires.

Des grandes puissances du continent au milieu du siècle, seule subsistait la France, par contre, des puissances nouvelles étaient apparues avec l'Autriche, la Prusse et la Russie.

Textes et documents : CALLIÈRES, *De la manière de négocier avec les souverains*, 1716. TORCY, *Mémoires depuis le traité de Ryswick jusqu'à la paix d'Utrecht*, MICHAUD et POUJOULAT, « Documents relatifs à l'Histoire de France », 3ᵉ série, t. VIII.

CHAPITRE XXI

MONARCHIE TEMPÉRÉE ET ÉTATISME EN EUROPE DE 1660 A 1715

Cartes XII a et **XVI.**

Bibliographie : E. PRÉCLIN et V.-L. TAPIÉ, *Le XVIIᵉ siècle* (coll. « Clio »), 1943. P. JEANNIN, *L'Europe du Nord-Ouest, op. cit.* Sir G. CLARK, *The later Stuarts, 1660-1714* ; *The Oxford history of England*, t. X, 1959. E. ZÖLLNER, *Histoire de l'Autriche*, trad. de l'allemand, 1968. R. PORTAL, *Pierre le Grand*, 1961 ; *Les Slaves..., op. cit.* R. MOUSNIER, *Fureurs paysannes..., op. cit.*

L'Europe contemporaine de Louis XIV se partage en deux courants politiques. 1° La réussite monarchique française constitue un modèle pour des Etats : Prusse et Autriche, dont le cadre territorial s'agrandit et qui voient se former une bourgeoisie tournant son activité vers le commerce en plein essor et vers l'administration, petits princes allemands et italiens qui rêvent de Versailles, Espagne qui rajeunit ses structures administratives. L'Etat tend à régulariser, unifier, réduire les autonomies locales, associer la noblesse, utiliser la bourgeoisie. Sur les marges orientales de l'Europe, par contre, l'Etat tend à se diluer à cause des résistances victorieuses de la noblesse en Pologne et finalement en Suède, mais il y a une exception de taille, la Russie, où un étatisme s'installe par la volonté du tsar Pierre le Grand. 2° L'autre courant ne concerne encore que les puissances maritimes. La grande bourgeoisie hollandaise gouverne le pays, même après la révolution de 1672 qui a rétabli les fonctions de *stathouder*. L'impulsion vient désormais d'Angleterre où s'élabore un type de monarchie tempérée dont la révolution de 1688 marque l'étape la plus caractéristique. L'Angleterre apparaît alors comme le berceau d'un esprit nouveau qui gagne très lentement le continent.

L'évolution de l'Angleterre

Il serait exagéré de parler de libéralisme dans l'Angleterre de la fin du XVIIe siècle. Cependant l'évolution économique rencontra des circonstances favorables sauf pendant les années de guerre contre Louis XIV et aida à la montée des hommes d'affaires qui répandaient une mentalité nouvelle.

LA PROSPÉRITÉ

Entre 1660 et 1690 l'Angleterre bénéficia d'une paix à peine interrompue par deux guerres avec la Hollande (1664-1667 et 1672-1674). Après 1690 elle eut à mener des guerres longues et coûteuses, mais qui n'atteignirent pas son sol. Aussi l'expansion économique fut rapide pendant la première période et beaucoup plus lente ensuite.

L'Angleterre restait un Etat agricole. Les transformations commencées dès la fin du XVIe siècle (mouvement des *enclosures*, remembrements, amendements, progrès de l'élevage) se poursuivirent. Des cultures nouvelles se répandirent (luzerne et navets-fourrages). Cependant elles n'atteignaient que des régions limitées (région de Londres et Norfolk) et principalement les grandes exploitations. Par contre dans certains secteurs de l'Angleterre et surtout en Ecosse l'agriculture ne faisait aucun progrès. Ainsi s'accentuaient les différences entre régions riches et pauvres. Comme les cours du blé baissaient, les propriétaires obtinrent le vote des *corn laws* de 1673 qui accordaient une prime à l'exportation lorsque les prix du blé étaient trop bas. L'industrie se développait à un rythme assez lent. La métallurgie commençait à se concentrer autour de Birmingham et Sheffield. Bien que l'emploi du charbon de terre se répandît dans les foyers domestiques et l'industrie, la fonte se faisait surtout au bois. L'industrie de la laine restait prépondérante, le pays possédant matière première, alun et main-d'œuvre. Cependant apparaissaient des centres textiles nouveaux tel Manchester, sans tradition municipale ou corporative, où la liberté d'entreprise était plus grande. Un capitalisme commercial dynamique s'y installait et commençait à utiliser le coton.

L'activité maritime connaissait un essor nouveau. Le coup d'arrêt porté par la France à l'économie hollandaise profita à l'Angleterre. Le sucre de la Jamaïque, le tabac de Virginie, la morue des mers voisines de Terre-Neuve étaient réexportés vers l'Espagne et le Portugal en échange de vins et d'huile. L'*East India Company* devint une puissance coloniale. Elle possédait déjà Madras (1639). En 1667, Charles II lui donna Bombay, dot de la reine, infante portugaise. En 1686 fut fondée Calcutta. La compagnie commençait à s'immiscer dans les affaires des princes indigènes.

Le mercantilisme régnait toujours et les Anglais ne prêtaient guère attention aux idées exprimées par Sir William Petty dans son *Essai d'arithmétique politique* (1687) où il affirmait que l'économie était réglée par des lois naturelles et ne jugeait pas souhaitable l'intervention de l'Etat. L'*Acte de Navigation* fut renforcé notamment par le *Stapple act* de 1663 qui soumettait les produits ouvrés faisant l'objet d'un commerce international à l'entrepôt dans un port anglais. Cependant on peut noter une recherche d'information et de procédés nouveaux à laquelle participait la Société royale fondée en 1662, dont Charles II était le protecteur. Les transformations de Londres illustrent bien l'essor du commerce et la promotion de l'économie dans la vie du pays. Deux pôles, Westminster, résidence royale et siège de la Cour, et la City, centre de l'activité économique, se distinguaient par leur aspect et étaient mal reliés. Dans cette ville de 500 000 habitants l'incendie de 1666, suivant de peu la peste, suscita un remodelage raisonné. L'architecte Christophe Wren en fut chargé. Des règlements sévères de salubrité (fontaines), de sécurité (construction en pierre et surtout en brique) et de police (lanternes) donnèrent à la ville l'allure d'une grande métropole.

La guerre fut l'occasion d'un développement extraordinaire de la marine. Les constructions navales suscitèrent des recherches dans le domaine industriel. Le nombre des brevets d'invention augmenta. En 1709 Darby mettait au point la fonte au coke. La machine à vapeur de New-comen (pompe à feu) fit son apparition dans les mines pour en chasser l'eau. Cependant l'expansion commerciale fut gênée par les attaques des corsaires français. L'alliance avec la Hollande ne servit pas les intérêts commerciaux de l'Angleterre. En effet, Guillaume d'Orange était très attaché aux pays dont il restait le *stathouder* et considérait l'Angleterre comme une réserve de forces dans sa lutte contre Louis XIV. L'*East India Company* stagna. Mais des marchés nouveaux s'ouvrirent (traité de Méthuen avec le Portugal, traité d'Utrecht), préparant l'avenir. Le *Board of Trade* fondé en 1696 stimula les exportations.

Les institutions de crédit se fortifièrent. Une fièvre de spéculation s'empara de l'Angleterre de 1692 à 1695. Le gouvernement en lutte contre Louis XIV avait besoin d'argent. La possibilité de lever des impôts était limitée. Il fallait recourir aux emprunts. Alors l'Ecossais William Paterson eut l'idée de grouper les sous-cripteurs en une société, la *Compagnie de la Banque d'Angleterre* (1694), qui pourrait faire toutes les opérations financières. Ce fut un succès. Un assainissement monétaire effectué en 1696 freina la hausse des prix. Mais la spéculation reprit en 1706 et s'amplifia avec les succès navals de l'Angleterre surtout après la signature des traités d'Utrecht. La plus célèbre de ces affaires fut la *Compagnie des mers du Sud* (Pacifique).

La société anglaise était dominée par deux intérêts concurrents : *landed interest* et *monneyed interest*. La puissance économique de la terre restait considérable, mais elle se concentrait dans les mains d'une haute noblesse *(landlords)* qui d'ailleurs n'hésitait pas à se lancer dans les affaires commerciales et à frayer avec la haute bourgeoisie. Cette aristocratie des affaires avait au Parlement une force croissante. Le fossé se creusait entre elle et la *gentry* touchée à partir de 1690 par la fiscalité de guerre et surtout la faiblesse de ses rentes. Le nombre des *yeomen* continuait à se réduire, alors que celui des paysans et artisans dépendants augmentait.

LA RESTAURATION ET LA « GLORIEUSE RÉVOLUTION »

Saluée par des manifestations d'allégresse, la restauration venant après la dictature puritaine fut une époque de détente. Une cour fut reconstituée. Fêtes, jeux, théâtres, cabarets tinrent une grande place dans la vie. Intelligent, tolérant, jouisseur mais prudent, bien conseillé par le chancelier Clarendon, Charles II procéda à une restauration modérée. Il rendit confiance aux partisans du droit divin en reprenant le toucher des écrouelles et évita d'effrayer les adversaires en renonçant à lever des impôts et des troupes sans le consentement du Parlement. En fait, tout dépendait du souverain, car le Parlement-convention n'avait mis aucune condition à son avènement (voir p. 193). La Chambre des Lords fut rétablie, l'armée de Cromwell dissoute avec distributions d'indemnités aux soldats. L'Ecosse et l'Irlande retrouvèrent leur autonomie. Cependant anglicans et dissidents ne purent se mettre d'accord pour établir une liturgie commune et le Parlement-convention se sépara.

Les électeurs envoyèrent à Londres une chambre introuvable, le « Parlement cavalier » (1661-1679). Celui-ci prit des mesures en faveur de la noblesse et des propriétaires fonciers (lois d'enclosures, interdiction aux indigents de quitter leur paroisse). Surtout il procéda à une restauration de l'anglicanisme. Par la loi d'uniformité, les pasteurs durent souscrire au livre de prière révisé en 1662 dans un sens favorable à la liturgie traditionnelle. L'*acte des conventicules* interdit les réunions des membres des sectes dissidentes. Les ecclésiastiques dissidents chassés de leur église ne purent résider à moins de cinq *miles* de celle-ci. Les droits politiques furent réservés aux anglicans. Les prélats retrouvèrent leurs fonctions temporelles.

Sous la pression de son frère le duc d'York et des marchands, Charles II mena une politique d'expansion maritime. S'il vendit Dunkerque à Louis XIV dont il allait devenir le pensionné, il put aider le Portugal à obtenir son indépendance (1665), ce qui lui valut la remise de Bombay et Tanger, dot de l'infante portugaise qu'il épousa et des avantages commerciaux dans l'Empire portugais. Il dut déclarer la guerre à la Hollande. Mal préparée, la flotte anglaise ne put empêcher l'amiral

Ruyter de pénétrer dans l'estuaire de la Tamise. La paix de Bréda (1667) valut à l'Angleterre La Nouvelle-Amsterdam (New York), mais il fallut céder Surinam et concéder des dérogations à l'acte de navigation. Ulcéré le Parlement-cavalier imposa à Charles II la réconciliation avec les Hollandais. Cependant Charles II avait besoin de l'argent français et signa avec Louis XIV le traité de Douvres (1670) qui prévoyait une alliance contre la Hollande et secrètement une restauration du catholicisme en Angleterre. Le 15 mars 1672 une *déclaration d'indulgence* émanant du roi seul autorisa le culte public des dissidents et discret des catholiques. Cela suscita une violente réaction anglicane. Charles II dut abandonner la déclaration d'indulgence et accepter l'*Acte du Test* qui excluait des fonctions publiques tous ceux qui refusaient la communion sous le rite anglican et le serment de suprématie. Cette loi resta en vigueur jusqu'en 1829, tout au moins contre les catholiques. De 1674 à 1678, Charles II gouverna en accord avec le Parlement. L'autorité du souverain en fut accrue et les privilèges du Parlement conservés. Après l'échec de la guerre de Hollande (1672-1674), Charles II réussit à empêcher le Parlement d'entraîner l'Angleterre dans une guerre contre Louis XIV.

Cependant, Charles II n'ayant pas d'enfants, sa succession devait revenir à son frère le duc d'York, catholique, ce qui inquiétait une partie des Anglais dont le porte-parole était Shaftesbury. En 1678 un provocateur, Titus Oates, dénonça un prétendu complot papiste. Le pays fut mis en état de siège, des catholiques emprisonnés, des religieux exécutés. Charles II dut dissoudre le Parlement cavalier devenu ingouvernable. Le nouveau Parlement était hostile à la prérogative royale. Pour empêcher le vote du bill excluant son frère de la succession, Charles II prorogea le Parlement après avoir accepté le bill *d'habeas corpus* garantissant la liberté individuelle et la suppression de la censure. L'opinion s'organisa autour de deux pétitions opposées : l'une défendue par Shaftesbury qui avait secrètement soutenu Oates demandait la convocation du Parlement, elle groupait le *Country Party* ; l'autre, hostile à cette convocation, insistait sur le caractère divin de la monarchie et avait l'appui de la hiérarchie anglicane, et du *Court Party*. Les premiers furent surnommés les *Whigs* (nom donné à des insurgés écossais) et les seconds les *Tories* (nom donné aux insurgés irlandais). Charles II dut céder. Le *bill d'exclusion* fut voté par la Chambre des Communes, mais repoussé par la Chambre des Lords. Charles II excédé renvoya le Parlement. Grâce aux subsides de Louis XIV, il réussit à se passer de lui. L'opinion lassée des controverses laissa condamner Titus Oates à l'amende pour diffamation et Shaftesbury s'exiler. Charles II mourut en 1685. Il laissait la monarchie renforcée.

Jacques II avait été un amiral populaire. D'intelligence médiocre, il se fit cependant couronner suivant le rite anglican et obtint des élections tories. Mais une révolte du duc de Monmouth, fils naturel de Charles II, chef whig qui revendiquait la couronne, suscita une répression sanglante. Désormais, au lieu d'habituer les Anglais à un roi catholique il prit en faveur de ses coreligionnaires des mesures qui ne pouvaient qu'apparaître provocantes. De plus, il installa un corps de troupes près de Londres et demanda l'abolition de l'*habeas corpus* et du Test. C'était plus que les whigs ne pouvaient accepter. La situation se dégradait rapidement car une crise économique sévissait au même moment. Jacques II crut rallier une partie de l'opinion avec la *déclaration d'indulgence* de 1687 qui suspendit l'application du bill du Test. La plupart des dissidents restèrent hostiles et l'Eglise anglicane jusque-là fidèle s'éloigna de lui. Le clergé refusa même de lire en chaire une nouvelle déclaration d'indulgence et sept prélats furent traduits en justice (1688). La naissance d'un fils, aussitôt baptisé catholique, ruina les espoirs que les Anglais avaient mis dans la fille de Jacques II, Marie, épouse de Guillaume d'Orange, qui était protestante. Le 30 juin des chefs whigs et même tories firent appel à Guillaume d'Orange qui, profitant de ce que l'armée française s'engageait dans le Palatinat, débarqua en Angleterre le 7 novembre. Abandonné de tous, Jacques II réussit à s'enfuir en France (Noël 1688).

Un nouveau Parlement se réunit le 22 janvier 1689. Il déclara le trône vacant et Jacques II et son fils déchus de leurs droits à la couronne. Guillaume réussit à se faire proclamer roi conjointement avec Marie. A la différence du Parlement-convention, le Parlement de 1689 mit des conditions à l'avènement des nouveaux monarques. Guillaume et Marie durent avant leur couronnement accepter solennellement le *bill des droits* (13 février). La suprématie de la loi sur le souverain était affirmée. La loi ne pouvait être ni abolie, ni suspendue, ni appliquée par une juridiction d'exception. Les élections devaient être libres et les députés avoir liberté d'expression au Parlement. Celui-ci devait être réuni régulièrement. Seuls les députés avaient le droit de fixer la forme et le montant de l'impôt et l'effectif de l'armée. Les droits essentiels des sujets anglais étaient rappelés. Quelques mois après, la *loi de tolérance* assouplit l'application du bill du Test en faveur des dissidents protestants.

Le sens de la « glorieuse révolution » fut dégagé par John Locke qui publia en 1690 le *Traité du gouvernement civil* où il réfutait la doctrine du droit divin, reprenait l'idéologie du contrat originel, exprimait la supériorité du pouvoir législatif sur le pouvoir exécutif, la suprématie des lois naturelles sur les lois humaines, c'est-à-dire le droit de se révolter contre la tyrannie. Il y ajouta dans ses *Lettres sur la tolérance* que la religion était une affaire privée dont l'exercice ne regardait pas l'Etat, sauf en ce qui concernait le catholicisme. La révolution de 1689 marquait l'aboutissement de tendances et de traditions qui ne devaient plus être remises en cause. Les ouvrages de Locke fournirent le point de départ de l'idéologie libérale du xviiie siècle.

LE TOURNANT POLITIQUE DE L'ANGLETERRE (1689-1714)

La glorieuse révolution ne résolvait pas tous les problèmes de l'Angleterre et les vingt-cinq années qui suivirent jouèrent un rôle décisif dans l'avenir de ce pays.

Faute d'héritier Stuart protestant, l'Angleterre était vouée à des rois étrangers, et cela n'allait pas sans soulever des réticences. Guillaume III et Marie régnèrent ensemble jusqu'en 1694, puis Guillaume III seul jusqu'en 1702. Marie étant morte sans enfants, sa sœur Anne qui devint reine à la mort de Guillaume ayant perdu les siens, le Parlement décida une fois de plus de la question dynastique. L'*acte d'établissement* (1701) appelait au trône à la mort de la reine Anne les électeurs de Hanovre, descendants de Jacques Ier. L'acte d'établissement fut reconnu par le traité d'Utrecht.

L'unité des îles britanniques sortit renforcée de la crise. L'Irlande était mal soumise. La tentative de colonisation protestante effectuée par Cromwell n'avait pas donné les résultats escomptés. Jacques II par contre avait favorisé les Irlandais catholiques. Aussi se révoltèrent-ils après la révolution. Jacques II vint avec l'aide de Louis XIV se placer à leur tête, mais il fut vaincu à La Boyne par Guillaume d'Orange (1690). La répression fut très dure. Les biens de l'Eglise catholique furent transférés à l'Eglise anglicane, les intérêts économiques du pays furent sacrifiés à l'industrie anglaise et au commerce. Un danger subsistait du côté de l'Ecosse qui n'avait pas adopté l'acte d'établissement. En 1707 le gouvernement anglais moyennant des concessions importantes réussit à imposer aux Ecossais l'union des deux pays. En vertu de l'*Acte d'Union* était constitué le Royaume-Uni de Grande-Bretagne. L'Ecosse était représentée au Parlement par seize lords et quarante-cinq députés. Elle reçut une subvention annuelle. L'Eglise presbytérienne y resta l'Eglise établie.

L'évolution politique de l'Angleterre fut en partie fonction des sacrifices que Guillaume III demanda au pays pour la poursuite de la guerre contre Louis XIV. Guillaume III avait choisi des ministres dans le parti whig, mais il se rapprocha des tories, plus favorables à la prérogative royale. En 1694, fut imposé au roi le *triennal act* qui rendait obligatoire le renouvellement du Parlement tous les trois ans, ce qui fit la politique britannique plus sensible à l'opinion. L'avènement de la reine Anne confirma une remontée du parti tory et amena l'influence de Marlborough. Celui-ci, esprit brillant et souple en même temps que grand général, se donnait comme tory, mais il se rapprocha des whigs pour mener la guerre contre Louis XIV. Les whigs se recrutaient parmi les *monneyed men*, mais aussi parmi les *yeomen*, les dissidents, la « basse Eglise », fraction de l'Eglise anglicane la plus hostile au catholicisme, les officiers de l'armée et les lords nommés depuis la révolution. Les whigs s'engageaient à fond dans le conflit par haine de Louis XIV, champion de l'absolutisme et du catholicisme, et dans l'espoir de ruiner la puissance économique de la France. De leur côté les tories représentaient la *gentry* que suivaient les fermiers et le clergé rural. Ils ne souhaitaient pas engager toutes les forces du pays dans une guerre à outrance et le moment venu formèrent le parti de la paix. En fait les deux partis étaient des coalitions assez instables de clientèles formées autour de quelques personnalités et n'avaient que des « plates-formes » de circonstances.

A partir de 1709, la guerre devint impopulaire. La reine retira à Marlborough ses fonctions politiques et appela des ministres tories. Les élections de 1710 furent favorables aux tories qui conclurent avec la France une paix d'ailleurs très profitable à l'Angleterre.

L'Angleterre de 1714 était une nation en pleine expansion économique. Sa marine était devenue la première du monde. Son armée avait participé aux victoires sur Louis XIV. On pouvait penser que tout danger dans les îles britanniques était éliminé. Ces acquits n'avaient pas profité au pouvoir royal. L'administration centrale s'était perfectionnée mais le Parlement avait pris une importance accrue. Une vie politique ardente se développait dont les cafés récemment apparus étaient souvent le centre. La censure avait été très réduite en 1695. Il se produisit alors un essor de la presse et de la littérature polémique. Aux whigs Addison (le *Spectator*) et Steele (le *Tatler*), répondaient les publicistes tories dont le célèbre Swift. Les Anglais concevaient généralement un orgueil d'hommes libres que semblait couronner leur victoire sur la France alors que l'Europe continentale méprisait le plus souvent ce régime politique insolite. Cependant les « idées anglaises » commencèrent à gagner le continent à partir du rétablissement de la paix.

Progrès de l'étatisme sur le continent

La centralisation politique et administrative tend à se renforcer suivant l'exemple offert par la France mais selon des méthodes variées.

LE RENOUVEAU DE L'ESPAGNE

Le règne de Charles II apparaît comme la suite dramatique de la longue décadence politique de l'Espagne dont le point le plus bas serait atteint à la mort de ce malheureux monarque. Toutefois les historiens de l'Espagne ont expliqué récemment la remontée de l'Espagne sous les rois Bourbons par le fait que ce pays avait déjà surmonté la crise de son économie entre 1660 et 1700. La Castille commence à guérir ses maux. La population cesse de diminuer, elle s'accroît même dans les villes dont le développement reprend. La monnaie est stabilisée en 1680, l'économie repart. Séville est supplantée dans le commerce d'Amérique par Cadix mieux placée. En Catalogne où la reprise est beaucoup plus nette, le règne de Charles II est une époque de prospérité. Aussi les Catalans ne songent plus à faire sécession, mais au contraire à profiter des avantages que leur avance économique leur donne sur les autres parties de la monarchie espagnole. C'est pourquoi ils redoutent la solution française de la succession d'Espagne, la France étant pour l'industrie de la Catalogne une rivale dangereuse. Par contre la solution autrichienne leur semble pouvoir assurer les liens avec les possessions espagnoles d'Italie. Pendant plusieurs années l'Espagne est coupée en deux : Philippe V règne à Madrid et sur la Castille, l'archiduc Charles règne à Barcelone sur la Catalogne, ainsi que sur l'Aragon et Valence qu'il a ralliés. La victoire de Philippe V sur les Catalans abandonnés par leurs alliés est une victoire de la centralisation monarchique. Catalogne et Valence perdent leur autonomie administrative. Philippe V était arrivé à Madrid avec des conseillers français et il entreprit une réorganisation de l'Etat qui pour n'avoir pas été systématique n'en fut pas moins efficace. Avec une administration revigorée, l'Espagne poursuivit son réveil économique et amorça son redressement politique.

LA FORMATION DE LA MONARCHIE AUTRICHIENNE

En 1683 le Habsbourg de Vienne joignait au titre d'Empereur la possession des Etats héréditaires (Autriche, Styrie, Carinthie, Tyrol), le royaume de saint Venceslas (Bohême, Moravie, Silésie), la Hongrie royale fort exiguë. Tous ces Etats étaient juxtaposés et sauf le dernier faisaient partie de l'Empire. Or, à cette date le règne de Léopold Ier (1657-1705), dont la première partie avait été médiocre, connut un épanouissement inattendu et extraordinaire. Arrière-petit-fils de Philippe II lui aussi, il le prit comme modèle. Peu prestigieux, simple, cultivé, il sut concilier piété et raison d'Etat. En fait, à son œuvre contribuèrent à la fois le hasard et sa réelle application au métier de roi. Les résultats sont d'ailleurs contradictoires : recul de l'autorité impériale sur les princes allemands à qui il doit en partie la délivrance de Vienne, et progrès de son autorité sur ses Etats héréditaires.

Le règne de Léopold voit la naissance de la monarchie autrichienne. Le souverain gouverne ses Etats divers du fond de son cabinet, sans premier ministre, par l'intermédiaire d'une assez lourde machine administrative dont l'élément essentiel est le *Conseil secret* qui s'occupe de la politique générale et plus spécialement des affaires des Etats héréditaires. On trouve également le *Conseil de la Guerre* composé d'une vingtaine de membres souvent étrangers. Des chancelleries multiples expliquent le caractère paperassier de l'administration autrichienne (chancellerie de Cour, chancellerie pour l'Empire, chancelleries d'Autriche, de Bohême, de Hongrie). Chaque province avait sa diète qui s'occupait surtout de contrôler l'exercice de la justice et les impositions.

Les progrès de la monarchie des Habsbourg se marquèrent non seulement par une grande extension territoriale, mais aussi par un effort de centralisation. On vit se multiplier les *conférences secrètes*, commissions spécialisées dont le but était de préparer au souverain des rapports auxquels il pouvait donner force de loi. Le Conseil de la Guerre assuma un rôle croissant sous la présidence du prince Eugène. L'armée permanente née en 1680 compte 100 000 hommes à la fin du siècle. Cela nécessita la création de ressources fiscales nouvelles : droits sur le papier timbré, et surtout institution d'une capitation (1691). Une banque d'Etat fut créée en 1703. La conscience de former un Etat commun naît dès le lendemain de la délivrance de Vienne. Elle est exprimée dans le livre de von Hornigk, *L'Autriche au-dessus de tout si elle le veut* (1684). Cet Etat qui se veut allemand (sauf la Hongrie annexe) prend ses distances à l'égard de l'Empire. Le terme équivoque d'Autriche s'impose pour le désigner. De place-frontière, Vienne devient le centre, le siège du gouvernement et le symbole de cet Etat. Résidence du souverain (Hofburg, Schœnbrunn), elle attire l'aristocratie de l'Europe centrale, et devient également un centre du commerce danubien, et le berceau d'une forme originale d'art baroque. Au début du xviiie siècle, elle atteint 100 000 habitants. Cette naissance de l'Etat autrichien s'accompagne d'une expansion démographique dans les Etats qui le composent. Cela permet d'entreprendre la colonisation avec des Allemands des régions conquises sur les Turcs. Mais les Etats des Habsbourg n'échappent pas tous à l'évolution qui caractérise les sociétés rurales de l'Europe centrale : extension de la corvée et même du servage.

Joseph Ier (1705-1711), plus énergique que son père, fit face au soulèvement de François Rackoczi qui avait pris la tête d'une révolte en Hongrie contre les velléités de centralisation viennoise et avait entraîné les protestants qui résistaient à la pression catholique des paysans mécontents de l'extension des corvées et des impôts royaux. L'insurrection fut contenue dans les régions montagneuses. La paix de Szatmar (1711) fit rentrer la Hongrie dans l'obéissance moyennant de grandes concessions (liberté du culte protestant, autonomie administrative et militaire). Elle préfigurait le compromis austro-hongrois de 1867 (V.-L. Tapié).

Le règne de Charles VI (l'ancien archiduc Charles) s'ouvrit sous de brillants auspices. En 1713 fut promulguée la *Pragmatique Sanction* où était affirmée l'indivisibilité de l'ensemble des territoires appartenant aux Habsbourg. C'était le couronnement de trente années d'efforts. Certes Charles VI dut abandonner l'Espagne, mais le traité de Rastadt lui reconnaît Naples, la Sardaigne (qui sera échangée contre la Sicile), le Milanais et les Pays-Bas. La possession de ces deux derniers Etats riches et peuplés infléchira le destin de l'Autriche vers la Méditerranée et la mer du Nord. L'Autriche est donc devenue une très grande puissance. C'est à elle autant qu'à l'Angleterre qu'est dû le coup d'arrêt à l'expansion française.

NAISSANCE DE L'ÉTAT PRUSSIEN

L'exemple le plus net de construction d'un Etat à partir d'Etats disparates est dû à la maison de Hohenzollern. Le principal artisan fut Frédéric-Guillaume, le *Grand Electeur* (1640-1688) dont l'œuvre précéda de quelque vingt années celle de Léopold Ier.

Depuis les traités de Westphalie, les possessions des Hohenzollern venaient, pour l'étendue dans l'Empire, au second rang, après celles des Habsbourg, mais elles étaient faites d'Etats dispersés et sans aucun lien entre eux. On distinguait le Brandebourg agrandi de la Poméranie orientale, de Magdebourg et Halberstadt ; à l'ouest, le duché de Clèves, les comtés de Mark et Ravensbourg auxquels s'était ajouté Minden ; enfin, à l'est, la Prusse vassale du roi de Pologne. Le Brandebourg sortait dépeuplé et dévasté de la guerre de Trente Ans. Partout le prince se heurtait à des diètes qui limitaient ses pouvoirs. A l'est de l'Elbe la noblesse assurant la reconstruction des terroirs asservissait les paysans et tenait tête au souverain. La bourgeoisie se retranchait derrière les privilèges urbains. Il semblait impossible de dépasser le stade d'une union dynastique fortuite entre ces territoires. Frédéric-Guillaume, travailleur acharné, esprit réfléchi, généralement soucieux du possible, autoritaire, mais tolérant en matière religieuse, eut suivant les circonstances une politique brutale ou souple.

La première partie de son règne fut médiocre. A partir de la paix d'Oliva (1660), qui lui valut de détacher la Prusse de la suzeraineté polonaise, commence véritablement l'œuvre du Grand Electeur. La Prusse fut de tous ses Etats celui qui lui résista le plus. Königsberg restait attaché à la Pologne qui constituait son arrière-pays. La noblesse prussienne enviait l'indépendance de la noblesse polonaise. Il fallut l'intervention de l'armée pour soumettre la bourgeoisie puis la noblesse. Le gouvernement du Brandebourg à Berlin où résidait l'Electeur devint le noyau du gouvernement commun. Le *Conseil secret* finit par s'occuper de tous les Etats des Hohenzollern. Il fut flanqué du *Commissariat général de la Guerre* qui eut dans son ressort tout ce qui de près ou de loin touchait à l'armée. La victoire sur les Suédois, à Fehrbellin (1675), montra la solidité de l'armée et de l'Etat.

Le Grand Electeur sut puiser dans ses Etats des forces morales en associant à son œuvre noblesse et bourgeoisie, et des forces financières et économiques en pratiquant une stricte politique économique inspirée de l'exemple hollandais et du colbertisme. La noblesse trouva dans l'armée et la haute administration des places honorables et renonça à tout rôle politique dans les diètes. La petite bourgeoisie aida à la constitution d'une bureaucratie nombreuse et laborieuse. En 1667, la réforme fiscale fut effectuée en Brandebourg. Les campagnes payaient un impôt direct : la *contribution*. Les villes furent soumises à un impôt indirect unique, l'*accise* pesant sur les marchandises qui y entraient. Ce système fut étendu progressivement aux autres Etats puis à la noblesse. Ainsi le prince put se passer des diètes. Ses sujets payèrent en moyenne plus d'impôts que les Français. En revanche, il fit son possible pour accroître la richesse publique. Il attira des émigrants de toutes les contrées de l'Empire : Hollandais qui installèrent des fermes modèles (« hollanderies ») en Brandebourg, et surtout huguenots chassés par la révocation de l'Edit de Nantes qui apportèrent leurs compétences et leurs capitaux. Il encouragea les manufactures, qui furent placées sous le contrôle du Commissariat général à la Guerre. Il essaya de détourner vers Berlin et l'Elbe le trafic qui débouchait à Stettin (canal de la Spree à l'Oder). Enfin, il eut une politique douanière, maritime et coloniale qui, vu la dispersion des possessions et le fait que le seul port important, Königsberg, était excentrique, ne rencontra aucun succès. La Compagnie d'Afrique dut être liquidée au début du xviiie siècle. Il semble toutefois que le Grand Electeur n'ait pas conçu l'avenir prodigieux de son œuvre puisque par son testament il partageait ses Etats entre ses fils.

Son œuvre fut complétée par son fils aîné, Frédéric (1688-1713), qui tranche dans la lignée des Hohenzollern à cause de son caractère chimérique et fastueux. En réalité son rôle fut capital dans l'histoire de la Prusse. Il sauvegarda l'œuvre de son père en annulant le testament de celui-ci. Depuis ce moment les Etats des Hohenzollern ne risquèrent plus d'être partagés. Il acquit le titre royal. En novembre 1700, moyennant le renouvellement de son alliance avec l'Empereur et la contribution de ses troupes, il obtint de celui-ci des subsides et le titre assez équivoque de « roi en Prusse ». Mais Frédéric Ier se couronna roi à Königsberg avec un faste extraordinaire (18 janvier 1701). Le titre royal qui devait faire des Etats des Hohenzollern le royaume de Prusse fut reconnu par les puissances à Rastadt. Le roi de Prusse fit figure de premier prince dans l'Empire face à la maison de Habsbourg. Enfin, admirateur de Louis XIV, il eut une cour somptueuse, protégea Leibnitz, créa une Académie des Arts et une Académie des Sciences, l'université de Halle qui devint la première du royaume. D'ailleurs il ne négligea pas l'armée, aussi laissa-t-il à sa mort son royaume épuisé par ses lourdes dépenses. Cependant il en avait fait une monarchie respectée, pourvue d'une capitale en plein essor et à laquelle le traité de Rastadt allait reconnaître avec la possession de Stettin un débouché maritime de valeur.

LES TENTATIVES ABSOLUTISTES DANS LES PAYS SCANDINAVES

Les guerres entre Danemark et Suède avaient favorisé la noblesse au dépens du pouvoir royal dans ces deux Etats. Au Danemark, le pouvoir politique de la noblesse, rendu responsable des défaites, s'effondra en 1660. La Monarchie, jusqu'alors élective, fut proclamée héréditaire puis absolue (loi royale, 1663). Sous Frédéric III la bourgeoisie reçut des postes administratifs (P. Jeannin). Malgré la médiocrité des souverains, l'Etat s'organisa. Cependant la noblesse garda un rôle prépondérant dans la société.

La Suède, ayant constitué un « Empire » baltique, était épuisée. La Couronne avait dû aliéner une partie de son domaine pour faire face aux dépenses de la guerre. Ainsi, non seulement les revenus du roi étaient amoindris, mais, depuis la mort de Gustave-Adolphe, le rôle politique de la noblesse s'était développé. En outre, le nombre des paysans libres et des paysans de la Couronne avait diminué, celui des paysans seigneuriaux s'était beaucoup accru. C'est pourquoi Charles XI entreprit la *réduction* des terres de la noblesse (1680). Les terres reprises devaient servir à l'entretien d'une armée de paysans-soldats (système de l'*Indelta*). La paysannerie libre était sauvée (Cl. Nordmann). Elle devait échapper à l'instauration du servage que connaissait alors l'Europe orientale. Charles XI compléta sa victoire par la mise au pas du *Riksdag* (Diète) et du Sénat (Conseil), mais son œuvre fut compromise par les guerres de Charles XII qui permirent à la noblesse de prendre sa revanche. Cependant, une administration bureaucratique avait été mise en place.

Pierre le Grand et les tranformations de la Russie

Dans l'Europe du Nord et de l'Est, en Suède et en Pologne notamment, pays de médiocres bourgeoisies, l'autorité royale recule devant des noblesses qui accroissent leurs possessions foncières et leur influence politique. La Russie fait exception dans ce courant. Il est vrai que les traditions étatiques y étaient déjà solidement ancrées. Le caractère religieux et autocrate du souverain l'autorisait à exercer une autorité que seules les lois divines limitaient. En fait, dans ce pays immense aux populations dispersées, tout était question de moyens. Pierre le Grand n'a pas créé un étatisme nouveau en Russie, il a suivi une tradition. Par contre, il a accru ses moyens d'action en empruntant à l'Occident des techniques administratives et a voulu activer l'économie de son immense empire.

Il a procédé avec une brutalité qui n'a rien d'insolite dans l'histoire de ce pays. Aussi son œuvre a-t-elle engagé l'Etat et la société vers des transformations d'où est sortie la Russie moderne.

PIERRE LE GRAND ET SON RÈGNE

La Russie connut près de vingt-cinq années incertaines sous les fils d'Alexis, Fédor (1676-1682), puis Ivan, simple d'esprit, et son demi-frère, Pierre, âgé de dix ans, sous la régence de Sophie, sœur aînée d'Ivan. Energique, celle-ci entama quelques réformes et fit entrer son pays dans la Sainte Alliance contre les Turcs (1686). Ambitieuse, elle négligeait complètement l'éducation de Pierre qu'elle comptait éliminer le moment venu pour garder le pouvoir. Pierre et ses amis prirent les devants. Sophie fut enfermée dans un couvent (1689). Les dix premières années du règne de Pierre furent assez décevantes. Le nouveau tsar était généralement considéré comme un être puéril. C'était un colosse, ignorant et volontiers débraillé, au caractère impulsif et inégal, à la curiosité sans cesse en éveil, d'esprit peu spéculatif, et mettant à la réalisation de ses desseins une énergie qui ne reculait devant rien. Livré à lui-même, il avait passé son adolescence au milieu de camarades de toutes conditions sociales qu'il avait organisés en compagnies militaires (les « amuseurs »). Il se mêlait également aux étrangers du faubourg *(Sloboda)* où il écoutait attentivement ce que lui disaient de l'Occident et de ses monarques des marchands ou des aventuriers tel le Genevois François Lefort. Chose étrange, ce Moscovite conçut une véritable passion pour la marine. Devenu le maître, il ne changea guère son comportement. Il fit de ses « amuseurs » les deux premiers régiments de la Russie moderne. En 1693 il se rendit dans le seul port de la Russie d'alors, Arkhangelsk, rêva désormais d'acquérir un accès à une mer libre de glace, et s'empara d'Azov en 1696. Alors il entreprit un voyage semi-incognito en Occident, se rendit en Hollande, Angleterre, Autriche, s'intéressa surtout aux chantiers navals de Hollande et à la Bourse d'Amsterdam, fut reçu par Guillaume d'Orange et Léopold Ier, mais éconduit par Louis XIV. Il dut revenir précipitamment à cause de la révolte de la milice des *streltsi* qu'encourageait Sophie et ceux qu'inquiétaient les entorses faites par Pierre à la tradition. Les deux régiments écrasèrent la révolte et à son retour Pierre procéda à une sanglante répression. Il profita de la terreur pour imposer à ses sujets l'habit court, faire couper les barbes ou verser une taxe.

Alors commence une période (1699-1717) pendant laquelle Pierre fait à coup d'oukases des réformes souvent hâtives et contradictoires.

Il mène la guerre contre les Suédois (guerre du Nord). Ecrasé à Narva, il doit la victoire de Poltava autant aux erreurs de son adversaire qu'aux progrès de son armée. Ayant attaqué imprudemment les Turcs, il fut capturé par les troupes du sultan (1711), mais s'en tira à bon compte en rendant Azov. En 1717 la Russie était épuisée par la guerre, les réquisitions, les révoltes. Cette période a été qualifiée de chaos par un historien russe. Cependant il y avait des acquis : victoire sur les Suédois, fondation de Saint-Pétersbourg et d'une industrie métallurgique sur le lac Onega et dans l'Oural, création d'une armée et d'une marine modernes et mise en place d'un corps d'ingénieurs et de fonctionnaires nouveaux. Lors d'un second voyage en Europe en 1717-1718, Pierre le Grand fut reçu partout, même à Paris, comme un souverain respecté. De retour, il fit exécuter le tsarevitch et ceux qui avaient comploté pendant son absence.

Les dernières années furent plus sereines. Une génération russe nouvelle était à même de prendre la relève des étrangers dont s'était servi Pierre le Grand. Les institutions nouvelles sortaient de la période d'improvisation. L'œuvre de Pierre le Grand se décantait et se consolidait.

TRANSFORMATIONS DE L'ÉTAT RUSSE

La transformation la plus visible fut la création d'une capitale détachée des traditions et du milieu russes, artificielle, mais suffisamment bien située et conçue pour avoir pu supplanter Moscou en quelques années. En 1703 Pierre le Grand fit construire un arsenal et une forteresse, noyaux de la cité. En 1704 il décida de faire de celle-ci sa capitale et, en 1712, il y transféra le siège du gouvernement. Saint-Pétersbourg fut construite « à coup d'oukases » par des ouvriers requis dans toutes les provinces. Les plus illustres boyards et les plus riches marchands durent y faire construire un palais ou une maison. La ville tint d'Amsterdam par ses canaux et de Versailles par ses perspectives. A la mort de Pierre le Grand elle n'était encore qu'un chantier, mais comptait déjà 150 000 habitants et son port drainait déjà une partie du commerce extérieur de la Russie.

Le gouvernement central fut profondément modifié. La Douma des Boyards fut remplacée en 1711 par le *Sénat* de vingt membres qui s'occupait de la politique générale mais qui, à partir de 1722, fut surveillé par un procureur général dépendant du tsar. Les départements ministériels (Affaires étrangères, Guerre, Commerce...) furent confiés à des collèges comme en Suède ou en Autriche. Le *bureau Preobrajenski* joua le rôle de tribunal d'exception et d'état-major de la police secrète. L'administration locale fut répartie entre onze gouvernements groupant au total cinquante provinces subdivisées en de nombreux districts. La noblesse locale y eut une part importante. Cette bureaucratie était très lourde et souvent concussionnaire. Les ordres de l'empereur se diluaient en s'éloignant de Saint-Pétersbourg. Cependant commissaires et inspecteurs venaient fréquemment rappeler l'autorité de l'Etat.

Pierre le Grand se servit de l'armée et de l'Eglise comme moyens d'action. L'armée, réorganisée en 1716, dépassa 100 000 hommes. A la fin du règne elle était devenue entièrement russe et prêta souvent main-forte aux autorités. Pierre le Grand fit de l'Eglise un instrument de l'Etat. En 1721 il supprima le patriarcat de Moscou et le remplaça par un collège de prélats, le *Saint-Synode*, surveillé par un procureur général. Le bureau des monastères administra les biens de l'Eglise. Il ne laissa au clergé que ce qui était nécessaire à son entretien. Le reste revint à l'Etat.

Tout cela coûtait fort cher. Pierre le Grand réalisa une réforme fiscale importante dont les expériences autrichienne et française lui donnèrent l'idée. La base de l'impôt fut une capitation qui nécessita un recensement général de la population. Probablement lacunaire, ce recensement révéla 5 750 000 âmes mâles en Russie proprement dite, soit peut-être 12 millions d'habitants pour tout l'Empire.

TRANSFORMATIONS DE LA SOCIÉTÉ RUSSE

La noblesse eut une influence accrue dans les provinces. Dans chaque circonscription un conseil de nobles assista le gouverneur. La possession de serfs resta un monopole des nobles. Comme ses prédécesseurs Pierre le Grand puisa les cadres de son administration et de son armée dans la noblesse et à défaut parmi les hommes compétents qu'il anoblissait, mais il systématisa cette organisation par la mise en ordre de la Table des rangs ou *Tchine* (1722). La hiérarchie nobiliaire fut en principe établie d'après les fonctions assumées et non d'après la naissance ou la fortune. En fait, les trois facteurs furent liés. Pierre le Grand décida en 1714 qu'un seul fils hériterait du patrimoine, ce qui força les autres à entrer au service et pour s'y préparer à aller apprendre dans les écoles nouvelles. Il continua donc d'exister de grandes différences de fortune entre nobles. Les favoris du tsar, tel Menchikov, accumulèrent domaines et serfs. Une aristocratie vécut à Saint-Pétersbourg où elle constitua une société ouverte sur l'étranger dont un bon exemple est Tatichtchev qui devint directeur des mines de l'Oural.

La formation d'une bourgeoisie nouvelle fut le résultat du développement de l'industrie et du commerce.

Des étrangers avaient déjà été appelés par le tsar Alexis. Les ateliers métallurgiques fondés à Toula par des Hollandais s'étaient révélés insuffisants pour lutter contre la Suède. Des usines surgirent au bord du lac Onega et surtout dans l'Oural, notamment à Neviansk, grâce à des contremaîtres étrangers attirés à prix d'or, à des artisans et paysans transplantés de force et aux charrois des paysans des régions voisines dont une partie devinrent serfs de l'usine. Les usines les plus difficiles à implanter le furent par l'Etat. Beaucoup ne réussirent pas. Lorsqu'elles prospérèrent, elles furent cédées à des particuliers. Les autres industries (textiles...) furent généralement créées par des nobles sur leurs terres ou même des marchands autorisés à posséder des serfs. Les voies de commerce s'animèrent. La plus active fut celle de la Volga reliée à la Néva et à Saint-Pétersbourg par un canal qui servit à l'évacuation des produits de l'Oural vers Moscou et Saint-Pétersbourg. Les villes se peuplèrent de serfs que leur maître y envoyait travailler moyennant une redevance *(obrok)* et qui parfois réussissaient à racheter leur liberté. Malgré une certaine mobilité sociale dans les villes, la bourgeoisie resta peu nombreuse. Cependant on compta quelques réussites comme celle de Nikita Demidov, forgeron de Toula qui devint un des principaux industriels de l'Oural.

La population resta presque entièrement composée de ruraux (97 %), devant la corvée *(barchtchina)* surtout dans les régions peu peuplées du Nord, ou des redevances *(obrok)*. Ces charges étaient très lourdes. Beaucoup de paysans fuyaient vers les terres inexploitées d'Ukraine ou d'Oural où ils étaient considérés comme des paysans de l'Etat, c'est-à-dire des hommes libres. Mais le tsar faisait don des terres défrichées à des favoris ou des fonctionnaires. Pour éviter de perdre leur liberté, certains paysans de l'Etat allaient plus loin en Sibérie ou dans la région de la Caspienne d'où ils refoulaient lentement les Bachkirs. Cependant la plus grande partie des paysans devait accepter son sort et vivre sur les domaines seigneuriaux où la vie économique était dans l'absolue dépendance du maître qui contrôlait les ateliers ruraux et le marché.

Ainsi sous le règne de Pierre le Grand ont continué les transformations sociales allant au profit de la noblesse. En même temps une occidentalisation se dessina : ouverture du Térem (gynécée) en 1702, interdiction des infanticides d'infirmes et de bâtards. Ces réformes tendirent à couper la société russe en deux. Dans l'immédiat l'essentiel fut l'augmentation certaine des moyens de l'Etat qui plaça la Russie parmi les grandes puissances.

Textes et documents : J. Locke, *Lettre sur la tolérance*, trad. B. Polen, 1963 ; *Essai sur le pouvoir civil*, trad. J.-L. Fyot, 1953. P. Kovalevsky, *Atlas historique et culturel de la Russie et du monde slave*, 1961.

Chapitre XXII

LES ÉTATS EUROPÉENS
DE 1715 A 1740

Cartes XVI et XVIII.

Bibliographie : E. Préclin et V.-L. Tapié, *Le XVIIIe siècle* (coll. « Clio »), 1952. P. Gaxotte, *Le siècle de Louis XV*, 1963. H. Méthivier, *Le siècle de Louis XV* (coll. « Que sais-je ? »), 1966. P. Jeannin, R. Mandrou et E. Zöllner, voir chapitres XIX et XXI. G. Zeller, *Histoire des relations internationales*, t. 3, *De Louis XIV à 1789*, 1955.

La période 1715-1740 est caractérisée par une paix relative bien qu'instable entre les grandes guerres de 1689-1714 qui laissent les Etats épuisés et celles de 1740-1763. Dans ces années réparatrices les intérêts matériels prennent une place nouvelle, tant sur le plan intérieur qu'international (rivalités coloniales) (voir chap. XXIII). En outre, l'équilibre politique aux environs de 1740 n'est plus celui de 1715. Le traité de Rastadt avait constitué avec la monarchie des Habsbourg un dernier « empire nébuleuse ». Cette formule se révèle impossible, du moins en Europe occidentale et centrale où les Etats nationaux sont devenus la règle.

Le Royaume-Uni de Grande-Bretagne

L'Angleterre avait besoin de paix non seulement pour réparer les effets de la lutte contre Louis XIV, mais encore pour consolider un régime politique encore mal précisé et une dynastie qui restait étrangère.

LA DYNASTIE DE HANOVRE ET LE RÉGIME POLITIQUE

George Ier (1714-1727) resta attaché à son électorat de Hanovre. Il ne parlait ni ne comprenait l'anglais et s'entoura d'aventuriers allemands. Son fils George II (1727-1760), un peu moins étranger au pays, vécut dans la crainte d'un retour des Stuart. Cependant deux événements décisifs se produisirent en 1715 : les élections portèrent aux Communes une majorité de whigs et une tentative de soulèvement de l'Ecosse par « Jacques III » échoua. Les whigs devaient gouverner l'Angleterre jusqu'en 1762. Les tories, défenseurs de l'Eglise établie et de la

Couronne, s'appuyaient sur les *clergymen* et les *squires*. Leur principal chef, Bolingbroke, essaya en vain de leur donner une doctrine politique cohérente. Cependant les tories restaient également attachés à la dynastie Stuart discréditée par ses sentiments papistes. Aussi la majorité de l'opinion les accusait de troubler l'ordre. Les whigs s'appuyaient sur les hommes d'affaires et les propriétaires d'immenses domaines récemment constitués. Ils ralliaient les dissidents religieux. Ils se posaient en défenseurs de la suprématie du Parlement. En fait les frontières entre les deux partis étaient assez floues. Whigs et tories ne mettaient en cause ni le régime social, ni les principes politiques issus de la révolution de 1689. Les hésitants étaient nombreux et l'on passait facilement d'un parti à l'autre. Les rivalités personnelles et les questions locales jouaient un grand rôle. Au sein de chaque parti existaient des *connexions* ou accords entre quelques leaders et des clientèles politiques.

George Ier laissa les chefs whigs modeler le régime issu de la révolution de 1689. Il renonça à exercer le droit de veto législatif et n'osa pas choisir ses ministres en dehors des chefs de la majorité. Ainsi se consolida le *Cabinet*, qui se substitua au Conseil privé, aux séances duquel le souverain négligea même parfois d'assister. Ce régime était encore loin du régime parlementaire et libéral. On ignorait les fonctions de premier ministre et la responsabilité collective du ministère devant le Parlement. Celui-ci, élu pour sept ans depuis 1716, représentait à peu près la nation, mais collectivement et non dans ses différents éléments sociaux.

Le corps électoral comptait près de 250 000 membres vers 1750, répartis en deux sortes de circonscriptions, les *comtés*, soit les deux tiers des électeurs (possesseurs d'un bien-fonds donnant au moins 40 shillings de revenu), élisant le quart des députés et les *bourgs* dans lesquels la franchise électorale dépendait de l'appartenance à certaines corporations. Partout le scrutin était public. Fixée au XIIIe siècle la liste des bourgs ne correspondait plus à la répartition de la population. 40 % des députés étaient élus par la région située au sud de la Tamise et de Bristol, Londres non comprise. Un tiers des sièges était pourvu par des bourgs comptant moins de cent électeurs, parmi lesquels les fameux « bourgs pourris » qui ne comptaient que quelques votants. Les suffrages s'achetaient ou se récompensaient par la nomination à des fonctions administratives. Les grands propriétaires *(landlords)* liés aux hommes d'affaires étaient les maîtres du régime. Beaucoup siégeaient à la Chambre des Lords. Les aînés héritaient du siège tandis que l'on achetait des circonscriptions aux communes pour les cadets et les clients. Ainsi était assurée la prépondérance des intérêts économiques qui exigeait le respect des libertés publiques et le maintien de la paix.

LE GOUVERNEMENT DES INTÉRÊTS MATÉRIELS

George Ier confia d'abord le gouvernement à une équipe dans laquelle Sunderland géra les finances et Stanhope les affaires étrangères. Dans l'intérêt du Hanovre aussi bien que de l'Angleterre, Stanhope fit une politique pacifique. Sunderland eut à liquider les dettes contractées par l'Etat pendant la dernière guerre contre Louis XIV.

Depuis 1711 la *South Sea Company* qui faisait le commerce de l'Amérique du Sud et du Pacifique obtenait un grand succès. Sunderland eut l'idée de transférer à la compagnie une partie des dettes de l'Etat. Les porteurs des titres d'Etat purent échanger ceux-ci contre des actions de la compagnie (juin 1720). Une fièvre de spéculation *(South Sea Bubble)* décupla la valeur des actions (août 1720), mais en septembre des porteurs prudents demandèrent le remboursement et les cours s'effondrèrent. L'équipe gouvernementale fut disloquée.

La liquidation fut confiée à Walpole (1676-1745) qui se maintint à la tête du gouvernement pendant vingt ans. La confiance revint et la Banque d'Angleterre consolidée fut un excellent instrument de financement pour l'Etat. Composant avec la *connexion* de Newcastle, distribuant places et pensions, il réussit à évincer les autres factions, à se ménager des élections favorables et à pouvoir compter sur un bon nombre de députés sûrs. La politique extérieure et coloniale fut pacifique et subordonnée aux intérêts commerciaux de l'Angleterre. L'Etat pratiqua un mercantilisme modéré. Les compagnies de commerce recevaient plus de protection que de charges. L'Etat tenait la main au bon fonctionnement des traités de commerce. Les exportations furent encouragées par l'abolition des droits de sortie et la création de primes. Le système de l'entrepôt permit la réexportation des produits coloniaux en exemptant ceux-ci de taxes douanières. Par contre, l'importation destinée au marché intérieur fut lourdement frappée. La balance commerciale fut sans cesse favorable. Les Anglais se substituèrent aux Hollandais dans le rôle d'intermédiaires. Bristol, Liverpool et Londres bénéficiaient d'un remarquable essor. Alors que la prospérité et le renversement de la conjoncture économique faisaient croître la valeur des terres, Walpole diminua le taux de la *Land tax*. Il réussit à équilibrer le budget par des emprunts à un taux très faible. Ainsi Walpole réussit à consolider la dynastie hanovrienne et désarma une partie des tories.

FAIBLESSES ET CRISE DU RÉGIME

Les points faibles se trouvaient en Ecosse, en Irlande, et en Angleterre même dans la corruption des mœurs.

L'Ecosse faisait figure de pays pauvre et arriéré. Le brigandage sévissait dans les Highlands. Le ferment jacobite secouait régulièrement le pays (1715,

1720-1722, 1745-1746). Depuis 1691 l'Irlande était considérée comme un pays conquis et gouvernée par un lord-lieutenant qui disposait à son gré du Parlement de Dublin. Les neuf dixièmes des terres appartenaient à de grands propriétaires anglais non résidents. Les Irlandais étaient devenus des fermiers sans garanties contre les évictions en cas de non-paiement des fermages. Jusqu'en 1737 de lourds droits de douanes frappèrent les viandes et produits laitiers exportés vers l'Angleterre. La législation s'opposait au développement d'une industrie susceptible de procurer des ressources d'appoint.

L'extension des affaires bouleversait la société anglaise. La spéculation était l'origine de fortunes rapides. Le grand commerce s'était détaché de tout puritanisme. Les mœurs brutales et dépravées n'étaient pas l'apanage des parvenus. L'aristocratie des villes et les classes populaires s'adonnaient à l'ivrognerie. La prostitution et le jeu sévissaient dans les villes, notamment à Londres. Le mensonge et la corruption étaient pratiqués en politique. Le sentiment national si vif au xviie siècle s'était assoupi. Sans doute ne faut-il pas prendre à la lettre les satires de Swift, de Foë et Fielding et les peintures de Hogarth. Il semble bien, cependant, qu'aucune autorité établie ne s'avérait capable de résister au courant de démoralisation que connaissait l'Angleterre. L'Eglise anglicane comptait, à côté de prélats édifiants, trop de latitudinaristes soumis à l'Etat. Il existait bien quelques petits groupes d'hommes animés d'un vif désir de rénovation religieuse dont le plus célèbre était le *Holy Club* fondé par John et Charles Wesley et quelques amis. Après un passage en Amérique, John Wesley était revenu en Angleterre (1737). Il prêchait devant des mineurs et ouvriers des manufactures du pays de Galles. Ses disciples appelés *méthodistes* parce qu'ils voulaient procéder méthodiquement à la sanctification, restaient encore isolés. Leur action viendra plus tard.

Cependant Walpole rencontrait des difficultés. Des troubles éclataient en Ecosse, en Irlande et chez les ouvriers gallois. L'*asiento* et le « vaisseau de permission » rencontraient des difficultés et les Espagnols réagissaient contre l'interlope. Walpole était combattu non seulement par les tories mais encore par les factions whigs de Lord Carteret, William Pitt et Pulteney, surnommés les « gamins » qui voulaient lutter contre la corruption et imposer leur volonté à l'Espagne. Walpole dut céder et déclarer la guerre à cette dernière (1739). De mauvaises récoltes aigrirent l'opinion et Walpole perdit les élections de 1741. Il se retira sur une motion défavorable votée par les deux chambres (1er février 1742).

Lord Carteret lui succéda et ne fit rien pour éviter une guerre avec la France. Celle-ci soutint le prétendant Stuart Charles-Edouard qui débarqua en Ecosse en juillet 1745, souleva le pays, entra dans Edimbourg, et parvint à 150 kilomètres de Londres avant d'être vaincu par le duc de Cumberland à Culloden le 16 avril 1646. Cette alerte secoua profondément l'Angleterre. Elle faisait éclater ses faiblesses et donnait raison à ceux qui dénonçaient la corruption des mœurs et réclamaient une politique active. Elle marque un tournant important dans l'histoire de l'Angleterre.

La France de la Régence et du cardinal Fleury

La mort de Louis XIV fut accueillie avec soulagement de la part des éléments populaires écrasés d'impôts et surtout de l'aristocratie. Louis XV n'ayant pas encore cinq ans, le duc d'Orléans fut régent. De nombreux soucis sollicitaient son attention : consolidation de sa position personnelle, détresse des finances de l'Etat, montée de l'opposition janséniste, séquelles des guerres. Après une courte période de réaction contre le régime autoritaire qu'avait imposé Louis XIV et d'expériences (polysynodie, système de Law), l'autorité fut rétablie. Le calme et la prospérité ne revinrent véritablement qu'avec le ministère du cardinal Fleury (1726-1743).

L'ÉCHEC DE LA RÉACTION ARISTOCRATIQUE

Le testament de Louis XIV conférait la régence au duc d'Orléans avec le contrôle d'un Conseil de régence dans lequel figuraient les bâtards légitimés, le duc du Maine et le comte de Toulouse. Le lendemain de la mort du roi, le régent fit casser le testament par le Parlement de Paris et se débarrassera du Conseil de régence. Les bâtards légitimés perdirent leur droit à la succession. Le Parlement retrouva son droit de remontrance. Le régent, intelligent mais jouisseur, inclinait à détendre le régime précédent. Il se rapprocha de l'opposition aristocratique dont, depuis la mort de Fénelon, le duc de Saint-Simon était devenu l'oracle. L'aristocratie reprochait à Louis XIV d'avoir encouragé le développement de la noblesse de robe, anobli des financiers, cantonné la haute noblesse dans la vie de cour, réduit la participation à l'administration de l'ordre de la noblesse et gouverné avec des commis. Les secrétaires d'Etat furent écartés.

A l'imitation de ce qui était encore très fréquent dans le reste de l'Europe continentale, les « ministres » furent remplacés par sept conseils : Finances, Affaires étrangères, Guerre, Marine, « Dedans » (= intérieur), Commerce, Conscience, composés de grands seigneurs assistés heureusement de quelques spécia-

listes *(Polysynodie)*. Tout ne fut pas vain dans l'œuvre de ces conseils. Le Conseil
de la Guerre, présidé par le maréchal de Villars, eut à assurer la démobilisation
de l'armée de Louis XIV. Il institua un contrôle efficace des troupes (1716).
Toutefois l'impression générale reste celle de l'incapacité aux affaires de l'aristocratie. Il est vrai que les difficultés financières rendaient la tâche fort rude.
Le Conseil des Finances, présidé par le duc de Noailles, écarta la solution suggérée
par l'ancien contrôleur général Desmaretz d'un impôt général perçu sur les trois
ordres. Au contraire, on supprima le dixième, auquel la noblesse était astreinte.
La gestion du duc de Noailles fut marquée par l'hostilité traditionnelle au monde
de l'argent. Il consolida la dette par des réductions de capital et d'intérêt. Les
billets de l'Etat furent soumis à une commission de visa et la moitié retirée de la
circulation. Une chambre de justice réunie pour examiner les marchés passés
avec l'Etat depuis 1689 ne livra à la vindicte publique que des gens mal protégés.
Grâce à des économies l'équilibre budgétaire était presque atteint, service de la
dette exclu. Celle-ci quoique réduite restait énorme. Les tares du système financier
subsistaient entières.

D'ailleurs les difficultés politiques renaissaient. Les chefs des opposants à la
constitution *Unigenitus* avaient été relâchés. Les jansénistes pouvaient de nouveau s'exprimer. Aux *constitutionnaires* s'attaquaient les *appelants* ainsi nommés
parce qu'ils prétendaient en appeler de la Constitution à un concile universel.
Mais, en 1718, sous l'influence de son ancien précepteur l'abbé Dubois qui ambi-
tionnait de devenir cardinal, le régent approuva une bulle condamnant les appelants et imposa silence aux jansénistes. Par ailleurs, Versailles étant déserté,
Paris reprenait son rôle de capitale et de petites cours princières se formaient dont
celle de la duchesse du Maine qui conspira pour mettre Philippe V sur le trône
de France. La réaction aristocratique avait soulevé plus de problèmes qu'elle
n'en avait résolu. Déjà la polysynodie était condamnée.

Le régent et l'abbé Dubois étaient décidés à mettre fin à l'expérience.
Le 24 septembre 1718, les conseils furent supprimés et les « ministres »
rétablis.

RETOUR AU RÉGIME DE LOUIS XIV
ET AVENTURE FINANCIÈRE DU SYSTÈME DE LAW

Dubois devint l'âme du gouvernement. Il rêvait de renouer avec
l'époque des cardinaux-ministres. L'autorité fut rétablie de manière
énergique.

Les conspirateurs furent emprisonnés ou exilés, le soulèvement de Pontcallec
en Bretagne à l'instigation de l'Espagne fut étouffé. On procéda au désarmement
des populations qui avaient participé à la défense pendant la guerre de Succession
d'Espagne, mais les armes se cachèrent. Un édit de 1720 réorganisa la maréchaussée
par la suppression, cas très rare sous l'Ancien Régime, de la vénalité des charges.
Dubois tenta sans succès l'accommodement avec les jansénistes par le « Corps
de doctrine », puis en 1722 imposa la signature du formulaire de 1656. Quelques
améliorations furent apportées dans différents domaines : organisation du corps

des Ponts et Chaussées, création d'un Bureau du Commerce (1720). Cependant ce régime autoritaire se caractérise également par un relâchement des mœurs dans les milieux touchant le gouvernement et les élites parisiennes.

La France fut alors entraînée dans une aventure financière qui devait peser lourd sur la fin de l'Ancien Régime.

L'Ecossais John Law (1671-1729), exilé du Royaume-Uni, avait acquis à Londres et à Amsterdam une grande intelligence des problèmes financiers. Il avait déjà fait connaître ses idées dans plusieurs ouvrages : *Considérations sur le numéraire et le commerce* (1705), *Projet de banque d'Etat* (1715), lorsqu'il se fixa à Paris. Law restait un mercantiliste, puisqu'il pensait que la prospérité d'un Etat était conditionnée par l'abondance de la monnaie. Mais il estimait que la meilleure monnaie était le papier-monnaie : « La circulation du papier-monnaie étant trois fois plus rapide que celle de l'or et de l'argent, c'est comme s'il y avait en réalité trois fois plus de moyens d'échange. » Le papier-monnaie devrait donc se substituer au numéraire. On pourrait augmenter la quantité de papier-monnaie qui serait alors gagé, non seulement sur le numéraire possédé par l'Etat, mais sur la confiance et la richesse que cet instrument de crédit ne manquerait pas de produire. Il fallait que l'émission soit assurée par une banque alimentée par des actions et associée à une compagnie de commerce. L'entreprise fournirait du crédit aux négociants, mais pourrait alors se substituer à l'Etat pour toute la gestion des finances et aux particuliers pour le commerce extérieur. C'étaient des vues en quelque sorte dirigistes.

Law obtint du régent l'autorisation de créer une banque privée de dépôt et d'escompte au capital de six millions de livres constitué par des actions de 500 livres qu'on pourrait souscrire pour les trois quarts en billets d'Etat (2 mai 1716). C'était un moyen de transférer à la banque une partie des dettes de l'Etat. La banque émit des billets au porteur convertibles à vue en numéraire. Devant le succès de la banque, l'Etat accepta, le 10 avril 1717, ces billets en paiement des impôts. Le 23 août Law fut autorisé à fonder la *Compagnie d'Occident* ou du Mississipi au capital de cent millions, constituée par 200 000 actions de 500 livres payables en billets d'Etat visés en 1716. Les idées de Law semblaient se réaliser. La Compagnie d'Occident absorba les Compagnies du Sénégal (traite des Noirs), de Chine, des Indes orientales, des Mers du Sud et devint la *Compagnie des Indes*. Le 4 décembre 1718 la banque devenait *Banque royale*, l'Etat en rachetant les actions. En 1719, Law prit le contrôle des monnaies, puis le bail des Fermes. En octobre la Banque royale réussissait à se faire attribuer l'ensemble des recettes de l'Etat contre engagement de rembourser les dettes de celui-ci. En janvier 1720, le contrôle général des finances était rétabli pour Law.

En février la Banque et la Compagnie fusionnaient. Pour alimenter ces activités diverses, de nouvelles actions avaient été émises, payables en billets d'Etat ou en billets de la banque. Une fièvre de spéculation s'était emparée des milieux d'affaires et gagnait la noblesse et la bourgeoisie non seulement de Paris, mais même de province. D'ailleurs la publicité était savamment organisée. La Nouvelle-Orléans avait été fondée. L'ensemble du commerce extérieur était favorisé par l'extension du crédit. L'euphorie régnait. Les actions de 500 livres en avaient atteint 18 000.

Mais le système reposait en partie sur la mise en valeur de la Louisiane, œuvre de longue haleine. Pour encourager les souscriptions, Law avait promis des dividendes énormes, dont il ne put verser qu'une partie, prise sur le capital. Or ses adversaires veillaient. En février les frères Pâris et le duc de Bourbon demandèrent le remboursement à vue de leurs billets et actions. Un mouvement de baisse s'amorça puis s'amplifia au fil des semaines. Law, sacrifiant la Banque à la Compagnie, prit des mesures arbitraires et contradictoires (mise du numéraire hors cours, cours forcé des billets, retrait de la circulation d'un milliard 200 000 livres de billets contre remise de nouvelles actions de la compagnie), puis, en octobre, supprima le cours de ses billets et rétablit les paiements en espèces. C'était la faillite de la Banque. Law s'enfuit (décembre).

Le système fut liquidé en 1721-1722. La Banque disparut et les entreprises de Law se disloquèrent. Les Fermes générales furent mises en régie. Les billets et actions furent soumis à une *Commission de visa* présidée par Pâris-Duverney, qui les consolida pour une faible valeur. Seule la Compagnie des Indes subsista. Les effets du système furent divers. La banqueroute de Law était celle de l'Etat qui fut ainsi débarrassé d'une partie de ses dettes. Cet abus de confiance devait retarder en France la création d'une véritable banque d'Etat et le recours au papier-monnaie. L'économie avait reçu un coup de fouet qui fut profitable notamment aux ports. Lorient fut créé alors. A Paris, le système provoqua des spéculations foncières. Les conséquences sociales furent considérables. Un déplacement de fortune entraîna la ruine de fortunes anciennes et des enrichissements scandaleux. L'existence de ces nouveaux riches et de ces nouveaux pauvres eut un effet fâcheux sur la moralité publique. Le système fit cependant pénétrer la connaissance des affaires dans des milieux plus larges, mais pas suffisamment pour créer à lui seul une nouvelle mentalité économique dans la plupart des milieux nobles et bourgeois qui préférèrent les placements traditionnels.

Paradoxalement la Régence se termina sur le gouvernement d'un cardinal-ministre puisque Louis XV proclamé majeur confia les affaires au cardinal Dubois. Mais celui-ci mourut presque aussitôt. Le duc d'Orléans qui lui avait succédé le suivit quelques mois après (1723).

LE MINISTÈRE RÉPARATEUR DE FLEURY (1726-1743)

Louis XV prit comme principal ministre le duc de Bourbon, dont le gouvernement inspiré par la marquise de Prie et Pâris-Duverney engendra de nombreuses déceptions.

Bourbon fit faire à Louis XV un mariage surprenant. L'infante d'Espagne élevée à la Cour de France qui lui était destinée fut renvoyée comme étant trop jeune et Louis XV épousa Marie Leszczynska, fille du roi de Pologne détrôné Stanislas Leszczynski (1725), ce qui provoqua une rupture avec l'Espagne. Les persécutions contre les protestants furent reprises. Les difficultés financières et monétaires laissèrent subsister un climat d'insécurité. La régie des Fermes générales prêtait à bien des malversations. Un impôt en nature du cinquantième sur les biens-fonds ne put être levé. Pâris-Duverney effectua plusieurs mutations monétaires, mais l'Etat n'en tira aucun profit car les monnaies se cachèrent ou passèrent à l'étranger. L'ancien précepteur de Louis XV, le cardinal Fleury, dont l'influence grandissait, fit renvoyer le duc de Bourbon en juin 1726.

Le cardinal Fleury, âgé de soixante-treize ans, qui avait été un éducateur complaisant et un prélat ambitieux, se montra prudent et pacifique. Il maintint la paix avec l'Angleterre et n'intervint que dans la courte guerre de Succession de Pologne (1733) et dans les affaires de la Succession d'Autriche (1741). Par contre, il reprit la lutte contre les appelants.

Le jansénisme avait progressé dans le bas-clergé urbain, dans les ordres issus de la renaissance religieuse du XVIIᵉ siècle (enseignants : Oratoriens, Doctrinaires ; missionnaires : Lazaristes ; savants : Bénédictins de Saint-Maur). Il avait également gagné une bonne partie de la petite bourgeoisie et les milieux parlementaires. La résistance à Rome menait à un rapprochement avec les thèses gallicanes. Un « tiers parti » semble bien s'être placé entre constitutionnaires et appelants. Des mesures rigoureuses furent prises par Fleury contre les « convulsionnaires de Saint-Médard » (1727), puis contre l'évêque Soanem. Des jansénistes furent privés de leurs bénéfices. Le Parlement de Paris s'étant élevé contre ces rigueurs, une centaine de ses membres furent exilés (1732). Cependant avec de hautes complicités les jansénistes purent faire paraître clandestinement les *Nouvelles ecclésiastiques* qui montraient la vitalité de cette opposition religieuse devenue également politique. Toutefois, à partir de la guerre de Succession de Pologne, Fleury renonça à la lutte ouverte.

Les aspects positifs du ministère sont les progrès de la législation et de la prospérité.

Le chancelier d'Aguesseau voulait simplifier le droit coutumier au nom des principes du droit naturel. La procédure fut améliorée, la sépulture des protestants garantie. Le contrôle général des finances fut confié à Le Pelletier des Forts

A. CORVISIER   12

(1726-1730) qui réalisa en 1726 deux importantes réformes. Il renonça au système de la régie des Fermes et revint au système de l'adjudication des Fermes générales à un syndicat de fermiers généraux capable de faire au roi l'avance du revenu des impôts indirects dont la levée leur était confiée, jouant ainsi le rôle d'une banque d'Etat primitive.

Une autre mesure dont seul l'avenir devait dire l'importance fut la renonciation solennelle aux manipulations monétaires (15 juin 1726), qui inaugura une ère de stabilité monétaire de deux siècles (période révolutionnaire mise à part). Aussi le commerce extérieur par la sécurité des changes et le commerce intérieur en bénéficièrent largement.

Orry, contrôleur général des finances de 1730 à 1745, réussit en 1738 à rétablir momentanément l'équilibre budgétaire rompu depuis 1672. Pour cela il pratiqua une politique de rigoureuses économies. Le colbertisme connut un réveil. Des manufactures royales furent créées, les inspecteurs des manufactures multipliés, la réglementation précisée d'une manière d'ailleurs tâtillonne et souvent paralysante. La lutte contre les péages fut reprise. La corvée royale organisée en 1738, Trudaine et l'ingénieur Peyronnet amorcèrent la construction du réseau routier. La protection douanière fut accrue, allant parfois jusqu'à la prohibition des tissus étrangers. Le commerce extérieur fit plus que doubler. Les ports de Dunkerque, Le Havre, La Rochelle, Bayonne et surtout Saint-Malo, Nantes, Bordeaux et Marseille connurent un remarquable essor. Cependant la disette de 1739-1740 et le début d'une guerre qui allait s'élargir assombrirent les derniers mois de Fleury.

Essor des Etats nationaux

Dans les Etats du continent où l'exemple de Louis XIV et du colbertisme restait présent se précisèrent les progrès de la centralisation. Par leur œuvre prudente, les souverains sans doctrine rendirent possible le « despotisme éclairé » de leurs successeurs (voir p. 433).

LE RÉVEIL DE L'ESPAGNE

Allégée de ses possessions extérieures en Europe, mais ayant gardé son immense empire colonial, l'Espagne connut un réveil certain. Il ne faudrait pas attribuer ce relèvement à la seule influence française. Beaucoup d'Espagnols avaient ressenti cruellement la décadence de leur pays, en rendaient responsable la monarchie des Habsbourg et cherchaient des recettes en France et en Angleterre pour tirer l'Espagne de la ruine. D'autre part, après avoir subi l'influence de son grand-père qui l'avait pourvu de conseillers français, Philippe V renvoya son entourage français après 1715. Cependant ce prince courageux, mais timide, frappé de sénilité précoce, n'avait pas l'envergure d'un réformateur.

Aiguillonné par sa seconde épouse, l'ambitieuse reine Elisabeth Farnèse, il entreprit d'effacer les traces de la guerre qui avait ravagé l'Espagne et de redonner à ce pays humilié une place honorable en Europe. Le gouvernement par conseils évolua vers un gouvernement par ministres avec la création de quatre secrétaires d'Etat : Etat et affaires étrangères, guerre et économie, marine et Indes, affaires ecclésiastiques et justice. Les *fueros* furent réduits, des officiers militaires chargés du maintien de l'ordre. En 1718 apparurent des intendants de justice, finances et police. Les revenus de l'Etat furent accrus par des économies et une simplification de la fiscalité. Philippe V accorda sa confiance à des ministres. Ce fut d'abord Alberoni, qui, appuyé sur des réfugiés italiens, poussa Philippe V à une politique dynastique ambitieuse sans avoir suffisamment reconstitué les forces de l'Espagne (cf. p. 360). Vaincu, Philippe V renvoya Alberoni, abdiqua en faveur de son fils aîné Louis Ier qui mourut au bout de quelques mois (1723) et reprit sa couronne. Philippe V s'appuya ensuite sur Patiño qui s'attacha surtout à reconstituer la puissance maritime de l'Espagne. Le siège de la *Casa de Contratación* passa de Séville à Cadix. Des compagnies de commerce à objectif limité furent fondées : compagnies du Guipuzcoa, des Antilles, des Philippines. Le système des galions fut remplacé par celui plus souple des *registros*, vaisseaux de commerce pourvus de licences. Une flotte de guerre fut reconstituée. Oran était repris en 1732, et l'interlope combattu dans les Antilles. Lorsque Philippe V mourut en 1746, l'Espagne avait retrouvé une certaine importance. Une génération nouvelle apparaissait dans laquelle se distinguait l'élite éclairée des *Ilustrados*, encore peu nombreuse, ouverte sur les idées nouvelles qui allaient seconder les efforts de la monarchie dans la seconde moitié du siècle.

LES PROGRÈS CONTINUS DE LA PRUSSE

La monarchie prussienne était restée, malgré les efforts des Hohenzollern, une collection de provinces assez disparates. Frédéric-Guillaume Ier, le « Roi-Sergent » (1713-1740), reprit la tradition de gestion âpre et économe du Grand Electeur. Prince appliqué, violent et dédaigneux de la culture, il se considéra d'abord comme le premier serviteur du roi de Prusse idéal qu'il incarnait momentanément et voulut lui soumettre tous ses sujets. L'armée eut tous ses soins.

Avec un effectif de 80 000 hommes, démesuré pour une population de deux millions d'habitants, l'armée continua de faire appel à des mercenaires étrangers. La noblesse fournit les cadres. L'armée n'était d'ailleurs pas isolée de la population. Les casernes servaient de manufactures où travaillaient les soldats. Le corps des sous-officiers était une pépinière de fonctionnaires subalternes. Les ressources nécessaires à l'entretien de cette armée (accise ou droits d'entrée dans

les villes sur les marchandises) furent contrôlées par le *Directoire des finances,
guerre et domaines* créé en 1720 par la fusion de plusieurs conseils et divisé en
plusieurs sections : frontières, armée, postes, monnaies. En 1733, pour assurer le
recrutement de l'armée, furent institués des cantons militaires. Un *Kabinetts-
ministerium* fut chargé des affaires étrangères en 1728.

L'administration bureaucratique fut entretenue par un système fiscal remarquable. L'impôt direct était acquitté à la fois par les propriétés seigneuriales et
paysannes. La politique économique, inspirée du colbertisme le plus étroit, tendait
à faire en sorte que l'Etat prussien se suffise le plus possible à lui-même. Des
prohibitions pesèrent sur les blés étrangers et les produits de luxe. Les douanes
furent développées, des manufactures d'Etat créées notamment pour libérer
l'intendance militaire des importations. A la fin de son règne, le Roi-Sergent
s'orienta vers une conception moins personnelle de la monarchie prussienne en
créant un ministère de la Justice confié au juriste Cocceji et en instituant une
commission de réforme judiciaire travaillant à l'unification du droit dans tous les
Etats des Hohenzollern (1737). Enfin Frédéric-Guillaume prépara l'avenir brillant
de la Prusse par le « dressage » imposé à son successeur, le futur Frédéric II,
prince instruit, esprit éclairé, qu'il força à connaître le « détail » de l'administration et de l'armée, avant de lui accorder sa confiance.

LES ALÉAS DE LA MONARCHIE AUTRICHIENNE
SOUS CHARLES VI (1711-1740)

Comparé à l'œuvre tenace de Frédéric-Guillaume de Prusse, le règne
de Charles VI apparaît décevant.

Ce prince, sage et assez naïf, se trouva porté par la mort de son frère Joseph Ier
à la tête d'une monarchie victorieuse et agrandie. Conscient de la destinée de
l'Autriche, il dota la cour d'un cérémonial étroit et d'un cadre luxueux et embellit
la capitale, Vienne. Par la *Pragmatique Sanction* de 1713 il proclama l'indivisibilité
de la monarchie dont il réserva la succession entière à son fils puis, à la mort de
celui-ci, à sa fille Marie-Thérèse (1716) au détriment des filles de Joseph Ier, en
abrogeant la disposition léopoldine de 1703. Les Etats des provinces acceptèrent.
Pour mieux tenir le royaume de Hongrie il s'y fit représenter par un palatin.
Il essaya de donner à l'Autriche part au commerce maritime en instituant un
Conseil supérieur du Commerce, en faisant relier Vienne par la route du Semmering
au port de Trieste déclaré port franc, en créant dans ce port une Compagnie
d'Orient et dans les Pays-Bas la Compagnie d'Ostende (1722).

A partir de 1723, Charles VI connut bien des déboires. Il encouragea la Contre-
Réforme, mais dut rendre aux Etats des provinces certaines libertés, notamment en
Hongrie et dans les confins militaires, et s'abstenir d'augmenter les impôts. Aussi
eut-il recours aux emprunts. L'hostilité de l'Angleterre et de la Hollande le
contraignit à renoncer aux compagnies d'Ostende et de Trieste. Faute de ressources
les effectifs de l'armée furent réduits. Aussi subit-il deux guerres malheureuses.
La paix de Vienne mettant fin à la guerre de Succession de Pologne lui ôta Naples
et la Sicile (1738). Par celle de Belgrade (1739), il dut restituer aux Turcs les terres

situées au sud du Danube et de la Save et la partie orientale du banat de Temesvar. Par contre, ses possessions des Pays-Bas et du Milanais connurent une période assez paisible. Une certaine autonomie leur permit de corriger le caractère archaïque d'une administration héritée de la période où ils appartenaient à l'Espagne.

LE MAINTIEN DE L'ŒUVRE DE PIERRE LE GRAND

L'œuvre de Pierre le Grand s'apparentait par bien des points à celles de plusieurs despotes orientaux réformateurs. Comme ce fut souvent le cas en Orient elle fut compromise sous le règne de ses successeurs, mais en définitive elle survécut. Ainsi la première partie du « temps des impératrices », malgré le caractère peu stable des gouvernements, ne gâcha pas l'avenir de la Russie.

Pierre le Grand n'avait pas réglé sa succession et les régiments de la garde prirent l'habitude de « faire les tsars ». Sa veuve, devenue l'impératrice Catherine Ire (1725-1727), dut tenir compte de la noblesse traditionnelle de Moscou. Un Conseil privé suprême se substitua au Sénat et aux collèges ministériels. Sous le règne de Pierre II, petit-fils de Pierre le Grand (1727-1730), âgée de douze ans, se développa la rivalité des clans nobiliaires : Dolgorouki contre Golytsine. A la mort de Pierre II, ces derniers imposèrent comme successeur Anna Ivanovna, nièce de Pierre le Grand. A cette date, le gouvernement avait abandonné Saint-Pétersbourg pour Moscou, l'administration centrale s'était disloquée, les gouverneurs devenaient autonomes.

Avec Anna Ivanovna, dominée par son favori, l'Allemand Bühren (ou Biren) dont elle fit le maître de la Russie, on assista à un retour aux réformes de Pierre le Grand. Profitant des rivalités des nobles, l'impératrice dissout le Conseil privé, rétablit le Sénat et les collèges ministériels et regagna Saint-Pétersbourg. L'historiographie russe a souvent été sévère pour cette période appelée « le règne des Allemands » (1730-1741). En effet Bühren donna trop souvent sa faveur à des aventuriers allemands. Mais il utilisa également les services des « barons baltes » et d'anciens compagnons de Pierre le Grand, aux compétences indiscutables, fort au courant des réalités russes et restés attachés à l'œuvre de leur maître, comme l'ingénieur von Hennin, qui devint directeur des mines de l'Oural, et surtout Ostermann et von Munnich. Un Cabinet des ministres devint le principal organe de gouvernement au nom de l'impératrice. A la dévotion de Bühren, il fut animé par Ostermann qui dirigea notamment les affaires étrangères et assura la restauration de l'autocratie. Von Munnich, président du Collège de la Guerre, maintint l'organisation de l'armée et créa l'école des cadets de la noblesse. Mais, pour asseoir son autorité sur le pays, l'équipe Bühren-Ostermann-Munnich commença à relâcher la rigueur de l'organisation donnée à la noblesse par Pierre le Grand en réduisant les obligations de service et elle renforça le pouvoir des seigneurs sur leurs paysans.

Le règne des Allemands continua sous Anna Leopoldovna, régente de son fils Ivan VI, mais, à l'instigation des ambassadeurs français et

suédois, Elisabeth, fille cadette de Pierre le Grand, s'empara du trône
(5 décembre 1741). Acclamée par la foule, elle écarta les Allemands.
Au total, en 1741, l'essentiel de l'œuvre de Pierre le Grand était sauvé.

Politiques de princes et rapports entre nations

Les années 1715-1740 apparaissent comme une période de paix relative. L'équilibre européen est pourtant traversé par de nombreuses crises
diplomatiques et même belliqueuses, mais qui ne donnent lieu qu'à de
courtes guerres. Les traités d'Utrecht et de Rastadt ont ouvert une ère
nouvelle dans les rapports entre les nations avec une nouvelle répartition
des composantes de la politique internationale. Les problèmes économiques
et notamment coloniaux pèsent davantage dans les décisions des hommes
d'Etat. Cependant la liquidation des guerres précédentes ne s'achève
qu'en 1731 et les années 1730 servent de préface aux grands conflits
du milieu du siècle.

LES NOUVELLES COMPOSANTES DE LA POLITIQUE INTERNATIONALE

La politique internationale reste essentiellement européenne. Les
régions plus souvent côtières que continentales où s'installent les Européens sont l'objet de convoitises rivales, mais, sauf en Angleterre, généralement subordonnées aux problèmes européens par la plupart des
hommes d'Etat, et par le sentiment général des populations. Une politique coloniale reste le luxe d'Etats qui n'ont pas de problèmes de frontières. C'est le cas de l'Angleterre et de la Hollande, mais partiellement
celui de la France. Hors de quelques Etats nationaux, le droit dynastique
reste largement le plus utilisé. Aussi la politique extérieure garde-t-elle
l'aspect d'une politique de famille et même d'un jeu de princes. La plupart
des guerres du XVIII⁰ siècle sont des guerres de succession. Cependant les
intérêts économiques prennent une place grandissante. Armateurs, négociants et banquiers sont représentés auprès des souverains par des conseils
de commerce, les conseils des compagnies de commerce, les syndicats de
financiers. Ils présentent des revendications à l'égard des atteintes portées
à leurs intérêts par leurs concurrents étrangers, notamment dans le
commerce maritime. Les colons commencent à se faire entendre des gouvernements mais on ne tient généralement pas beaucoup compte de
leur avis. Les facteurs idéologiques prennent un aspect nouveau. Les

oppositions religieuses sont en recul et dans l'élite éclairée apparaissent des tendances pacifistes ou cosmopolites (cf. p. 388). Là où les préoccupations économiques sont prépondérantes, le sentiment national s'assoupit sauf en cas d'invasion. Dans l'ensemble cependant les populations des Etats nationaux sont touchées par la xénophobie et l' « espionnite », notamment en France. Du point de vue diplomatique, l'Europe se partage en deux. Les pays atlantiques ont une politique extérieure à l'échelle des océans. La politique extérieure des Etats d'Europe centrale et orientale est mue surtout par la recherche d'objectifs régionaux.

La diplomatie s'est affinée et institutionalisée (ministères, ambassades, consulats) à tel point que, devenue trop rigide au gré de certains souverains, elle est doublée par des diplomaties secrètes (secret du Régent, et plus tard de Louis XV). L'espionnage s'étend. Les missions particulières déjà en usage au XVIIᵉ siècle se multiplient. Ultimatums, déclarations de guerre, armistices et préliminaires de paix se déroulent suivant des formes conventionnelles, facilitées par l'emploi de la langue française, mais en fait ces règles sont sans cesse violées. La politique est plus positive que jamais. Chacun s'ingénie à exploiter les faiblesses de l'adversaire. Des princes et des ministres sont stipendiés. Donner des maîtresses aux souverains et des amants aux souveraines est un procédé relativement fréquent. Les alliances se font et se défont suivant les intérêts du moment (R. Mousnier). Les traités sont violés. Les attaques préventives ne sont pas rares, sur mer notamment où les navires marchands doivent souvent être armés. La guerre en sort parfois. Les guerres se terminent par des congrès généraux qui procèdent souvent à des trocs de territoires sans consulter les populations. Il est cependant juste de remarquer que ces trocs portent soit sur de petits Etats soit sur des provinces périphériques rattachées à une monarchie importante seulement par des liens dynastiques et que le sentiment national, s'il existe, n'en souffre guère.

RIVALITÉS MARITIMES ET COLONIALES

Il est nécessaire de les évoquer comme une composante de la politique internationale. Les structures coloniales seront étudiées plus loin. Trois Etats européens s'affirment. La suprématie maritime et coloniale de l'Angleterre a été reconnue au traité d'Utrecht et cette nation a dans son sillage le Portugal et le Brésil d'une part et même d'autre part la Hollande, qui n'a sauvegardé en toute indépendance de sa splendeur passée que la Banque d'Amsterdam et l'Insulinde. Mais, une fois la paix revenue, la suprématie anglaise est contestée par la France et l'Espagne.

L'application des clauses du traité d'Utrecht ne satisfait ni les Anglais ni les Espagnols. Faute de flotte suffisante et de marchandises de troc (étoffes, armes, outils, verroterie, alcools), l'Espagne ne peut exploiter seule son immense empire. Elle a dû consentir à Utrecht deux avantages importants. Le traité d'*asiento* réserve à l'Angleterre le monopole de la fourniture des esclaves à l'Empire espagnol pour trente années. Chaque année un vaisseau de cinq cents tonneaux dit « vaisseau de permission » a le droit de commercer avec l'Empire espagnol en dérogation à l'*Exclusif*, mais le système fonctionne mal. Les armateurs anglais recourent souvent à la contrebande ou *interlope*. L'Amérique espagnole continue à fournir l'argent du Mexique qui, comme métal précieux, entre en concurrence avec l'or du Brésil dont disposent les Anglais. Enfin ces derniers s'installent dans l'Empire espagnol, au Honduras où ils exploitent le bois de campêche. La renaissance de la marine espagnole permet d'accroître la participation des Espagnols à l'exploitation de leurs colonies notamment grâce aux marchands français installés à Cadix, et de lutter contre l'interlope. En 1729, la flotte anglaise se saisit des galions espagnols. En 1737 des négociants de Londres et de Bristol réclament des concessions commerciales importantes de l'Espagne. En 1739, l'*asiento* est suspendu. Le gouvernement anglais déclare à l'Espagne une guerre qui en fait avait déjà commencé.

La France constituait un rival plus dangereux pour le commerce anglais. Son activité maritime n'avait pas été ruinée par la guerre de Succession d'Espagne. Elle avait notamment conservé la première place en Méditerranée. Le système de Law favorisa une reprise qui s'était manifestée dès le retour de la paix. Les Français se heurtaient aux Anglais dans l'exploitation de l'Empire espagnol. Des commerçants français, surtout malouins, assumaient à Cadix le commerce de commission. Des produits français acheminés à Cadix étaient envoyés en Amérique espagnole et échangés contre des produits tropicaux et de l'argent. La contrebande française dans les Antilles étant plus limitée que la contrebande anglaise, les intérêts de la France et de l'Espagne rapprochaient ces deux pays contre l'Angleterre.

Les Français se heurtaient également aux Anglais dans les Antilles, pour la possession des « îles neutres » (Sainte-Lucie, Dominique, Tobago) dont ils écartaient leurs rivaux. Les négriers français de La Rochelle, Bordeaux et surtout Nantes entraient en concurrence avec les négriers anglais. Des colons français faisaient de la partie occidentale de Saint-Domingue une rivale de la puissante Jamaïque anglaise.

Sur le continent, la Nouvelle-France prenait de la consistance par l'occupation des principaux points stratégiques, la construction du port de Louisbourg (1720), l'augmentation de la population (56 000 habitants en 1740) et les explorations des La Vérandrye qui atteignaient les Montagnes Rocheuses en 1743. La Louisiane, séparée du Canada en 1717, dotée en 1719 d'un centre, La Nouvelle-Orléans, mal gérée par la Compagnie d'Occident, passa en 1731 sous l'administration royale et la colonisation commença. Les colonies anglaises d'Amérique, au nombre de treize depuis la fondation de la Georgie (1732), se peuplaient beaucoup plus vite, mais étaient divisées par des rivalités locales. Cependant, enveloppés par les territoires où s'installaient les Français, les colons anglais entraient dans des conflits de plus en plus fréquents avec ceux-ci, soit par l'intermédiaire des tribus indiennes alliées (Iroquois du côté anglais, Hurons du côté français), soit au sujet de la traite des fourrures.

En Extrême-Orient, les Hollandais conservaient leurs positions : Ceylan, les îles de la Sonde, Deshima. Les compagnies anglaises et françaises des Indes orientales se bornaient à des activités économiques. Mais la décomposition de l'empire du Grand Mogol à partir de 1707 amena leurs agents à s'intéresser aux affaires locales. En 1735, le nouveau gouverneur de la compagnie française, François Dumas, faisait attribuer à sa compagnie le titre de nabab et il conclut des alliances avec des princes hindous. Pendant ce temps, le gouverneur des îles Mascareignes (Bourbon et île de France), Mahé de La Bourdonnais, y développait les plantations de riz, maïs, café, coton, canne à sucre et indigo et faisait de Port-Louis une base maritime importante sur la route des Indes. Les conditions d'un conflit entre les deux compagnies se précisaient.

Les gouvernements anglais et français entretinrent des relations cordiales jusqu'en 1731, mais à partir de ce moment la France n'entendit plus sacrifier ses intérêts commerciaux à l'Angleterre et, lorsque la guerre éclata entre celle-ci et l'Espagne, la France garda une attitude de neutralité favorable à l'Espagne.

LIQUIDATION DE LA SUCCESSION D'ESPAGNE
ET RECONQUÊTE DE LA SUPRÉMATIE FRANÇAISE EN EUROPE

Le traité de Rastadt n'avait satisfait ni Philippe V ni Charles VI. Philippe V et la reine Elisabeth Farnèse regrettaient la perte des possessions italiennes et des Pays-Bas, et Charles VI celle de la couronne d'Espagne. Aussi leurs regrets furent-ils causes de troubles. Par contre un facteur de paix venait des inquiétudes du Régent et de George Ier dont les positions étaient précaires et qui n'avaient aucun intérêt à entraîner leur pays dans une aventure. D'ailleurs les intérêts matériels prenaient alors une place importante en France et en Angleterre. La France et l'Angleterre aspiraient à la paix qui permettrait à l'une de réparer ses forces et à l'autre de tirer parti des avantages que lui conférait le traité d'Utrecht.

D'ailleurs la paix n'était pas encore rétablie dans les pays du nord-ouest. Les Anglais voyaient d'un mauvais œil un corps russe à Copenhague et l'Empereur constituer la *Compagnie d'Ostende*. Le roi d'Angleterre espérait faire de son électorat de Hanovre un Etat maritime par l'annexion des évêchés de Brême et de Verden. Renversant la politique de Louis XIV qui depuis Utrecht envisageait un rapprochement avec l'Autriche afin de mieux défendre les intérêts maritimes de la France, le Régent se laissa conduire par Dubois à une alliance avec l'Angleterre, La *Triple Alliance* de La Haye (janvier 1717) conclue entre la France, l'Angleterre et la Hollande, confirmait les traités d'Utrecht. La France sacrifiait le prétendant Stuart, revenait en faveur des Hollandais aux tarifs de 1664 et refusait une alliance à Pierre le Grand.

Philippe V était isolé. Toutefois, profitant de ce que son rival était aux prises avec les Turcs, sur le conseil d'Alberoni, il déclara la guerre à l'Autriche et fit occuper la Sardaigne (octobre 1717). En même temps il incitait François Rakoczi à soulever la Transylvanie et pour paralyser les autres puissances poussait Charles XII à attaquer le Danemark en Norvège, le prétendant Stuart à débarquer en Angleterre, les princes légitimés et la noblesse bretonne à se soulever contre le Régent. Cette politique excédait les forces de l'Espagne. L'Empereur conclut une paix avantageuse avec les Turcs (traité de Passarowitz, 2 août 1718) et se rapprocha de la Triple Alliance qui le 2 août 1718 devint la Quadruple Alliance. Philippe V refusa les propositions de la Quadruple Alliance. Mais la flotte espagnole fut vaincue au cap Passaro par l'amiral anglais Byng, Charles XII fut tué, la France et l'Angleterre déclarèrent la guerre à l'Espagne. Les Français envahirent le Guipuzcoa et menacèrent la Catalogne. Philippe V dut renvoyer Alberoni. La paix fut vite rétablie. En janvier 1720, Philippe V renonça à ses droits à la couronne de France et à ses anciennes possessions d'Italie. Les traités avaient également prévu l'échange de la Sardaigne contre la Sicile entre l'Autriche et le Piémont. La réconciliation franco-espagnole fut scellée par les fiançailles de Louis XV avec une infante espagnole.

Un changement d'hommes d'Etat se produisit alors. L'équipe de Stanhope devait céder la place à Walpole, Dubois et le Régent disparaissaient. Les initiatives de Charles VI firent renaître l'inquiétude. La France redoutait la *Pragmatique Sanction* et l'Angleterre la Compagnie d'Ostende ce qui contribua à maintenir l'alliance entre les deux pays. C'est alors que le renvoi de la fiancée de Louis XV par le duc de Bourbon provoqua la fureur de Philippe V et amena une réconciliation austro-espagnole. Par le traité de Vienne (1725), Philippe, contre la garantie de duchés italiens pour don Carlos, acceptait la *Pragmatique Sanction* et la Compagnie d'Ostende. L'Europe était menacée d'une guerre générale. Fleury manœuvra habilement pour éviter cette éventualité tout en se dégageant de l'alliance anglaise. Le 2 mai 1727 il proposait un plan de paix qu'il fit accepter à Charles VI, puis à Philippe V. Un congrès général fut réuni à Soissons (juin 1728-juillet 1729) mais les accords essentiels furent signés ailleurs, Fleury et Walpole essayant chacun de son côté d'imposer une médiation. Sur l'initiative de Fleury fut signé le traité de Séville (novembre 1729). Angleterre, Hollande, France permettaient aux Espagnols d'occuper Parme pour y installer don Carlos. Par le second traité de Vienne auquel accéda l'Espagne (1731), Charles VI sacrifiait la Compagnie d'Ostende à la reconnaissance de la *Pragmatique Sanction* et acceptait l'installation de don Carlos à Parme.

La paix dura à peine deux ans. La mort d'Auguste II de Pologne donna lieu aux intrigues des puissances, devenues habituelles en cas d'élection au trône de ce pays. Autriche et Russie soutenaient le fils du précédent roi dont elles espéraient des concessions. La France soutenait le candidat du parti national, Stanislas Leszczynski, beau-père de Louis XV, qui avait régné autrefois avec l'appui des troupes suédoises. Ce dernier fut élu, mais chassé par les troupes austro-russes il se réfugia à Dantzig. La France laisserait-elle passer l'injure faite au père de la reine ? Elisabeth Farnèse de son côté espérait profiter des circonstances pour procurer un établissement en Italie à son fils cadet don Philippe. Une alliance fut conclue avec l'Espagne, la Sardaigne et la Bavière, mais Fleury ménagea la neutralité de l'Angleterre et de la Hollande. Il n'autorisa qu'une démonstration symbolique à Dantzig. Cependant Berwick passait le Rhin, s'emparait de Kehl et Philippsbourg et Villars de Mantoue. Mais ils eurent l'ordre de ne pas tenter de marcher sur Vienne. Par contre la Lorraine qui appartenait au gendre de Charles VI fut occupée. Les troupes françaises et espagnoles (les « gallispans ») avaient fait leur jonction en Italie. Elles remportèrent les victoires de Parme et de Guastella (1734). Les Espagnols occupèrent Naples. Pour devancer une médiation anglaise, Fleury négociait secrètement avec l'Empereur, les opérations militaires s'arrêtaient et les préliminaires de Vienne étaient signés en octobre 1735. Les négociations traînèrent jusqu'à la signature des traités de Vienne en mai et novembre 1738. Stanislas renonçait à la Pologne et recevait le duché de Lorraine qui, à sa mort, reviendrait à la France. François de Lorraine allait régner en Toscane et à Parme. Don Carlos passait à Naples et en Sicile et recevait également les présides de Toscane. Le Piémont gagnait Tortone et Novarre.

Pendant ce temps la Russie avait attaqué la Turquie et s'était emparée d'Azov. Charles VI libéré de la guerre de Succession de Pologne envahit la Serbie, mais les troupes turques auxquelles la conclusion de la paix avec la Perse avait rendu les mains libres, réorganisées notamment par l'aventurier Bonneval, firent une résistance inattendue et refoulèrent leurs adversaires. La France imposa sa médiation. Par la paix de Belgrade, la Russie rendait Azov et l'Autriche les territoires situés au sud du Danube et de la Save et la partie orientale du Banat de Temesvar (1739). L'année suivante la France obtenait du sultan le renouvellement des *Capitulations*.

La période 1715-1740 s'achevait sur un rétablissement de la suprématie française. A la prépondérance intellectuelle, la France joignait une puissance économique et une expansion maritime et coloniale capables d'inquiéter l'Angleterre. En Europe elle était l'arbitre de deux traités de paix qui servaient ses intérêts. L'Angleterre était isolée. L'avenir allait vite montrer quelle était la part du hasard dans cette conjoncture.

Textes et documents : BARBIER, *Journal d'un bourgeois de Paris*, éd. A. de LA VILLEGILLE (Société de l'Histoire de France), 1847.

Chapitre XXIII

LES TRANSFORMATIONS ÉCONOMIQUES
DE 1660 A 1740

Cartes XIV a et XV.

Bibliographie : Ouvrages cités p. 8. M. Reinhard, A. Armengaud et J. Dupaquier, *Histoire de la population mondiale*, 3ᵉ éd., 1968. F. Braudel et C.-E. Labrousse,
Histoire économique et sociale de la France, t. 2, 1970. P. Léon, *Economies et Sociétés
préindustrielles*, t. 2 1650-1780, coll. « U », 1970.

De 1660 à 1740 l'économie et la population de l'Europe n'ont pas été
bouleversées. « Révolutions » démographique, industrielle, agricole vien-
dront plus tard. A bien des égards la période 1660-1740 apparaît comme
indécise. Les historiens ne sont pas d'accord quand il s'agit de dresser un
bilan du xviiᵉ siècle, « tragique xviiᵉ siècle » ou période de développement
ralenti ? A vrai dire les aspects régionaux sont prépondérants. La grande
crise de 1709-1710 qui a ému le gouvernement français parce qu'elle
sévissait notamment autour de Paris a été assez peu ressentie en Provence.
L'impression d'instabilité prévaut encore. Cependant les historiens s'accordent davantage sur les changements globaux qui sont intervenus dans
la première partie du xviiiᵉ siècle. L'intégration plus grande des colonies
à l'économie européenne, le renversement de la conjoncture économique,
l'intérêt nouveau porté aux techniques, le progrès de quelques industries
modernes et surtout l'essor considérable du commerce après 1715 ne sont
pas niables et prouvent qu'on entre dans une période d'expansion. On
peut dire tout au moins qu'en 1740 les conditions sont créées pour que
l'Europe connaisse un nouvel essor dépassant celui du xviᵉ siècle.

Les hommes

Il est actuellement impossible d'avoir une vue claire de l'évolution
démographique à la fin du xviiᵉ siècle. Les grands facteurs de la démographie, mortalité, natalité ne sont pas affectés de changements de

grande importance, cependant des phénomènes nouveaux font de timides apparitions.

La mortalité de l'ancien régime démographique était caractérisée par la répétition de crises dues à la faim, la peste et la guerre. Or, les grandes épidémies se font moins meurtrières, voire moins fréquentes. A partir de 1685 la peste devient exceptionnelle en Europe occidentale. Les mesures énergiques d'isolement prises par les autorités ne sont pas restées inutiles. La peste de Marseille en 1720 viendrait d'un relâchement de ces mesures ; du moins elle fut efficacement circonscrite. Les nombreuses épidémies (suettes, pourpre...) n'occasionnent plus les mêmes hécatombes qu'autrefois. On peut probablement évoquer en Occident le progrès du linge de corps, des boissons fermentées qui ont permis de réduire l'usage des eaux souvent croupies à la fin de l'été et un recul des famines qui font place à des disettes. Cependant en 1740 la partie est loin d'être gagnée puisque la dernière grave crise de subsistance d'une portée générale semble être précisément celle de 1740-1741. En outre, les « classes creuses » provoquées par les famines de 1693-1694, 1709-1710, 1719-1720 en passant à l'âge adulte raréfient la main-d'œuvre, ce qui serait plutôt favorable aux salaires et par conséquent au niveau de vie. Il semble bien qu'on s'achemine vers une sorte d'assainissement de la démographie. Enfin la guerre a pris une autre forme. Une discipline meilleure dans les armées fait qu'elles exercent moins de ravages en dehors des théâtres d'opération. La paix qui dure en gros en Occident de 1714 à 1742 n'est interrompue que par de courtes guerres, assez localisées.

Cependant les transformations ne se font pas partout de la même manière. Si, comme beaucoup d'historiens le pensent, la population de la France a diminué à la fin du règne de Louis XIV, la récupération serait accomplie vers 1740 et la tendance s'est inversée. Toutefois on n'en a pas immédiatement conscience et l'on continue encore à dénoncer la dépopulation du royaume. La population anglaise avait connu pendant le XVIIe siècle un accroissement estimé à 25 %. Or, de 1700 à 1720, elle connaît une crise produite par une baisse de la natalité et une hausse simultanée de la mortalité. De 1720 à 1740, la crise est enrayée, ses effets s'atténuent. Le nombre des habitants n'augmente que de façon insignifiante. On a donné comme explication de cette médiocrité la persistance d'un taux important de mortalité, l'abus de l'alcool *(gin)*. Il est cependant à noter que la crise de 1710 en Angleterre n'a pas supprimé complètement les excédents de naissances et que ceux-ci diminuent lorsque le prix du blé vient à baisser, alors qu'ils augmentent même lorsque le prix du blé augmente. C'est un phénomène tout à fait nouveau qui montre que la récolte n'exerce plus sur la démographie une pression aussi tyrannique que par le passé.

La population par contre s'accroît dans la péninsule scandinave, bien que la guerre du Nord qui s'achève en 1720 ait marqué une pause et que le rythme d'expansion ne soit pas redevenu aussi important qu'au siècle précédent. Elle s'accroît également dans l'Europe méditerranéenne. L'Espagne aurait gagné deux millions d'âmes entre 1717 et 1768 (de 7 à 9 millions d'habitants). Ce progrès profite surtout à la Catalogne et à l'Aragon. En Italie également l'accroissement varie suivant les régions. Il est fort en Piémont, un peu moindre dans les Deux-

Siciles, beaucoup plus faible ailleurs. En Allemagne la récupération des pertes dues à la guerre de Trente Ans se poursuit notamment en Wurtemberg, en Poméranie. D'une manière générale, la population de l'Allemagne de l'Est croît beaucoup plus vite que celle de l'Ouest, sans atteindre la même densité. Ces tendances se retrouvent dans l'Empire des Habsbourg, où, grâce à la colonisation, la population de la Hongrie s'accroît plus vite que celle des Etats inclus dans l'Empire. La population russe se serait augmentée de 20 % entre le recensement de 1719-1721 et celui de 1743-1747. Là aussi cette augmentation est plus sensible localement à l'est et au nord dans les régions de colonisation. Ainsi la zone des 40 habitants au kilomètre carré signalée par P. Chaunu pour 1620 s'est étendue notamment à l'ensemble de l'Angleterre et de l'Italie du Nord et il s'est formé des taches où la densité dépasse 20 habitants au kilomètre carré autour de Berlin, Varsovie, Budapest, Saint-Pétersbourg. Par contre, le centre de l'Espagne s'est dépeuplé sauf autour de Madrid.

Les villes ont partout tendance à grossir. Cependant en Angleterre et dans la péninsule ibérique aucune n'atteint encore 50 000 habitants sauf Londres (600 000 hab.), Madrid et Lisbonne. L'Italie reste le pays des très grandes villes auxquelles s'ajoute Turin. La France hors Paris (500 000 hab.) a plusieurs villes dont la population se situe entre 50 000 et 100 000 habitants (voir p. 297). Dans l'Empire seule Vienne dépasse 100 000 habitants, Berlin et Prague, 50 000. Les villes croissent également ment en Pologne, mais peu en Hongrie. En 1730, Moscou atteint 138 000 habitants et Saint-Pétersbourg 68 000. La démographie urbaine continue à se distinguer de celle des campagnes par une natalité moindre, sauf la natalité illégitime qui progresse et une mortalité supérieure qui frappe surtout les récents immigrés.

En Occident les mouvements migratoires de populations ne sont plus guère collectifs au gré des circonstances religieuses, politiques ou militaires. Ils prennent une forme plus individuelle dont l'exode rural est la forme la plus courante (gagne-deniers, servantes...). Un nouveau facteur de migration est apparu avec le développement des armées dont les effectifs atteignent en temps de paix près d'un homme pour cent habitants (davantage en Prusse). Insoumission, désertions aussi bien que service entraînent des déplacements. A l'est par contre on retrouve les émigrations de masse suscitées par la colonisation de terres conquises sur les Turcs ou dont la mise en valeur est entreprise par les Hohenzollern ou les Romanov. Enfin rappelons que l'émigration dans les nouvelles Europe prend un grand essor avec les progrès de la navigation et la paix maritime qui règne de 1713 à 1739. Les Ibériques ont été rattrapés par les Français, les Germaniques et surtout les Anglo-Saxons.

L'essor des marchés

L'essor général de la population en Europe, une paix relative, locale-ment une amélioration du niveau de vie et, à partir de 1725-1730, un renversement de la conjoncture amènent une accélération dans le déve-loppement des marchés. Mais il n'y a pas rupture entre un xviie siècle de calamités et un xviiie siècle de prospérité. Le tournant ne se produit pas au même moment dans tous les pays. Il s'étale généralement de 1695 à 1730. L'ensemble de la période se caractérise donc par des progrès dans les échanges internationaux et aussi par l'organisation de marchés nationaux du moins dans un certain nombre de pays, conséquence du développement du rôle de l'Etat et des liens entre les provinces d'un même Etat. Ces différentes formes de commerce bénéficient des besoins accrus de produits exotiques et de produits manufacturés, constituant un véri-table « appel des marchés » à la production.

FORMATION DES MARCHÉS NATIONAUX

Elle se heurte à la médiocrité des communications continentales : routes étroites et peu viables, ponts insuffisants, moins nombreux que les gués. Au xviie siècle, « la route n'est pas administrée » (P. Léon). Son entretien est laissé à la bonne volonté des pouvoirs locaux.

Les itinéraires les plus fréquentés sont les auxiliaires de la voie d'eau. Cependant dans plusieurs pays l'Etat esquisse une politique routière. A cet égard la France est en avance. Colbert a posé avec netteté les principes d'une politique nationale des communications (P. Léon). Les voies principales devront partir de Paris vers les frontières et les principaux ports. Faute de moyens financiers, cette politique n'aurait pas réussi si les milieux économiques n'avaient pas partagé la même aspiration. Avant 1740 seules des améliorations de détail sont réalisées, mais l'administration royale des Ponts et Chaussées se met en place lentement de 1680 à 1754, notamment vers 1740 grâce à l'action d'Orry et de Trudaine. La corvée royale des routes, apparue localement en 1680, utilisée plus largement depuis 1720, est légalisée en 1738. La route est en train de l'emporter sur la voie d'eau. Toutefois celle-ci fait également l'objet d'améliorations. Les canaux sont encore très limités. Les plus importants relient Paris à la Loire, la Somme à l'Aisne. Le canal des Deux-Mers ouvert en 1681 n'a qu'un trafic restreint. Un effort analogue a été fait pour des raisons militaires, non seulement en Prusse, mais au xviiie siècle dans une partie de l'Allemagne et aux Pays-Bas, que suit d'assez loin l'Europe centrale. La route anglaise ne sera l'objet de soins vigilants qu'après 1746, mais le réseau navigable y est le meilleur d'Europe.

L'organisation des transports laisse encore à désirer. Cependant la diligence qui porte une quinzaine de personnes remplace les lourds coches du xviie siècle qui n'en portaient que moitié moins. La chaise de poste pour deux ou trois personnes est plus rapide mais beaucoup plus coûteuse. Le roulage est surtout assuré, même sur d'assez longues distances, par des paysans auxquels il offre une ressource complémentaire. Sauf sur les meilleures routes, les chariots ou tombereaux ne portent pas de charges d'une tonne. Le mulet joue encore un rôle considérable en France. La plupart des bateaux de rivière ne dépassent pas 70 tonnes et n'atteignent 150 tonnes que sur les parcours très favorisés. On tend partout à une concentration des entreprises. Les voyages restent longs et incertains. Entre Rouen et Paris, la batellerie demande de 10 à 30 jours. Sur la route les vitesses s'accroissent lentement, de 40-50 kilomètres par jour à 80 kilomètres sur des trajets fréquentés comme Paris-Rouen et Paris-Lyon. La poste aux lettres comporte peu d'itinéraires. Cependant le trafic postal s'accroît. Les transports restent coûteux, malgré la diminution du nombre des péages.

Les circuits régionaux et nationaux progressent. Le commerce des grains et vins à destination des ports d'exportation français de l'Atlantique, des draps, toiles, soieries vers Lyon et Marseille, et en Angleterre le transport de la houille, s'organisent. Il existe de nombreuses foires locales, mais certaines ont une importance internationale : Beaucaire, Francfort-sur-le-Main, Francfort-sur-l'Oder, et surtout Leipzig qui devient la première foire d'Europe centrale.

LE COMMERCE MARITIME

Le commerce maritime est moins important en volume que le commerce continental et local, cependant il est déterminant pour l'orientation de l'économie. L'essor du trafic maritime vient surtout du commerce colonial qui anime à son tour une partie du commerce européen de port à port. Il bénéficie également des progrès de l'art nautique qui d'ailleurs sont provoqués par la marine de guerre.

Petit à petit les « maîtres de la hache » du siècle précédent font place aux ingénieurs. Gréement et voilures se perfectionnent. On navigue de manière plus sûre, grâce aux cartes marines et à l'invention de l'octant. Mais c'est surtout dans la période suivante que ces progrès passent à la marine de commerce. Il semble qu'en 1661, en face des quelque cinq à six cents navires français et un peu plus de navires anglais, on trouvait 3 500 navires hollandais. Le développement de la marine française lancé par Colbert, ralenti par la guerre, s'amplifia après la paix d'Utrecht et permit à la France de suivre assez bien les progrès de la flotte anglaise.

En Europe quelques ports concentraient la plus grande partie du commerce de leur nation.

C'étaient dans l'Atlantique : Bordeaux, Nantes, Saint-Malo, puis La Rochelle et Le Havre pour la France, Cadix, Lisbonne, Amsterdam et Hambourg dont le trafic s'accroissait, en Angleterre : Bristol voué au trafic colonial, Liverpool, plus récemment développé, port du sucre et du trafic négrier, et surtout Londres qui cumulait toutes les fonctions et effectuait au milieu du siècle plus de la moitié du trafic maritime du pays. Les ports du Nord étaient en stagnation, sauf Dantzig et le port nouveau de Saint-Pétersbourg. En Méditerranée Venise devait faire face à la concurrence des ports francs : Trieste en pays autrichien, Livourne qui l'emportait sur Marseille où la franchise était limitée au commerce avec le Levant. Ces deux ports rivaux étaient en relations constantes avec l'Atlantique. Les bourses de marchandises s'établissaient souvent dans les ports : bourses de conditionnement (soie) et à terme (café, cacao puis coton).

Le commerce des Antilles dépasse alors celui des Indes orientales. Il se concentre de plus en plus sur la Jamaïque anglaise et la partie française de Saint-Domingue. Sucre, indigo, puis café et coton sont les principaux produits de ce commerce. Grâce aux voyages triangulaires, il s'appuie sur la traite des Noirs. Le commerce des mers du Sud (Pacifique) en est à ses débuts. Le commerce du Levant garde une grande importance (30 % du volume du commerce maritime de la France). Il consiste toujours en importations de produits de luxe d'Orient, compensées largement par l'exportation de produits manufacturés à destination des pays de l'Empire ottoman. Enfin la pêche anime tous les grands ports, notamment Marseille devenu le grand marché français de la morue.

Les règlements importants se font rarement en numéraire. Le billet de banque s'est répandu en Angleterre, en Hollande et à Hambourg, mais, en France, l'échec du système de Law en retarde l'emploi jusqu'à la Révolution (voir p. 350). Partout la lettre de change joue un rôle essentiel. Le volume de cette circulation scripturaire grossit. Le prêt à intérêt est maintenant usité partout sans restriction notable. Le négociant préfère utiliser ses propres capitaux et ne faire appel qu'éventuellement à des participations (parts, actions). Les affaires restent assez souvent, notamment en France, des affaires familiales ou en nom collectif groupant parents, amis ou coreligionnaires. Dans une place de commerce un petit nombre d'hommes sont liés entre eux par les affaires. Pour répartir les risques on participe à la fois à plusieurs affaires. La commandite est répandue partout. Le commanditaire n'est pas seulement un prêteur, mais participe effectivement à l'entreprise.

En Angleterre et en Hollande ce stade est souvent dépassé et il se forme de véritables sociétés anonymes émettant des actions à dividendes variables et des obligations à annuités fixes, parfois remboursées par tirage au sort. En France ces procédés ne sont pas inconnus. Ils feront une entrée en force, d'ailleurs malheureuse, avec le système de Law. Ce capitalisme commercial devient de plus en plus souvent international : Malouins à Cadix, Anglais à Livourne, Anglais, Hollandais et Allemands à Bordeaux, au Havre... Le négoce n'est pas spécialisé. Il reste souvent lié à l'armement et à l'assurance. Tous les négociants sont plus ou moins assureurs, mais ils ne sont pas seuls : des bourgeois considèrent l'assurance comme un placement. Le montant des primes d'assurance permet d'évaluer l'importance relative des risques : 2,5 % de port à port français, 5 % vers Cadix ou Constantinople, 9 % vers les Antilles. Ces primes diminuent lentement. Beaucoup de maisons de commerce font encore la banque, mais cela tend à être une activité de plus en plus spécialisée. Paris est devenu la principale place française loin devant Lyon. On trouve également Gênes, Livourne, Cadix et surtout Amsterdam et Londres. Les bourses des valeurs constituent les centres financiers internationaux les plus importants et des places bancaires en rapport avec les gouvernements. Amsterdam, Londres, Hambourg, Francfort-sur-le-Main et Paris sont les plus actifs. Partout l'essor des banques témoigne du développement des affaires autant que des besoins des Etats. La production se trouve ainsi placée devant un appel croissant des marchés.

La production

Dans les campagnes vivent de 80 % à 97 % des Européens, la proportion augmentant de l'ouest à l'est de l'Europe. Mais l'agriculture n'est pas l'unique activité des ruraux. Seule elle ne pourrait faire vivre bien des manouvriers de certaines régions qui doivent consacrer une partie de leur temps à des tâches industrielles : tissage à domicile, travaux dans les carrières et les mines, charrois nombreux de matières premières industrielles, sans compter l'exploitation de la forêt, afin d'éviter le chômage et de se procurer l'argent nécessaire au paiement des impôts royaux.

AUGMENTATION GÉNÉRALE DE LA PRODUCTION AGRICOLE

Dans la plus grande partie de l'Europe les techniques agricoles ne changent guère. Le mode d'exploitation évolue davantage. On assiste généralement au développement du grand domaine, tout au moins à l'est de l'Elbe et en Angleterre, et à la concentration de la propriété. Aussi se répandent la culture par fermage ou métayage à l'Ouest, par corvées à l'Est. En Angleterre la grande exploitation s'étend avec les progrès des clôtures et de l'élevage. Les cultures intensives mises au point en Flandre gagnent dans le Norfolk et de nombreux secteurs du bassin de Londres. A partir de 1720, la jachère tend à céder la place aux prairies artificielles et aux *turnips* fourragers. Ainsi le troupeau de bovins peut s'accroître et procurer davantage de fumier. Cette « révolution » agricole ne gagne l'ensemble de l'Angleterre qu'après 1740. Sur le continent, sauf en Flandre et dans les pays voisins, il faut attendre la fin du XVIIIe siècle pour que commencent ces transformations.

Partout une législation protectrice de la forêt s'efforce de réduire l'utilisation par les habitants. En Occident, c'est au cours du XVIIe siècle que les moutons cessent d'y avoir accès. Les bovins s'y maintiennent encore. Toutefois en Angleterre ils y sont moins souvent envoyés à mesure que se développent les cultures fourragères. En France il faut attendre pour cela la seconde moitié du siècle. Le soyage (récolte des herbes de la forêt) se développe cependant. Enfin le panage (pâture des porcs) dans les forêts se maintient, mais limité à des dates précises (entre la Saint-Michel et la Saint-André). La forêt offre encore à la communauté d'habitants le bois mort ainsi que le bois pour les échalas, les enclos... Seuls le bois d'œuvre, le charbon de bois et les cendres, enfin l'écorce font l'objet d'une exploitation industrielle qui d'ailleurs fournit du travail aux paysans.

Face à l'augmentation de la population, la production augmente partout globalement, tout en comportant de cruelles exceptions locales et des reculs momentanés. Mais cette augmentation est atteinte de manière différente suivant les régions.

Partout où l'espace ne manque pas, on accroît les emblavures. C'est le cas à l'est de l'Elbe et notamment en Russie. Le seigle qui triomphe à l'est du Rhin y nourrit la plus grande partie de la population, le froment étant destiné à l'alimentation des gens aisés et à l'exportation. Sa production augmente. Les exportations de Dantzig doublent au XVIIIe siècle. En Occident l'extension des terres cultivées n'est possible que localement. En France les défrichements et assèchements reprennent vers 1730. En Angleterre on procède parfois à la réduction de la jachère. L'augmentation de la production ne pouvait venir que de l'augmentation du rendement. Tandis qu'en Russie le rendement continue à osciller autour de trois pour un, il s'élèverait d'après J. Toutain à 6 quintaux à l'hectare en France vers 1700, à 7,5 quintaux vers 1750. En Angleterre on dépasserait 10 quintaux à l'hectare dans la seconde moitié du siècle. Le pain est encore fait le plus souvent de méteil où la proportion de seigle est variable. Froment et seigle représenteraient en France vers 1700 chacun un peu plus du quart dans la production des céréales, dont les deux tiers confondus sous forme de méteils. Le reste reviendrait aux céréales secondaires. Cependant le mouvement de recul du seigle et des méteils s'amorce. L'augmentation du rendement est très localisée et reste sujette aux calamités agricoles. Elle est due le plus souvent non à une « révolution » agricole, mais à des perfectionnements limités : emploi croissant du bétail de labour, bœufs et chevaux, à l'emploi de charrues améliorées dans les grandes exploitations qui vendent le blé et peuvent renouveler plus fréquemment leur outillage. Cela sous-entend une certaine ouverture à la spéculation et aux innovations. Toutefois cet état d'esprit n'est encore avant 1750 que le fait de quelques exploitants. Les paysans font plutôt preuve d'application. Ils n'améliorent guère les labours, mais les multiplient et commencent à se soucier de l'utilisation plus judicieuse du fumier dans les grandes plaines du Nord-Ouest.

Dans l'Europe méditerranéenne, si le jardinage et l'horticulture bénéficient de longues traditions de soins, la culture des céréales traditionnelles n'est susceptible ni d'une augmentation des emblavures, ni même d'une augmentation des rendements. Mais l'Europe méditerranéenne est un relais pour les plantes importées d'outre-mer. Alors que l'Europe du Nord et de l'Ouest aura besoin de plusieurs siècles pour découvrir les mérites de la pomme de terre, l'Europe méridionale adopte plus tôt le maïs et le tabac sans compter le riz qui n'est pas un inconnu. Le maïs s'est installé au Portugal dès le XVIe siècle, gagne l'Espagne au XVIIe et atteint le bassin Aquitain et la plaine du Pô au XVIIIe. Il présente l'avantage de pousser vite, de rendre cent pour un, de réussir pendant les années où le blé donne peu. De son côté le riz s'implante solidement en Espagne, dans la plaine de Valence et en Piémont.

La géographie des boissons se modifie. Le cidre venu de Galice et des pays basques a conquis l'ouest de la France au XVIIe siècle. Une « révolution » viticole se produit également. Elle présente deux aspects. D'abord le recul des vignobles « liturgiques » dans le nord et l'ouest de l'Europe, dû peut-être aux progrès de la Réforme, se poursuit en pays catholique grâce aux facilités croissantes des transports. Ensuite une spécialisation des crus s'opère qui profite pour l'heure aux vins blancs doux, préférés des gens du Nord. Elle est provoquée par la part que les Hollandais et accessoirement les Anglais prennent au commerce du vin. C'est ce qui explique notamment la faveur des vins de Porto et de Madère que le traité de Methuen permet d'acheminer à meilleur compte vers l'Angleterre. En France la vallée de la Loire abandonnée par la Cour depuis la Fronde voit ses vins délaissés au profit d'autres crus, surtout du champagne, mis au point par Dom Pérignon († 1715), vin coûteux qui supporte le transport et auquel se convertira l'aristocratie anglaise dans la seconde moitié du siècle. Ces transformations ont des effets sociaux. Dans la région de Porto et en Champagne la viniculture devient une entreprise capitaliste. Partout elle développe le monde des petits vignerons spécialisés, beaucoup plus sensibles aux diverses conjonctures que les autres paysans et plus indociles. Partout elle tend à développer un prolétariat, employé soit dans les vignobles, soit à la fabrication des bouteilles et des bouchons. Enfin la production des eaux-de-vie de diverses origines se multiplie sous l'aiguillon des Hollandais.

Notons pour terminer que la production de la viande augmente au XVIIIe siècle, en Angleterre, dans les Pays-Bas et les Provinces-Unies et en France, sans qu'on puisse savoir si cette augmentation profite beaucoup aux humbles.

LES PROGRÈS DE LA PRODUCTION INDUSTRIELLE
L'ESSOR DES TECHNIQUES

L'industrie n'occupe encore qu'un secteur restreint de l'économie. La tradition n'est guère moins forte que dans l'agriculture. Sauf dans quelques régions d'Angleterre, des Pays-Bas et de Suède, l'industrie n'est guère spécialisée.

Sur le continent elle présente généralement une très grande dispersion géographique due à l'utilisation du bois comme combustible (métallurgie, verrerie), de l'eau (papeterie, tannerie), et surtout de la main-d'œuvre rurale (textile). Les industries textiles représentent une part écrasante de l'activité industrielle. Cependant une spécialisation se dessine autour de certains centres, comme par exemple en France les draps et toiles de Picardie, Cambrésis, Champagne, haute Normandie, les toiles du Maine et du Perche, les draps, toiles et soies de la région lyonnaise, les draps du Languedoc.

Deux systèmes se partagent l'activité industrielle. Le système corporatif n'a cessé de se répandre sur le continent, notamment en France. Encouragé encore par Colbert (édit de 1673), il est porté par l'attitude des intéressés eux-mêmes. Les métiers libres sont devenus des métiers « réglés ». Mais le système de l'entreprise se répand dans les industries clés (textile) ou pilotes (métallurgie) où une relative production de masse est nécessaire et souvent provoquée par les commandes de l'Etat (draps pour les uniformes, armements). A cet égard l'Angleterre montre une avance croissante.

L'appel des marchés stimule la production et celle-ci à son tour stimule l'appel aux matières premières.

L'élevage des moutons et vers à soie, la culture du chanvre et du lin se développent partout où cela est possible. Souvent la production nationale ne suffit pas. La France doit importer de la laine de la péninsule Ibérique, du Levant et même d'Allemagne et de la soie d'Espagne et d'Italie. L'essor des importations de coton a commencé en Angleterre, mais ce textile ne comptera sur le continent qu'après 1740. Le bois manque dans certaines régions. Le minerai ne se trouve plus guère à proximité de la surface. Aussi les procédés miniers d'Allemagne se répandent. Significatif est l'intérêt porté aux mines en France, qui aboutit à l'édit de 1744 séparant l'exploitation du sous-sol de la propriété du sol et réservant à l'Etat le droit de concéder l'exploitation du premier. La concentration des entreprises minières en sera accélérée. Le charbon n'est plus utilisé seulement en

Angleterre. On l'exploite de plus en plus sur le continent (en France, à Rive-de-Gier). L'Angleterre commence à en exporter. Le minerai de fer et surtout les lingots de métal font l'objet également d'un commerce international. La fonte au charbon connue déjà sur le continent se répand.

Le besoin met l'industrie sur la voie des innovations techniques. En 1740 la recherche des procédés nouveaux a déjà pris un nouveau départ, bien que les inventions restent encore limitées et qu'elles n'intéressent qu'une partie de l'opinion. Là encore l'Angleterre montre une réelle avance bien avant que ne s'y produise la révolution industrielle.

Cependant la production industrielle reste limitée par l'emploi de la force humaine dans de nombreuses opérations et par le caprice des eaux pour tous les ateliers utilisant la force hydraulique. Les rendements sont encore faibles et la qualité inégale. Colbert avait suggéré la fondation de l'Académie des Sciences pour appliquer aux techniques les découvertes des savants. Le *Conservatoire des Machines, Arts et Métiers* devait donner un enseignement technique. Enfin l'espionnage industriel avait été encouragé. Pendant toute la fin du xviie siècle les métiers à tisser se sont perfectionnés en Angleterre et en France notamment. Le métier à bas, venu d'Angleterre, se répand sur le continent. Au début du xviiie siècle l'Angleterre prend de l'avance sur la France. Les inventeurs sont des artisans ingénieux, plus estimés en Angleterre qu'en France où les savants les regardent souvent avec une certaine condescendance. Après la paix d'Utrecht arrivent les « mécaniques » anglaises : tréfilerie mécanique (Rugles), nouveaux procédés pour la fabrication du fer blanc (Nivernais). Issue des expériences de Denis Papin et des Allemands, la machine de Newcomen (1709) parvient en France en 1726. La fonte au coke inventée par les Darby (1709-1713), invention encore incomplète car on ne trouvera que bien plus tard le moyen de tirer facilement du fer de la fonte, reste limitée à l'Angleterre. L'ère des grandes inventions s'ouvre avec la navette volante (1733) de John Kay, qui permet de tisser des pièces plus larges, en un temps réduit, et d'économiser de la main-d'œuvre.

L'investissement industriel se développe en Angleterre grâce à une partie des profits du commerce, alors qu'en France ceux-ci vont surtout à l'achat de charges et aux emprunts officiels. On assiste à un progrès de la concentration des entreprises, ce qui ne signifie pas la concentration des ateliers. En France l'ordonnance de 1673 maintient le droit des sociétés dans une organisation assez simpliste (P. Léon). Cela n'empêche pas la formation de « cartels » primitifs (comme sous Louis XIV la *Compagnie des Points de France* qui dirige 20 000 ouvrières dispersées). Cependant, sociétés en nom collectif, sociétés en commandite et sociétés de capitaux commencent à se répandre dans l'industrie du xviie siècle. Ainsi, sans que la révolution industrielle ait commencé même en Angleterre, une nouvelle mentalité économique s'installe dans ce pays et les conditions se rassemblent pour qu'elle passe sur le continent.

Le renversement de la conjoncture économique et ses conséquences générales

Au « tragique xviiᵉ siècle », caractérisé par des crises démographiques et une contraction de l'activité économique, succède le temps de l'expansion. Cependant cette image doit être nuancée, car plusieurs régions d'Europe, Hollande, Angleterre, Provence, Catalogne, n'ont pas connu de contraction économique ou une contraction moindre que la plus grande partie de la France et de ses voisins. Aussi la reprise y sera moins sensible.

LA DÉPRESSION ÉCONOMIQUE DU XVIIᵉ SIÈCLE

Un des indices de la dépression économique du xviiᵉ siècle est la rareté des métaux monétaires (cf. p. 131). L'arrivée de l'or et de l'argent d'Amérique est en net recul depuis 1630. Dans la période 1656-1660, dix fois moins d'argent arrive en Europe chaque année qu'au début du siècle et peu d'or. Si on ajoute que l'orfèvrerie et la bijouterie thésaurisent une partie des métaux précieux, on comprend que ceux-ci prennent une valeur accrue et que les prix s'abaissent. Le creux se situe à l'époque de Colbert. En France le mouvement est encore plus réel qu'apparent, car la livre tournois s'est dévaluée de 45 % de 1660 à 1726. La dépression touche les secteurs industriels et agricoles. La production industrielle régresse en Italie mais progresse en Hollande et en Angleterre. En France Colbert l'encourage de son mieux, mais au total dans la période 1660-1700 elle se situe au niveau où elle était vers 1630. Enfin les revenus agricoles ont baissé car le prix du blé reste bas, alors que les charges fiscales augmentent. L'endettement se répand à tous les niveaux de fortune, sauf chez un petit nombre de financiers. Il faudra attendre le système de Law qui permit aux débiteurs de s'acquitter en monnaie-papier pour que les dettes soient réduites. Le taux de l'intérêt baisse de moitié, descend à 2-2,5 % en France et en Angleterre vers 1720. En France, l'achat des offices était une voie que prenaient souvent les fortunes récentes. Leur prix, élevé jusqu'au moment de la Fronde, baisse par la suite (sauf les offices de finances). Les rentiers du sol, clergé, noblesse, bourgeoisie, sont atteints par cette baisse de leurs revenus. Si les salaires résistent mieux (ils ne peuvent guère tomber plus bas), les crises de subsistances provoquent souvent le chômage de l'industrie, privant de travail non seulement des citadins, mais les nombreux ruraux pour lesquels cette activité complémentaire est indispensable. Des maîtres de métiers tombent au rang de salariés. Mendicité et vagabondages sont moins visibles dans les Etats fortement administrés. Ils n'en subsistent pas moins.

LA REPRISE ÉCONOMIQUE

Des signes de reprise apparaissent dès la paix de Ryswick, même en France où, de surcroît, le commerce bénéficie de l'ouverture momentanée de l'Empire espagnol. La reprise se confirme partout après la paix d'Utrecht et surtout autour de 1730. Les métaux précieux arrivent de nouveau en Europe. L'exploitation des mines du Brésil produit tous ses effets en 1695. La production mondiale d'or double entre 1700-1720 et 1741-1760. Celle d'argent, tombée moins bas il est vrai, atteindra le même résultat dans la période 1761-1780. La masse monétaire s'accroît et il s'y ajoute une circulation fiduciaire croissante. Les monnaies se consolident. En France, la liquidation du système de Law est suivie de la fixation de la livre tournois qui dote le pays d'une monnaie stable pour deux siècles (intermède révolutionnaire mis à part), puisque le franc germinal reprendra à 1 % près la valeur de la livre du cardinal Fleury (E. Labrousse). D'autre part la reprise démographique est générale dans toute la partie de l'Europe la plus atteinte par les crises de la fin du siècle précédent. La production repart, encouragée par la hausse des prix. Dans le secteur agricole tous ceux qui bénéficient de la commercialisation des récoltes en profitent, notamment les rentiers du sol vers qui vont une partie des avantages dus à l'augmentation de la production et la totalité de ceux créés par la hausse des prix et des fermages. Malgré cette dernière circonstance, les fermiers profitent de la hausse des prix de leurs produits. Ceux qui ne produisent pas assez pour vendre des surplus une fois la consommation familiale assurée, gagnent au moins de connaître moins souvent le chômage et de se voir offrir de nombreuses tâches complémentaires. Ce surcroît de travail permet de mieux faire face au fisc et d'améliorer le niveau de vie. Il est le bienvenu dans une civilisation qui n'a guère la notion des loisirs.

En 1740 le renversement de la conjoncture n'a pas encore produit tous ses effets. Inégal et souvent lent, il ne provoque pas un « décollage » de l'économie qui viendra après. Il est cependant assez net pour avoir des conséquences sociales importantes. En particulier il provoque une ouverture de l'éventail des fortunes mobilières. Le fossé se creuse entre capitalistes, négociants, industriels d'une part, salariés de l'autre.

LA PROMOTION DE L'ÉCONOMIQUE

Les populations ont pris vite conscience de ces transformations. La promotion des richesses mobilières y contribue. Le rôle que joue l'argent dans le classement social n'est pas nouveau mais, dans le premier XVIIe siècle, ce classement ne pouvait pas être économique, sauf localement en Hollande. La noblesse restait partout le groupe social vers lequel tendaient toutes les ambitions. L'argent n'était qu'un moyen d'y parvenir. Il n'en est déjà plus de même en 1740. Après la Hollande, l'Angleterre a ouvert la voie à de nouvelles conceptions de la société. La sécurité que lui donnait son insularité, l'écrasement de l'Irlande en 1690 et l'Union avec l'Ecosse en 1707 font reculer par voie de conséquence le prestige des armes. La noblesse terrienne s'ouvre à l'activité économique, spécule à la Bourse et ses cadets se lancent dans les affaires, rejoignant la classe des *moneyed men*. Addison dans le *Spectator* et Steele dans le *Tatler* se moquent des titres dus à la naissance et des mœurs de la noblesse. La fortune devient un idéal avoué. Elle est considérée comme utile à la société. L'idéal social devient l'homme d'affaires : « Un marchand accompli est ce qu'il y a de mieux comme gentilhomme. » La noblesse n'est plus qu'une décoration consacrant le succès. De même, auprès de l'élite, l'idéal social du christianisme n'a plus de valeur. Sur le continent les idées anglaises se répandent dès la fin de la guerre de Succession d'Espagne, mais l'idéal des sociétés d'ordres résiste jusqu'au milieu du siècle, car il fallait, pour qu'il s'effondrât, la conjonction de nombreux facteurs.

Textes et documents : Lord BEVERIDGE et N. W. POSTHUMUS, ouvrages cités au chapitre VIII.

Chapitre XXIV

CIVILISATION ET SOCIÉTÉS EUROPÉENNES DE 1660 A 1740

Carte XIII.

Bibliographie : Ouvrages cités p. 8. L. Réau, *L'Europe française au siècle des Lumières* (coll. « Evolution de l'humanité »), 1938. R. Taton (Sous la direction de), *Histoire des sciences*, t. II, 1958. M. Daumas, *Histoire des techniques* (Sous la direction de), t. II, 1965. P. Hazard, *La crise de la conscience européenne*, Nouvelle édition 1961. *Histoire de l'art* de l'*Encyclopédie de la Pléiade*, t. III, 1965. H. Lavedan, *Histoire de l'urbanisme*, t. II, 1941.

La civilisation européenne connaît dans la période 1661-1740 des transformations plus profondes qu'apparentes. L'expression artistique reste, suivant les pays, fidèle au baroque ou au classicisme. Les découvertes scientifiques ne conduisent qu'à des applications pratiques limitées. L'esprit cartésien né au tournant des années 1620 s'est répandu. Pourtant dans l'Europe de 1740 une partie de l'élite intellectuelle s'est éloignée des valeurs traditionnelles. Descartes avait pensé sauver la religion. Le cartésianisme a donné des armes aux adversaires des autorités tradition- nelles. Le salut n'est plus considéré comme une œuvre sociale collective, mais comme une affaire individuelle. Par contre l'œuvre collective de l'humanité devient la recherche du bonheur. Sans doute en 1740 les idées nouvelles n'ont pas fait basculer l'ensemble des Européens vers ce qu'on pourrait appeler le monde contemporain. Il faudra un bon siècle pour que cela s'accomplisse, mais elles ont préparé la voie.

Baroque et classicisme après 1661

Les deux rejetons de la Renaissance continuent à se partager l'Europe.

L'EUROPE BAROQUE

L'Italie reste fidèle à cet art qui y est né. Le Bernin poursuit son œuvre à Rome jusqu'à sa mort en 1680 et ses disciples impriment à la capitale du monde catholique son aspect monumental. Mais d'autres foyers d'art baroque sont apparus : Venise où Longhena construit l'église de la *Salute* et Turin que Juvara dote de monuments triomphaux. Le baroque, déjà installé en Espagne dans l'art pictural, s'empare de l'architecture et de la sculpture avec la famille Churriguerra qui pendant le xviiie siècle marque l'art espagnol de ce « style churrigueresque », inspirant des retables, véritables édifices où s'assemblent des scènes peuplées de nombreux personnages, association dans une profusion de détails et d'ors de la tradition platéresque et du pathétique cher à l'âme espagnole. L'Europe centrale voit le triomphe du baroque introduit par des artistes italiens dans la période précédente. Ce sont encore des artistes italiens qui jusqu'à la fin du siècle construisent palais et églises à Prague, Vienne et Munich. Cependant une école originale naît à Vienne, libérée des Turcs et devenue capitale d'un grand Etat, avec Fischer von Erlach et Hildebrandt. Directement inspiré du baroque romain et du baroque vénitien, le baroque viennois incline vers des formes gracieuses et compliquées qui prennent le nom de style rococo.

L'invasion baroque a touché la France notamment dans le Midi avec le sculpteur Pierre Puget. En 1665, Bernin avait été appelé à Paris pour présenter un projet de reconstruction du Louvre. Les architectes français empêchèrent sa réalisation. Cet échec laissait la voie libre à l'épanouissement du style classique. Ce n'est pas le seul témoignage des difficultés rencontrées par le goût baroque en France. Dans la poésie, le genre burlesque et la pastorale disparaissent à peu près vers 1660.

Cependant le baroque a triomphé partout, même en France, dans les architectures provisoires dressées pour les cérémonies, les fêtes et spectacles. Au théâtre s'imposent les décors et machineries italiens. Les Italiens enfin règnent dans la musique. Lulli à Versailles, Cesti à Vienne se font les propagateurs des concertos et sonates nés en Italie. L'expression musicale s'enrichit et se discipline avec Scarlatti, Corelli et Vivaldi. On recherche partout chanteurs et exécutants italiens. Mais le grand succès du baroque italien est l'opéra dans lequel décor, livret, musique et exécution d'inspiration italienne s'abandonnent au goût « du merveilleux, du pathétique et du tendre ».

L'EUROPE CLASSIQUE

Au moment où Louis XIV devient « son premier ministre », des écrivains et artistes français commencent à donner au classicisme un grand nombre de chefs-d'œuvre. Louis XIV a peut-être favorisé le classicisme français par réaction contre les modes italiennes que Mazarin aurait encouragées, contre les Frondeurs souvent épris de préciosité et contre la province. Cependant le roi pensionne les écrivains des deux écoles et les *Plaisirs de l'île enchantée* en 1668 le montrent soumis au prestige de la scénographie italienne. Mais l'art classique a trouvé appui dans la bourgeoisie et notamment à Paris. Il est porté à l'ordre, la simplicité et le naturel. Il a également reflété la conversion au cartésianisme de l'élite intellectuelle. D'instinct les écrivains trouvèrent des règles qui leur permirent d'épurer leur génie créateur et Boileau les formula dans son *Art poétique* en 1674. Cet effort sur soi-même correspond à une tendance générale sur laquelle Louis XIV et la plus grande partie de l'élite se trouvèrent d'accord. Cette tendance est en harmonie avec la conception de la religion et de la monarchie de Bossuet et la défiance à l'égard de l'individualisme politique et de l'illuminisme religieux. Soumission à l'ordre divin aussi bien que cartésianisme concourent à faire plier les hommes aux lois de la nature. L'art classique est également un art monarchique et étatique. Louis XIV est devenu non l'unique mécène du royaume, mais de loin le plus important. La gloire de Dieu et celle du souverain sont les buts auxquels aspirent à travailler les plus grands écrivains et artistes. Le jansénisme n'a aucunement contrarié l'épanouissement de l'idéal monarchique et classique dans la première partie du règne de Louis XIV. En fait, face à la piété italienne et espagnole, comme face à la Réforme, le jansénisme a souvent exprimé des tendances profondes de la spiritualité française. Un jansénisme non militant invitait à vivre dans le monde en se soumettant à l'ordre politique et social comme à l'ordre naturel, considérés ainsi que des données qu'il serait vain de vouloir changer. L'obéissance aux règles devenait alors un garde-fou contre toute tentation de changer l'ordre établi.

Ainsi autour de 1670 se place un moment assez exceptionnel dans l'histoire de la civilisation française où le baroque n'est pas banni, où Le Brun n'exerce pas encore une véritable direction des arts et où cependant le monarque et une grande partie de l'élite spirituelle (y compris les protestants), malgré les controverses religieuses, se rencontrent dans une communauté de goût et une inclination générale pour le noble, l'aimable, le mesuré et le raisonnable.

C'est l'époque de la production de « grands chefs-d'œuvre » classiques, qui se prolonge jusque vers 1690. Il suffit de rappeler les noms de Molière, La Fontaine, Racine et Boileau, des architectes Le Vau, Claude Perrault, Jules Hardouin-Mansart, des sculpteurs Girardon et Coysevox, des peintres Le Brun, Mignard et Van der Meulen, du créateur de jardins Le Nôtre.

Vers 1690 une réaction se produit contre la tyrannie qu'exercent écrivains et artistes officiels. Dès 1687, Charles Perrault avait ouvert à l'Académie la querelle des Anciens et des Modernes, vantant les œuvres des modernes qui rendaient inutile désormais l'imitation des anciens. La littérature française se libère de l'obligation de servir la gloire du souverain. L'art échappe au mécénat d'un monarque appauvri. Discrètement Paris reprend sa place face à Versailles. Les thèmes changent. La littérature se veut morale et éducative (La Bruyère, Fénelon), ou philosophique (Fontenelle), voire combattante (Bayle). La peinture répudie les compositions triomphales et s'oriente vers les portraits avec Rigaud et Largillière ou les scènes réalistes ou de genre de Watteau. Louis XIV disparu, le Versailles de Louis XV met quelque temps à s'épanouir. Voltaire incarne le réveil de Paris, et Montesquieu celui de la province. Les modernes l'ont emporté. La poésie souffre d'une certaine décadence. Les genres littéraires qui ont le plus de faveur sont le théâtre, les traités philosophiques, le roman, les nouvelles et les lettres, qui reflètent les changements du goût et surtout des valeurs morales dont Fontenelle, Marivaux, Vauvenargues illustrent quelques aspects (voir p. 388). Cependant cette évolution se fait dans le cadre du classicisme. Le cartésianisme, qui cesse d'avoir une valeur scientifique depuis les découvertes de Newton, impose sa méthode à tous. La forme, composition et style, reste celle mise au point par les grands auteurs classiques. D'ailleurs la langue s'est fixée. Dans le domaine des arts, le style classique reste la règle, notamment chez Robert de Cotte et Jacques Gabriel. Une certaine éclipse de l'art monarchique laisse le champ libre à l'art urbain qui fait naître des appartements plus diversifiés et des pièces plus petites. La sculpture reste classique avec les frères Nicolas et Guillaume Coustou. La musique classique se définit et s'affine en s'éloignant de l'influence italienne avec Rameau et Couperin. Le goût nouveau s'exprime dans ce qui touche de près au cadre de vie : décoration rococo plaquée sur des édifices classiques, peinture plus légère (Boucher), et surtout mobilier plus confortable, gracieux et intime.

LE RAYONNEMENT FRANÇAIS EN EUROPE

On a parlé d'hégémonie intellectuelle de la France au XVIIIe siècle et employé l'expression d' « Europe française ». A cela L. Réau a distingué des causes diverses : l'excellence de la langue française pour servir les relations sociales, surtout les relations mondaines, la force d'attraction que représentent la cour de Versailles puis les salons parisiens auprès des aristocraties d'Europe, une force d'expansion enfin, caractérisée par une émigration française plus importante en qualité qu'en nombre : protestants gagnant des refuges et assez vite assimilés, artistes réduits au chômage par l'arrêt des travaux de Versailles, les remous provoqués par la banqueroute de Law et attirés par les souverains étrangers. Malgré l'aversion qu'inspire Louis XIV à une partie de l'Europe, cette influence commence à s'exercer dès la fin du XVIIe siècle. Le retour de la paix en 1714 ne peut que la favoriser. Il est à noter que le gouvernement français a tout fait pour contrarier l'émigration des savants et artistes et que le premier traité international rédigé en français est précisément le traité de Rastadt. En 1774, Russes et Turcs useront de cette langue pour établir un traité de paix. Le gouvernement de Louis XV n'a rien fait pour répandre cette influence, mais celui de Louis XIV avait favorisé la production des modèles à proposer à l'Europe.

Le français devient également pour un temps la langue de prédilection des philosophes et savants qui apprécient sa clarté et sa supériorité sur le latin inadapté à l'expression de concepts nouveaux. Leibniz souvent, puis en 1743, l'Académie des Sciences de Berlin, publient en français. Les souverains étrangers usent du français dans leur correspondance avec l'étranger et quelquefois même avec leurs compatriotes. Frédéric II écrira ses *Mémoires* en français. Dans le même temps les langues étrangères sont envahies par de nombreux termes français, le plus souvent sans adaptation. Ces termes appartiennent surtout au langage technique de l'armée, de l'enseignement, de l'art et aussi du mobilier, de la mode et de la cuisine. L'influence française est sensible sur toutes les littératures au début du xviiie siècle, mais inégalement.

L'influence française est également sensible dans le domaine artistique. Les souverains veulent avoir leur Versailles, leur Trianon, leur Marly. L'escalier des ambassadeurs de Versailles, aujourd'hui détruit, survit dans de nombreuses répliques. La place royale et sa statue, les portraits royaux de Rigaud, les plafonds et tapisseries allégoriques des Gobelins conçus par Le Brun, puis, au xviiie siècle, l'hôtel parisien entre cour et jardin sont copiés partout.

L'artiste français le plus sollicité est probablement Robert de Cotte (1656-1735) qui travaille à Versailles, puis pour Philippe V (Buen Retiro), les électeurs de Cologne (château de Bonn) et de Bavière (château de Schleissheim). Ainsi le style classique pénètre dans le domaine du baroque. Sur les marges européennes où le baroque n'avait pas la même implantation et où tout était à faire pour modeler des capitales, le classicisme français ne rencontre guère d'obstacles. Leblond est appelé par Pierre le Grand à Saint-Pétersbourg. Il dote cette ville de perspectives imitées de celles de la ville de Versailles. Copenhague, Stockholm et Berlin subissent la même influence, parfois par l'intermédiaire de huguenots réfugiés. Même de grands artistes originaux comme Christophe Wren ne peuvent négliger la leçon des Français.

Ainsi une Europe classique qui doit beaucoup à la civilisation française pénètre l'Europe baroque. Assez faible en Italie, Espagne et Angleterre, limitée dans les pays du Nord et de l'Est aux cours et aristocraties, l'influence française est plus forte en Hollande et en Allemagne. Partout elle bute sur des traditions nationales que respecte mieux le baroque dans l'art religieux et l'art populaire.

L'essor des sciences

Ni 1660 ni 1740 ne marquent des tournants dans l'histoire de la science, devenue en cette période une création continue dont chaque étape ne se comprend que par un enchaînement de découvertes faites dans des domaines différents. En effet la connaissance scientifique d'alors est une. Le terme de philosophie recouvre à la fois les sciences exactes et les sciences morales et politiques. Montesquieu doit ses principes directeurs à Malebranche et Buffon à Leibniz. Un patrimoine culturel commun unit les milieux éclairés d'où émergent les savants. Ainsi peut-on parler d'un milieu scientifique européen, d'ailleurs passionné, animé par des controverses dont les plus connues sont celles suscitées par Descartes et Newton.

LE MILIEU SCIENTIFIQUE

Le monde savant prend une extension considérable dans la seconde moitié du xviiie siècle, par la création des académies et l'intérêt que lui portent les souverains, puis l'opinion.

En Italie, berceau des académies, l'*Accademia del Cimento* (1657-1667) de Florence coordonnait des expériences dont elle publiait les comptes rendus. En fait, il existait déjà des réunions de savants comme celle qui avait vu le jour à Paris en 1648 et qui obtint la protection royale. Devenue l'*Académie des Sciences*, Colbert lui donna des statuts (1666). Placée sous la tutelle de l'Etat, chargée d'étudier les problèmes que celui-ci lui posait et de contrôler les brevets d'invention, elle reçut une aide matérielle considérable. La *Royal Society* de Londres (1662), par contre, resta une société privée. L'exemple de Paris fut suivi par Berlin (1710), Saint-Pétersbourg (1724), Stockholm (1739). Aux membres de ces académies sont confiés des travaux importants tel l'établissement de la carte de France par Cassini ou des missions comme celles qui, au Pérou, en Laponie et au cap de Bonne-Espérance, ont pour but la mesure du méridien terrestre (1736-1737). Les savants les plus illustres sont attirés par les souverains. Le temps n'est pas loin où les gouvernements d'Europe, saisissant l'occasion d'une conjonction de Vénus et du Soleil qui ne se produit que tous les cent vingt ans, se concertent pour faire mesurer la distance du Soleil à la Terre (1761 et 1769). Il est vrai qu'à cette époque le matériel scientifique était encore réduit et que, sauf pour l'astronomie et la géographie, la recherche ne demandait pas des fonds importants. Elle pouvait rester le domaine des amateurs.

Or le goût de la science se répand au début du xviiie siècle. Outre l'exemple donné par l'Etat, les journaux savants ont exercé une grande influence : *Journal des savants* (1665), *Philosophical transactions* de la *Royal Society*. L'abandon progressif du latin, jamais complètement remplacé par le français, a nui aux contacts entre savants, mais il a permis l'engouement pour la science dans des milieux plus larges. Des cours publics se fondent, tel, à Paris, celui de l'abbé Nollet (1734) qui attire beaucoup de monde parce qu'on y présente des expériences. Les livres de vulgarisation se multiplient, tels *Les spectacles de la nature* de l'abbé Pluche (1732). Bientôt, à côté des bibliothèques, certains beaux esprits, tel Voltaire, se constituent une collection de sciences naturelles ou un cabinet de physique. Bien que le public éclairé continue à s'affirmer amateur de littérature, les préoccupations vont surtout vers la science. Moins de temps est consacré à la méditation religieuse, aux examens de conscience, à l'exercice du contrôle de soi, à l'analyse des sentiments humains, aux recherches de style et davantage à l'observation de la nature et à la méditation philosophique.

LES PROGRÈS DE L'EXPÉRIENCE, NEWTON ET LOCKE

Descartes avait doté les sciences exactes d'un instrument indispensable, les mathématiques, et répandu une conception mécaniste de l'univers qui réussit à supplanter l'aristotélisme et la croyance animiste à l'*impetus*. Certes les lois mécaniques de Descartes devaient se révéler fausses, mais, débarrassé de ses applications pratiques erronées, le cartésianisme donnait de l'univers l'image d'une machine admirable dont Dieu, horloger sublime, commandait le mouvement par une série de chocs et de pressions. A la fin du xviie siècle, Fontenelle répandait cette conception. Elle pénétrait dans l'enseignement au début du xviiie siècle. Avec Malebranche (1637-1715), le cartésianisme s'orientait dans la voie du positivisme scientifique, laissant la causalité au domaine des mystères de Dieu. Ce faisant, il invitait les savants à délaisser les spéculations métaphysiques pour étudier les phénomènes.

Cependant l'observation avait fait de grands progrès, notamment en astronomie avec la mise au point des instruments d'optique par le Hollandais Huyghens et par la construction de grands observatoires à Paris (1667) et à Greenwich (1676). L'expérience dans le même temps tendait à devenir l'auxiliaire indispensable des mathématiques. Ainsi Huyghens et Leibniz ruinaient la mécanique de Descartes et remettaient en honneur la notion de force inhérente aux corps en mouvement, comme la force centrifuge, la pesanteur ou même l'attraction réciproque des planètes. Les cartésiens y voyaient une nouvelle aventure.

Il fallut Isaac Newton (1642-1727) pour présenter une confirmation de la notion de force et apporter des lois quantitatives en partant des phénomènes.

Ayant reçu une solide formation mathématique, reçu très jeune à la *Royal Society*, Newton prit part aux progrès des mathématiques réalisés dans le domaine du calcul infinitésimal par Huyghens, Leibniz et les frères Bernoulli. Profondément religieux, il reprochait au mécanisme cartésien de contenir un ferment d'athéisme. Visionnaire, imbu de théologie, il cherchera à donner à sa conception du monde une finalité. Cependant sa démarche est inverse de celle de Descartes. Celui-ci reconstruisait le monde par le raisonnement et appliquait sa méthode aux différents domaines de la science. Newton partait des phénomènes. Il utilisait la méthode d'induction pour généraliser en partant des phénomènes dûment expérimentés. Son idée de génie fut de rapprocher pesanteur et attraction des planètes. En 1687 il publiait une synthèse, les *Principes mathématiques de la philosophie de la nature*. Il y exprimait l'idée d'une force qui agit à distance : l'*attraction universelle*, et, par elle, expliquait la pesanteur, les marées. Cependant cet ouvrage survenant en plein triomphe du cartésianisme fut assez froidement accueilli. La plupart des savants français ne le connurent vraiment qu'après la fin des guerres de Louis XIV. Dans une seconde édition de ses *Principes*, il précisait sa pensée pour défendre son œuvre. Bien que moins hostile que Malebranche à la recherche des causes, il prétendait s'en tenir à l'expérience.

Dans le même temps le système de Descartes subissait un autre assaut de la part de Locke. Alors que Descartes pensait que les idées étaient innées, Locke dans son *Essai sur l'entendement humain* (1690) affirmait qu'elles naissaient de nos sensations. La science de Descartes s'effondrait. Au xviiie siècle il restait de l'apport de Descartes sa méthode, le doute méthodique, le besoin « d'évidence », la primauté de l'instrument mathématique, la conception mécaniste de l'univers impliquant un déterminisme absolu.

LES PROGRÈS DE LA CONNAISSANCE SCIENTIFIQUE

Il est peu de domaines où les sciences n'aient progressé. L'instrument mathématique était encore bien imparfait. Les successeurs de Leibniz et de Newton complétèrent et affermirent le calcul infinitésimal. Les Bernoulli, Euler donnèrent aux mathématiques un caractère pratique. La mécanique rationnelle se développa pour le plus grand profit de la physique. En astronomie, les idées de Newton suscitaient les controverses et restaient également à vérifier. Des savants surtout français s'y employèrent en observant des phénomènes divers.

L'appréciation de l'aplatissement de la terre aux pôles fut mesurée par les expéditions de Maupertuis et Clairaut en Laponie et de La Condamine et Bouguer au Pérou (1735-1737) ; Bouguer puis l'Ecossais Maskeline mesurèrent la pesanteur à l'équateur et sur les montagnes. Il en fut de même pour l'étude de l'influence de certaines planètes sur le mouvement des autres. La théorie de la marée fut mise au point par Euler et Bernoulli en 1740. A cette date, si les théories de Newton n'avaient pas rallié tous les esprits, les savants les admettaient généralement. En physique Newton avait par contre aiguillé la théorie de la lumière sur une fausse piste. Mais dans d'autres domaines la physique réalisait de grands progrès. Le thermomètre fut mis au point par Fahrenheit, Réaumur, enfin Celsius (thermomètre centigrade) entre 1724 et 1742. L'électricité ne sortit pas du domaine de la curiosité. L'Anglais Grey prouva la conductivité et le Français du Fay montra les analogies entre l'électricité et la foudre, tandis que l'abbé Nollet commençait les expériences qui mirent les phénomènes électriques à la mode.

Les sciences de la nature restèrent encore longtemps du domaine de l'observation qualitative.

La chimie était dominée par la recherche de l'agent universel qui déterminait toutes les actions des corps les uns sur les autres. L'Allemand Stahl crut l'avoir trouvé dans un fluide indécelable, le phlogistique. Cela permit de rendre compte des faits connus alors mais cette voie fausse devait ralentir le progrès de cette science jusque dans le dernier tiers du siècle. La géologie qui n'était pas sans liens avec la chimie commençait à s'ouvrir à l'observation. On visita les grottes et on étudia les phénomènes volcaniques. Le Danois Stenon analysant les terrains de Toscane devina la sédimentation et classa chronologiquement les fossiles.

La mise au point du microscope permit l'étude des tissus vivants (Malpighi), des insectes (Van Leeuwenhoek), des ovules des mammifères, du sperme humain, des microbes, mais le secret de la génération ne fut pas percé. Les sciences naturelles étaient encombrées par l'idée des causes finales. L'abbé Pluche dans *Les spectacles de la nature* s'y étendait complaisamment : « Les marées sont créées pour que les vaisseaux entrent plus facilement dans les ports... » La classification des êtres vivants laissait à désirer. Pour les animaux on utilisait toujours celle d'Aristote. Le Suédois Linné les améliora beaucoup dans son *Système de la nature* dont la première édition parut en 1735. Il simplifia la nomenclature. Cependant il ne voyait toujours dans l'existence de chaque espèce qu'un acte du Créateur et n'imaginait pas qu'elles puissent changer. De plus il y avait beaucoup d'erreurs dans son catalogue.

L' « Esprit nouveau »

On a fait observer que la réelle « crise de la conscience européenne » étudiée par Paul Hazard fut moins soudaine et moins ample que ce dernier ne l'avait cru. Le succès de l'esprit classique en Europe n'avait été qu'une lutte continue. Le « moment classique » fut caractérisé par un équilibre passager qui n'arrêta pas l'évolution de la pensée. L' « esprit nouveau » devait naître en Hollande, Etat assez exceptionnel par l'activité économique et la structure de la société de ses villes marchandes. De la Hollande, il rayonna facilement sur l'Angleterre, mais ne mordit guère sur le continent tant que les élites de France n'y furent pas ralliées.

LA HOLLANDE, BERCEAU DE L'ESPRIT NOUVEAU

Les Provinces-Unies furent un extraordinaire « carrefour d'idées ». La Hollande présentait au XVIIe siècle l'exemple d'une société de classes.

La bourgeoisie capitaliste des grandes villes y maintenait un esprit de tolérance et de liberté plus développé qu'ailleurs. La Hollande fut ainsi le refuge de nombreuses personnes persécutées pour leur action politique : partisans des Stuarts puis républicains anglais, opposants à Louis XIV ou à Jacques II (Locke). Plusieurs confessions religieuses vivaient côte à côte, même juifs et sociniens. Lors de la révocation de l'Edit de Nantes arrivèrent des huguenots qui répandirent l'usage de la langue la plus pratiquée en Europe, traduisirent des ouvrages écrits en Hollande ou en Angleterre et leur donnèrent ainsi une diffusion considérable. Ainsi les œuvres de Locke furent surtout connues par la traduction française (1700). Enfin la Hollande était le principal centre d'imprimerie de l'Europe (Amsterdam, Leyde). On y publiait de nombreux ouvrages interdits ailleurs, notamment en France. Ce sont des huguenots qui animèrent les journaux littéraires telles les *Nouvelles de la République des Lettres* de Bayle (1683). Après le traité de Nimègue, la Hollande dont le rôle économique est diminué prend dans le domaine des idées une place considérable.

Le cartésianisme s'était assez répandu dans ce pays qui avait reçu Descartes. C'est là que put penser et écrire sans danger Spinoza qui appartenait à la communauté juive d'Amsterdam (1632-1677). Dans son *Traité théologico-politique* (1670), il considérait la Bible comme une œuvre humaine, faisait la critique des miracles et prophéties, affirmait le divorce entre foi et raison mais introduisait la liberté en matière de croyance et en politique, comme un droit naturel imprescriptible. Toutefois il faisait confiance à un Etat telles les Provinces-Unies pour garder et interpréter les droits des individus. Dans son *Ethique* (1677), il développait l'idée que seul Dieu existe. La pensée de Spinoza ne fut pas comprise. Il effraya catholiques et protestants. On le crut athée et cependant certains esprits retinrent de son œuvre la critique des religions révélées et des monarchies absolues.

L'influence de Pierre Bayle fut beaucoup plus importante. Protestant du midi de la France, devenu professeur de philosophie à l'académie de Sedan puis à Rotterdam, il se fit connaître à l'Europe cultivée par sa *Lettre...* puis ses *Pensées à l'occasion de la Comète* (1682) où il détruisait l'autorité de la tradition concernant les présages, distinguant concomitance et relation de cause à effet, opposant déterminisme et miracle. Les *Nouvelles de la République des Lettres* traduisirent l'orientation nouvelle des esprits tout au moins en Hollande. Il y était traité davantage d'érudition et de morale que de belles-lettres. Lors de la révocation de l'Edit de Nantes, il lança des pamphlets réclamant la liberté de conscience. Enfin, de 1690 à 1697, il publia son *Dictionnaire historique et critique* dans lequel il cherchait à dresser un catalogue des erreurs humaines. Cette œuvre contribua à exercer l'esprit critique au xviiie siècle et lui fournit des arguments variés.

LA FRANCE GAGNÉE A L'ESPRIT NOUVEAU

On a longtemps cru en France que l'esprit nouveau consistait essentiellement dans les « idées anglaises » parvenues dans le royaume depuis la paix d'Utrecht. Il est vrai que la fin de la guerre permit des échanges nombreux entre France et Angleterre et la Régence laissa pendant quelques années une plus grande liberté d'expression aux novateurs. Cependant l'évolution des esprits avait commencé bien avant. Les principales composantes se trouvent dans les études et réflexions pratiquées suivant la méthode cartésienne. Un travail obscur mais immense fut accompli par les érudits laïcs et religieux, Bénédictins réformés de Saint-Maur, Oratoriens et Jésuites, ces derniers ayant constitué le groupe des Bollandistes qui épurèrent les *Vies des saints*. Les textes anciens furent recueillis et édités avec soin. En 1678, Charles du Cange publiait son *Glossaire du latin médiéval*. En 1681, par son *De re diplomatica*, Mabillon fondait la méthode moderne de la diplomatique. Ces efforts étaient d'ailleurs courants dans l'Europe d'alors. En Angleterre, Bentley classait méthodiquement les témoignages de l'Antiquité. L'histoire sainte elle-même était l'objet d'une remise en ordre. Après Spinoza, l'oratorien Richard Simon dans son *Histoire critique de l'Ancien Testament* (1678) montrait le caractère hétérogène des livres attribués à Moïse.

Par ailleurs l'influence de la méthode cartésienne encourageait le pyrrhonisme. Locke, affirmant que la source de toute connaissance est dans nos sensations, en tirait une philosophie empiriste, renonçant à saisir les vérités premières, ne jugeant utiles que celles qui regardent la conduite de notre vie. En même temps l'idée de relativité, pressentie par Pascal, écartée par les classiques à la recherche de l'universel, reprenait de la vigueur. Relativité du goût dans le temps : en 1687, Charles Perrault soutient à l'Académie française l'idée que les auteurs français modernes, c'est-à-dire actuels, surpassaient les Grecs et Latins. Ce fut l'origine de la querelle des Anciens et des Modernes que Louis XIV apaisa. Depuis ce moment le mot « moderne » prit un sens laudatif. Relativité du goût dans l'espace : les récits de voyage se multipliaient et informaient les lettrés notamment des mœurs des hommes de l'Orient et de l'Extrême-Orient. Turquie et Perse furent mieux connues et mises à la mode (turqueries). Il en était de même du Coran. Les *Mille et une nuits* furent traduites en français en 1704. L'Islam n'était plus présenté comme une religion infernale. On parlait de la sagesse orientale. Des ambassadeurs siamois venus à la cour de Louis XIV avaient suscité une vive curiosité. Les Jésuites espérant faire admettre les rites chinois écrivaient sur la Chine des relations très favorables. Le mythe du bon sauvage reprenait vie. En fait la référence à des civilisations différentes était souvent un artifice utilisé par les écrivains pour dénoncer les abus rencontrés en Europe.

La mort de Louis XIV a pris la signification de la défaite d'un état d'esprit. Tout aussi significative est la mort de son contemporain

Leibniz (1646-1716). Conscient des différences entre civilisations et entre religions, Leibniz cependant rêvait d'universalité, d'harmonie entre les hommes, entre leurs croyances (contacts avec Bossuet). Il espérait au moins faciliter l'union des chrétiens ou des Européens. Son échec marque la fin du rêve d'unir l'Europe chrétienne, et aussi la fin des tentatives pour plier la science à la philosophie.

Or, à ce moment, Paris reprend son rôle de capitale intellectuelle de la France. On voit s'ouvrir quelques *clubs* à l'anglaise (club de l'Entresol, 1726-1731), des cafés célèbres (le Procope) et des salons aristocratiques où cependant écrivains et quelquefois artistes sont admis (salons de Mme de Lambert, de Mme de Tencin et de Mme du Deffand). La province prend également sa revanche sur Versailles. Des académies se créent dans les principales villes de province par lesquelles l'opinion de Paris se répand et se diversifie. Dans les milieux nobiliaires et bourgeois cultivés les idées généralement hostiles à l'autorité de la tradition naissent et circulent plus librement. On lit Bayle, et Fontenelle (1657-1757), secrétaire de l'Académie des Sciences, choyé par les salons parisiens, joue le rôle de vulgarisateur des idées nouvelles *(Histoire des oracles, Entretiens sur la pluralité des mondes habités).*

Depuis 1680 s'était accompli un changement d'orientation des esprits. L'humanisme chrétien du xviie siècle s'était préoccupé de l'homme en soi. On voyait maintenant en l'homme l'être social dans ses rapports non seulement avec le système de la nature et avec Dieu, mais également avec son milieu et ses institutions. Il était devenu de mode de n'accepter que ce qui était connu par l'observation et l'expérience. Les institutions religieuses, politiques et sociales devaient être soumises à la lumière de la raison. En même temps la confiance en la raison humaine entraînait l'idée de progrès. Des esprits toujours plus nombreux pensaient que l'âge d'or n'est pas dans le passé mais dans l'avenir et que l'homme en sera l'artisan.

CONSÉQUENCES DE L'ESPRIT NOUVEAU
SUR LES IDÉES POLITIQUES

Il s'en faut qu'il y ait eu accord des esprits sur ces tendances et la croyance au progrès des institutions prend des aspects souvent contradictoires. On peut discerner en France trois courants qui d'ailleurs ne se placent pas sur le même plan.

1º L'anglomanie est générale. Elle a pour propagateurs des écrivains ayant séjourné en Angleterre comme Voltaire, Montesquieu et l'abbé Prévost. Ainsi pénétrèrent les idées exprimées par Locke dans son *Traité sur le gouvernement civil* : contrat social, souveraineté du peuple, tolérance religieuse, condamnation du papisme et de la monarchie de droit divin, que Voltaire diffusa dans ses *Lettres anglaises* ; ou encore la théorie de l'équilibre des pouvoirs de Lord Bolingbroke que Montesquieu répandra.

2º On peut distinguer un courant aristocratique issu de Fénelon et de l'entourage du duc de Bourgogne qui rêve d'un retour à la monarchie absolue telle qu'elle existait avant Richelieu, tempérée par les Etats généraux, courant mû par un vif sentiment de réaction nobiliaire, hostile à Louis XIV, à son gouvernement tyrannique des commis, à ses guerres. D'où le caractère libéral et pacifiste de ce courant. Il a pour défenseurs le mémorialiste Saint-Simon, le club de l'Entresol où l'abbé de Saint-Pierre présente un projet de paix perpétuelle et surtout Boulainvilliers et Montesquieu. Le comte de Boulainvilliers publie en 1727 ses *Lettres sur les anciens parlements de France* (il s'agit des Etats généraux) et en 1732 son *Précis historique de la monarchie française*. Il rêve de refaire de la France un Etat dans lequel les nobles descendants des conquérants francs, dépouillés par le gouvernement des commis, retrouveraient leurs privilèges. Cependant ce défenseur du régime féodal admet des réformes telle l'égalité devant l'impôt. Montesquieu, président à mortier au Parlement de Bordeaux, publie en 1721 ses *Lettres persanes* où il critique mœurs et abus, puis élabore lentement *L'Esprit des lois* (1748) dans lequel, outre la théorie de séparation des pouvoirs et les distinctions célèbres entre monarchie fondée sur l'honneur, république sur la vertu et aristocratie sur la crainte, il reprend la critique de Boulainvilliers contre les usurpations de la monarchie aux dépens des privilégiés, demande l'intervention des corps intermédiaires : parlements, Etats provinciaux. Son libéralisme ne peut guère profiter qu'à la noblesse.

3º Un courant monarchiste bourgeois se manifeste en sens inverse. D'abord avec l'abbé Dubos qui dans son *Histoire critique de l'établissement de la monarchie* affirme que la monarchie a dû reprendre les droits régaliens usurpés par les féodaux. Dubos justifie la monarchie non par le droit divin, mais par les services qu'elle a rendus à la nation. C'est donc un système politique positif et utilitaire, apte à saisir la possibilité de faire toutes les réformes raisonnables. Ce courant sera en fait celui de Voltaire. Il inspirera plus tard les Encyclopédistes. Mais déjà il a ses équivalents en Europe continentale. C'est le fondement même du despotisme éclairé.

Changement d'idéal social

L'essor de l'économie d'échange, la montée de la bourgeoisie, la critique des institutions sociales entraînent un changement des valeurs sociales. La société d'ordres, pratiquement disparue des villes de Hollande, est ruinée en Angleterre où il n'en subsiste plus que des vestiges. A son tour elle est mise en cause en France. L'argent, dont le rôle n'a jamais été absent des sociétés d'ordres, petit à petit s'y hisse au premier rang des facteurs avoués de la société. Cela entraîne la reconnaissance des différences que la fortune met entre les individus et pratiquement un nouveau classement social suivant la place que chacun prend à la production des biens matériels. Par là même on assiste à un recul des armes et de la religion dans la considération sociale au profit de l'activité économique et de la recherche du bonheur personnel.

RECUL DES ARMES DANS LA CONSIDÉRATION SOCIALE ET PROMOTION DE L'ACTIVITÉ ÉCONOMIQUE

Le recul des armes dans la considération sociale a commencé en Angleterre dès le milieu du XVIIᵉ siècle, grâce au sentiment de sécurité relative que donne l'insularité et aussi par suite de la méfiance provoquée par le souvenir de la dictature militaire de Cromwell. La Hollande l'a connu surtout à partir de la paix de Westphalie. En France au contraire les nécessités de la défense et la politique de Louis XIV ont suscité la constitution d'une armée considérable, ce qui a répandu ou maintenu un esprit militaire dans la nation. Pour des raisons comparables il en a été de même dans la plupart des Etats du continent. Au terme des guerres de Louis XIV la « frontière de fer » a tenu à peu près. Il n'y aura plus d'invasion profonde avant 1814. Le souvenir pénible de ces guerres, le caractère extérieur des guerres de Louis XV provoquent dans la bourgeoisie et même la noblesse un certain recul du prestige des armes dont l'utilité apparaît moins évidente. A plus forte raison dans les couches populaires, où le service est volontiers abandonné aux régions frontières et aux gens les plus misérables, le guerrier a laissé la place au mercenaire.

En même temps un idéal humanitaire et utilitaire se développe. La promotion de l'économique encourage l'initiative individuelle et invite à secouer les entraves que les conceptions chrétiennes de la société opposaient à la réussite personnelle dans les affaires. La propriété cesse d'être considérée comme un service social grevé de servitudes et cela justifie par exemple les clôtures et l'affranchissement des pratiques communautaires. La recherche du juste prix cède de manière avouée à celle du bon prix, bien avant que les économistes aient mis au point leur système. Même en France, dans les rapports entre seigneurs et paysans, l'aspect quasi affectif des liens d'homme à homme recule. Dans l'armée il en est de même des rapports entre capitaines et soldats. Il ne s'ensuit pas nécessairement qu'un système social nouveau remplace l'ancien. Le bourgeois en continuant à se glisser dans la noblesse et à adopter le comportement de celle-ci, le noble en dédaignant l'activité économique justifient toujours les principes de la société d'ordres. Pour en arriver à une nouvelle conception de la société il fallait que le but de celle-ci apparaisse différent.

RECUL DE LA RELIGION DANS LA CONSIDÉRATION SOCIALE ET QUÊTE DU BONHEUR

Les progrès de l'idée de relativité, l'éveil de l'individualisme font apparaître la société non plus comme une construction figée conformément à un plan divin, mais comme susceptible de changement et d'améliorations. La croyance au progrès n'a pas encore trouvé ses chantres et cependant elle se manifeste par le goût de l'élite intellectuelle pour la science et par la promotion du savant. Le but de la société n'est plus la recherche collective du salut éternel, œuvre sociale à laquelle tous les chrétiens sont tenus. Le salut devient affaire personnelle. Sa place est prise dans la conscience sociale par la recherche du bonheur personnel sur terre que doivent permettre les institutions. Les voies du bonheur passent par la liberté individuelle et la liberté économique conformément aux droits naturels de l'individu. Peu à peu on prend conscience du rôle de la concurrence et de la mobilité sociale.

LA MISE EN CAUSE DE LA SOCIÉTÉ D'ORDRES

Le clergé et la noblesse en tant qu'ordres ne peuvent que souffrir de ces idées nouvelles. Un nouveau classement des valeurs sociales s'esquisse qui place les penseurs (dont les prêtres), avant les guerriers. Les chefs d'entreprise, négociants, dont le rôle a crû avec l'organisation de l'économie d'échange, acquièrent un prestige nouveau. Au bas de l'échelle se placent ceux qui ne participent que passivement à la production par le concours de leurs bras. La valeur personnelle de l'individu et sa richesse sont reconnues de plus en plus comme des facteurs importants.

Tout cela presque accompli en Angleterre et en Hollande n'est encore que tendances en France aux environs de 1740. Il est évident que les ordres laisseront des traces dans les mentalités et les relations sociales bien longtemps encore. Cependant le rôle de l'argent paraît maintenant légitime. On s'achemine vers une société de classes.

Textes et documents : Œuvres de Montesquieu, Voltaire, Rousseau, Diderot. B. VERLET, *Versailles,* 1961.

CINQUIÈME PARTIE

VERS L'ÉPOQUE CONTEMPORAINE

C'est évidemment pécher par gallocentrisme que de fixer la fin des « temps modernes » à 1789. Il est facile d'énumérer non seulement les pays, mais également les domaines de l'évolution humaine pour lesquels cette date n'a pas de valeur. Prenons-la cependant comme base de réflexion. Si faisant un instant abstraction des événements politiques on essaye de voir à quel moment les Etats européens sont arrivés à un point de leur évolution comparable à celui où sont parvenues les structures économiques, sociales et mentales de la France en 1789, on obtiendra une multiplicité de réponses suivant les pays et, pour chacun d'eux, suivant les domaines. Généralement l'Angleterre a précédé la France et les pays de l'Europe centrale et orientale la suivent avec plus ou moins de retard. L'évolution de ces pays ne suit pas des courbes semblables simplement décalées dans le temps. Si l'on envisage seulement la France, on peut constater qu'une partie de l'élite a déjà les conceptions censitaires de la première moitié du xixe siècle, alors que des vestiges de la société d'Ancien Régime se maintiendront en plein xixe siècle, localement et dans certains groupes sociaux. Le passage des Temps modernes à l'Epoque contemporaine s'étale donc sur une large période.

Toute autre date que 1789 serait également arbitraire. D'ailleurs on ne peut voir dans ce dernier demi-siècle des Temps modernes la simple juxtaposition d'évolutions ayant pour cadre des nations ou des régions. Les rapports entre peuples sont probablement plus ouverts qu'auparavant, malgré la montée des sentiments nationaux et la netteté croissante des frontières. Aussi doit-on reconnaître l'existence de grands courants ou de caractères affectant de grands types de société : le despotisme éclairé, l'évolution sociale et politique des pays maritimes — bon nombre d'historiens disent la « Révolution atlantique » —, l'extension du monde colonial, le repli et la stagnation de la Chine, sans oublier le maintien à part de peuples dits « sauvages ». Il faut cependant placer en tête de cette étude ce qui fut le moteur de l'évolution : la révolution intellectuelle et ses différentes composantes économiques et techniques, scientifiques et enfin morales.

Chapitre XXV

TRANSFORMATIONS
DE LA SOCIÉTÉ EUROPÉENNE :
LES MOUVEMENTS DE FOND

Cartes XIV a, XV, XIX a et b, XX a et b.

Bibliographie : R. Mousnier et C.-E. Labrousse, *Le XVIIIe siècle*. F. Braudel et C.-E. Labrousse, *op. cit.* H. Heaton, R. Mandrou, M. Reinhard, A. Armengaud et Dupaquier, *op. cit.* R. Mousnier, *Progrès scientifique et technique au XVIIIe siècle*, 1958. P. Mantoux, *La révolution industrielle en Angleterre*, 2e éd., 1959. A.-J. Bourde, *Les agronomes en France au XVIIIe siècle*, 1967. L. Trénard, *Histoire sociale des idées ; Lyon, de l' « Encyclopédie » au préromantisme*, 2 vol., 1958. P. Hazard, *La pensée européenne au XVIIIe siècle*, 3 vol., 1946. C. Bellanger, J. Godechot, P. Guiral et F. Terrou, *Histoire de la presse*, t. I, 1969. R. Mauzi, *L'idée de bonheur dans la littérature et la pensée françaises au XVIIIe siècle*, 1960.

A partir de 1740 on assiste à une accélération des transformations dans la société européenne dont les éléments les plus actifs regardent vers l'avenir. L'accroissement presque général de la population, des améliorations locales du niveau de vie déterminent une augmentation de la consommation. Les besoins nouveaux suscitent un appel à la production, un développement du commerce colonial et les débuts de la révolution industrielle en Angleterre. On peut dire tout aussi bien que le développement des techniques et du commerce colonial et la révolution industrielle ont favorisé l'essor de la population, tant les différents aspects de l'expansion semblent liés. Parallèlement l'optimisme qui caractérise le mouvement des « Lumières » gagne les esprits, mais se heurte à une réaction des sensibilités.

La « Révolution démographique »

Il ne saurait y avoir de véritable révolution démographique. Le passage d'un régime démographique largement dominé par la nature, dans lequel des crises fréquentes de mortalité annihilent les effets d'une forte natalité à un régime nouveau marqué par l'atténuation des crises, la baisse de la mortalité infantile et peut-être le contrôle des naissances reposant sur un changement de mentalité et les progrès de l'économie d'échange, ne pouvait survenir brusquement ni au même moment dans toutes les populations et à tous les niveaux sociaux. L'intérêt porté par les contemporains aux questions démographiques suscite des dénombrements de population qui fournissent à l'historien des données plus sûres. Pendant longtemps on avait craint la dépopulation. Dans la seconde moitié du XVIIIᵉ siècle, certains commencent à craindre la surpopulation. Malthus qui publie en 1798 son *Essai sur les principes de la population* est le plus connu mais non le premier. Ces craintes doivent être confrontées avec les changements dans la répartition de la population, mais là encore il faut distinguer suivant les pays.

L'ESSOR DE LA POPULATION

L'Angleterre est le pays où celui-ci est le mieux marqué. Le « décollage » se fait vers 1740 et l'augmentation atteint vers 1770 le taux annuel de 1 %. Le taux de natalité passe de 35,1 à 40,2 ⁰/₀₀ entre 1720 et 1750, puis redescend à 38,4. Celui de mortalité diminue de 10 % à partir de 1740. Cela porte surtout sur la mortalité infantile. Les décès dans les deux premières années passent de 431 ⁰/₀₀ entre 1731-1740 à 240 ⁰/₀₀ dans la dernière décade du siècle. Dans le même intervalle l'espérance à la vie passe d'un peu plus de 30 ans à près de 35. Les crises de subsistance et les épidémies ont moins frappé. L'Angleterre est alors en tête pour la consommation de la viande de bœuf, du pain blanc et de la bière. La pratique de l'inoculation à partir de 1740 puis, à la fin du siècle, la vaccination mise au point par Jenner ont contribué à sauver des vies. On a évoqué également les effets de la loi qui en 1751 limite la consommation du *gin*. L'industrialisation semble avoir eu une influence favorable. Elle a abaissé l'âge au mariage chez les ouvriers des nouvelles villes usinières, moins soumis aux considérations traditionnelles et à la nécessité d'un long apprentissage. La population de l'Angleterre est passée des environs de six millions vers 1740 à neuf millions vers 1800. Ce qui sera la Belgique qui atteint trois millions d'habitants à la fin du siècle a connu une augmentation de même ampleur, avec les mêmes variations de rythme.

Dans les pays scandinaves, on n'atteint pas ces proportions (entre 1735 et 1801, un peu plus de 40 % d'augmentation en Norvège et un peu moins de 30 % en Suède) et les taux de mortalité et de natalité se situent à un niveau plus bas. La progression de la population dans l'Europe méditerranéenne est encore plus faible à cause du maintien d'une mortalité relativement élevée. L'Espagne atteint dix millions d'habitants à la fin du siècle et l'Italie dix-huit. Dans les pays d'Europe centrale, la multiplicité des Etats, les déplacements de population dus à la colonisation des régions dévastées ou reconquises sur les Turcs rendent difficiles les appréciations. La croissance est évidente en Allemagne, mais des crises de subsistances (1740-1741) et des épidémies la rendent irrégulière. Les Etats des Habsbourg passent de dix millions d'habitants en 1754 à vingt-deux millions et demi en 1789. Cela est dû aux annexions pour trois millions (malgré la perte de la Silésie), à l'immigration, mais aussi au mouvement naturel qui semble important. Celui-ci est également très fort en Pologne et en Russie. La population de ce dernier pays augmente de 50 % entre 1743 et 1796, atteignant trente millions d'habitants.

En France, après une période de stabilisation, le « décollage » s'effectue également vers 1740 et apparaît jusque vers 1770 parallèle à l'expansion que connaît l'Angleterre. Dans la période 1770-1779, une crise économique et une épidémie rompent le rythme. De 1779 à 1789, la France se détache des pays en voie d'expansion, l'accroissement est devenu semble-t-il insignifiant. On atteindrait assez vraisemblablement 26,3 millions d'habitants en 1789, soit une augmentation de sept millions depuis le début du siècle. Si on en retire un million environ procuré par le rattachement de la Lorraine et de la Corse, l'augmentation aurait été de 32 %, donc sensiblement moindre qu'en Angleterre et en Belgique. Peut-être faut-il s'étonner qu'elle se soit produite puisque la France était sous Louis XIV un Etat aux limites du surpeuplement. Il eût fallu une véritable révolution technique pour permettre des progrès plus importants (J. Dupaquier). La mortalité a reculé bien qu'irrégulièrement du fait de l'espacement et de l'atténuation des crises, et la natalité reste légèrement inférieure à ce qu'elle est en Angleterre. Enfin dans les Provinces-Unies et en Suisse la population s'accroît très peu ; dans ce dernier pays aux ressources limitées l'émigration est un moyen de lutte contre le surpeuplement.

CHANGEMENTS DANS LA RÉPARTITION DE LA POPULATION

On a déjà évoqué les déplacements de population en Europe centrale qui se sont accomplis surtout au profit du Brandebourg, de la Hongrie et de la Transylvanie. L'Europe occidentale a connu des modifications d'une autre origine dans la carte des densités de population. Là encore l'Angleterre a montré l'exemple. Dans l'Angleterre du Nord-Ouest où se produisait la « révolution industrielle », la population augmentait plus vite que dans l'Angleterre historique. La prépondérance démographique passa au nord de la ligne Gloucester-Golfe du Wash. L'augmentation fut également différenciée dans l'Europe méditerranéenne. Le dépeuplement du centre de l'Espagne est enrayé, mais celui de la Galice se poursuit, alors que la région de Bilbao et surtout la Catalogne connaissent un essor ; c'est en Catalogne que celui-ci est le plus marqué puisque P. Vilar estime à 121 % l'augmentation de la population au xviiie siècle. En Italie, avec des aspects différents, l'essor touche surtout le Piémont et le royaume de Naples qui atteignent respectivement 2,1 et 5,6 millions d'habitants à la fin du siècle. En France également la progression est variable suivant les régions, l'Alsace, le Roussillon, les régions du Nord, de Lyon, de Paris et de Rouen auraient vu leur population augmenter plus vite que celles du Sud-Ouest et du Midi.

Probablement plus important dans ses conséquences est l'essor des villes qui appelle l'exode rural et développe un prolétariat urbain.

Cependant le mouvement naturel de la population est positif, bien qu'il se tienne à un niveau plus bas que dans les campagnes à cause du plus grand nombre de célibataires (clergé, domestiques, récents immigrés), de la contraception et de la forte mortalité qui sévit chez les gens venus des campagnes mal logés et mal adaptés à la vie de la ville. A la fin du siècle, seules les capitales dépassent 100 000 habitants. L'Italie reste le pays des grandes villes mais elles ne progressent plus guère. Naples dépasse 400 000 habitants et Rome, Palerme, Venise, Milan, les 100 000 qu'approchent Turin et Gênes. En Espagne, hormis Madrid qui atteint 168 000 habitants, sept villes dépassent le seuil des 50 000. Dans les pays germaniques, Vienne a plus de 200 000 habitants et Berlin plus de 150 000, mais les autres villes n'arrivent pas à 50 000 habitants et ne progressent guère. A l'extrémité de l'Europe, Moscou avec 400 000 habitants et Saint-Pétersbourg avec 200 000 font figure de phénomènes extraordinaires, mais les villes de plus de 10 000 habitants se multiplient.

Le mouvement d'essor des villes caractérise surtout les pays occidentaux. Londres prend la tête des villes d'Europe avec probablement 800 000 habitants et Paris atteint sans doute les 600 000. En Angleterre, Manchester, Liverpool, Birmingham, Bristol et Leeds ont dépassé 50 000 habitants. Ce sont, sauf Bristol, des villes industrielles à l'essor récent. En France, Lyon et Marseille frôlent les 100 000 âmes, Bordeaux, Rouen, Lille, Nantes et Strasbourg s'échelonnent entre 90 000 et 50 000 habitants. Cet essor des villes est à mettre en rapport avec l'éveil commercial dans tous les pays, avec l'éveil commercial et industriel en Angleterre.

Rôle des colonies dans les transformations de l'Europe

Il n'a cessé de croître, mais de 1740 à la fin du siècle il procède davantage de l'intensification des échanges commerciaux que de l'extension des terres dominées par les Européens. Pourtant celle-ci n'est pas négligeable.

L'EXPANSION COLONIALE

Il faut distinguer les découvertes et l'expansion coloniale proprement dite.

Les découvertes continentales sont souvent le fait des Français en Amérique du Nord, puis, après l'élimination de ceux-ci, des Anglais. Cependant les Russes descendant les fleuves sibériens atteignent les rivages de l'océan Arctique. Les Espagnols parcourent les régions magellaniques et les Portugais les plateaux brésiliens. Sur mer le Danois Behring avait découvert en 1720 pour le compte de Pierre le Grand le détroit qui porte son nom et reconnu la côte de l'Alaska. Un de ses lieutenants passa aux Kouriles et atteignit le Japon. Anglais et Français, paralysés jusqu'en 1763 par la guerre maritime, se lancèrent ensuite dans la recherche du continent austral. Ces expéditions eurent un caractère scientifique nouveau. Les navigateurs se faisaient accompagner d'astronomes, médecins, naturalistes et agissaient avec prudence à l'égard des indigènes. Cook mena trois expéditions. De 1768 à 1771 il fit le tour de la Nouvelle-Zélande et débarqua en Australie à Botany Bay (Sydney). De 1772 à 1774, il établit que le continent austral n'existait pas. Reparti en 1776, il découvrit les îles Hawaï où il fut massacré. La Pérouse, parti en 1785, précisa les découvertes de Cook mais ne revint pas. Ces découvertes n'eurent pas d'action immédiate sur la vie économique.

L'extension des domaines coloniaux porta sur des points assez bien déterminés et opposa souvent les puissances.

En Amérique les Portugais déplacèrent le centre du Brésil vers le sud et en 1763 Rio de Janeiro remplaça Bahia comme capitale. La colonisation remonta les fleuves. Les Espagnols dans l'Amérique du Sud fondèrent Montevideo en 1780 et colonisèrent les côtes de la Patagonie. En Amérique du Nord, ils s'établirent en Californie et fondèrent San Francisco (1783). Ils rencontrèrent les Anglais à la fois aux îles Falkland et à Vancouver. Choiseul essaya de compenser les pertes faites par la France au traité de Paris (1763) par un essai de colonisation de la Guyane. Ce fut un échec (1764). Deux autres tentatives en 1784 et 1787 n'eurent pas plus de succès. En Afrique du Sud, les Portugais se maintinrent difficilement au Mozambique, mais élargirent leurs établissements de l'Angola et les Hollandais durent soutenir deux guerres contre les Cafres. En Asie la Compagnie française des Indes orientales avait réussi à placer sous son protectorat la majeure partie du Dekkan, mais en 1763 elle dut y renoncer et se contenter de cinq comptoirs (cf. p. 461). Les efforts des Français se portèrent alors vers l'Indochine avec l'action missionnaire de Mgr Pigneau de Béhaine, aidé des commerçants de Pondichéry. La Révolution interrompit cette tentative. *L'East India Company* étendit son autorité sur le Bengale. Enfin en 1788 commençait la colonisation de l'Australie.

Le nombre des hommes transportés dans les colonies tropicales ou tempérées s'accrut avec l'augmentation du tonnage des navires. Des compagnies ou des particuliers se chargeaient de la traite des esclaves noirs. Malgré les attaques de certains philosophes en France ou de Wilberforce en Angleterre, ce trafic était en plein essor à la fin du siècle (cf. p. 462). La plupart des Blancs étaient dirigés vers les îles ou vers quelques régions du continent américain qui constituaient des colonies de peuplement. C'est ainsi que la partie française de Saint-

Domingue atteignit un demi-million d'habitants et que les Antilles anglaises en eurent à peu près autant, les Noirs formant près des neuf dixièmes de la population. Certaines colonies intéressaient moins les compagnies de commerce. Les gouvernements eurent l'idée d'y transporter des condamnés : *convicts* anglais en Amérique du Nord puis à Botany Bay en Australie (1788), etc.

ROLE DES COLONIES DANS L'ÉCONOMIE EUROPÉENNE

Le commerce maritime reste favorisé par le moindre coût du transport. Dans la seconde moitié du XVIIIᵉ siècle on peut reconnaître quatre grandes aires commerciales dans le monde, toutes animées par les Européens et communiquant d'ailleurs entre elles. Le principal complexe commercial est celui qui unit l'Europe et les Amériques.

Angleterre et France faisaient un commerce actif avec leurs Indes occidentales : importations de sucre, de café surtout et aussi de coton, indigo, épices, exportations de produits manufacturés, de laine, vins, fruits. De plus elles participaient largement au commerce de la péninsule Ibérique et, malgré le pacte colonial en vigueur, à celui de l'Amérique espagnole. Ce dernier commerce leur valait, en paiement des objets manufacturés vendus, une certaine quantité de monnaies d'or et d'argent. Les treize colonies anglaises d'Amérique du Nord produisaient peu de denrées de grande valeur. Leurs exportations de grains, bois et goudrons en Angleterre ne pouvaient compenser les importations de produits manufacturés dont leur nombreuse population avait besoin. Elles rétablissaient leur balance commerciale en vendant leurs produits vers les Indes occidentales anglaises et aussi directement vers la Méditerranée.

Les Indes orientales par contre continuaient à exporter plus qu'elles n'importaient, les populations indigènes étant très pauvres ou même restées en dehors de tout circuit commercial. Cotonnades, soies, indigo, sucres, riz, thé venus de ces pays représentaient en gros une valeur double de celle des étoffes, cuirs, métaux que leur vendait l'Europe. Aussi le commerce avec l'Inde et la Chine occasionnait toujours une sorte de transfert vers l'Asie de l'or et de l'argent en provenance d'Amérique. Toutefois les Anglais, depuis qu'ils étaient installés au Bengale, commençaient à limiter les pertes de métaux précieux par la vente d'opium en Chine.

On retrouvait les mêmes caractères au Levant et dans le Moyen-Orient où les Français étaient les principaux intermédiaires des échanges entre les cotons, cuirs, grains, huiles, épices de l'Empire ottoman et les produits manufacturés et denrées coloniales. Le quatrième complexe commercial était celui de la Baltique. Ce grenier à grain de l'Europe occidentale en période de disette avait longtemps fait la prospérité de Dantzig, mais la prépondérance passa à des ports situés plus à l'est. Le bois de charpente des pays baltes, de la Finlande et de la Suède fit l'objet d'une demande accrue à partir de 1760, le fer de Suède et surtout de Russie également. Anglais et Hollandais jouaient un rôle important en mer Baltique, mais tandis que les premiers réservaient les produits de la Baltique à leur marché intérieur, les seconds les réexpédiaient en Europe. Inversement Anglais et Hollandais apportaient dans les pays de la Baltique des produits méditerranéens (sel, vins), des harengs, des étoffes et depuis 1740 davantage de cotons et laines bruts et surtout de denrées coloniales.

La politique commerciale des Etats imposait des cadres assez rigides à ces échanges. Les rivalités commerciales maintenaient législations monopolistes et interlopes. Français et Anglais prohibaient l'importation de certains produits manufacturés (notamment indiennes). Renforçant leur *exclusif*, les Espagnols chassèrent les commerçants français des Caraïbes après 1763. Inversement les Anglais à partir de 1766 voulurent faire de leurs Antilles un entrepôt pour le commerce avec l'Amérique espagnole. En 1778, les Espagnols essayèrent d'y parer en supprimant le monopole de Cadix et Séville. La liberté commerciale à l'intérieur de l'Empire espagnol eut de bons effets. 25 % du commerce de l'Amérique espagnole était effectué par les étrangers, surtout Anglais. Les Anglais assouplirent le système colonial et permirent aux treize colonies d'exporter directement vers les pays méditerranéens, mais pas suffisamment pour éviter la révolte de ces colonies. Avant la révolte elles faisaient des deux tiers aux trois quarts de leur commerce avec le reste de l'Empire britannique. Devenues indépendantes elles en firent encore la moitié, et le tiers avec la seule Grande-Bretagne, à cause de la force des liens commerciaux. Hambourg en progrès depuis 1740 profita de l'indépendance des treize colonies ainsi que du recul relatif du commerce hollandais et dantzicois. Les pays baltes participèrent également à leur propre commerce. A partir des années 1770-1780, ils assumèrent les deux tiers de leurs importations par le Sud.

De nombreuses mesures eurent pour but de favoriser les échanges. La plus connue est le traité franco-anglais de 1786. La France réduisait les droits sur les textiles, cuirs et quincaillerie anglais et l'Angleterre sur les vins et eaux-de-vie français.

L'essor du commerce maritime fut considérable, mais irrégulier. Ainsi le commerce anglais, stable de 1735 à 1747, se développa rapidement à partir de cette date. Une crise survint de 1775 à 1782 pendant la guerre d'Amérique. L'expansion reprit en 1783 et s'accéléra en 1786. Le commerce français connut également un essor remarquable. Accéléré avec le système de Law, il se poursuivit pendant tout le siècle, à peine affecté par les guerres maritimes et indépendant des crises agricoles. A la veille de la Révolution les colonies alimentaient les trois cinquièmes des importations et les quatre septièmes des exportations du royaume. La *Compagnie des Indes* garda son monopole à l'est du cap de Bonne-Espérance où l'Etat la considérait comme un élément de sa politique, utilisait ses navires et ses troupes et la soutenait financièrement. Attaquée par les économistes, la Compagnie fut supprimée en 1769 mais reconstituée en 1785. A Rouen, Le Havre, Saint-Malo, Nantes, La Rochelle, Bordeaux, Marseille s'édifiaient de grosses fortunes dans les échanges avec les Antilles et, surtout à Nantes et Bordeaux, dans la traite des Noirs.

Le commerce continental fut animé par les progrès du commerce maritime. Leipzig où s'échangeaient les produits industriels de Saxe et de Silésie contre les produits naturels de l'Europe orientale, Zurich, Bâle, Strasbourg, intermédiaire entre l'Allemagne, l'Italie et la France, furent les principaux marchés. Les gouvernements aidèrent l'essor de ce commerce : construction d'un réseau routier en France, de canaux en Angleterre, suppression progressive des péages en France, en Russie, abolition des douanes intérieures et liberté du commerce des grains, institution d'une sorte d'union douanière entre les pays des Habsbourg en 1775. Le Danube redevint la voie commerciale qu'il avait cessé d'être pendant longtemps. La *Willeshavensche Kompanie* commerça avec la mer Noire. Une convention commerciale austro-turque (1784) ouvrit l'Empire ottoman aux textiles allemands.

ROLE DU COMMERCE MARITIME ET DES COLONIES DANS L'ÉVOLUTION DE LA SOCIÉTÉ EUROPÉENNE

Avec l'expansion commerciale l'Europe connut moins de famines, mais des crises commerciales plus graves. La nature du marché intérieur fut modifiée. Dans certaines régions de l'Europe occidentale, le commerce tendait à accroître la richesse générale, et probablement les inégalités de revenus. Il tendait aussi à augmenter l'importance relative des gens à revenus moyens qui fournissaient un marché plus stable que les très riches et la masse des très pauvres. Dans l'évolution économique l'Angleterre précéda le continent, parce que le marché anglais était plus favorable (H. J. Habakkuk). Les transports intérieurs y étaient plus faciles. Les relations extérieures plus anciennes y avaient rendu la société moins figée. Les exportations assurées de produits manufacturés vers les treize colonies dont l'économie était complémentaire de celle de la Grande-Bretagne agissaient comme un stimulant d'autant plus puissant que le revenu moyen y était plus fort qu'ailleurs et les inégalités de fortunes moins accusées. La production nationale fut en Angleterre encouragée d'abord par les exportations, puis, vers la fin du siècle, de plus en plus par le développement du marché intérieur. La France ne bénéficia pas de circonstances aussi favorables. Elle exportait surtout des produits naturels ou réexportait des produits coloniaux qui ne faisaient pas toujours l'objet d'une transformation par l'industrie. La demande des produits manufacturés français n'était guère stimulée, sauf dans les Antilles. En Angleterre où la demande augmentait plus vite que le nombre des ouvriers il fallut chercher de nouvelles techniques. Ainsi la révolution industrielle est fille de l'expansion du commerce atlantique.

En Europe occidentale les milieux intéressés par l'expansion maritime et coloniale s'étendent comme en témoigne l'exemple de familles de commerçants grenoblois en rapports commerciaux, par l'intermédiaire des armateurs de Bordeaux, avec Saint-Domingue où ils acquirent des plantations (P. Léon). La facilité croissante des voyages à travers l'Atlantique faisait que des familles possédaient des branches installées dans les Antilles et gardant des rapports fréquents avec les branches restées en Europe. Ainsi se constituait, non seulement en Angleterre, mais également en France, un véritable *lobby* colonial.

En dehors de tout intérêt mercantile, les activités maritimes et coloniales prenaient une place croissante dans les préoccupations de l'opinion surtout depuis l'abandon de l'Inde et du Canada. Elles alimentaient la rivalité franco-anglaise. En 1778, pour la première fois, la France entreprend une guerre qui n'est que maritime et coloniale. La majeure partie de l'opinion éclairée soutient les entre-prises coloniales prudentes et limitées, mais un anticolonialisme philosophique se développe (*Histoire des Indes* de l'abbé Raynal). Avec J.-J. Rousseau le mythe du bon sauvage reprend force. Le roman exotique en plein essor conquiert une place dans la littérature avec *Paul et Virginie* de Bernardin de Saint-Pierre (1787). Les modes coloniales se répandent. La consommation de café, thé, sucre, rhum progresse dans la bourgeoisie. L'industrie des cotonnades rompant les prohibitions destinées à protéger les textiles traditionnels fabrique des indiennes, des madras et aussi des siamoises de moindre prix dont l'usage se répand. Les motifs décoratifs empruntés à la Chine dès le règne de Louis XIV pénètrent dans les intérieurs bourgeois.

Cependant le stimulant offert au commerce de l'Europe occidentale par l'activité maritime et coloniale ne produisait pas partout les mêmes effets. Là où le marché intérieur connaissait une croissance moins rapide et où la main-d'œuvre était abondante, l'industrie domestique suffisait à couvrir la plus grande partie des besoins nouveaux. C'était le cas non seulement en Europe centrale et orientale, mais également dans bien des régions de France et même d'Angleterre. La pénétration des influences coloniales était très inégale. Elle laissait de côté les populations rurales et les prolétariats urbains. Elle se faisait en suivant les voies de commerce et prenait ses relais dans les bourgeoisies marchandes lorsque celles-ci étaient assez considérées pour influer sur l'opinion et les modes. Ainsi l'influence coloniale était plus forte à Grenoble que dans la plupart des petites villes de Bretagne situées pourtant à proximité de grands ports. A la fin du xviiie siècle, les influences extérieures, notamment atlantiques et coloniales, avaient contribué à accroître les contrastes entre les régions, les classes, les goûts, les mentalités.

Transformations agricoles et préludes à la révolution industrielle

L'accroissement des exportations et de la population et une amélioration du niveau de vie suscitèrent un appel à la production qui ne fut nulle part plus puissant qu'en Angleterre.

LES TRANSFORMATIONS AGRICOLES

On a exagéré l'importance des transformations auxquelles sont attachés les noms de Towshend ou de Jethro Tull. Elles avaient commencé des le xviie siècle localement et à la fin du xviiie siècle elles n'étaient pas encore généralisées. La littérature agronomique abondante depuis 1760 mit l'accent sur des méthodes nouvelles. Elles consistèrent surtout en un assouplissement des assolements traditionnels. Le système de Norfolk était un assolement quadriennal : blé, *turnips*, orge, trèfle, pratiqué sur des sols calcaires amendés par marnage. Dans le nord-est de l'Angleterre l'alternance céréales-plantes fourragères était recherchée. Cependant la jachère résistait sur les terres froides. Les machines agricoles (semoir de Tull...) eurent peu d'importance. Par contre la sélection empirique du bétail obtenait déjà des résultats intéressants. Les défrichements continuèrent surtout aux dépens des communaux. Le remembrement par voie d'échange ou d'achat s'accéléra grâce aux encouragements apportés par la législation. Malgré la concentration de la propriété, les petites exploitations se maintinrent à chaque fois que leur modernisation fut possible. Le principal effet des transformations agricoles fut l'augmentation de la production qui permit de nourrir un nombre croissant d'hommes ne travaillant plus la terre (P. Jeannin).

En France l'augmentation de la population suscita des défrichements. C'est au tiers du siècle que la tendance à l'abandon des mauvaises terres fait place à de nouveaux défrichements. Dans les années 1760-1770 sont prises des mesures inspirées par l'école physiocratique (cf. p. 410) et par les agronomes tel Duhamel du Monceau qui partent d'expériences personnelles et de l'exemple anglais. Bertin, contrôleur général puis secrétaire d'Etat à l'économie, exempta le produit des terres défrichées, ou gagnées sur les marécages, de la taille, du vingtième puis de la dîme pendant vingt ans. Le défrichement fut surtout l'œuvre des grands propriétaires. Il eut quelque importance en Bretagne, Provence, Bourgogne. C.-E. Labrousse l'a estimé pour l'ensemble du royaume à 2,5 % de la superficie cultivée. Les sociétés d'agriculture, les journaux d'agriculture qui se répandent cherchent surtout à susciter des augmentations du rendement. La jachère est dénoncée comme un opprobre. Des grands seigneurs font des expériences sur lesquelles s'étend complaisamment la littérature agronomique. Cependant on note un recul de la jachère bien modeste sauf en Flandre et en Alsace. Vers 1800, les prairies artificielles ne représentaient encore que 10 % de l'étendue des jachères. Le rendement moyen se maintenait et même progressait légèrement malgré la mise en culture de terres ingrates. Aussi est-il probable que le rendement du terroir traditionnel a augmenté (C.-E. Labrousse). La production agricole a donc au total connu en France un certain accroissement qui a porté d'ailleurs surtout sur la vigne, les cultures de chanvre, lin, mûrier, sur le froment aux dépens du seigle.

Dans le reste de l'Europe, sauf quelques petites régions très favorisées (Pays-Bas), les transformations agricoles se font plus souvent au rythme français qu'au rythme anglais. L'agriculture extensive est la règle en Scandinavie et en Russie.

LA RÉVOLUTION INDUSTRIELLE

Il ne faut pas exagérer la rapidité de ce qu'on a appelé la « révolution industrielle » du XVIIIe siècle. Lorsqu'elle entra en guerre contre la France en 1793, la société anglaise n'était pas encore pleinement une société industrielle (P. Jeannin). La plupart des manufactures utilisaient l'énergie hydraulique. Le brevet de Watt pour sa machine à simple effet avait vingt ans, le métier de Cartwright ne fut inventé qu'en 1787, etc. Le champ des innovations n'affectait encore qu'une faible partie de l'économie nationale (Ashton). Mais « le peuple anglais était fasciné collectivement et individuellement par la richesse et le commerce ». Comme en France les bénéfices du commerce colonial s'investissaient en terre et emprunts publics, mais pas en achat de charges anoblissantes. Les marchands-fabricants utilisaient leurs gains à installer de grandes fabriques. Enfin l'esprit d'invention était largement répandu. En 1740, la Grande-Bretagne était déjà entrée dans la voie des innovations techniques (fonte au coke de Darby et navette volante de John Key), mais les résultats restaient très limités. Les tâtonnements continuèrent. La plupart des inventeurs n'étaient pas des hommes d'affaires. Ils se heurtaient aux réticences des industriels peu soucieux de risquer leurs capitaux dans l'achat de machines n'ayant pas encore fait leurs preuves. Les ouvriers, redoutant de perdre leur travail par l'économie de main-d'œuvre qu'elles permettraient de réaliser, se livraient parfois à des bris de machines.

L'industrie cotonnière, nouvelle venue et, partant, moins traditionnelle, fut la plus rapide à adopter le machinisme. Les machines s'imposèrent lorsque les crises de production les firent apparaître comme la seule solution (R. Mousnier). Or chaque invention créait un déséquilibre nouveau. La navette volante accélérant la production de tissus accrut la demande de fils. Les recherches entreprises renouvelèrent la filature qui en était restée au stade du rouet. La *jenny* de Heargraves en 1767, la *waterframe* d'Arkwright en 1768, et surtout la *mule* de Crompton en 1778 multiplièrent les possibilités de production de filés par 80. L'avance prise par la filature sur le tissage provoqua à son tour l'invention du métier à tisser de Cartwright. La dispersion des tissages en ateliers familiaux présentait l'inconvénient d'imposer des transports onéreux et longs pour la distribution de la matière première et le ramassage des produits fabriqués et de faciliter les détournements de marchandise. Les nouvelles machines ne pouvaient être mues par les hommes, d'où la tendance à grouper les métiers en fabriques autour des moulins et aussi l'appel fait à la machine à vapeur. A la machine de Newcomen, peu économique, succédèrent celles de Watt (1769 et 1784). La fabrication de ces machines stimula la métallurgie mais les progrès furent lents. En 1750, Huntsman fabriqua l'acier au creuset. Il fallut attendre 1784 pour qu'Onions et Cort trouvent le *puddlage* qui permit de fabriquer l'acier à partir de la fonte en grandes quantités. Ce fut le point de départ d'un prodigieux essor de l'industrie métallurgique anglaise dont la production aux environs de 1780 ne dépassait pas la moitié de la production française, pour une population il est vrai trois fois moindre. Dès la fin du xviiie siècle les Anglais se lançant dans des directions nouvelles construisaient des ponts métalliques. Enfin l'usage du charbon se répandait tant dans l'industrie que dans les foyers domestiques. L'extraction de houille passait à six millions de tonnes en 1770.

Les fabriques ne se concentrèrent qu'à la fin du siècle dans les villes qui avaient montré le plus de dynamisme, telle Manchester passée de 9 000 habitants en 1730 à 50 000 en 1790. En fait ce démarrage industriel n'était que le prélude à la « révolution industrielle » qui ne commença guère que vers 1785.

En France le poids du passé était beaucoup plus lourd. La part du textile restait écrasante. Malgré l'importance de sa production totale, la métallurgie jouait un rôle médiocre. La dispersion était la règle.

Des ateliers urbains sortaient des produits de qualité, mais la ville n'était que le centre d'une nébuleuse aux limites incertaines où régnait l'artisanat rural

(P. Léon). En dehors du textile, la localisation de l'industrie était commandée par la présence de rivières et de forêts. Les efforts de l'Etat pour développer l'industrie continuaient (administration des Mines créée en 1764), mais à partir de 1750 l'individualisme encouragé par les « économistes » (cf. p. 410) se traduisit chez les industriels par une résistance de plus en plus grande au dirigisme et par la revendication de la liberté économique. Le marché intérieur se développa, notamment les cotonnades et toiles peintes connurent une grande vogue et se répandirent jusque dans les couches les moins pauvres des classes populaires. La place des produits manufacturés dans les exportations françaises était considérable en 1787 (de la moitié aux trois quarts). La France avait besoin de produits textiles et de minerais. La protection des forêts créait une disette de bois. L'usage du charbon se répandit au milieu du XVIIIe siècle dans la verrerie, l'industrie chimique, les raffineries de sucre et la France dut importer de la houille, notamment d'Angleterre. Malgré cela le retard technique sur cette dernière s'accroissait.

L'anglophilie aida à l'éveil de la « conscience technique » (P. Léon). Le gouvernement encouragea l'information industrielle et l'adoption des nouvelles techniques. Des Français ramenaient d'Angleterre machines et techniciens. Holker, jacobite catholique réfugié à Rouen en 1746, fut le meilleur introducteur des « mécaniques anglaises ». Mais les Anglais se méfiaient et les Français procédèrent à un véritable espionnage industriel. Cependant à partir de 1763-1770 cette méfiance tomba et des missions d'industriels français furent admises en Angleterre. De véritables « colonies » anglaises furent installées en Normandie, à Lyon, Bourges, Saint-Etienne, travaillant surtout dans les lainages et cotonnades. Les Français se prirent de passion pour la mécanique. A partir de 1742, Vaucanson rénova l'outillage des ateliers de soieries et les frères Montgolfier celui de l'industrie du papier. La production augmenta en quantité et en qualité. Mais les innovations se heurtèrent dès 1744 à des révoltes ouvrières contre les machines ; les bris de machines atteignirent leur paroxysme en 1788-1789. A la veille de la Révolution, « la révolution technique » se manifestait plus comme signe que comme réalité (P. Léon).

Aussi l'industrialisation était-elle encore loin de pouvoir modifier les structures sociales. Cependant les sociétés industrielles se multipliaient avec la participation croissante des financiers (Le Creusot, fondé par un syndicat de financiers parisiens), des étrangers (surtout Suisses) et de la haute noblesse. Dès 1762 la noblesse était majoritaire à l'assemblée des actionnaires de Saint-Gobain. La concentration de l'industrie était encore très faible. L'usine Dietrich à Niederbronn employait 918 personnes, dont 148 seulement en atelier. Le reste étant composé de mineurs, bûcherons et voituriers. Elle était plus poussée dans les mines (4 000 travailleurs à Anzin en 1789) et le textile (800 employés aux ateliers d'Oberkampf à Jouy-en-Josas).

En dehors de l'Europe occidentale, le développement industriel est très inégal et s'apparente au mieux à celui que l'on observe en France. En Europe orientale, on peut distinguer les manufactures d'Etat, généralement installées dans les villes ou autour d'elles et les industries créées par les seigneurs. La présence du minerai et des fleuves est un élément favorable à une concentration très relative des ateliers (Saxe, Silésie, Oural...).

« Lumières » et sensibilité

La « révolution industrielle » s'est faite en dehors des savants, qui ne commencent à y porter intérêt qu'à la fin du siècle. La science est exclusivement tournée vers la connaissance et les préoccupations des savants sont celles de l'élite éclairée qui devient soucieuse de dominer les forces de la nature. En même temps, par la réhabilitation de l'instinct et de la sensibilité, se relâche le contrôle sur la nature humaine auquel prétendait parvenir la morale classique.

PROGRÈS DE LA CONNAISSANCE SCIENTIFIQUE ET INVENTIONS D'AVENIR

L'engouement pour la science s'est répandu dans les élites. L'intérêt des gouvernements pour la recherche scientifique ne se dément pas.

Les mathématiques connaissent un développement continu grâce surtout aux Français Lagrange, auteur de *La mécanique analytique* (1788), Laplace, Monge qui met au point la géométrie descriptive. Cependant Clairaut donne la théorie des comètes (1762) et en 1773 Laplace démontre la stabilité du système solaire dont le mouvement est dû uniquement à des causes naturelles. L'électricité découverte dans la période précédente eut une vogue extraordinaire. La bouteille de Leyde inventée par Musschenbroek en 1745 permit de provoquer des décharges électriques. Les progrès de la chimie furent beaucoup plus importants grâce à Lavoisier, riche bourgeois cultivé. Guidé par l'hypothèse que les phénomènes chimiques étaient des changements de forme de la matière provoqués par des déplacements de celle-ci, il fit de la balance l'instrument du chimiste. En 1783, dans son *Traité de chimie*, il portait le dernier coup à la théorie du phlogistique (cf. p. 386) et jeta les bases de la chimie moderne. En 1787, sous la direction de Guyton de Morveau, commencèrent les travaux en vue de fixer une nomenclature simple et pratique des corps.

Aux sciences naturelles est attaché le nom de Buffon, qui fut à sa mort l'objet d'un véritable culte. Intendant du Jardin du roi (Jardin des Plantes), il consacra sa vie à une immense *Histoire naturelle* en 32 volumes (1749-1789). Le succès de cet ouvrage ruina l'autorité du *Spectacle de la Nature* de l'abbé Pluche et la théorie des causes finales (cf. p. 386). Les Français Jussieu et Adanson (1727-1806) corrigèrent les classifications de Linné (*Familles des plantes*, 1763). C'est également à la fin du XVIIIe siècle que naît la querelle de la génération spontanée que défend

Needham et que combat Spallanzani. Le mécanisme de la digestion fut compris par Spallanzani en 1780, celui de la respiration par Priestley et Lavoisier, mais le secret de la génération ne fut pas entamé. Buffon s'était élevé contre l'idée que la nature était immuable. L'hypothèse transformiste se répandit, mais la théorie complète n'en fut exprimée par Lamarck qu'au début du xixe siècle. La médecine prit un départ nouveau avec Vicq-d'Azyr, Tenon, Bichat. En 1776 Jenner créait la vaccine.

Certaines inventions procèdent directement de travaux scientifiques. Le paratonnerre, mis au point en Amérique par Franklin (1754), arriva à Londres en 1762 et à Paris en 1782. D'autres, au brillant avenir, requirent le concours des techniciens. En 1769, l'ingénieur français Cugnot adaptant une machine à vapeur sur un fardier créait le premier véhicule automobile. Le marquis Jouffroy d'Abbans construisait le premier bateau à vapeur (1776). Utilisant la légèreté de l'air chaud, des papetiers, les frères Montgolfier, lançaient le premier ballon (1783). Le professeur Charles peu de temps après utilisait l'hydrogène. Le 19 septembre 1783, la conquête de l'air était effectuée par Pilâtre de Rozier et le marquis d'Arlandes. Le 7 janvier 1785, partis d'Angleterre, Blanchard et le Dr Gefferies traversaient la Manche.

Comme l'électricité, la conquête de l'air déchaîna l'enthousiasme des élites. La nature semblait devoir être exorcisée. On pouvait rattacher à des causes naturelles des phénomènes tels que la foudre qui jusque-là avaient semblé commandés par la volonté divine. Mais en même temps les savants étaient ramenés vers la recherche des qualités occultes des corps et cela égarait bien des esprits vers le charlatanisme (baquet de Mesmer). Les classes populaires étaient beaucoup plus réticentes (destructions de paratonnerres et de montgolfières). La science n'avait pas encore conquis la société européenne.

LES SCIENCES HUMAINES

L'étude de l'homme fut menée suivant les directions prises dans la période précédente en remplaçant l'action de la Providence par le déterminisme. La connaissance du passé fit des progrès considérables.

Les immenses travaux d'érudition furent poursuivis : textes retrouvés et restitués, chronologies et bibliographies mises au point par les Bénédictins, l'Académie des Inscriptions et Belles-Lettres, etc. Ils préparèrent l'œuvre des historiens du xixe siècle. Ils portèrent notamment sur l'histoire ancienne et médiévale. L'histoire de l'Orient ancien sortit de la légende avec Anquetil-Duperron qui en 1762 rapporta à Paris des manuscrits perses et sanscrits et traduisit le *Zend Avesta* en 1771. Ces efforts restèrent peu connus et furent éclipsés par les écrivains qui au-delà des faits cherchèrent à évoquer l'évolution des civilisations et des mœurs. En 1756, Voltaire publiait ses *Essais sur les mœurs et l'esprit des nations*. S'appuyant sur les résultats des fouilles de Pompéi (1748), Winckelmann dans son *Histoire de l'art dans l'Antiquité* (1764) montrait l'évolution des formes et des goûts.

Une sociologie politique préparée par Vico (*Principes d'une science nouvelle*, 1725) connut son éclosion avec Montesquieu, auteur des *Considérations sur les causes de la grandeur des Romains et de leur décadence* (1734) et surtout de *L'Esprit des lois* (1748) qui présenta une étude fondée sur le déterminisme et la relativité des lois naturelles régissant les sociétés humaines. Traduit dans toutes les langues, il inspira les souverains, les constituants et les législateurs. Un effort de même ordre fut fait pour la constitution d'une économie politique. Il suscita de nombreuses publications des « économistes », dont une fraction forma une véritable école : l'*école physiocratique* (gouvernement de la nature). L'apôtre en fut Quesnay, médecin de Louis XV et grand propriétaire, auteur du *Tableau économique* (1758). Quesnay appliquait le déterminisme aux faits économiques, affirmait que seule l'agriculture crée un produit net, l'industrie se bornant à transformer la matière. Les individus les plus utiles à la société devenaient les propriétaires et fermiers gros exploitants. Propriété et liberté étaient indispensables au jeu des lois naturelles et l'Etat devait les garantir. Les entraves à la production, la circulation et la consommation des denrées devaient être supprimées. La doctrine physiocratique était individualiste. Elle réclamait la liberté politique et la liberté économique (laissez faire, laissez passer) et prenait son parti de l'inégalité sociale reconnue comme une loi naturelle. Turgot formulait le premier la « loi d'airain des salaires » : dans le but de maintenir les prix de revient au plus bas, les salaires devaient seulement assurer la subsistance des travailleurs. Le meilleur Etat devenait celui qui gouverne le moins. A la notion d' « Etat-providence » qui était celle de l'Ancien Régime, se substituait celle d' « Etat-gendarme », dont le seul but était d'assurer l'ordre, la propriété et la liberté individuelle et économique. Certains économistes assouplirent la pensée du maître. Gournay étendait sa faveur aux industriels, Turgot faisait passer ces idées dans l'administration. Le véritable fondateur du libéralisme du XIXe siècle fut Adam Smith dont l'*Enquête sur la nature et les causes de la richesse des nations* (1776) exposait que l'ordre naturel était le meilleur pour régler les rapports entre producteurs et consommateurs. La fixation du salaire devait résulter d'une discussion entre capitaliste et travailleur. Adam Smith admettait ainsi implicitement la lutte des classes comme une loi naturelle.

La métaphysique donnait lieu à des controverses retentissantes. Tandis que Berkeley avait réaffirmé contre Locke l'existence des idées innées, Condillac dans son *Traité des sensations* (1754) les faisait dériver des sens. Aussi le savant ne devait-il pas déduire, mais analyser. De son côté, Hume dans ses *Essais philosophiques sur l'entendement humain* (1748), partant du fait que nous n'atteignons que des séries d'impressions et d'idées, assurait que seule l'expérience peut nous instruire. Kant allant plus loin affirmait que nous ne pouvons connaître le monde tel qu'il est, mais seulement tel qu'il nous apparaît, que la métaphysique est incertaine et que la science n'a qu'une valeur pratique, mais sûre (*Critique de la raison pure*, 1781, et *Critique de la raison pratique*, 1788). Cela ne pouvait nuire à la croyance au progrès. Dans son *Esquisse d'un tableau historique des progrès de l'esprit humain* (1794), Condorcet écrivait : « La perfectibilité de l'homme est réellement indéfinie. »

« ESPRIT ÉCLAIRÉ ET ÂME SENSIBLE »

Les Philosophes avaient le sentiment de libérer l'esprit humain du poids de la barbarie qui l'obscurcissait et de le guider vers les « lumières » de la raison. Vers 1760 la philosophie des lumières était devenue une véritable croyance dans l'élite « éclairée ». Cette croyance avait sa somme philosophique, l'*Encyclopédie* parue de 1750 à 1764, et son bréviaire, le *Dictionnaire philosophique* de Voltaire (1764) (R. Mousnier). La raison portait la plupart des Philosophes au déisme. L'Etre suprême ayant réglé le monde par les lois de la nature, il était vain de le prier pour qu'il en modifiât le cours. Certains toutefois étaient athées : La Mettrie (*L'homme-machine*, 1747), Helvétius (*De l'esprit*, 1758), d'Holbach (*Le système de la nature*, 1770). Ils expliquaient tout par les propriétés de la matière. Tous pensaient que les sociétés devaient être organisées pour le bonheur. La recherche du plaisir était considérée comme légitime. La vie de société exigeait le respect des droits naturels, donc la tolérance et l'exercice de la philanthropie. Certains reconnaissaient le droit à l'insurrection en cas de violation de ces droits naturels, mais la plupart estimaient que ces droits seraient mieux garantis par un prince éclairé et tout-puissant. Suppression du servage, liberté économique, tolérance religieuse, suppression des privilèges de la naissance au nom de l'égalité des droits, défense de la propriété qui consacrait l'inégalité des talents étaient les idées les plus répandues dans le monde des Lumières. Ainsi les Philosophes n'étaient généralement pas démocrates. Ils étaient toutefois favorables à l'extension de l'enseignement. Ils pensaient que la justice devait être adoucie et son intervention limitée à la défense de la société. C'est ce qu'exprimait l'Italien Beccaria dans son *Traité des délits et des peines* (1764). Ils condamnaient la guerre, quelquefois même la guerre de défense.

La doctrine des Philosophes sapait la religion révélée, l'autorité de l'Eglise et la monarchie de droit divin. Elle préparait la voie au « despotisme éclairé ». D'ailleurs les Philosophes n'avaient pas des vues identiques sur tous ces problèmes.

Le plus individualiste d'entre eux fut J.-J. Rousseau (1712-1778).

Issu de la petite bourgeoisie genevoise, Rousseau était un homme sensible, imaginatif, non conformiste et instable. D'abord objet de scandale, il devint à sa mort l'objet d'un véritable culte, le prophète d'une génération se voulant sentimentale et l'apôtre d'aspirations démocratiques qui se manifestèrent pendant la Révolution. En 1750, Rousseau se faisait connaître par le *Discours sur les sciences et les arts* dans lequel il soutenait l'idée que l'homme naturellement bon était corrompu par la civilisation. Partant de là il réhabilitait la nature, l'instinct, le sentiment. Il sentait la nature en poète et la divinisa (*Rêveries d'un promeneur solitaire*, 1778), vanta les promenades dans la campagne, popularisa la montagne qu'avaient révélée les poètes suisses (Haller, Gessner), mit à l'honneur les paysans restés proches de la nature et les vertus de la vie patriarcale. Dans *L'Emile* (1762), il affirmait l'infaillibilité de l'instinct, proposait d'isoler l'enfant de la société et de le soumettre à l'expérience des choses. Il diffusa une sentimentalité que les romanciers avaient déjà exprimée (abbé Prévost : *Manon Lescaut*, 1733, et Richardson : *Paméla*, 1741) et qui avait gagné des Philosophes tel Diderot. Dans *La Nouvelle Héloïse* (1762), il divinisait les passions et dans *La Profession de foi du vicaire savoyard* (1762) il réhabilitait la religiosité.

Rousseau fut également un philosophe politique original. Il commença par une attaque des fondements de la société et notamment de la propriété dans son *Discours sur l'origine et les fondements de l'inégalité parmi les hommes* (1755). En fait il était issu de la lignée des politiques protestants qui plaçaient la souveraineté dans la nation et ses écrits politiques ne tirèrent pas les conséquences politiques et pratiques des affirmations contenues dans cette œuvre. Dans *Le Contrat social* (1762), il envisageait une démocratie égalitaire, puisqu'elle tendait à limiter la propriété par des lois sur l'héritage, autoritaire : tous les pouvoirs appartenaient au peuple qui faisait connaître sa volonté par des plébiscites, enfin déiste : une religion civile sans dogme, ni culte ni sanction était indispensable pour former l'esprit civique et garantir la vertu. Cependant Rousseau ne dissimulait pas que cette démocratie n'était possible que dans de petits états. Dans ses projets de constitution pour la Corse ou la Pologne, il se montrait beaucoup plus réservé.

L'originalité de Rousseau fut de rassembler en un corps de doctrines des éléments connus mais divers : idée du bon sauvage, droits naturels et philosophie protestante, courant sentimental... De plus, il venait à son heure. En effet, son immense influence s'explique par diverses raisons. Rousseau avait pris le contre-pied des Philosophes. Ceux-ci se défendirent mal. Rousseau utilisait les thèmes familiers aux esprits éclairés. Leur donnant une autre inspiration, il les retournait contre les Philosophes.

L'étude privilégiée de la nature n'avait-elle pas préparé à la divinisation de celle-ci, la philanthropie à la bienfaisance attendrie, l'agronomie à l'agromanie ? L'individualisme des Philosophes avait ouvert la voie à celui de Rousseau. D'autre part, Rousseau comblait des vides qu'avaient creusés le classicisme et les « Lumières ». Par son style oratoire de prédicateur, il réintroduisait l'éloquence et le lyrisme. Il réhabilitait le sentiment religieux chez des hommes restés sensibles aux habitudes religieuses. Rousseau toucha particulièrement les hommes nouvellement promus à la vie intellectuelle que les progrès de l'instruction avaient multipliés au XVIIIe siècle. Ils adoptèrent avec enthousiasme sa philosophie du sentiment et sa philosophie politique. L' « élite sociale », noblesse et haute bourgeoisie, se laissa gagner par le courant sentimental et ne soupçonna pas la portée pratique des idées politiques. Révolutionnaires et contre-révolutionnaires furent touchés par Rousseau qui inspira la génération romantique.

DYNAMISME ET CONFUSIONS DU MOUVEMENT DES IDÉES

Le mouvement des « Lumières » rencontra des adversaires de talent tels Fréron et les jésuites de Trévoux, mais il trouva les Eglises en état de moindre résistance. Elles ne purent endiguer la déchristianisation des élites. En France, c'est vers 1740-1750 que s'amorce ce recul de la ferveur religieuse. Les raisons sont diverses. On peut évoquer d'abord la soumission de l'Eglise à l'Etat, en fait aux souverains qui souvent sont gagnés aux idées nouvelles et ne défendent l'Eglise que dans les domaines où l'Etat y a intérêt. L'ordre des Jésuites fut supprimé par les Etats à partir de 1759, et par le pape en 1773. La culture des prêtres, meilleure qu'elle ne l'avait jamais été, faisait d'eux des intellectuels et moins souvent des apôtres. Leur formation religieuse laissait parfois à désirer. Assez souvent recrutés dans la petite bourgeoisie, ils se sentaient moins proches de la hiérarchie issue de la noblesse que de leur milieu d'origine. Depuis la restauration catholique du XVIIe siècle, la foi s'était épurée. Etait-il facile de la maintenir à un niveau très élevé d'exigences spirituelles, alors que les sollicitations du monde prenaient une extension et une variété nouvelles ? D'ailleurs les croyants ne refusaient pas systématiquement les « Lumières ». De plus, les controverses entre jansénistes et jésuites avaient souvent pris un caractère peu évangélique et fournissaient des arguments aux adversaires de l'Eglise. Dans les pays protestants les Eglises étaient minées par l'asservissement à l'Etat et la tendance à la

religion naturelle. Cependant, il se produisait des mouvements de rénovation (piétistes d'Allemagne, Suède, Danemark, évangélistes d'Angleterre) qui aboutissaient quelquefois à la dissidence (méthodistes).

La propagande philosophique se répandait partout. Malgré de grandes
difficultés, Diderot mena à bien l'achèvement de l'*Encyclopédie* qu'il
avait entreprise avec d'Alembert. Instrument précieux de connaissance,
l'*Encyclopédie* fit pénétrer les idées des « Lumières » dans toutes les élites
intellectuelles. Une *Encyclopédie* britannique (à partir de 1768) et une allemande (à partir de 1778) exercèrent également une grande influence.
Au milieu du xviiie siècle les salons se multiplièrent. Ceux de Paris eurent
une réputation internationale (Mme du Deffand, Mlle de Lespinasse,
Mme Geoffrin, d'Holbach...). A la veille de la Révolution ils s'étaient
tellement multipliés que leur action réelle se diluait dans les autres formes
de propagande. Il en était souvent de même des académies de province
envahies par le formalisme. Toutefois, certaines avaient de véritables
bureaux de correspondance. Le relais fut assuré par les moyens les plus
divers : Franc-Maçonnerie, sociétés d'enseignement, journalisme militant.

D'origine corporative, les loges de francs-maçons, après un cheminement
obscur au xviie siècle, perdirent leur caractère professionnel et prirent un caractère
philosophique. En 1717, par fusion, était formée la loge d'Angleterre qui reçut
ses constitutions en 1723. De ses origines, la Franc-Maçonnerie ne conserva que
les symboles et les rites. Association internationale fondée sur le secret, hiérarchisée et disciplinée, la Franc-Maçonnerie travailla à l'instauration d'un ordre
moral et social nouveau fondé sur la raison, la croyance en un Dieu, grand architecte de l'univers, la liberté et l'égalité des droits. Des loges furent créées dans
divers pays à partir de 1720. Malgré la condamnation pontificale de 1738, elle
attira des notables, membres de la haute noblesse, des professions libérales, des
officiers militaires et nombre de pasteurs et de prêtres. Plusieurs souverains y
entrèrent, tels Frédéric ou l'Empereur François de Lorraine, d'ailleurs autant
pour surveiller les loges et les utiliser que par conviction personnelle.

L'enseignement attirait l'attention. Des philosophes, dont Voltaire, n'étaient
pas d'accord sur la nécessité d'un enseignement primaire développé ou l'estimaient
dangereux. Les disciples de Rousseau, et Condorcet, s'en souciaient davantage.
En fait les problèmes d'enseignement ne concernaient que la formation des élites.
La suppression des Jésuites ouvrit une longue période de réflexion et d'expériences
(en France, de 1762 à 1802). Oratoriens, Doctrinaires, séculiers ou laïcs essayèrent
d'introduire des enseignements spécialisés d'histoire, géographie, sciences naturelles dans les collèges. Dans les grandes villes, furent fondés des cours publics
(« Musée » de Court de Gébelin, « Lycée » de La Harpe à Paris... ou ailleurs, nombreux
et souvent éphémères cours de médecine, physique, navigation...). La soif d'apprendre n'était parfois que snobisme.

Dans la première moitié du siècle, le journalisme était surtout orienté vers l'information et, sauf en Angleterre et en Hollande, étroitement contrôlé par l'Etat (exemple : monopole de la *Gazette de France*). En France les campagnes d'opinion ne passent pas par les journaux. C'est par une active correspondance que Voltaire demande la révision du procès Calas. La multiplication des journaux (nombreuses *Annonces, Affiches...*), la bienveillance croissante des censeurs rendent le contrôle de moins en moins efficace. Les quotidiens apparus en Angleterre (*Morning Chronicle*, 1769, *Times*, 1785) s'introduisent en France (*Journal de Paris*, 1777, *Journal de politique et littérature* de Panckoucke). Un journalisme international, usant souvent de la langue française, eut son siège à Londres et en Hollande. Enfin un journalisme clandestin fait de libelles et de « nouvelles à la main » se montre très actif. La liberté d'expression sans être reconnue est devenue assez large en France dans les dernières années de l'Ancien Régime.

L'individualisme suscita un foisonnement d'idées et des controverses très vives qui animèrent les lieux de rencontre dans cet « âge d'or de la vie de société » : salons, théâtres, cafés, promenades (galeries du Palais-Royal), par où elles gagnaient un public plus large tout en laissant de côté la presque totalité des gens préoccupés d'un travail manuel et de leur subsistance. Le courant sentimental contribua à réveiller un besoin de surnaturel que la philosophie ne satisfaisait pas et que les Lumières avaient souvent détourné de la foi et encouragea l'illuminisme. Des prophètes prétendaient pénétrer l'au-delà tels le Suédois Swedenborg ou le Zurichois Lavater. Cela explique le succès de charlatans thaumaturges tels Cagliostro ou Mesmer. A la veille de la Révolution un certain messianisme s'était répandu dans les esprits éclairés, en même temps âmes sensibles.

La philosophie des Lumières gagna l'élite européenne. L'*Aufklärung* en est la version allemande. Cependant le cosmopolitisme à la française était en recul. Le classicisme et les modes françaises avaient engendré une certaine lassitude et suscité des réactions nationales. D'ailleurs l'influence française avait souvent véhiculé l'anglomanie. L'évolution de la littérature anglaise, le réveil de la littérature allemande se faisaient contre l'influence française. D'ailleurs, dans une certaine mesure, Rousseau avait révélé aux écrivains anglais et allemands les richesses d'une sensibilité que le classicisme avait mal contenue. C'est l'époque où Macpherson publie les poèmes attribués à Ossian (à partir de 1760) et où Herder en Allemagne évoque l'âme des peuples. Le préromantisme (en Allemagne, *Sturm und Drang*) renforce les patriotismes intellectuels et va à l'encontre des aspirations universalistes du mouvement des « Lumières ».

Textes et documents : A Soboul, *Textes choisis de l' « Encyclopédie »*, 1952. J.-J. Rousseau, *Le Contrat social*, 1762.

Chapitre XXVI

ANGLETERRE ET FRANCE
DE 1740 A 1789

Cartes XIV a et **b, XV.**

Bibliographie : P. Jeannin, *L'Europe du Nord-Ouest et du Nord aux XVII*e et *XVIII*e siècles. Coll. « Nouvelle Clio », 1969. P. Gaxotte et H. Méthivier, *op. cit.* P. Goubert, *L'Ancien Régime,* 1969. R. Mandrou, *La France aux XVII*e et *XVIII*e siècles. J. Meyer, *La noblesse bretonne,* 2 vol., 1966. A. Dupront, *Art et société au XVIII*e siècle (Cours de Sorbonne, 1964-1965). J. Egret, *La prérévolution, 1787-1789,* 1962.

Dans le cadre d'une évolution générale des pays d'Europe occidentale, Angleterre et France présentent deux cas bien différents si l'on considère la structure et l'esprit de leur société, leur régime politique et même leur civilisation. Elles offrent deux modèles de transformations sociales et politiques puisque la période s'achève sur la Révolution française alors que le régime social et politique de l'Angleterre résiste à la crise révolutionnaire.

Les transformations de l'Angleterre

Amorcées dès le xvie siècle, certaines de ces transformations s'accélèrent depuis 1740 et se continuent au début du xixe siècle. Cependant l'Angleterre connaît vers 1785 un tournant sans rupture, mais suffisamment net pour y voir le début d'une nouvelle période.

ASPECTS NOUVEAUX DE LA SOCIÉTÉ

Malgré l'augmentation de la population, la société anglaise résolut le problème des subsistances mieux que celles du continent. L'activité économique ne cessa de progresser sauf pendant la guerre d'Amérique. L'Angleterre fut la première nation à se dégager des formes sociales qu'imposait le capitalisme commercial.

Ce démarrage *(take off)* se place vers 1785. Cependant l'aristocratie foncière restait puissante. Le vote de nombreux *acts* à partir de 1760 et le haut prix du blé accélérèrent le mouvement des enclosures, les remembrements et le recul de l'*openfield*. Il fut surtout le fait de riches propriétaires aristocrates ou bourgeois. La décadence des petits paysans continua sans présenter semble-t-il un caractère dramatique. Beaucoup acceptèrent de vendre leur terre et de tenter leur chance dans de petites entreprises manufacturières ou de devenir fermiers des *landlords*, ce qui, étant donné le haut prix du blé, n'était pas sans avantages. Les principales victimes furent les journaliers qui n'étaient pas toujours en état d'exploiter les champs qu'on leur donnait lors du partage des communaux et de la suppression des droits d'usage. Cependant l'agriculture intensive se répandait et exigeait beaucoup de main-d'œuvre, ce qui limita l'exode rural. Malgré cela la population urbaine atteignait de 20 à 25 % de la population totale, donc sensiblement plus qu'en France. Les profits industriels s'élevèrent brusquement avec l'emploi des machines jusqu'à 15 ou 20 % du capital par an. Cela permit l'autofinancement et le développement des fabriques *(factory system)* à partir de 1785 aux dépens des ateliers dispersés *(putting out system)*.

Les industriels commençaient à compter à côté des hommes d'affaires. La *Chambre générale des fabricants* (1785) représentait leurs intérêts auprès du gouvernement et du Parlement. Cependant le prestige de ces deux catégories ne leur valait pas encore de partager le pouvoir politique. Par contre se développait un prolétariat urbain, dont la condition matérielle et morale laissait à désirer, mais à qui la prospérité valait de connaître moins de chômage qu'ailleurs et qui se trouvait moins mal nourri que celui du continent.

Dans le même temps se produisait un mouvement philanthropique ayant pour origine un réveil religieux amorcé dans les années 1730-1740 par les évangélistes, calvinistes d'esprit irénique qui multipliaient les écoles, et par les conférences religieuses de John Wesley et de ses amis. Les wesleyens n'avaient pas d'autre ambition que de ramener le peuple à la piété sans se préoccuper des controverses dogmatiques. Ils cherchaient à agir auprès des foules ouvrières. Leurs prédicateurs à qui l'Eglise officielle fermait les temples finirent par s'organiser en une Eglise dissidente, l'Eglise méthodiste (1784), qui rompit avec l'Eglise anglicane en 1791. Evangélistes et wesleyens exercèrent une influence considérable sur la société. Ils exaltèrent la valeur des œuvres charitables, retinrent les ouvriers tentés par la révolte. L'influence des wesleyens suscita le *Cant*, réaction d'austérité morale qui se manifesta dans les classes moyennes, et un mouvement philanthropique avec Howard (lutte pour l'amélioration du régime des prisons) et Wilberforce (campagne pour l'abolition de l'esclavage). La vie collective très grossière (ivrognerie, rixes, etc.) commença à s'affiner. La tenue s'améliora dans l'aristocratie. La vie de société se répandit notamment dans les villes d'eaux comme Bath.

L'ANGLETERRE SURMONTE LES CRISES POLITIQUES

Cette époque de prospérité fut également une époque de crises graves : invasion jacobite, guerres avec la France, conflits entre la couronne et les whigs, révolte et perte des treize colonies d'Amérique...

Depuis le départ de Walpole, l'Angleterre avait été secouée par la tentative de Charles-Edouard qui avait soulevé l'Ecosse et dont les troupes avaient pénétré en Angleterre jusqu'à Derby (1745-1746). Ce fut un sérieux avertissement et le point de départ d'un réveil national. L'Ecosse fut soumise à une sévère répression, mais le gouvernement whig y fit un gros effort. Des routes furent construites, la pêche, le commerce et le tissage de la toile encouragés. Les Highlands sortirent de leur isolement et les Ecossais participèrent à la mise en valeur des colonies. Un gros effort fut également fait pour l'armée (organisation du *Secretary at War*, adoption de l'uniforme, construction de casernes, discipline prussienne) et la marine de guerre portée à 320 000 tonnes avec des équipages bien entraînés. Cela permit à l'Angleterre de faire face à une guerre redoutable dans laquelle elle dut soutenir son alliée la Prusse sur le continent et prit partout l'offensive sur mer et dans les colonies. La guerre de Sept Ans ayant mal commencé pour elle, George II fit appel à William Pitt qui imposa un véritable gouvernement de salut public appuyé sur le Parlement (1756). Lorsqu'il mourut (1760), l'Angleterre avait éliminé la France de l'Inde et du Canada.

Le nouveau roi George III, âgé de 22 ans, était le premier souverain de la dynastie de Hanovre de sentiments anglais. Il savait le pays las d'une guerre pratiquement gagnée. Il voulait redonner à la couronne son lustre et une influence politique. Pour cela il fallait se libérer de l'autorité de Pitt, mettre fin au contrôle du Parlement et du Cabinet par les grandes familles whigs et rétablir la morale dans la politique.

Le système électoral assurait toujours la prédominance des *landlords*. De 1754 à 1790, huit députés sur neuf dans les comtés étaient élus sans concurrents. Les campagnes électorales portaient sur des questions locales, pas ou mal reliées à la politique générale. Deux cents députés, sûrs de leurs sièges, étaient peu assidus à la Chambre, dévoués au roi, méfiants à l'égard du ministère et ne s'intéressaient qu'aux questions fiscales. L'instabilité ministérielle fut très grande entre 1760 et 1770. George III introduisit son ami Bute dans le Cabinet et se heurta aux ministres whigs. Pitt démissionna. Bute eut à négocier le traité de Paris et souleva l'hostilité des milieux d'affaires qui regrettaient de n'avoir pas enlevé à la France ses colonies des Antilles. Bute ayant démissionné, les factions whigs s'usèrent par leurs rivalités. De graves questions sollicitaient leur attention : le règlement des difficultés financières nées de la guerre, l'attitude des Anglais d'Amérique mécontents de l'application qu'on leur faisait des taxes nouvelles (taxes Townshend).

De 1770 à 1782, Lord North garda la tête du gouvernement et représenta la volonté royale. Le patronage royal dans les élections et la vie politique procurait un Parlement docile. L'opinion suivit, malgré l'affaire Wilkes. Le début de la guerre d'Amérique fit même jouer le réflexe patriotique en faveur de la politique royale. Les autres colonies, l'Inde soumise au *Regulating act* (1773) et le Canada au *Quebec act* (1774), restaient fidèles. Mais l'intervention française aggrava la situation. Les treize colonies d'Amérique furent perdues. La situation se détériorait en Irlande. Lorsqu'il apparut que la guerre ne pouvait plus être gagnée, l'opposition reprit et contraignit Lord North à démissionner.

Cette période confirma l'Angleterre dans son évolution libérale et parlementaire. Un parti whig homogène se constitua demandant des réformes qui limiteraient les pouvoirs de la couronne. En 1782 le successeur de Lord North, Shelburne, innova en présentant un programme de gouvernement au moment de prendre le pouvoir. Enfin il se forma en dehors du Parlement un mouvement radical, défenseur des droits du « moyen peuple », que révéla l'affaire Wilkes. Ce député avait attaqué personnellement le roi dans son journal (1763). Poursuivi, exclu des Communes, il dut s'exiler. Revenu en Angleterre en 1768, il fut plusieurs fois réélu et invalidé. La société de Défense du *Bill of Rights* réunit de grands meetings, défendit Wilkes, réclama davantage de liberté pour la presse, obtint la publicité des débats parlementaires. Des sociétés provinciales demandaient une réforme électorale, la lutte contre la corruption politique. Le mouvement abandonna Wilkes devenu Lord-maire de Londres. Cependant l'agitation gagnait les masses populaires excitées par une démagogie antipapiste et provoquait des émeutes graves (*Gordon riots*, 1780). Après la chute de Lord North, l'instabilité ministérielle reprit. George III appela le second Pitt. Celui-ci rallia les députés indépendants, constitua un nouveau parti tory réformateur et national collaborant avec le roi au redressement de la situation (1783) et obtint une forte majorité aux élections de 1784. L'équilibre financier compromis par la guerre fut rétabli, l'administration de l'*East India Company* réorganisée (*India Bill*, 1784), les Américains loyalistes installés en Nouvelle-Ecosse et au Nouveau-Brunswick. La prospérité momentanément interrompue reprit aussitôt et l'Angleterre put signer avec la France un traité de commerce (1786). Pendant quelques mois George III perdit la raison (hiver 1788-1789) et le prince de Galles réclama la régence. Pitt porta cette question devant le Parlement qui ainsi, tout en respectant la prérogative royale, voyait son prestige renforcé.

LA CIVILISATION ANGLAISE

On a déjà vu l'apport considérable de l'Angleterre à la science, au mouvement des Lumières et au courant sentimental. Certes le mouvement rationaliste continua jusqu'à la fin du siècle, représenté par l'utilitariste Bentham, mais le courant irrationaliste naquit plus tôt qu'en France, avec Young (*Les nuits*, 1742-1745),

Richardson, puis Macpherson et Burns, marquant une tendance pour le fantastique notamment chez Blake. L'analyse psychologique et sociale connut une grande vogue au théâtre avec Sheridan et surtout dans le roman avec Goldsmith, Sterne, Fielding. Le Dr Samuel Johnson (1709-1784), éditeur de Shakespeare et auteur d'une *Vie des poètes anglais*, eut une influence considérable sur la littérature de son temps. Si l'architecture se tournait vers le fonctionnel et l'urbanisme (par ex. à Bath), l'art des jardins s'affranchit assez tôt de l'influence classique et française et créa le jardin anglais respectant la nature. La peinture connut un éclat particulier avec les portraitistes Reynolds, Gainsborough, Romney, Lawrence en accord avec la sentimentalité de l'époque.

A la veille de la Révolution, l'Europe regardait probablement plus vers l'Angleterre que vers la France. La primauté commerciale et industrielle, le régime politique alimentaient l'anglomanie. Cependant l'organisation sociale et politique du Royaume-Uni ne manquait pas de défauts : refus des droits aux catholiques, caractère archaïque de la justice, corruption du régime électoral. Le courant sentimental l'emportait sur le courant rationaliste. Refusant l'exemple français, l'Angleterre se rangeait dans le camp de la contre-révolution (Burke, *Réflexions sur la Révolution française*, 1790).

Les transformations de la France

Les historiens recherchent avec conscience tout ce qui dans le dernier siècle de l'Ancien Régime prépare la Révolution. Aussi sont-ils très sensibles aux tares du régime condamné. Ils ne sont d'ailleurs pas d'accord sur le moment où la monarchie a perdu toute chance de survivre en se transformant. Les contemporains ne l'ont pas été davantage. Il semble cependant qu'ils aient eu conscience seulement au dernier moment de l'éventualité d'un bouleversement du régime social et politique. A la fin du xviiie siècle la révolution des mentalités n'avait pas gagné tous les esprits. Il en restait autant tournés vers le passé que vers l'avenir et beaucoup plus encore ne vivant que dans le présent. De nombreux faits sociaux et mentaux touchant notamment les classes populaires ne peuvent se comprendre que si on écarte momentanément le devenir.

LE « SIÈCLE DE LOUIS XV »

Les témoignages de la civilisation française du xviiie siècle donnent l'idée d'une société brillante où l'Eglise et le roi ne sont plus les moteurs principaux. Cette image demande à être nuancée. En fait, la société est devenue plus mobile et la vie politique plus agitée.

La mobilité sociale

Bien que les structures juridiques de la société restent les mêmes, la mobilité sociale s'accroît à mesure que l'économie d'échange se répand et que grandit le rôle de l'argent dans les rapports sociaux. Elle s'exerce dans les deux sens de l'ascension et de la décadence.

On peut être frappé des « pesanteurs » de l'économie rurale si on la compare à celle de l'Angleterre. Cependant la montée du prix du blé a provoqué un essor de la rente foncière. Çà et là des droits seigneuriaux en argent reculent et sont remplacés par des droits en nature (champarts, tierces...). A la propriété éminente sur les terres des tenanciers, les seigneurs cherchent à joindre la propriété utile (rachats de tenures, partage des communaux...). Certains pratiquent le faire-valoir direct, utilisant les services de régisseurs, ou se livrent à des expériences agronomiques. Le plus souvent ils étendent le fermage ou le métayage et disposent de quantités croissantes de grains commercialisables. La société rurale est dominée de plus en plus par les grands propriétaires. Celui-ci est souvent un noble, parfois un anobli ou un bourgeois.

La distinction entre noblesse d'épée et noblesse de robe s'est estompée. La noblesse d'extraction ancienne domine au Parlement de Bretagne. La noblesse de robe a acheté des seigneuries. Toutes deux vivent à la ville au moins une bonne partie de l'année. Leur genre de vie et leur mentalité s'alignent. Ces nobles possèdent souvent un hôtel en ville, un château nouvellement construit au milieu de leurs terres, non loin de la tour féodale délaissée, voire une « folie » aux portes de la ville. Les unions de familles sont devenues fréquentes. Tous ont le même souci de défendre leur patrimoine et placent également leur argent en rentes d'Etat plutôt qu'en actions dans les affaires. Les nobles d'ancienne extraction sont à peine moins calculateurs que les autres. La noblesse de robe rivalise dans l'armée et le clergé avec la noblesse d'épée et les parlementaires se font les défenseurs des droits et des intérêts de toute la noblesse. Dans toute la noblesse la fortune est le principal facteur de considération admis en compensation du défaut d'illustration des familles (c'est-à-dire les services rendus).

Cependant la noblesse s'est considérablement diversifiée. D'une part l'accès à la Cour a pris un caractère institutionnel. La « présentation à la Cour » ne dépend que du roi. Aux familles « présentées », pas toujours de noblesse ancienne, vont cadeaux, pensions, hauts grades dans l'armée et riches évêchés, concessions de mines... Par contre, il se développe une plèbe nobiliaire. Dans les campagnes, beaucoup de gentilshommes peu aptes ou peu enclins à une gestion efficace de leurs domaines, appauvris par le service militaire, les dots à constituer pour prétendre aux alliances maintenant le rang, et aussi éventuellement le grand nombre d'enfants, manquent de capitaux pour améliorer l'exploitation de leurs terres et mènent une vie qu'ils jugent médiocre (J. Meyer). La plupart ne possèdent plus que des seigneuries démembrées ou seulement des fiefs. Si la coutume de Bretagne offre la possibilité à ces familles de laisser « dormir » leur noblesse le temps de refaire leur fortune par des activités roturières, assez peu de nobles en profitèrent. Plus souvent les cadets vont à la ville en quête d'un emploi administratif. Aussi existe-t-il dans les villes une noblesse non fieffée, nombreuse surtout à Paris, où beaucoup vont tenter leur chance (R. Dauvergne). Enfin, beaucoup de cadets entrent dans l'armée comme simples soldats en cachant leur qualité, vont aux colonies ou disparaissent dans la roture.

Le genre de vie et la mentalité des nobles se sont diversifiés selon la fortune. En apparence rien ne rapproche le noble de cour à la vie fastueuse ou même le « baron du blé » toulousain de la plèbe nobiliaire, tantôt laborieuse, tantôt ignare et fataliste. Cependant, si différents qu'ils soient, tous les nobles gardent la conscience de leur ordre et restent unis pour la défense de leur statut et de leurs privilèges ce mot ayant pris le sens moderne d'avantages particuliers.

Dans la bourgeoisie la mobilité sociale a toujours été importante. Deux voies existent. La voie traditionnelle et lente des offices permet à force de persévérance et d'économies d'acquérir un office modeste et de le revendre pour acheter un office plus relevé, à moins que la nécessité de placer plusieurs enfants n'épuise les ressources. Aussi n'est-il pas rare de voir dans la même famille à la fois des artisans et des petits officiers. L'autre voie, plus rapide et plus aléatoire, est celle des affaires (ex. les frères Pâris). Les guerres, par le recours aux munitionnaires, et le système de Law ont accru les occasions. Dans les deux cas l'essor de la famille souvent commence dans une bourgade, se poursuit dans une ville et s'accompagne d'acquisitions de terres. Des offices seigneuriaux ou municipaux et des emplois administratifs subalternes, certains se hissent aux offices royaux, du commerce des grains ou de la ferme générale d'une seigneurie, aux affaires plus importantes. A un certain niveau de fortune on ambitionne des offices coûteux susceptibles de procurer la noblesse (secrétaires du roi) et la possession de seigneuries. Les études sont de plus en plus l'accompagnement de toute ascension, autant par l'éducation et les relations que procurent les collèges que par l'instruction qui s'y donne. Ainsi se constitue une haute bourgeoisie aisée, instruite, dont le genre de vie tend vers celui de la noblesse et à qui ne manque que la naissance. Pour les filles, une bonne dot peut compenser la roture. Les hommes cherchent à faire oublier celle-ci par le service des armes, au moins avant que la réaction nobiliaire ne rende plus difficile l'accès aux grades d'officiers.

Au temps des « Lumières », les « hommes à talents » se multiplient et sont mieux considérés : ingénieurs, médecins, avocats et aussi artistes, écrivains, journalistes. Pour les dernières catégories la position est personnelle et devient rarement familiale. Cette bourgeoisie peut rencontrer la noblesse dans les académies, sociétés de pensées et même salons. Ainsi noblesse et talents semblent se rapprocher dans ce qu'on peut appeler l'élite (M. Reinhard). La vocation de la noblesse est d'ailleurs souvent mise en cause. A quelques mois de distance paraissent en 1756 *La Noblesse militaire* du chevalier d'Arc et *La Noblesse commerçante* de l'abbé Coyer. Tandis que le premier souhaitait une noblesse de service où l'on admettrait les roturiers s'étant distingués dans les armes, le second dénonçait les lois qui frappaient de dérogeance les nobles pratiquant le commerce de détail et les préjugés qui étendaient l'interdiction à toutes les affaires. Il est d'ailleurs à noter que dans les derniers temps de l'Ancien Régime les anoblissements récompensent plus souvent les « hommes à talents », les armateurs, négociants et industriels que les militaires. En fait, si un rapprochement s'opère entre noblesse éclairée et haute bourgeoisie, la naissance est restée un obstacle juridique et moral redoutable.

Dans les catégories plus humbles de la population, les possibilités d'ascension sociale se sont ouvertes. Elles sont le fait d'une sélection et du hasard. Il se constitue une élite populaire parmi les gens qui ont eu la chance d'échapper aux conséquences des disettes. Il existe plusieurs voies. Les paysans propriétaires, les fermiers, le personnel seigneurial représentent une petite bourgeoisie rurale. Dans les villes ce sont les artisans indépendants, maîtres des métiers traditionnels restés corporatifs. Les enfants vont à l'école, parfois au collège. L'achat de lopins de terre marque souvent les premiers pas vers la sortie des classes populaires. Une autre voie s'ouvre depuis Louis XIV et surtout sous Louis XV avec le service de l'Etat. C'est d'abord l'armée qui donne du pain à beaucoup de miséreux et pour ceux qui savent lire et écrire l'accès aux grades de « bas-officiers ». Depuis 1764, les pensions d'invalides accordées aux mutilés et anciens soldats (solde au bout de 24 ans de service, demi-solde au bout de 16 ans) créent un type social nouveau : l'ancien soldat, généralement assez dégrossi. Dans les administrations les emplois subalternes se multiplient : cavaliers de maréchaussées, gardes-gabelle, gardes d'arsenaux..., donnés à ceux qui savent lire et écrire et qui souvent viennent de l'armée. L'alphabétisation permet ou consacre l'accès à cette élite populaire qui se veut distincte des autres classes populaires et ne se rapproche de celles-ci que dans les périodes de vie chère et de mécontentement général. Toutefois l'accès à cette élite populaire est fermé à la plupart des ouvriers de l'industrie capitaliste, aux « artisans dépendants », par exemple à ceux du textile, dont la seule conquête est le recul de la mortalité. Encore certains de ces hommes risquent-ils en cas de crise économique de tomber dans les « classes dangereuses ». Si étroites que paraissent les possibilités d'ascension sociale, elles sont devenues beaucoup plus larges qu'au siècle précédent.

L'éclat de la civilisation. Art et société au XVIIIe siècle

La place qu'occupait la monarchie dans le mécénat au siècle précédent s'est réduite. L'élite sociale vers laquelle tendent une partie de la noblesse et de la bourgeoisie devient l'inspiratrice du goût, qui a ainsi pris un caractère moins solennel.

Dans le domaine littéraire, les œuvres militantes de Voltaire, Diderot, Rousseau, etc., non seulement prennent la forme de traités et discours, mais pénètrent le conte, le roman et le théâtre, exprimant d'abord l'idéal rationaliste puis la sensibilité. Le dernier tiers du siècle voit apparaître le drame bourgeois et la comédie larmoyante, mais la satire sociale garde la faveur du public avec le théâtre de Beaumarchais (*Le mariage de Figaro*, 1784). Enfin la poésie élégiaque retrouve vie avec André Chénier. La peinture est également sensible aux courants d'idées et au goût de la société, genre léger avec Boucher, plus rêveur avec Fragonard, analyse psychologique des pastels de La Tour, recherche de l'émotion dans la vérité des scènes de genre de Chardin. Puis la vogue sentimentale semble tout balayer avec Greuze. Cependant se produisent des réactions avec Hubert Robert, sensible à la poésie des ruines, et David, qui lance un retour à l'antique amorcé depuis longtemps par les fouilles de Pompéi et le voyage de Marigny en Italie (1751). La musique depuis Rameau a surtout été illustrée par des étrangers. La Cour et la société éclairée se partagent entre Piccinni et Gluck, mais à la veille de la Révolution s' « éveille le goût du grandiose et du déclamatoire » avec Grétry et Méhul. Cette société raffinée recherche avant tout l'harmonie de son cadre de vie. Architecture, décoration, mobilier... sont conçus comme formant un tout, élégant, discret et confortable : style Louis XV, léger et raffiné, style

Louis XVI, plus sobre, s'adaptant à des pièces d'habitation plus spécialisées.

Le cadre collectif de vie connaît un renouvellement important avec l'architecture et l'urbanisme. Le roi ne construit plus de grands châteaux. Louis XV fait aménager Versailles dans le goût du jour. C'est la construction du petit Trianon, meilleur exemple des nouvelles demeures aristocratiques. Cependant la monarchie multiplie les bâtiments publics : intendances, casernes, les municipalités suivent avec des hôtels de ville. L'Eglise dont les revenus n'ont pas diminué construit beaucoup : églises (comme le Panthéon) attestant la vigueur de l'art religieux adapté aux nouvelles conceptions sociales et artistiques, et surtout, pour les communautés religieuses regroupées, nombreuses abbayes qui, sécularisées à la Révolution, pourvoiront la France de lycées, hôpitaux, casernes, prisons... L'urbanisme se développe partout en rapport avec l'esprit des « Lumières », les progrès de la médecine et de l'hygiène, enfin la spéculation immobilière. Les remparts des villes devenus inutiles sont abattus et font place à des boulevards circulaires. La démolition des forteresses permet de créer de grandes places ou des parcs. L'édification de théâtres ou d'églises suscite le remodelage du quartier. De grandes percées sont sinon réalisées, du moins étudiées. Les urbanistes de la fin du XVIIIe siècle légueront à ceux du siècle suivant un nombre considérable de projets souvent amorcés (Champs-Elysées, Etoile...). Une véritable fièvre s'empare des architectes qui, à la veille de la Révolution, sous l'influence des « Lumières », à l'exemple de l'Italien Lodoli, rêvent d'un art fonctionnel, multiplient les projets d'édifices utiles, aux formes les plus simples, dont ils vont chercher l'inspiration dans l'art romain, voire égyptien. Le plus célèbre de ces architectes « visionnaires » est Ledoux (cité ouvrière des Salines d'Arc-et-Senans).

Cet art qui se veut social modifie peu le cadre de vie des classes populaires. Cependant la culture populaire évolue lentement avec les progrès de l'alphabétisation. Sans doute la « Bibliothèque bleue » et les gravures sur bois ne changent guère leurs thèmes (cantiques spirituels...), l'art populaire garde une inspiration rurale ou professionnelle, mais la mode sentimentale a conquis la petite bourgeoisie et pénétré dans des foyers plus humbles, sous forme de gravures relativement peu coûteuses reproduisant quelques œuvres célèbres (notamment de Greuze) ou délaissées par la bourgeoisie, d'humbles carrés de papiers peints ou de menus objets. Mais ceux qui restent en dehors de l'élite populaire ne sont pas touchés et le fossé s'élargit entre la mentalité et la sensibilité de plus en plus raffinées de l'élite et celles des classes populaires.

L'agitation politique

Après la mort du cardinal Fleury, la monarchie d'Ancien Régime n'aura plus de premier ministre, mais les souverains ne posséderont pas les qualités nécessaires pour s'en passer et l'action des ministres qui souvent furent excellents manqua de coordination. Louis XV, intelligent mais indolent, fut partagé entre l'influence dévote de sa famille et celle de ses maîtresses. Les difficultés financières et religieuses interférèrent pour alimenter une opposition dont les parlements se firent les porte-parole. L'instabilité ministérielle s'accrut jusqu'au moment où Louis XV se décida à rétablir son autorité.

De 1745 à 1764 la marquise de Pompadour, liée aux financiers, guida le mécénat royal et exerça une action politique. La guerre de Succession d'Autriche avait amené une crise financière qu'aggrava une disette en 1747-1748. La paix signée en 1748, l'ordre fut rétabli par le comte d'Argenson, ministre de la Guerre, chargé de la police, qui épura Paris en procédant à des rafles. L'intendant Machault nommé contrôleur général des finances tenta une réforme fiscale : l'impôt du vingtième devait peser sur tous les revenus y compris ceux du clergé, de la noblesse et des habitants des pays d'Etats (édit de Marly, 1749). Le clergé, visé également par un édit contre l'accroissement de ses biens, vit dans ces mesures l'inspiration des Philosophes qui, d'ailleurs, soutenaient Machault. Il réussit avec l'appui de la famille royale à se faire exempter du vingtième (1751). Ce succès fut sans lendemain car l'affaire des billets de confession lui aliéna les parlements. Plusieurs évêques ayant refusé les sacrements à des jansénistes qui ne présentaient pas de billet de confession signé d'un prêtre constitutionnel (cf. p. 350), le parlement de Paris condamna ces curés pour refus de sacrements et, dans sa remontrance d'avril 1753, il affirma son gallicanisme. Un malaise se répandait dans tout le royaume. L'extension des impôts indirects amenait une fraude croissante et même le banditisme (Mandrin). L'attentat de Damiens contre Louis XV provoqua le renvoi de Machault et d'Argenson (1757). Cependant la guerre avait repris. La défaite de Rossbach ébranlait l'opinion, mettait en cause à la fois le gouvernement et les Philosophes cosmopolites.

La Pompadour soutenait les Philosophes et en 1751 la *Direction générale de la Librairie* était confiée à Malesherbes qui aida à la conjonction entre Philosophes et parlementaires. Il protégea la publication de l'*Encyclopédie*, mena l'offensive contre le projet de subvention territoriale du contrôleur général Silhouette en mêlant défense des droits naturels et des intérêts des privilégiés. Cette équivoque allait se retrouver dans l'action du Parlement pendant le temps où Choiseul fut ministre (1758-1770). Celui-ci, cumulant les secrétariats d'Etat aux Affaires étrangères, à la Guerre et à la Marine, se consacrait surtout au relèvement de la France et à la préparation de la revanche contre l'Angleterre à laquelle la France avait dû céder l'Inde et le Canada (traité de Paris, 1763). Il procéda au rattachement de la Lorraine (1766) et à l'annexion de la Corse cédée par les Gênois (1768). Cependant il éluda les difficultés intérieures, flattant l'opinion, les Philosophes, abandonnant les contrôleurs généraux à l'égoïsme des privilégiés, laissant diminuer l'autorité royale en tolérant les incartades des parlements.

Ceux-ci, usant de leurs droits d'enregistrement et de remontrance retrouvés à la mort de Louis XIV, se donnaient une popularité facile en jouant les « Pères du peuple ». Leurs prétentions politiques augmentaient. En 1756, ils exprimaient l'idée que les parlements étaient les « classes » d'un même corps, le Parlement de France, dont le consentement était indispensable pour qu'un édit ait force de loi. Bientôt ils affirmèrent qu'en l'absence des Etats généraux ils représentaient la Nation.

Plusieurs mesures témoignent de cet accord entre Philosophes et Parlement. Ce fut la suppression de la compagnie de Jésus et l'expulsion des Jésuites en 1762, la participation des parlementaires aux projets de réforme de l'enseignement des collèges, nécessités par le départ des Jésuites, la réforme municipale de 1764-1765 qui tentait d'unifier les administrations des villes en fixant la représentation au sein des corps de ville du clergé, de la noblesse et des différents corps du tiers état. Enfin, le Parlement ne fit pas obstacle aux tentatives de libéralisation de l'économie. En 1764 un cinquième secrétariat d'Etat fut créé pour le physiocrate Bertin, chargé des affaires économiques. C'est l'époque des édits de partage des communaux, du relâchement de la réglementation industrielle, de la liberté du commerce du blé (1763), de la suppression de la Compagnie des Indes (1769). Mais en même temps les parlementaires s'opposaient à toutes les réformes fiscales que les contrôleurs généraux étaient amenés à proposer. Bertin, chargé de ces fonctions (1759-1763), avait envisagé la constitution d'un cadastre. En attendant il devait augmenter les impôts pesant sur tous (sauf sur le clergé) comme la capitation et le vingtième. Laverdy, parlementaire qui remplaça Bertin, fut également renvoyé lorsqu'il envisagea une taille tarifée. L'opposition parlementaire alla jusqu'à la rébellion avec les affaires de Bretagne (1763-1770) dans lesquelles Louis XV laissa inculper le gouverneur de la province d'Aiguillon, que le Parlement de Paris priva de sa pairie en faisant le procès de l'administration royale (avril 1770).

En fait une réaction monarchique se préparait. Louis XV avait en 1768 pris comme chancelier un ancien président du Parlement de Paris, Maupeou, et en 1769 comme contrôleur général des finances l'abbé Terray, deux hommes énergiques. Louis XV ayant refusé de se laisser entraîner aux côtés de l'Espagne dans une guerre contre l'Angleterre, Choiseul se retira et fut remplacé aux Affaires étrangères par d'Aiguillon (1770). Ce fut le « Triumvirat » qui représente une ultime tentative de la monarchie pour briser l'opposition et moderniser l'Etat, tentative qui s'apparente à l'action des Despotes éclairés (cf. p. 433). Le 23 février 1771 un édit mettait partiellement fin à l'Ancien Régime dans la justice : abolition de la vénalité des charges, suppression des épices, création de nouveaux parlements avec des juges appointés, morcellement du ressort de l'ancien Parlement de Paris. Malgré l'opposition de la noblesse, de Choiseul et des pamphlétaires tel Beaumarchais, les nouvelles cours furent mises en place. Il était difficile de mener en même temps une réforme fiscale. L'abbé Terray, « opportuniste sans système ni scrupule » (H. Méthivier), para au plus pressé par une politique de stricte économie, qu'il tenta même, d'ailleurs sans grand succès, d'étendre aux dépenses de cour. Comme la conjoncture économique devenait mauvaise, il revint à la réglementation et suspendit la liberté du commerce du blé. Bravant l'impopularité, il permet à l'Ancien Régime d'enrayer un temps la décadence. Les Philosophes ne reconnurent pas dans le « Triumvirat » un régime « éclairé ».

CRISE ÉCONOMIQUE, SOCIALE, FINANCIÈRE ET POLITIQUE

La mort inopinée de Louis XV livra le royaume à un jeune homme bien intentionné mais sans caractère, marié à une princesse autrichienne enjouée mais hautaine. Il fut bien accueilli à cause du mécontentement provoqué par le « Triumvirat ». Toute action royale risquait d'exaspérer les antagonismes sociaux. La situation financière était mauvaise, mais pas plus qu'en 1715. Par contre, depuis 1773 la conjoncture économique était devenue défavorable.

Exaspération des antagonismes sociaux

A l'exception du commerce colonial qui continue à grossir des fortunes, différents secteurs de l'économie connaissent des difficultés. Les prix montèrent avec les mauvaises récoltes de 1773 et 1774 puis s'effondrèrent avec les récoltes abondantes de blé et de vin (1781-1782). Ces crises atteignirent les petits exploitants, poussèrent les propriétaires à accroître les fermages, les fermiers à réduire l'embauche, et amenèrent une diminution des salaires. Le pouvoir d'achat recula dans les campagnes et l'industrie textile s'en ressentit. La situation fut à peu près rétablie entre 1782 et 1787, malgré une crise des fourrages en 1785 et les inquiétudes causées par le traité de commerce franco-anglais de 1786. Mais en 1788-1789 de mauvaises récoltes firent remonter les prix, provoquèrent le marasme des affaires et le chômage alors que les gros exploitants étaient peu atteints.

Cette crise économique exaspéra les antagonismes sociaux. Elle toucha directement les classes populaires et la plèbe nobiliaire, inquiéta la petite bourgeoisie, mais affirma la puissance de la haute bourgeoisie et de la noblesse physiocratique. Réduite par la difficulté à équilibrer dépenses et revenus, l'ascension sociale le fut également par la réaction nobiliaire qui s'exerça dans le clergé, l'armée et la haute administration. En 1789 tous les évêques étaient nobles. L'armée fut le théâtre d'une offensive nobiliaire qui débuta avec le maréchal de Belle-Isle en 1758 et se développa sans répit jusqu'en 1789. La noblesse rendit responsable des revers de la guerre de Sept Ans le grand nombre d'officiers issus de la bourgeoisie. De nombreux jeunes nobles se consacrèrent à l'armée en s'imposant de sévères études, un entraînement et une discipline jamais atteints jusque-là en France. Mais la réforme de l'armée faite par la noblesse le fut pour la noblesse. La noblesse de cour monopolisa les hauts grades tandis que les charges d'officiers subalternes furent réservées à la noblesse pauvre en barrant la route aux riches roturiers par l'abolition de la vénalité des charges militaires en 1776 et par l' « Edit » de Ségur (1781) qui réservait l'accès à l'épaulette sans passer par le rang, aux seuls candidats présentant les preuves de quatre quartiers de noblesse. Au moment où l'Ancien Régime administratif disparaissait de l'armée, l'Ancien Régime social s'y renforçait. La bourgeoisie voyant déçus ses espoirs d'ascension sociale défendait avec plus d'âpreté ses positions contre les hommes issus des classes populaires qui auraient échappé aux effets de la crise économique. Ainsi dans l'armée l'accès au grade de bas-officiers devint plus difficile « au mérite », c'est-à-dire à l'ancienneté. On fut plus exigeant sur la capacité de lire et écrire. Cette situation parut d'autant plus pénible que pendant quelques décades la mobilité sociale s'était accrue et avait permis à un assez grand nombre de familles des espoirs relativement larges d'amélioration de leur situation.

L'échec de la politique de réformes

Sensible à l'opinion, Louis XVI renvoya le « Triumvirat » et rappela les parlements. Ainsi il « abdique avant même d'avoir gouverné ». Il appela au gouvernement des administrateurs éclairés, amis des Encyclopédistes et économistes. Le Contrôle général des Finances fut confié à Turgot, qui avait bien réussi dans son intendance en Limousin, et le secrétariat à la Maison du roi (alors sorte de ministère de Paris, en passe de devenir ministère de l'Intérieur) à Malesherbes. Ces deux ministres s'entourèrent d'économistes et de philosophes, tels Dupont de Nemours et Condorcet. Avec Vergennes aux Affaires étrangères, Saint-Germain à la Guerre et Sartine à la Marine, c'était une nouvelle équipe dont l'arrivée suscita de vifs espoirs. Dans le programme présenté au roi par Turgot se trouvent des mesures rigoureuses d'économies, « point de banqueroute, point d'impôts nouveaux, point d'emprunt », qui continuent la gestion de Terray et des réformes, dont certaines déjà tentées par Bertin, comme le retour à la liberté du commerce des grains. En quelques mois ce fut la suppression de droits intérieurs, de la corvée royale remplacée par un impôt sur les propriétaires, des jurandes, accompagnée de la liberté industrielle. Turgot envisageait également la confection d'un cadastre général et l'établissement de municipalités, de paroisses, de provinces, et d'une municipalité nationale, idées chères aux Philosophes. Turgot eut l'imprudence d'aller trop vite, de négliger la conjoncture économique et l'attachement des classes populaires à la réglementation. La liberté du com-

merce des grains favorisa l'accaparement, accentua la hausse des prix
due à la disette et provoqua des émeutes (guerres des farines). Ces réformes
provocantes suscitèrent une coalition des mécontentements aristocratiques et populaires. Quelques mois après le renvoi de Turgot (mai 1776),
il ne restait rien de son œuvre. Par contre, l'administration de l'armée et
de la marine furent rénovées. Saint-Germain supprima la vénalité des
charges (1776), créa des écoles militaires, réforma la milice, « endivisionna »
l'armée, introduisit la discipline à la prussienne, adopta un armement excellent, tandis que Sartine s'entourait de bons techniciens tel le chevalier de
Borda. En 1789 l'organisation de l'armée est moderne et sa valeur technique
est excellente. Napoléon n'y apportera que des modifications de détail et
les cadres tracés par Saint-Germain subsisteront en gros jusqu'en 1940.

L'échec de l'expérience Turgot avait compromis la politique de réforme. Or,
en 1778 la France entrait en guerre contre l'Angleterre pour soutenir les « insur-
geants » américains. La révolution américaine eut de graves conséquences. L'Amérique remplaçait l'Angleterre comme modèle politique et social. La *Déclaration
des droits* de 1776 suscita l'enthousiasme des esprits éclairés et encouragea ceux
qui pensaient à une transformation radicale de l'Ancien Régime. En même temps
la guerre porta un coup fatal aux finances royales. C'est à Necker que revint la
rude tâche d'y faire face. Nommé directeur général des finances, ce banquier
suisse et protestant se montra prudent. Il inspira confiance aux privilégiés en
ajournant les réformes fiscales, au plus grand nombre en n'augmentant pas les
impôts, et put recourir à l'emprunt, ce qui d'ailleurs hypothéquait l'avenir.
De plus son ministère fut accompagné d'un grand nombre de réformes administratives qui pour être discrètes n'en préparaient pas moins l'œuvre du Directoire
et du Consulat : mise en régie de nombreuses taxes et de droits perçus par la Ferme
générale (origine des contributions indirectes), assouplissement de la réglementation industrielle, abolition de la question préparatoire (torture réglementaire),
du servage sur le domaine royal, expérience d'une assemblée provinciale des trois
ordres en Berry avec représentation doublée du tiers état. Une fausse manœuvre,
la publication du *Compte rendu au roi*, résumé d'ailleurs truqué de la situation
budgétaire, où figuraient les dépenses de la Cour, provoqua la chute de Necker.
De 1781 à 1783, le gouvernement se borna à expédier les affaires courantes.

Euphorie de l'après-guerre, réformes forcées et crise d'autorité

Bien que procurant à la France des avantages limités, la paix victorieuse fut suivie d'une conjoncture favorable d'ailleurs dans toute l'Europe
occidentale, dont profita habilement le nouveau contrôleur général
Calonne (1783-1787). Celui-ci encouragea l'expansion économique (équipement de Cherbourg, du Creusot), la libéralisation des échanges avec
l'adoption de l' « exclusif mitigé » à l'égard des Etats-Unis (1784) et le

traité de commerce avec l'Angleterre (1786), la résurrection de la Compagnie des Indes sans monopole (1785). Ayant rétabli la confiance, Calonne maintint les finances à coup d'emprunts massifs (800 millions). Ce fut un moment d'euphorie. Grâce au commerce colonial, le commerce extérieur rivalisa avec celui de l'Angleterre. Paris devint un foyer de spéculation dominé par les banquiers étrangers, surtout suisses, où s'activaient des affairistes utilisant les plumes vénales de publicistes (Beaumarchais, Mirabeau). L'Ancien Régime jetait ses derniers feux. La spéculation immobilière transformait l'aspect des villes. Le luxe de l'aristocratie se faisait ostentatoire. Mais l'élite était en quête de nouveautés (cf. p. 415) et de scandales (affaire du collier de la reine).

En 1786 la politique d'emprunts avait obéré les finances et acculé Calonne à une politique de réformes. Dans un *Mémoire au roi* il proposa de reprendre l'action de Turgot et de Necker : généralisation des assemblées provinciales, création de municipalités élues, d'un impôt, la Subvention territoriale, destiné à remplacer le vingtième et perçu sur tous les propriétaires, l'abolition de la corvée, des douanes intérieures. Pensant que les parlements feraient obstacle à ses projets, Calonne eut l'idée de présenter ceux-ci à une assemblée de notables choisis par le roi (1787). Les notables s'y opposèrent violemment et en appelèrent aux Etats généraux, et Calonne fut remplacé par l'archevêque Loménie de Brienne qui avait mené l'opposition.

Brienne ne put que reprendre les projets de Calonne, et congédia les notables. Il mit en place les réformes administratives proposées par Calonne : assemblées provinciales, préparation de municipalités censitaires élues, transformation de la corvée en impôt. Il faisait également aboutir le projet d'octroi aux protestants d'un état civil qui amorçait un retour à l'Edit de Nantes (1787). Cependant il devait renoncer à la Subvention territoriale (août-septembre 1787). Comme Brienne avait besoin d'argent pour assurer le service de la dette qui absorbait plus de la moitié des recettes, il tenta de lancer de nouveaux emprunts en promettant la convocation des Etats généraux. Le Parlement de Paris, suivi de quelques autres, prit la tête d'une véritable révolte aristocratique. Dans sa déclaration du 3 mai 1788, invoquant les lois fondamentales du royaume, il rappelait la nécessité de garantir la liberté individuelle, le maintien des privilèges et le contrôle de la monarchie par les Etats généraux. La même année, l'assemblée du clergé réaffirmait l'alliance du trône et de l'autel, la distinction des trois ordres de la société. Ces déclarations qui reflétaient l'égoïsme des privilégiés trouvaient un écho dans l'inquiétude suscitée dans une large partie de l'opinion restée traditionaliste par la révolution d'Amérique, les nouveautés, la menace de troubles populaires, la crainte des familles en voie d'ascension sociale qui risquaient de perdre les offices ou titres de noblesse, fruits d'un labeur patient. Pour briser cette opposition, Brienne, rééditant Maupeou, frappait les parlements. La réforme Lamoignon simplifiait les juridictions et transférait les pouvoirs judiciaires des parlements à quarante-sept grands bailliages et leur droit d'enregistrement à une cour plénière (8 mai 1788). Il était trop tard. L'opinion éclairée n'avait plus confiance dans la possibilité de réformes gouvernementales. Au contraire, elle prit le parti des parlements, suivie en cela par les masses populaires qui, éprouvées par la disette de 1788-1789, s'agitaient (émeutes de Rennes et Grenoble).

La conjonction de ces oppositions si diverses aboutissait à la révolte ouverte. Le 21 juillet 1788 se réunissait à Vizille une assemblée spontanée des Etats du Dauphiné supprimés sous Louis XIII. Partout l'armée, appelée à la répression, travaillée par le mécontentement dû aux réformes effectuées par les nobles, agissait parfois avec mollesse. Privés d'une partie de leurs pouvoirs par la création des assemblées provinciales, craignant d'être désavoués par le gouvernement, découragés, les intendants hésitaient. L'autorité s'écroulait. Pour gagner du temps, Brienne promettait les Etats généraux pour le 1er mai 1789. Au bord de la banqueroute, il démissionna le 25 août.

Necker fut rappelé. On attendait de lui des miracles. Il put emprunter et prit des mesures de circonstances telle la suspension du libre commerce des grains. Cependant la coalition se rompit lorsque, le 25 septembre 1788, le Parlement demanda que les Etats généraux se tiennent dans les formes observées en 1614. Aux privilégiés s'opposa le « parti national » qui obtint le doublement de la représentation du tiers, concession illusoire puisque les ordres votaient séparément (27 décembre). Pendant l'hiver 1788-1789, la liberté de presse, d'association et de réunion existe en fait. L'opinion passionnée discute des solutions à proposer aux Etats généraux. L'idée se répand que ceux-ci ne se contenteront pas de rétablir les finances, mais donneront une nouvelle constitution au royaume. Cependant chômage, mendicité, vagabondage provoqués par la crise économique développent les « classes dangereuses ». Le 24 avril 1789, une émeute éclate au faubourg Saint-Antoine, durement réprimée. Toutefois c'est dans un calme assez grand que se déroulent les élections des députés des trois ordres et que sont rédigés les cahiers de doléances confiés aux élus. Un grand nombre de ceux du tiers fut inspiré par la bourgeoisie. Insatisfaite ou inquiète des réformes administratives en cours, dont pourtant certaines étaient remarquables, la Nation attendait dans une atmosphère à la fois enfiévrée et messianique que le roi prenant le conseil de son peuple, rétablisse l'équité, la liberté, l'ordre et la prospérité.

Textes et documents : *Cahiers de doléances des députés aux Etats généraux,* par exemple, ceux du bailliage de Rouen éd. par M. Bouloiseau, 2 vol., 1957 et 1960. S. Mercier, *Tableau de Paris,* 1781. Restif de La Bretonne, *La vie de mon père,* 1779.

CHAPITRE XXVII

LES AUTRES ÉTATS EUROPÉENS
AU TEMPS DU « DESPOTISME ÉCLAIRÉ »

Cartes XVI, XVII et XVIII.

Bibliographie : Ouvrages cités p. 8. V.-L. TAPIÉ, *L'Europe centrale et orientale de 1689 à 1796* (Cours de Sorbonne) ; *Monarchie et peuples du Danube* (1969), et *L'Europe de Marie-Thérèse, du baroque aux Lumières* (coll. « Histoire sans frontières »), 1973. Fr. BLUCHE, *Le Despotisme éclairé*, 1969. J. SARRAILH, *L'Espagne éclairée de la seconde moitié du XVIIIe siècle*, 1954. E. ZÖLLNER et R. PORTAL, *op. cit.* Cl. NORDMANN, *Grandeur et liberté de la Suède (1660-1792)*, 1971.

La France et l'Angleterre ne sont pas seules à attirer l'attention de l'Europe éclairée. Dès 1740, la montée sur le trône de Prusse d'un souverain philosophe offre un nouveau type de gouvernement qui, tout autant que le gouvernement de l'Angleterre, a les faveurs des esprits conquis aux « Lumières ». Il s'agit du despotisme éclairé. Frédéric II aura des émules dans de nombreux pays du continent où souverains et ministres essaient avec plus ou moins de conviction, de ténacité et de bonheur, d'adapter quelques principes nouveaux à des Etats de conditions sociales et politiques différentes.

Le « despotisme éclairé »

L'expression ne date que d'une centaine d'années. Elle désigne des tentatives qui, autant que de principes, se sont nourries d'exemples.

LES COMPOSANTES

Le caractère le plus constant du despotisme éclairé est l'exaltation de l'Etat. Or ce n'est pas une nouveauté.

Déjà la monarchie française avec Richelieu et Louis XIV avait donné un modèle d'étatisation qui s'était répandu en Europe. La « raison d'Etat » n'est d'ailleurs pas l'apanage de la monarchie française. Les imitateurs de Louis XIV ont combattu les assemblées d'Etats et affirmé leur droit à lever des impôts sans contrôle. Sans doute la justification suprême de ces droits et de cette action du souverain est donnée par la religion. Le droit divin proclamé par Bossuet est encore plus réel en Russie qu'en France. Il existe également en Espagne et dans la royauté toute récente de Prusse. Cependant, par son application à son « métier de roi », Louis XIV s'est fait serviteur de l'Etat. Le « Roi-Sergent » se proclamera le premier serviteur de l'Etat. Enfin la monarchie de Louis XIV se veut cartésienne : le roi fait constamment appel à la raison, inséparable alors de la religion.

Tous ces éléments sauf la religion se retrouvent dans le despotisme éclairé, ce qui a fait qualifier le despote éclairé de « Louis XIV sans les Jésuites ». En fait, tout autant que Louis XIV, le despote éclairé est un homme de son temps.

Il a adopté, comme il est naturel, le vocabulaire des élites de son époque : utilité, bienfaisance, puis bonheur des peuples, philanthropie... et chez certains ce n'est pas formules creuses. Pour la plupart, dont le sceptique Frédéric II, c'est estimation raisonnable des services que les « Lumières » peuvent rendre à l'Etat : bonheur des peuples, ordre et ressources fiscales assurés, puissance de l'Etat. Ce n'est pas nouveau, mais le bonheur des peuples est conçu suivant les Philosophes des « Lumières » ou de l'*Aufklärung*, c'est-à-dire bonheur matériel et non apaisement de l'âme. Pour atteindre ce but, les princes philosophes écoutent les philosophes comme au siècle précédent les souverains écoutaient leurs confesseurs. Il y a entre princes et Philosophes des complaisances réciproques. Voltaire et Diderot ont encensé Frédéric II et Catherine II. Les princes ainsi soignent leur propagande. Certains esprits éclairés vont jusqu'à réhabiliter le despotisme encore condamné par Montesquieu. C'est le cas des Physiocrates. En 1767 Quesnay vante le gouvernement chinois dans *Le despotisme de la Chine* et Mercier de La Rivière dans *L'ordre naturel et essentiel des sociétés politiques* expose que l'autorité absolue de la loi entraîne celle du monarque, garant de la propriété et de la liberté, « despote patrimonial et légal ». On peut donc être à la fois despote et éclairé.

D'ailleurs les Philosophes, même Rousseau, conçoivent difficilement que le gouvernement d'un grand Etat soit démocratique ou même conforme à des principes absolus. Ils souhaitent seulement que le souverain, usant de son autorité, fasse des réformes allant dans le sens des « Lumières ». Ils appellent de leurs vœux la liberté individuelle et l'égalité des droits, mais généralement se contentent de la tolérance religieuse, d'une égalisation de l'impôt, d'une réforme du code, de l'extension de l'enseignement. Jusque vers 1780, le maintien de la société d'ordres en Prusse, en Russie et dans les Etats des Habsbourg ne les gêne guère, pas plus que les liens étroits entre l'Etat et l'Eglise. Ils soutiennent

de leur plume le despote éclairé « tenant philosophique de la raison pure
et technicien autoritaire de la raison appliquée » (F. Bluche), dont le
modèle est Frédéric II.

FRÉDÉRIC II REMPLACE LOUIS XIV COMME MODÈLE DE SOUVERAIN

Frédéric II n'avait pas à imposer l'étatisme en Prusse. C'était déjà
fait. Il fut par contre le créateur de la monarchie éclairée (F. Bluche).

On trouve ses principes dans *L'Antimachiavel* (1739) qui doit à Wolf et à
l'*Aufklärung* autant qu'à Voltaire. Recevant les Philosophes à sa table ronde de
Sans-Souci, il met au point sa pratique dans les années de paix 1746-1756. Il
sait adapter les idées des « Lumières » aux conditions présentées par ses Etats.
Le « miracle de la maison de Brandebourg » complète en Europe l'admiration
pour le prince génial et l'Etat qui n'ont pas défailli alors qu'ils luttaient presque
seuls contre trois grandes puissances.

Il est à noter que les tentatives de despotisme éclairé ont lieu soit dans
des Etats constitués de fraîche date et encore mal soudés, soit dans des
Etats arriérés, soit encore dans des Etats ne possédant qu'une bourgeoisie
limitée à quelques villes ou très faible. Le souverain doit donc s'appuyer
sur l'aristocratie seule susceptible d'être gagnée aux « Lumières » et lui faire
de grandes concessions, notamment en Prusse et surtout en Russie. Les
paysans sont abandonnés à l'autorité et à l'exploitation des seigneurs.
Servage et corvée continuent à progresser à l'est de l'Elbe sauf peut-être
dans l'anarchique Pologne. Enfin la faiblesse de la bourgeoisie limite le
rôle de l'opinion publique. Il semble que le despotisme éclairé soit
incompatible avec la présence d'une opinion sensible et mouvante.
C'est probablement une des raisons de l'échec en France de tentatives
faites par quelques ministres et intendants de réformes autoritaires qui
ne sont pas sans analogies avec le despotisme éclairé.

Les réussites du despotisme éclairé : Prusse et Russie

Les cas de la Prusse et de la Russie présentent quelques ressemblances.
Héritiers d'Etats récemment modelés par la forte poigne de leurs devan-
ciers (le « Roi-Sergent » ou Pierre le Grand), deux souverains d'éducation
française, Frédéric II et Catherine II, également intelligents et cyniques,
capables de soigner leur publicité, s'appuient sur l'aristocratie qui les aide
à soumettre leurs peuples au service de l'Etat. Les différences ne sont pas

moindres, dues aux différences de dimension et de formation de leurs Etats. La Prusse est un royaume artificiel, fait du rassemblement d'Etats germaniques disparates, mal soudés entre eux. La Russie est une vieille nation où la tradition représente à la fois une force d'unité incontestable et une force d'inertie redoutable.

FRÉDÉRIC II ET LA PRUSSE

L'œuvre du despotisme éclairé apparaît plus facile en Prusse qu'ailleurs. L'exiguïté des territoires rendait plus présente l'autorité du souverain et la dynastie bénéficia du prestige de ses victoires. Les domaines des Hohenzollern formaient trois groupes. Les deux groupes essentiels appartenaient à l'Europe de l'Est. C'était d'abord le Brandebourg et ses annexes, Poméranie orientale et port de Stettin ; venait ensuite le duché de Prusse orientale profondément pénétré d'enclaves polonaises, mais possédant le port de Königsberg. Le troisième groupe, à l'ouest de l'Elbe, appartenant à l'Europe de l'Ouest (Clèves, Juliers, Berg, auxquels on peut rattacher Magdebourg) était fait de territoires exigus, dispersés, mais riches. Le tout n'avait que 2 200 000 habitants. Si la densité de population atteignait 40 habitants au kilomètre carré à l'ouest, elle tombait au-dessous de 20 hab./km² ailleurs. En Brandebourg les ravages de la guerre de Trente ans étaient à peine réparés lorsque la famine et la peste de 1709-1710 avaient causé de lourdes pertes. Sauf à l'ouest, l'économie était encore peu active, malgré les progrès de l'exportation du blé des grands domaines. L'agriculture extensive dominait. Les *Junkers* possesseurs d'immenses domaines exploitaient un domaine proche important *(Gutherrschaft)* et répartissaient le reste *(Grundherrschaft)* entre des paysans dont les tenures ni héréditaires ni cessibles étaient parfois révocables. Les serfs de corps restaient nombreux et les autres vassaux lourdement chargés de corvées voyaient leur condition économique et juridique se rapprocher de celle des serfs. Les seigneurs étaient les agents de l'Etat, rendant la basse justice sur les serfs, levant l'impôt du roi, formant les cadres des régiments recrutés dans le canton. Le commerce était encore médiocre et attiré par Hambourg. Les manufactures ne travaillaient guère que pour l'Etat et l'armée.

Frédéric II, lettré et philosophe, grand capitaine, grand diplomate, fut également un grand administrateur ; voyant tout par des inspections et par l'envoi de questionnaires, dirigeant tout, il accomplit pendant tout son règne (1740-1786) un travail considérable dans tous les domaines. Il fut son propre Louvois et son propre Colbert. Dans son œuvre on peut faire deux parts : ce qui est continuation de l'œuvre de ses prédécesseurs par des moyens à peine renouvelés et ce qui est inspiré par l'esprit des « Lumières ».

La concentration des pouvoirs et la bureaucratisation furent poursuivies. Frédéric II ne réunit plus ses ministres et communiqua avec eux par ordres de cabinet. Un réseau de commissaires du gouvernement, nommés par le roi parmi les gentilshommes des provinces, fut développé. Ils s'occupaient à la fois des finances, de l'économie et de l'armée.

Le rassemblement des terres auquel s'étaient livré les Hohenzollern fut accéléré : Silésie (1742), Frise orientale (1744) et Prusse occidentale (1772). La superficie doubla et, sauf à l'ouest, le territoire prussien fut désormais d'un seul tenant. Des agences de recrutement accélérèrent l'immigration et l'installation des colons (frais de transports payés, distributions de terres, de bétail et d'outillage, exemption temporaire de taxes et de service militaire). 300 000 colons furent installés. Frédéric II laissa un royaume de 5 700 000 habitants.

La politique économique de Frédéric II ne se ressentit guère des idées philosophiques. Il abolit le servage dans les domaines royaux. Les fermiers du roi généralement assez aisés constituèrent une sorte d'élite paysanne assez ouverte aux innovations. Ailleurs il se borna à limiter les corvées et les évictions. Les *Junkers* furent favorisés par la constitution de majorats et la création de banques de crédit hypothécaire à leur service exclusif. L'assèchement des marais continua et la reconstruction fut rapidement menée dans les régions dévastées par la guerre de Sept Ans. La production industrielle connut un remarquable essor. Frédéric II pratiqua le colbertisme. En ville les corporations contrôlées par l'Etat depuis 1735 devinrent les instruments de la politique industrielle. Les ouvriers furent étroitement surveillés. Dans les campagnes seuls étaient autorisés certains métiers (toiles, métallurgie) et le contrôle était exercé par les seigneurs. L'interdiction d'exporter de la laine, d'importer des cotonnades, vêtements et articles de luxe, la constitution de manufactures privilégiées aidèrent au développement de l'industrie de la laine, de la toile (Silésie, Ouest) et du chanvre, de l'extraction du charbon, de la métallurgie et de la verrerie dans l'Ouest. Le canal de l'Elbe à l'Oder fut achevé et permit de détourner le trafic de la Silésie vers Stettin. Flotte de commerce, compagnies de commerce (Indes orientales et Levant), Banque royale créée en 1765 témoignent de l'activité multiple de Frédéric II.

Le domaine royal était considérable, plus d'un quart des paysans étaient fermiers du roi dans les territoires appartenant aux Hohenzollern en 1740, et contribuaient pour une part importante aux recettes de l'Etat. Il existait un impôt foncier perçu sur les tenanciers de terres. Dans les villes, l'*accise*, impôt perçu sur les marchandises à l'entrée des villes, remplaçait les impôts directs. Grâce à une sévère gestion, Frédéric II avait réussi à constituer un trésor de guerre représentant trois années de recettes. La moitié de celles-ci environ allaient à l'armée.

Frédéric II continua l'œuvre militaire de son père. En 1786, l'armée prussienne atteignit 186 000 hommes, soit presque celle de la France pourtant quatre à cinq fois plus peuplée que la Prusse. L'enrôlement de mercenaires étrangers suppléait au système du recrutement par cantonnement. L'armée était le pilier de l'Etat. Ses cadres étaient réservés à la noblesse. Elle aidait l'administration dans le maintien de l'ordre, la perception des impôts, la surveillance des prix et des ateliers. Elle stimulait l'économie par ses besoins considérables. Enfin les anciens soldats fournissaient des fonctionnaires subalternes.

Face à cette œuvre immense de caractère traditionnel, l'application des principes philosophiques apparaît mince. Frédéric II pratique la tolérance à l'égard de toutes les confessions religieuses. L'annexion de la Silésie et de la Prusse occidentale lui vaut près de deux millions de sujets catholiques. Cependant il maintient une stricte censure. Il donne ses soins à l'enseignement avec la fondation de Gymnases classiques et d'écoles modernes. Il combat l'analphabétisme, non pour libérer les peuples, mais pour les besoins de l'Etat, et ce prince athée fait enseigner la crainte de Dieu. Ses chanceliers Cocceji et Carmer élaboreront un « code frédéricien » qui d'ailleurs maintient le servage. Il adhère à la Franc-Maçonnerie pour mieux la surveiller. Il attire savants et écrivains, notamment des Français (Voltaire, Maupertuis), à l'Académie de Berlin, crée *Sans-Souci* en pur style rococo, mais à la fin de sa vie, devenu avare, il restreint toutes les dépenses qui ne vont pas à l'armée. Ce roi philosophe a en fait cristallisé le patriotisme allemand et vidé l'*Aufklärung* de ce qui était universel en la détournant vers le culte de l'Etat. Le mouvement des « Lumières » entretenu par la Franc-Maçonnerie se réfugie dans de petites cours comme celle de Weimar dont le margrave protège Gœthe, tandis que le mouvement européen de sentimentalité trouve une terre de choix en Allemagne, se laissant attirer par le mysticisme des Rose-Croix ou le préromantisme *(Sturm und Drang)*.

CATHERINE II ET LA RUSSIE

L'essentiel de l'œuvre de Pierre le Grand avait survécu malgré les apparences pendant le « règne des Allemands », mais son développement avait tourné court. Avec la fille de Pierre, la tsarine Elisabeth (1741-1762), conseillée par les Chouvalof, les progrès de l'étatisme russe reprirent.

Le Sénat retrouva ses prérogatives. La fiscalité se développa par l'appel aux impôts indirects et monopoles, mais non sans une certaine ouverture d'esprit car en même temps, pour encourager le commerce, les douanes intérieures étaient supprimées (1754). D'ailleurs l'extension des mines et de la métallurgie de l'Oural (un tiers de la production de fer russe) fut, comme la production de blé, un stimulant pour le commerce extérieur. L'occidentalisation s'accéléra. A l'influence allemande succéda l'influence française dont c'était alors l'apogée en Europe. Le théâtre et les romans français étaient traduits en russe, Montesquieu et Voltaire étaient connus. L'Académie de Saint-Pétersbourg fondée par Pierre le Grand comprenait également une université et un collège. Des Russes y prirent la relève des étrangers. En 1754-1755 furent créées les universités de Moscou et Saint-Pétersbourg tournées vers les sciences humaines et naturelles. Cependant la tradition résistait, à l'*Académie slavonique* de Moscou et dans les séminaires créés en 1737. D'ailleurs Lomonossov (1711-1765) donnait à la grammaire russe des règles claires et préparait le renouveau de la littérature russe. L'éducation mondaine donnée à l'école des *Cadets de la noblesse* fit beaucoup pour l'occidentalisation de celle-ci et contribua à l'éloigner des couches populaires.

En effet, Elisabeth se rapprochait de la noblesse russe. Les grands domaines *(pomiestié)* se consolidaient. L'*obrok*, redevance en argent, prédominait dans les régions isolées où il était nécessaire d'attirer la population sur de vastes terres que le seigneur ne pouvait mettre en valeur. La *barchtchina* ou corvée l'emportait dans les régions fertiles des terres noires, près des centres commerciaux : grandes villes ou ports de la Baltique. Avec elle la réserve seigneuriale devenait une usine à blé et le paysan un serf. L'Etat abandonnait celui-ci aux seigneurs-propriétaires *(pomietchiks)* chargés du maintien de l'ordre et de la levée des impôts. En 1760 les tribunaux seigneuriaux eurent le droit de déporter en Sibérie les serfs condamnés. Sur son domaine, le *pomietchick* imitait la politique de Pierre le Grand. Les nobles avaient obtenu le droit d'ouvrir des manufactures. Ils monopolisaient commerce et industrie locaux en utilisant la main-d'œuvre servile dans les ateliers ou pour les charrois. Cependant les dépenses des nobles croissaient plus vite que leurs revenus, car l'occidentalisation s'accompagnait d'un luxe inouï. Aussi fut créée en 1754 la *Banque de la Noblesse* qui prêta aux nobles moyennant hypothèque de leurs terres et serfs.

Pierre III, prince puéril, mécontenta la noblesse (il l'émancipa du service de l'Etat (février 1762), mais menaça de bannissement les nobles qui démissionnaient), l'Eglise dont il fit administrer les biens par des fonctionnaires laïcs, l'armée qu'il voulut prussianiser. Menacée de répudiation, la tsarine Catherine le fit enfermer puis étrangler (juin 1762).

Catherine II (1762-1796), princesse allemande, d'éducation française, ouverte aux « Lumières » mais convertie à la civilisation nationale, souveraine autocrate assistée de ses amants, les frères Orlof, Potiemkine..., continua l'œuvre de Pierre le Grand. Au service de ses visées elle mit un caractère enjoué et énergique, une intelligence réaliste, une astuce peu scrupuleuse. Elle correspondit avec les Philosophes français, les invita à Saint-Pétersbourg. Diderot s'y rendit en 1773-1774. Elle acheta des collections d'œuvres d'art, vint en aide aux écrivains occidentaux, fit proclamer par eux ses réformes. Mais elle apporta à sa tâche un réel acharnement. La « Sémiramis du Nord » fut surtout la « sentinelle qu'on ne relève jamais ».

On a noté l'influence qu'avait eue sur le règne de Catherine II la crainte de la subversion populaire représentée par la révolte de Pougatchev (1773-1774) puis par la Révolution française. Les premières années sont marquées par des velléités réformatrices et une politique de méfiance à l'égard des paysans.

En 1766 une instruction ou *Nakaz* jeta les plans de réformes multiples inspirées de Beccaria et Montesquieu. En 1767 fut réunie une commission législative, comprenant des députés de la noblesse, des villes et des paysans porteurs de cahiers de doléances, chargée de préparer un code de lois et qui renseigna la tsarine sur l'état d'esprit de ses peuples. Catherine pratiqua la tolérance à l'égard de toutes les confessions religieuses de son Empire (sauf les uniates, orthodoxes soumis à Rome). Elle fit rédiger un plan d'éducation générale par Betzki (1762). En fait les seules créations furent celles de l'*Institut Smolny* pour les jeunes filles nobles (1764), l'*Ecole militaire des Cadets* (1766) et l'*Institut des enfants trouvés*. L'édit de libération de la noblesse ne fut pas rapporté, mais le service de l'Etat fut encouragé. La *Société libre d'études économiques* fondée en 1765 tenta d'encourager les efforts des agronomes, mais ne fit rien pour les paysans. Ceux-ci eurent à souffrir de la sécularisation de la **moitié** des biens des monastères et de l'abandon de terres de la couronne aux favoris qui fit passer un grand nombre d'entre eux à un statut moins favorable. Aussi beaucoup se joignirent à la révolte de Pougatchev. Se donnant pour Pierre III échappé à ses assassins, Pougatchev profitant de la guerre contre les Turcs, réussit à associer des mécontentements d'origines diverses, Cosaques jaloux de leur autonomie, Bachkirs du sud de l'Oural mal soumis, ouvriers de l'Oural. Etabli à Orenbourg, il rallia des paysans, s'empara de Kazan puis fut refoulé à l'est de la Volga par Souvorov, livré et exécuté (1773-1774).

La révolte de Pougatchev confirma Catherine dans sa méfiance à l'égard des paysans. Elle accéléra la mise en application de réformes administratives favorables à la noblesse.

L'édit de 1775 dota la Russie de divisions administratives et judiciaires cohérentes : provinces, districts, cercles, avec des gouverneurs nommés par le souverain et des magistrats subalternes élus à un suffrage censitaire. Les nobles devenaient justiciables de tribunaux spéciaux. Cet édit fut complété par la *Charte de la noblesse* (1785) qui donnait à cet ordre des assemblées une délégation du pouvoir impérial sur les serfs qu'il possédait et le monopole des hautes fonctions administratives. Les recettes furent accrues par les sécularisations de biens d'Eglise, l'augmentation de la capitation et des douanes, le monopole de l'alcool et après 1785 par l'inflation. Ainsi furent couverts les frais de l'extension territoriale et de la mise en valeur de l'Ukraine. Tandis qu'elle participait aux partages de la Pologne, la Russie absorbait les Etats cosaques, prenait aux Turcs l'Ukraine du Sud (1774), la Crimée et le Kouban (1783), la région où fut fondée Odessa (1792).

Le progrès démographique remarquable, les annexions et l'appel aux colons portèrent la population au premier rang en Europe (29 millions en 1796, soit deux fois plus qu'en 1730). L'Ukraine devint en peu de temps une province importante pour l'économie russe. Attirés par des agences, des Allemands, Balkaniques, Arméniens, ainsi que des Russes des autres provinces y développèrent la culture du blé et sur les côtes, les cultures méditerranéennes. La possession de ports sur la mer Noire (fondation de Kherson, Sébastopol, Odessa) ouvrit les relations vers le Proche-Orient et la Méditerranée. Cependant l'industrie se développait. La réglementation des métiers et des fabrications fut abolie conformément au vœu des Philosophes et pour le plus grand profit de la noblesse, associée à l'expansion économique. En 1770, la Russie prenait la première place devant la Suède pour l'exportation de produits métallurgiques semi-ouvrés. L'Oural fournissait alors les trois quarts de la production. Draps et toiles étaient fabriqués dans la Russie centrale.

L'expansion économique favorisait également la formation d'un embryon de bourgeoisie. Marchands et techniciens devenaient plus nombreux et certains s'enrichissaient et accédaient à la culture, malgré la limitation à la noblesse des efforts faits pour l'enseignement. Quand éclata la Révolution française, Catherine II y vit un péril. Elle renforça la censure, exila des esprits indépendants comme le poète Radistchev et le publiciste Novikov et prit la tête de la croisade contre-révolutionnaire. En Russie comme en Prusse, le despotisme éclairé servit le souverain, profita à la noblesse et consolida les structures traditionnelles de la société.

Les tentatives partielles de « despotisme éclairé »

Dans la plupart des Etats d'Europe les tentatives de despotisme éclairé furent limitées. Des hommes, parfois falots, des ministres éphémères ou vite impopulaires ne pouvaient s'appuyer sur un ordre ou un groupe social assez fort et ne réussissaient pas à secouer le poids parfois lourd des habitudes et l'immobilité des structures mentales. Chaque Etat représente un cas particulier.

LE DESPOTISME ÉCLAIRÉ DANS LES ÉTATS MÉDITERRANÉENS

On a peu porté attention au despotisme éclairé dans les pays méditerranéens. Les Philosophes ont préféré regarder vers les grands états du Nord plutôt que vers les pays du Sud où l'influence déterminante de l'Eglise semblait vouer les peuples à l'immobilisme et où la présence d'une civilisation urbaine ancienne nourrissait les susceptibilités et invitait les souverains à agir avec prudence, même là où la bourgeoisie était assez forte pour soutenir leur action.

Les Etats italiens

En Italie le despotisme éclairé eut un aspect local. Certains Etats se montrèrent réfractaires : Gênes, Venise, Etats de l'Eglise. Dans d'autres, Milanais, Piémont, Parme et Naples, les tentatives furent plus ou moins poussées. Enfin la Toscane offre le spectacle de réalisations estimables. Malgré ces différences, il existe, tout au moins en Italie du Nord, un courant favorable aux « Lumières », représenté par les *Illuminati*. Il faudrait d'ailleurs se garder d'exagérer la somnolence de l'Italie au xviiie siècle. La vie économique est active à Milan et Turin et dans le port de Livourne. Les produits de luxe sont toujours exportés. La naissance de l'archéologie moderne offre un attrait nouveau aux voyageurs qui redécouvrent l'Italie. Certains courants influencés par la France s'y développent. D'une part progresse l'hostilité au clergé, résultant d'une conjonction entre renaissance de l'esprit gibelin devenu l'équivalent italien du gallicanisme, jansénisme et richérisme. D'autre part, l'imitation de la monarchie de Louis XIV entretient un mouvement régaliste qui affirme les droits de l'Etat. Les villes de l'Italie du Nord possèdent une bourgeoisie active et l'esprit des « Lumières » se développe dans de nombreuses académies et sociétés. Les universités sont parmi les plus actives d'Europe. Elles s'associent au mouvement scientifique avec Volta et Spallanzani. Enfin Beccaria (1738-1794) jette les bases d'un droit criminel plus humain (voir p. 411). Les sciences sociales intéressent particulièrement les Italiens. A Milan la *Société patriotique* encourage les nouvelles techniques agricoles et le fermage progresse aux dépens du métayage en Milanais et Piémont. Dans le domaine des arts l'Italie tient encore une place estimable. Une réaction contre le baroque se produit et Lodoli donne la théorie d'une architecture fonctionnelle.

Le meilleur exemple de despote éclairé fut l'archiduc Léopold de Habsbourg, grand-duc de Toscane et futur Empereur Léopold II (1765-1792). Bien que son nom ait été éclipsé par celui de son frère l'Empereur Joseph II, c'est probablement Léopold qui réussit mieux ce que l'on a appelé le « joséphisme ». La vie économique de la Toscane fut encouragée. Le port franc de Livourne concurrença Gênes et Venise. La justice fut humanisée (régime des prisons réformé, abolition de la torture...), les justices seigneuriales réduites, l'Inquisition romaine supprimée, les séminaires réorganisés, des monastères fermés. Mais la tentative du janséniste Ricci de limiter le pouvoir épiscopal échoua (1787). C'est dans l'Italie du Nord (Venise et Gênes exclues) que la modernisation était la plus avancée. Milan aux mains des Autrichiens connaissait une réelle activité économique et intellectuelle. Dans le royaume de Sardaigne, le régalisme des souverains s'entr'ouvrait sur l'esprit des « Lumières » représenté par des hommes comme Alfieri. La création d'une académie à Turin, l'abolition du servage, un code de lois et une réforme fiscale en témoignent. A Parme l'influence française prévalut sous les Bourbons, avec le ministre du Tillot (1759-1771). Il y eut même une expérience de despotisme éclairé dans le royaume de Naples. Cet Etat se trouvait sous la domination de l'aristocratie foncière et du clergé qui, très nombreux, possédait le tiers des terres. Tanucci, ministre pendant la jeunesse du successeur de don Carlos, Ferdinand IV (1759-1774), réduisit le nombre des membres du clergé et l'étendue de ses biens et le soumit à l'impôt. Une *Giunta del comercio* tenta une politique mercantaliste en encourageant les manufactures, tandis que Caraccioli, ami des Philosophes français, essayait de transformer la Sicile. Les arts étaient encouragés (fouilles de Pompéi). Lorsque Tanucci fut renvoyé en 1774, l'œuvre de réformes tourna court et le royaume de Naples resta parmi les Etats les plus arriérés d'Europe.

Espagne et Portugal

Sous les Bourbons les rapports avec la France s'étaient ouverts. Les jeunes nobles se rendaient plus fréquemment au nord des Pyrénées. La connaissance du français fit quelques progrès et servit de véhicule aux idées philosophiques. Il est vrai que l'Inquisition qui contrôlait les importations de livres se montra peu méfiante pendant la première moitié du siècle. La contrebande des livres sévissait. Aussi existait-il des esprits convertis aux « Lumières », les *Ilustrados*, à la Cour et parmi les hauts magistrats et administrateurs. Journaux et sociétés littéraires, sociétés d'économie eurent une audience de plus en plus grande dans la bourgeoisie. Cependant les *Ilustrados* ne purent entraîner l'Espagne dans la voie de transformations profondes. Ils pensaient surtout au redressement national dont, contrairement à leurs semblables des autres pays, ils avaient tendance à chercher les moyens dans le passé national glorieux. Ils se sentaient faibles face à l'Eglise appuyée sur de nombreuses confréries, à la noblesse pauvre des *hidalgos* attachée à ses privilèges et aux masses populaires imbues des traditions. Aussi les *Ilustrados* ne dépassèrent guère le stade du régalisme.

Déjà sous Ferdinand VI, le marquis de La Ensenada avait préparé des projets de réformes. Charles III (1759-1788), prince consciencieux et travailleur qui avait déjà régné à Naples, prit pour ministres des hommes comme d'Aranda et comme Campomanès, lecteur des « Economistes », qui surent profiter d'une conjoncture favorable marquée par l'augmentation rapide de la population. Pour affirmer les droits de l'Etat, les réformateurs s'attaquèrent timidement à l'Eglise. Les mandements des évêques et de l'Inquisition durent être soumis au gouvernement. Les Jésuites, accusés d'avoir fomenté une insurrection populaire, furent expulsés (1767). L'Inquisition fut assouplie. Jovellanos essaya de réformer les collèges abandonnés par les Jésuites. Diverses mesures eurent une action bénéfique sur l'économie : suppression de douanes intérieures, libre circulation des grains, suppression du monopole de Cadix pour le commerce avec l'Amérique et de celui des corporations pour la production industrielle. Par contre les mesures contre la *Mesta* eurent peu de succès. Des travaux d'irrigation permirent d'étendre les surfaces cultivées. Des essais de colonisation intérieure furent tentés dont celui de la Sierra Morena, dirigé par l'intendant Olavide, qui d'ailleurs se heurta aux tracasseries de l'Inquisition et à l'hostilité des paysans des environs. L'industrie continua à progresser en Catalogne, dans le Pays Basque, les Asturies et à Madrid. Quelques routes furent ouvertes. La banque de Saint-Charles fondée en 1782 n'eut pas une très grande activité. A la fin du règne de Charles III une réaction s'amorçait sous le ministère de Florida Blanca.

Fort différente par ses procédés, la tentative de despotisme éclairé qui eut lieu au Portugal se déroule néanmoins dans un milieu aussi peu favorable. Le marquis de Pombal, premier ministre sous le roi insignifiant Joseph Ier (1750-1777), eut une politique de réforme brutale qu'il imposa par l'action de la police. Il fut le premier à expulser les Jésuites (1759), surveilla les couvents et les établissements religieux d'enseignement. Il reconstruisit Lisbonne détruite par le tremblement de terre de 1755. Dans le domaine économique il prit suivant les cas des mesures protectionnistes ou libérales. Il fut disgracié à la mort de Joseph Ier et il ne resta pratiquement rien de son œuvre.

ESPRIT DES LUMIÈRES ET DESPOTISME ÉCLAIRÉ
DANS LES PAYS DU NORD ET EN HOLLANDE

Dans les pays de l'Europe du Nord les assemblées d'états ont pris généralement une place importante aux dépens du pouvoir monarchique. La plupart de ces pays sont en décadence et l'esprit des « Lumières » tantôt conduit aux tentatives d'un despotisme éclairé qui se donne comme défenseur de l'indépendance nationale menacée (Suède) ou qui est d'inspiration étrangère (Danemark) et tantôt prend un aspect révolutionnaire (Hollande et Pologne).

Le Danemark connaît une certaine stabilité intérieure sous Frédéric V et Christian VII. Le gouvernement est aux mains d'Allemands, le réformateur Bernstorff (1751-1770), puis Struensee. Ce dernier en seize mois bouscule les structures politiques et sociales de l'Etat (abolition du servage, des corporations, liberté individuelle, tolérance religieuse), mais dénoncé pour sa liaison avec la reine il est exécuté (1770-1772). Une réaction conservatrice et anti-allemande suit. L'œuvre de réforme n'est reprise qu'en 1784 sous une forme très pragmatique.

La Suède jouit au XVIIIe siècle d'une certaine prospérité économique. La constitution de 1720 donne au Riksdag des pouvoirs très étendus. Le pays connaît une lutte des quatre ordres : clergé, noblesse, bourgeoisie, paysans. La noblesse refuse l'accès de roturiers au conseil royal. De plus la Suède est divisée par la lutte des partis : les « Chapeaux », plus aristocratiques, favorables au mercantilisme, et les « Bonnets », plus bourgeois et cléricaux, les clivages entre ces deux partis manquant de netteté. Enfin la Suède se trouve dans une situation extérieure difficile : sur elle s'exerce la pression de deux blocs hostiles : la France appuie les « Chapeaux » tandis que les « Bonnets » sont soutenus par l'Angleterre et la Russie. A son avènement, Gustave III, prince d'éducation française (1771-1792), profitant de la guerre russo-turque, réussit un coup d'Etat contre le Riksdag qui perd l'initiative en matière de fiscalité et de déclaration de guerre. Des réformes inspirées par l'esprit des « Lumières » sont progressivement abandonnées. En fait, Gustave III restaure les droits de la couronne mais réserve aux nobles toutes les hautes charges de l'Etat. Cependant en 1789, ayant subi un désastre devant la Russie, il impose aux nobles l'*Acte d'union et de sécurité* qui permet l'accès des roturiers à presque tous les postes et l'acquisition par les paysans de terres nobles, opération tactique qui indigne la noblesse et à laquelle met fin l'assassinat du roi (1792).

Le cas de la Hollande est complexe. L'économie y reste assez prospère. Une bourgeoisie solide et somnolente profite de la vacance du stathou-dérat (1702) pour monopoliser le pouvoir par l'intermédiaire de l'oligarchie municipale des régents. Cependant en 1747, avec l'invasion française, le stathoudérat est rétabli et proclamé héréditaire. Mais celui-ci ne peut établir son autorité. La lutte des partis devient âpre avec la crise écono-mique provoquée par l'intervention hollandaise dans la guerre d'Amé-rique (1780). Contre le parti orangiste se dressent le parti des *régents* gagné par l'esprit des « Lumières » et le parti patriote, imbu de la philosophie française et enthousiasmé par l'exemple américain. Les pouvoirs du *stathouder* sont réduits. Mais en 1787, appuyés par l'Angleterre et l'armée prussienne, les orangistes reprennent le pouvoir tandis que leurs adver-saires lâchés par la France aux prises avec ses difficultés intérieures se réfugient à Paris.

LE CAS DE LA POLOGNE

Dans un contexte social tout à fait différent, on retrouve en Pologne, mais poussé jusqu'au drame, le poids des traditions anarchiques des *Ständestaate* (voir p. 99) et des menaces de puissants voisins. La Pologne possède la noblesse proportionnellement la plus nombreuse de l'Europe (8 % de la population) qui représente un éventail très ouvert de conditions matérielles et morales. Une petite noblesse besogneuse *(Szlachta)* est au service des magnats. Ceux-ci, propriétaires d'immenses domaines à redevances ou à corvées, ne connaissent pas une situation aussi florissante que les *pomietchiks* russes, à cause de la faible rentabilité des exploitations dispersées dans tout le pays, du faible développement de l'industrie rurale limité par la présence d'une industrie urbaine et la concurrence des productions des pays voisins (Saxe, Silésie, Bohême), tandis que les dépenses sont très accrues par un train de vie fastueux et l'entretien d'une clientèle politique. D'ailleurs le servage tend à reculer à la fin du siècle.

Sous les règnes d'Auguste II et Auguste III (1697-1764), la «léthargie saxonne », le pouvoir royal se réduit, la Diète est impuissante à cause du *Liberum veto*, la Pologne sert de base aux armées russes. Cependant c'est dans le sein de la noblesse que pénètre l'esprit des « Lumières ». L'ancien roi, Stanislas Leszczynski, installé en Lorraine, publie en 1749 *La voix libre* où il suggère des réformes hardies (révision de la constitution, suppression du servage et de la corvée, accès de tous aux fonctions, sécularisation des biens d'Eglise). Un courant éclairé se développe à l'université de Cracovie avec le P. Konarski, puis le chanoine Hugo Kollontaj. Fontenelle, Montesquieu, puis les Physiocrates et Adam Smith notamment inspirèrent une partie de l'élite intellectuelle.

En 1764, Catherine II impose sur le trône de Pologne son amant Stanislas-Auguste Poniatowski. Celui-ci, prince philosophe, rêve des réformes indispensables, désire secouer l'influence russe, sans réussir à rallier le « parti national ». Mais Catherine II le force à rétablir le *Liberum veto* qu'il avait supprimé (1767), soutient la révolte des traditionalistes (confédération de Radom), fait pénétrer ses troupes en Pologne et procède avec Frédéric II et Marie-Thérèse d'Autriche au premier partage de la Pologne (1772). Ce pays, amputé de son accès à la mer, ayant perdu le tiers de ses sujets, est en fait gouverné par l'ambassadeur russe. Cependant Stanislas-Auguste attend son heure. Toute réforme politique étant impossible, il procède à des réformes limitées (abolition de la torture, suppression des douanes intérieures) et institue une *Commission de l'Education nationale*. Profitant d'une guerre russo-turque et de la Révolution française, avec l'appui des nobles réformateurs, il promulgue la Constitution de 1791 qui rend la monarchie héréditaire, abolit le *Liberum veto*, donne à la bourgeoisie une représentation à la Diète devenue un véritable parlement. Une fois de plus l'armée russe intervient. Le roi abandonne les réformateurs et consent au deuxième partage de son pays (1793). Alors Kollontaj et le général Koszciusko animent la résistance nationale, tentent d'y associer les paysans par des réformes inspirées de la Révolution française. La Pologne écrasée est rayée de la carte en 1795 (troisième partage). En définitive la Pologne a été victime des despotes éclairés voisins.

Le cas de l'Autriche

Fort simple en apparence, le cas de l'Autriche est en réalité complexe
à cause de la diversité des situations sociales et morales qui règnent dans
les Etats disparates de la maison des Habsbourg. Expression la plus
caractéristique du despotisme éclairé, le « joséphisme » (1780-1790) ne
doit pas faire oublier l'œuvre prudente de l'impératrice Marie-
Thérèse (1740-1780). A vrai dire l'Autriche a connu deux formes de
despotisme éclairé, celle qui se manifesta sous le règne de Marie-Thérèse
avec le ministre Kaunitz et celle que mena Joseph II.

MARIE-THÉRÈSE ET KAUNITZ

L'avènement de Marie-Thérèse est dramatique. Princesse énergique,
profondément pieuse et soumise à l'Eglise catholique, sinon à Rome, elle
ne consent aux réformes que pour se donner les forces nécessaires au
maintien de sa souveraineté et éviter le démembrement de ses Etats.

Ayant trouvé un terrain moins favorable que les Hohenzollern, elle fait des
efforts limités et prudents vers une centralisation administrative que la diversité
de ses Etats rendrait chimérique. Elle accepte notamment la juxtaposition de
la couronne de Hongrie aux autres possessions par l'accord signé avec la noblesse
hongroise en 1741. On a pu écrire à ce sujet qu'elle était un ancêtre du dualisme
austro-hongrois. Cependant les liens sont resserrés entre les Etats faisant partie
du Saint-Empire (Autriche et Bohême). Il n'était pas possible de toucher aux
assemblées d'Etats dans des pays qui avaient gardé leurs institutions particulières.
Toutefois, lorsque fut surmontée la crise de la Succession d'Autriche, le ministère
Haugwitz entreprit de spécialiser les organes du gouvernement central installés
à Vienne : *Chancellerie d'Etat* (affaires étrangères), *Commissariat de la Guerre*,
Directoire in publicis concentrant les affaires politiques et financières de l'Autriche
et de la Bohême, *Cour suprême de justice*. Un cadastre fut établi. Mais la guerre
de Sept Ans révéla encore beaucoup de faiblesses et Marie-Thérèse se tourna
vers le chancelier Kaunitz (1711-1794).

Kaunitz doit être classé parmi les ministres philosophes. Formé par l'*Aufklärung* et les Philosophes français, il montra une certaine hostilité pour l'Eglise
et en matière de gouvernement eut des idées voisines de celles de Frédéric II.
Il fut de 1760 à 1780 le principal homme d'Etat de l'Autriche et le « kaunitzisme »
servit de base au futur « joséphisme ». Kaunitz aurait voulu que l'Eglise fût soumise
à l'Etat mais Marie-Thérèse ne lui laissa développer cette politique qu'à Milan.
Un organe supérieur à tous les services, le *Conseil d'Etat*, fut créé en 1761. La
Chancellerie de Cour remplaça le *Directoire in publicis* et ne s'occupa plus que
d'affaires politiques. L'administration financière fut répartie dans des services
spécialisés. La Banque de Vienne devenue banque d'Etat émit du papier-monnaie

(1762). L'administration provinciale perdit peu à peu son caractère collégial et l'organisation féodale recula devant les progrès des services nécessaires à un Etat moderne. Les gouverneurs de provinces et capitaines de cercles dépendirent de plus en plus du pouvoir central, mais ménagèrent les assemblées locales. En Hongrie le souverain rencontrait une noblesse peu docile, dont une partie possédait de grands domaines sur lesquels vivaient de nombreux serfs. Rien ne fut modifié. Cependant Marie-Thérèse y favorisa les catholiques aux dépens des protestants et des orthodoxes.

Comme la plupart des ministres éclairés, Kaunitz fit élaborer un code criminel (1768). La suppression des Jésuites (1773) amena comme partout un effort pour rajeunir et développer l'enseignement secondaire. Un gros effort fut fait en faveur de l'enseignement professionnel. L'université de Vienne devint université d'Etat. Aiguillonnée par Kaunitz, la politique de Marie-Thérèse garda un caractère paternaliste et empirique. Marie-Thérèse s'efforça de limiter la corvée. L'achat par les seigneurs de tenures paysannes fut contrôlé. En 1773, le servage fut supprimé sur d'anciens domaines des Jésuites en Bohême.

Ce règne réparateur vit naître une civilisation danubienne où confluèrent des influences allemandes, italiennes et françaises et dont les centres furent Prague, Pest, Salzbourg, Linz et surtout Vienne. La capitale eut des salons, vit s'épanouir l'opéra (Gluck, Mozart) et la musique de chambre (Haydn). L'art baroque y triompha, puis laissa pénétrer le néo-classique. Si le français avait remplacé le latin comme langue commune de l'élite éclairée, l'allemand, lié à la promotion sociale, y progressait, mais les civilisations locales, hongroise notamment, n'en furent pas étouffées.

L'ÉCHEC DU DESPOTISME ÉCLAIRÉ DE JOSEPH II

A la mort de son père (1765), Joseph II fut Empereur et co-régent avec sa mère des Etats des Habsbourg. En fait son règne ne commence qu'avec la mort de Marie-Thérèse (1780). A son avènement Joseph II cherche à réaliser tout ce qu'il a rêvé d'entreprendre pendant ses quinze années de co-régence. Ce besoin d'action le pousse même à négliger les avis de Kaunitz. Ce prince ami des Encyclopédistes et des physiocrates a été considéré comme le modèle du despote éclairé, car il n'a pas hésité à bousculer la tradition par des mesures radicales. En fait son premier souci fut le renforcement de l'Etat. Il imita Frédéric II, sans égard au fait que la tâche était beaucoup plus ardue dans ses Etats qu'en Prusse. Aux dépens du personnel nobiliaire, il fit progresser la bureaucratisation dans les organes administratifs mis en place par Kaunitz. Le corps des fonctionnaires fut renouvelé par l'entrée de gradués de l'université. Persuadé que ses Etats offraient des ressources complémentaires, Joseph II s'efforça d'en faire un ensemble économique autarcique. Aussi pratiqua-t-il le colbertisme. La construction d'un réseau routier cohérent fut entreprise et les industries encouragées. La Bohême profita surtout de cet effort (toiles, draps, cotonnades, papeteries, verreries).

Imbu de l'excellence de la raison, Joseph II était néanmoins très attaché à la religion catholique. Il voulut placer l'Eglise sous l'autorité de l'Etat en l'adaptant à une société régie par la raison. Sa politique religieuse présente donc deux aspects : la tolérance et une sorte de césaro-papisme appelé le « joséphisme ».

L'édit de tolérance de 1781 accordait la liberté de culte à tous les chrétiens. Toutefois les protestants n'obtenaient pas l'égalité complète des droits. Les persé-cutions cessèrent sauf pour les petites sectes. Les juifs ne furent plus astreints au port d'un signe distinctif et purent accéder aux universités. Joseph II s'appuya à la fois sur le droit divin, le droit naturel et les idées de Fébronius (assez semblables à ce que l'on trouvait dans le gallicanisme) pour imposer à l'Eglise de ses Etats un véritable *aggiornamento* : suppression des ordres contemplatifs et vente de leurs biens au profit d'œuvres d'assistance (1781), fonctionnarisation du clergé séculier qui devint salarié de l'Etat, création de séminaires d'Etat (1782-1783). Le « roi-sacristain » intervint dans le culte : suppression de jours fériés, limitation du culte des reliques et des pèlerinages.

La politique sociale de Joseph II, mue par des motifs économistes et humanitaires, fut particulièrement hardie. Le servage fut aboli dans les pays germaniques, mais l'affranchi devait acheter sa terre ou payer une redevance au seigneur (1781). La corvée seigneuriale fut abolie, le paysan devait verser 12,5 % de son revenu à l'Etat et 17,5 % au seigneur (1789). En 1773 avait été établi le principe de l'enseignement primaire obligatoire. La censure fut laïcisée. Le code joséphin de 1787 proclamait l'égalité de tous les sujets devant la loi et s'inspirait de Beccaria pour la justice criminelle.

Sans doute toutes ces mesures n'étaient pas appliquées automatique-ment à tous les Etats, mais Joseph II n'en poursuivait pas moins la fusion de ses peuples. L'allemand était devenu la langue des collèges, des sémi-naires et de la haute administration et Vienne le cœur de cet « empire ». Cependant Joseph II avait mécontenté beaucoup de monde, tandis que les partisans de l'*Aufklärung* étaient peu nombreux dans ses Etats et que la bureaucratie suivait difficilement le rythme des réformes. Pour apaiser la noblesse hongroise dont la résistance était d'autant plus fâcheuse qu'une guerre avec les Turcs venait d'éclater, Joseph II devait renoncer à

supprimer les corvées. Aux Pays-Bas, le parti « statiste » réclamait le
maintien des libertés traditionnelles et s'alliait avec les « vonckistes » qui
demandaient la liberté politique. Cette coalition força les troupes autri-
chiennes à se retirer (décembre 1789). Pour rétablir l'ordre, l'archiduc
Léopold devenu l'empereur Léopold II, son successeur (1790-1792),
fit accommodement avec l'aristocratie et renonça à de nombreuses
réformes. Il ne conservait que l'abolition du servage, la tolérance, les
sécularisations, l'indépendance à l'égard de Rome.

L'échec de Joseph II se manifestait au moment où éclatait la Révolution française. Le despotisme éclairé n'était plus possible en Europe
occidentale dans le cadre des monarchies traditionnelles et il ne pouvait
l'être en Europe centrale et orientale qu'avec l'appui de l'aristocratie.

Textes et documents : *Mémoires de Catherine II* (éd. par P. VERNIÈRE), 1966.
BECCARIA, *Traité des délits et des peines*, trad. française de l'abbé MORELLET, 1766.
Mémoires de Frédéric II, roi de Prusse, écrits en français par lui-même, éd. BOUTARIC,
2 vol., 1866.

Chapitre XXVIII

LE MONDE
ET LES RELATIONS INTERNATIONALES

Cartes XVIII, XIX a et **b, XX a** et **b.**

Bibliographie : Ouvrages cités p. 8. G. Zeller, *op. cit.* S. E. Morison, *The Oxford history of the American people*, 1965. D. Pasquet, *Histoire politique et sociale du peuple américain*, t. I, 1924. M. Devèze, *L'Europe et le monde à la fin du XVIIIe siècle*, « Evolution de l'humanité », 1970.

Les relations internationales à la fin du xviiie siècle sont empreintes d'un double caractère : relations entre gouvernements, voire plus spécialement entre souverains, et relations entre peuples, particulièrement ceux qui constituent des nations. Si la politique internationale présente assez souvent l'aspect d'un jeu de princes, les peuples non seulement y sont mêlés comme instruments, mais pèsent sur la diplomatie, la guerre et la paix, là où l'opinion joue un certain rôle comme en Angleterre et en France. On peut distinguer des conflits régionaux et un duel à l'échelle du monde auquel se livrent ces deux nations. Ce dernier contribuera à la naissance de la première nation européenne hors d'Europe : les Etats-Unis.

Caractères généraux des relations européennes

Les rapports entre gouvernements et nations se sont multipliés : rapports commerciaux, culturels et aussi politiques, dominés par le recours à la guerre considérée alors comme normale. La guerre est presque toujours présente sur un point du globe, mais elle est rarement totale.

LA GUERRE

Pourtant au xviiie siècle avec le courant humanitaire naît un mouvement pacifiste qui se conjugue avec le cosmopolitisme européen (cf. p. 414). Les Philosophes ne considèrent pas la guerre comme un mal inévitable qu'on peut écarter seulement par la prière. Ils l'étudient pour la combattre ou la rendre moins redoutable. Tandis que l'abbé de Saint-Pierre et

Stanislas Leszczynski rêvent d'une alliance universelle des souverains et que Voltaire blâme les Polonais de résister, la plupart des Philosophes admettent la guerre défensive. Montesquieu classe également parmi les guerres justes celles nécessitées par l'aide à un allié et même la guerre préventive contre un souverain criminel. Montesquieu, Diderot et Rousseau préfèrent la nation armée à l'armée de métier. Le cosmopolitisme européen permet des relations personnelles entre ressortissants de pays enncmis. A la xénomanie des salons parisiens s'oppose la xénophobie des masses. En France le théâtre populaire joue avec succès des pièces et pantomimes rappelant des faits glorieux. Les incidents avec des marchands et techniciens étrangers ne sont pas rares. La résistance à l'occupant se fait parfois très vive (Provence en 1746, Hanovre en 1756). L'Angleterre connaît un sursaut national en 1745 et en France après Rossbach se prépare la renaissance de l'armée. C'est ce courant d'esprit national qui triomphera avec la Révolution.

En principe la guerre suspend les relations commerciales. Il est procédé à la saisie de marchandises appartenant aux ressortissants ennemis. Des lettres de course permettent aux corsaires d'arraisonner les navires marchands. Quelquefois on n'attend pas pour cela que la guerre soit déclarée. C'est ce que fait l'Angleterre en 1755. Pourtant pendant la plus grande partie du siècle la guerre n'interrompt pas complètement les échanges commerciaux qui continuent par l'octroi d'autorisations de séjour, de licences de commerce ne portant pas sur les objets et denrées indispensables aux armées et surtout par l'intermédiaire des neutres. Pendant la guerre d'Amérique, l'Angleterre prétend saisir la « contrebande de guerre » sur les navires neutres, malgré les principes exposés par Vattel dans *Le droit des gens* en 1758, auxquels se rallient Vergennes puis Catherine II, entraînant l'adhésion au principe de la liberté des mers de la plupart des belligérants et neutres. La liberté des mers ne s'applique pas aux « eaux territoriales » larges d'une portée de canon. Signalons que les flibustiers des Antilles combattus efficacement par les Anglais et Français pendant la paix (1715-1739) ont disparu, ce qui a permis aux Espagnols de renoncer au système des convois et aux assurances maritimes de baisser leurs primes. La piraterie recule dans l'Atlantique après 1770 (Salé), mais elle se maintient en Méditerranée (Alger, Malte) et se développe dans les mers du Sud.

Sur terre on admet que les colonies soient entraînées dans les guerres européennes. La neutralité n'empêche pas le *transitus innoxius* d'une armée belligérante à travers le territoire, mais dans la seconde moitié du siècle on considère qu'il est soumis à l'autorisation du gouvernement neutre. L'occupation militaire d'un territoire ennemi équivaut à une annexion provisoire. La pratique des traités de contributions permet de s'assurer contre le pillage. L'occupant ne lève pas seulement de l'argent, mais des troupes. En 1746, les Français convoquent la milice des Pays-Bas et en 1755 Frédéric II incorpore l'armée saxonne à ses troupes. Le massacre des prisonniers et des populations civiles est évité par une capitulation en forme (sauf dans les guerres russo-turques). En Europe la captivité militaire se répand, mais dure peu. Dès le temps de paix sont établis des traités d'échange de prisonniers éventuels, à grade égal homme pour homme. Cela représente une humanisation relative de la guerre autant que les armées sont disciplinées. Mais rien ne vient adoucir les rapports entre soldats et populations civiles si ce n'est un meilleur ravitaillement des troupes. Le pillage a reculé, mais la maraude sévit. D'ailleurs si la brutalité a tendance à reculer chez les Occidentaux, la sensibilité aux malheurs de la guerre s'accroît. Du moins les ravages des gens de guerre deviennent moins cruels dans leur propre pays.

LA DIPLOMATIE

Les usages diplomatiques sont en voie de fixation mais conservent une certaine souplesse. On publie des traités de diplomatie. Les ambassades sont devenues permanentes mais encore peu nombreuses.

Les souverains sont souvent représentés dans les capitales étrangères par des ministres plénipotentiaires ou des résidents. Enfin le développement du corps consulaire montre que les rapports entre souverains deviennent également des rapports entre peuples. Dans les ministères des affaires étrangères et les ambassades s'organisent des bureaux avec un personnel de commis. Le rôle du secrétaire d'ambassade grandit. L'ambassadeur est un haut personnage de la noblesse militaire, de robe mais plus rarement du clergé. Le comportement et le style du diplomate se calquent sur celui du courtisan car il s'agit surtout d'agir sur les souverains, mais la diplomatie n'est pas encore une carrière étroitement spécialisée. A côté de la diplomatie officielle existe une diplomatie secrète utilisant comme par le passé les passions ou besoins financiers des souverains. La « cavalerie de Saint-Georges » du gouvernement anglais est devenue très active. La rivalité dynastique entre Bourbon et Habsbourg subsiste jusqu'en 1755 et le XVIIIe siècle est empli d'affaires de succession (Espagne, Pologne, Autriche, Bavière). Des trocs de territoires sont pratiqués là où n'existe pas d'unité nationale (Italie). Cependant l'appel à l'opinion allemande est lancé à plusieurs reprises contre la France, notamment par Frédéric II, et contre l'Angleterre qui utilise des mercenaires allemands. A la fin du siècle, on voit apparaître des guerres menées par une population qui n'est pas encore ou n'est plus qu'à peine représentée par un Etat (cas des Etats-Unis et de la Pologne). Enfin les liens juridiques entre territoires reculent. La diplomatie prend en considération non seulement des facteurs stratégiques, mais commerciaux pour négocier des simplifications de frontières. En 1789, un important effort était en cours dans ce sens entre la France et les Etats germaniques. La politique devient plus nationale que dynastique.

L'ART MILITAIRE ET LE MONDE DES ARMÉES

La spécialisation de l'homme de guerre s'affirme avec les progrès de l'art militaire, d'abord en Prusse, puis ailleurs.

En France, il faut attendre Rossbach pour que l'administration de la guerre passe sous le contrôle des militaires et que les officiers consentent à porter l'uniforme de leur régiment et à prendre en considération les études de technique militaire. Dans le cours du siècle, les œuvres traitant de la finalité des armées et de l'éthique militaire fondée sur le service et l'obéissance se multiplient, liées généralement à la fin du siècle à la réaction nobiliaire et à une réaction contre le cosmopolitisme européen et l'idéologie pacifiste. Aussi dans la plupart des pays se forme une société militaire d'autant plus caractérisée que se répand le casernement qui isole davantage de la société civile, tout au moins les hommes du rang et des grades subalternes.

Le corps des officiers est partout recruté dans la noblesse. Les anoblis recherchent particulièrement le service des armes, mais la bourgeoisie réussit à s'y glisser surtout en France au milieu du siècle, soit dans les armes savantes (« gens à talents »), mais surtout dans les autres armes par l'achat de charges. Les ministres français en essayant de refouler les roturiers dans les grades subalternes ne feront qu'aligner l'armée française sur les autres armées d'Europe. Ils combattent le rôle de l'argent dans l'armée (compagnies propriétés du roi et non plus des capitaines, 1762 ; suppression progressive de la vénalité des charges, 1776 ; « édit de Ségur », 1781, cf. pp. 428 et 429). Partout l'instruction des officiers a progressé par la création d'écoles spécialisées d'artillerie et du génie et d'écoles de cadets (Prusse, Russie, Autriche, Angleterre...) ou d'écoles militaires (France, 1750 et 1776). L'instruction des sous-officiers est également plus soignée.

Les soldats sont recrutés soit par un système de cantonnement (Suède, Prusse, Russie) avec des hommes inscrits sur les registres militaires dès leur naissance (Prusse) et un service long (à vie en Russie). Ailleurs les milices locales, à l'imitation de la milice française, en même temps qu'elles assument des tâches auxiliaires, servent de réserves à l'armée. Mais le principal mode de recrutement reste le plus souvent l'engagement qui permet de maintenir des survivances de liens féodaux entre capitaines et hommes, de créer un exutoire aux crises économiques (les primes d'engagement s'abaissent lorsque la conjoncture est mauvaise) et de ramasser des gens déçus, déclassés ou asociaux, contribuant ainsi au maintien de l'ordre public. En France, la difficulté de trouver des soldats s'est accrue vers le milieu du siècle. Le recrutement de mercenaires étrangers s'avère plus difficile à mesure que se renforcent les sentiments nationaux. Seuls les Suisses continuent à servir à l'étranger. On trouve des corps suisses dans toutes les armées d'Europe occidentale, formant une armée dans l'armée. Les armées du XVIIIe siècle ne sont donc pas recrutées exclusivement dans la lie de la population comme on l'a souvent dit et le nombre des « rouleurs » qui passent d'une armée à l'autre diminue. Le service militaire est d'ailleurs partout un facteur de fusion des peuples dans un état. Il contribue à répandre la langue officielle et à fournir aux services publics avec les anciens soldats des agents subalternes (en France, gabelous). D'ailleurs en France le sort des soldats est amélioré par des mesures de caractère social : pensions (cf. p. 423), écoles d'enfants de troupe (1786), mais l'introduction de la discipline prussienne et la plus grande difficulté à accéder aux grades créent un vif mécontentement (cf. p. 429).

L'administration militaire se perfectionne par la création de bureaux spécialisés dans les ministères de la guerre, la multiplication et la hiérarchisation des commissaires des guerres, et des officiers chargés du « détail » (majors, sergents fourriers). Le plus souvent, transports, subsistances et fournitures sont « à l'entreprise ». Le service des étapes est soit en régie, soit affermé. Les hôpitaux militaires et les casernes se multiplient sans pourtant suffire.

Le XVIIIe siècle voit la réalisation de progrès techniques considérables. Certes l'art de la fortification a peu évolué depuis Vauban. Les forteresses ont contribué à sauver la France pendant la guerre de Succession d'Espagne et la Prusse pendant la guerre de Sept Ans. L'infanterie a pris une place prépondérante. Les fusils sont plus rapides. Le modèle français de 1777, alors le meilleur, fera toutes les guerres de la Révolution et de l'Empire. La cavalerie se diversifie notamment par l'emploi de troupes plus mobiles (hussards, puis chasseurs à cheval) chargées de reconnaissances et de coups de main. La cavalerie autrichienne est la plus réputée. Dans l'artillerie la supériorité appartient d'abord à la Prusse (artillerie à cheval de Frédéric II), mais avec Gribeauval le matériel français est standardisé, rendu plus mobile et plus précis et surclasse celui des autres armées. Les victoires de Frédéric II ont donné à l'armée prussienne un grand prestige. Partout l'on adopte le *drill* (dressage des soldats), la discipline à la prussienne et une tactique plus souple (ordre mince remplaçant l'ordre profond, ordre oblique cher à Frédéric II). Il est à noter, d'ailleurs, que ces progrès sont généralement postérieurs aux grandes guerres européennes. En 1789 l'armée française est devenue techniquement la meilleure, mais la crise morale qu'elle vit le fait oublier.

La marine connaît également de grands perfectionnements. Les navires sont de plus en plus grands et faciles à manœuvrer. Le problème des effectifs reste délicat. Il est à peu près résolu en France par le système des classes. L'Angleterre connaît encore la presse et le système des primes. Les galères ont disparu vers le milieu du siècle. Les navires étant devenus plus coûteux on évite leur destruction et on préfère capturer ceux de l'ennemi. Tandis que les Anglais tirent au-dessous de la ligne de flottaison, les Français tirent à démâter, jusqu'à ce que Suffren inverse cette tactique pendant la guerre d'Amérique. L'entretien d'une puissante marine nécessite des installations portuaires renouvelées (Le Havre, Brest, Lorient, Cherbourg, Plymouth, Portsmouth..., La Corogne, Saint-Pétersbourg, Odessa...). Les officiers de marine appartiennent au monde de la mer, mais il se crée des corps d'administrateurs (en France, « officiers de plume ») assez mal considérés.

Les perfectionnements des armées et marines de guerre coûtent très cher, obèrent les finances des grands Etats (Angleterre, Russie). Celles de la France ne résistent pas à la guerre d'Amérique. De plus, malgré une période de paix relativement longue (1763-1792), l'armée est devenue un élément permanent plus important de la vie des nations.

Les conflits européens

La politique du continent européen se noue autour de deux centres : la succession d'Autriche qui fit naître une rivalité austro-prussienne et suscita deux guerres (guerre de Succession d'Autriche et guerre de Sept Ans) et l'expansion russe et autrichienne aux dépens d'Etats archaïques et faibles : Pologne et Turquie.

LA RIVALITÉ AUSTRO-PRUSSIENNE

En 1740 la France venait de retrouver sur le continent européen une position d'arbitre (cf. p. 362), mais une guerre anglo-espagnole avait éclaté. Coup sur coup mouraient le Roi-Sergent laissant la Prusse à Frédéric II et l'empereur Charles VI laissant à sa fille Marie-Thérèse les possessions des Habsbourg. Malgré les garanties données à la *Pragmatique Sanction* par les puissances (cf. p. 362) l'héritage de Marie-Thérèse fut contesté, notamment par Charles-Albert de Bavière dont l'épouse avait été évincée de la Succession par la *Pragmatique*. Frédéric II profitant du désarroi autrichien s'empara de la Silésie (victoire de Mollwitz, avril 1741). Sous l'influence des traditions de lutte contre la Maison d'Autriche, le gouvernement français intervint pour soutenir Charles-Albert qui fut installé à Linz et à Prague par le maréchal de Belle-Isle (novembre 1741) et couronné Empereur à Francfort (février 1742). Marie-Thérèse fit preuve de beaucoup d'énergie, accorda une large autonomie aux Hongrois, céda la Silésie à Frédéric II, négocia avec l'Angleterre qui lui fournit des subsides, reprit Prague. La situation fut renversée. Une coalition se noua contre la France à Worms (1743), entre l'Angleterre, l'Autriche, le Piémont. La France déclara la guerre à l'Angleterre. Les armées françaises avaient évacué l'Empire, les armées impériales menacèrent Metz. Frédéric II, craignant une victoire autrichienne et la perte de la Silésie, reprit les hostilités et s'empara de Prague, tandis que Maurice de Saxe à la tête d'une armée française commençait la conquête des Pays-Bas (Fontenoy, 1745). Charles-Albert étant mort en 1745, François de Lorraine, époux de Marie-Thérèse, fut élu Empereur. La situation de la France était rétablie et elle continuait une guerre qui avait changé d'objet. Les Pays-Bas conquis, l'armée française entra dans les Provinces-Unies. Aux colonies, échecs et succès s'équilibraient pour les Français et les Anglais. Considérant la lassitude de la population, Louis XV signa la paix « en roi et non en marchand » (traité d'Aix-la-Chapelle, 1748). Il abandonnait les Pays-Bas. La guerre profitait à Frédéric II qui gardait la Silésie, à don Philippe, fils de Philippe V d'Espagne et d'Elisabeth Farnèse, qui obtenait Parme et au Piémont qui annexait Novare.

Cette paix bâclée devait engendrer une nouvelle guerre. D'ailleurs les hostilités continuaient virtuellement entre Français et Anglais dans l'Inde et en Amérique. L'Autriche ne se résignait pas à la perte de la Silésie et Frédéric II était prêt à une nouvelle guerre pour conserver cette conquête. Le gouvernement français, placé devant la perspective d'un nouveau conflit maritime et colonial avec l'Angleterre et d'une nouvelle guerre en Europe, hésitait sans pouvoir se dégager de l'une ou de l'autre.

Aussi l'Europe ne connut qu'un court entre-deux guerres marqué par le renversement des alliances.

En 1748 la France et la Prusse s'opposaient à l'Angleterre et à l'Autriche alliée de la Russie. En 1755, jugeant la guerre contre la France inévitable, le gouvernement anglais donnait à sa flotte l'ordre de saisir tous les navires marchands français. Les hostilités lui furent d'abord défavorables. Les Français s'emparèrent de Minorque (avril-mai 1756). Or George II voulait garantir son électorat de Hanovre. Il conclut une alliance avec la Russie (30 septembre 1755). La Prusse était encerclée. Frédéric II offrit alors à George II de garantir le Hanovre (traité de Westminster, 16 janvier 1756). Ce traité inquiéta la France, l'Autriche et la Suède. Déjà Kaunitz qui avait été ambassadeur à Paris (1750-1752) avait posé des jalons pour une réconciliation entre la France et l'Autriche en gagnant Mme de Pompadour. Le traité de Westminster fut considéré en France comme une rupture de l'alliance franco-prussienne. Le 1er mai 1756 était signé le premier traité de Versailles par lequel France et Autriche se garantissaient leurs Etats. Par une clause secrète les deux partenaires se promettaient une aide limitée en cas d'agression prussienne. La Suède resserra son alliance avec la France. L'encerclement de la Prusse n'était pas moindre que l'année précédente. Pour gagner la coalition de vitesse, Frédéric II envoya un ultimatum à l'Autriche et envahit la Saxe (9 août 1756). Le « brigandage de Saxe » eut un effet contraire à celui attendu. Les cercles de l'Empire se rangèrent aux côtés de l'Autriche et la Russie vint en aide à Marie-Thérèse. Par le second traité de Versailles (1er mai 1757), la France obtenait la promesse d'une cession partielle des Pays-Bas et des avantages à don Philippe si l'Autriche reprenait la Silésie, mais elle s'engageait dans la guerre continentale.

La guerre de Sept Ans fut dramatique pour la Prusse dont Frédéric II avait joué l'existence et qui fut sauvée par le génie de celui-ci, la solidité de l'œuvre des Hohenzollern, les subsides anglais et le manque de coordination entre les coalisés. En 1757, l'armée française s'empara du Hanovre (capitulation de Klosterzeven), les Russes envahirent la Prusse orientale, les Suédois la Poméranie orientale, les Autrichiens la Silésie, une armée franco-allemande la Saxe. Mais Frédéric écrasa les Franco-Allemands commandés par Soubise à Rossbach (5 novembre) et les Autrichiens à Leuthen (25 décembre) et George II dénonça la capitulation de Klosterzeven. Pendant cinq ans, Frédéric II, bien secondé par ses généraux, tint tête à ses adversaires. En 1758, les Français furent battus à Krefeld et les Russes à Zorndorf, mais en 1759 Frédéric II était écrasé à Kunersdorf. Désormais la guerre se déroula sur le territoire prussien qui fut ravagé. Les Russes occupèrent même momentanément Berlin en 1760. Cependant Pitt avait réussi à redresser la situation de l'Angleterre. La France perdit l'Inde et le Canada. L'entrée en guerre de l'Espagne à ses côtés (2 janvier 1762) n'eut aucun effet. Les Anglais occupèrent la Martinique et Cuba. Cependant la Prusse était épuisée lorsque la mort de la tsarine Elisabeth (5 janvier 1762) et l'avènement de Pierre III, admirateur de Frédéric II, firent changer la Russie de camp. Bien que Catherine II ait proclamé sa neutralité, la coalition était disloquée. De son côté, l'Angleterre avait atteint ses buts. Le nouveau roi George III songeait à la paix.

Pitt avait dû céder la place à Bute (septembre 1761). Le 15 février 1763 la paix était signée à Hubertsbourg sur les bases du *statu quo ante bellum*. Cinq jours avant, le traité de Paris avait mis fin à la guerre franco-anglaise. La guerre de Sept Ans avait ruiné la Prusse, mais en avait fait une puissance respectée. Les Autrichiens devaient renoncer à la Silésie. Pour avoir mené deux guerres à la fois, la France était en fait la principale perdante.

L'EXPANSION RUSSE ET LE PARTAGE DE LA POLOGNE

A la mort d'Auguste III de Pologne, Stanislas-Auguste Poniatowski est élu roi·de Pologne (septembre 1764) sous la pression des troupes russes (cf. p. 446). Le traité de février 1768 fit de la Pologne un protectorat russe. La résistance de la Confédération de Bar fut brisée par les armées de Catherine II. Choiseul crut sauver la Pologne en poussant le sultan à déclarer la guerre aux Russes, mais ceux-ci envahirent la Crimée et les principautés roumaines de Moldavie et Valachie. La flotte d'Orlov pénétrait en Méditerranée, débarquait des troupes en Morée, écrasait la flotte turque à Tschémé (6 mars 1770), mais ne parvenait pas à forcer les Dardanelles. Cependant Frédéric II et Joseph II inquiets de l'avance russe avaient eu deux entrevues. En même temps, Frédéric II suggérait à Catherine II un partage de la Pologne. Cette solution répugnait à Marie-Thérèse qui signait une alliance avec la Turquie (juillet 1771). Pour avoir les mains libres en Pologne, Catherine II déclara renoncer à des conquêtes dans les Balkans. Moyennant une part substantielle de la Pologne, elle accepta le partage. L'Autriche s'y associa à son tour. Le premier partage de la Pologne valait à Frédéric II les enclaves polonaises en Prusse orientale et le « couloir de Dantzig » sans cette ville (900 000 habitants), à Catherine II, une notable avance des frontières russes vers l'ouest (1 600 000 hab.) et à l'Autriche la Galicie orientale et la petite Pologne (2 300 000 hab.). Malgré le soulèvement de Pougatchev, la Russie grâce aux victoires de Souvorov put imposer au sultan le traité de Koutchouk-Kaïnardji (juillet 1774) qui lui donnait accès à la mer Noire, un véritable protectorat sur la Crimée, le droit d'usage de tous les ports turcs et le rôle de protectrice des chrétiens orthodoxes des Balkans. Pour prix de son aide l'Autriche reçut la Bukovine.

L'attention fut bientôt reportée vers l'ouest. La succession de Bavière ouvrait à l'Autriche la perspective d'un échange des Pays-Bas lointains et indociles contre cet Etat. Mais Frédéric II soutint les droits du prince de Deux-Ponts. Vergennes qui envisageait une intervention armée aux côtés des insurgents américains

contre l'Angleterre refusa d'aider l'alliée autrichienne. Une courte guerre indécise entre l'Autriche et la Prusse s'acheva par une médiation russe. Joseph II
dut abandonner la Bavière, ne se contentant que des « quartiers de l'Inn » (paix
de Teschen, 1779). La guerre franco-anglaise qui avait éclaté causa des soucis aux
intérêts commerciaux et suscita la formation d'une « ligue de neutralité armée »
qui essaya de faire respecter la liberté des mers (1780).

Cependant la décadence politique de la Turquie était accentuée par le réveil
des peuples chrétiens des Balkans, manifeste surtout dans la bourgeoisie grecque
marchande et cultivée des ports, en contact avec la Méditerranée occidentale.
Catherine II proposa à Joseph II un plan de partage, le « projet grec » (1782),
comportant la création d'un royaume dace (Roumanie) et d'un empire grec
vassaux, assorti d'avantages territoriaux pour la Russie et l'Autriche et de compensations pour la France (Egypte) et la Prusse. Mais la France et l'Angleterre firent
échouer le projet grec. La Russie se contenta d'annexer la Crimée (1783). Catherine II et Joseph II crurent trouver en 1787 l'occasion de relancer ce projet, les
Turcs puis les Suédois ayant attaqué la Russie. Joseph II intervint, des soulèvements éclatèrent en Moldavie, Valachie et Serbie. En 1789, les Russes de Souvorov
et les Autrichiens remportèrent de grands succès, mais l'agitation se répandait dans les Pays-Bas et en Hongrie contre les réformes de Joseph II. A la
mort de celui-ci, Léopold II pour assurer son élection impériale se rapprochait de Frédéric II, signait avec les Turcs la paix de Sistova (août 1791).
Catherine II traita à son tour à Iassy (janvier 1792). Elle obtint la région
d'Odessa.

Cette dernière guerre revêt une grande importance. Elle détourna
l'attention des événements de France. Elle ouvrit la question d'Orient.
Nul ne pouvait plus ignorer les aspirations à la liberté de certains des
peuples chrétiens des Balkans et la décadence de l'Empire turc. L'Angleterre et la France étaient favorables au maintien de l'intégrité de cet
Empire car elles craignaient les visées russes en Méditerranée et en Asie.
A leurs yeux l'Egypte devenait une position clé à la fois pour le commerce
en Méditerranée et l'accès aux Indes.

Le monde et la rivalité franco-anglaise

En 1740 l'aire commerciale des Européens était en pleine expansion.
Leurs établissements outre-mer se multipliaient. Mais cette extension était
surtout le fait des Anglais et Français qui se livraient à un véritable duel
dans presque toutes les parties du monde. On peut distinguer deux
secteurs : l'océan Indien et l'Extrême-Orient d'une part dont les Européens
tiraient des produits variés et coûteux au prix de sorties considérables de
métaux précieux, et le domaine atlantique où s'installaient des colonies

de peuplement qui leur fournissaient du numéraire, soit par les mines, soit par les importations de produits manufacturés. Entre les deux, la Chine échappait encore à l'emprise européenne.

L'INDE, LES FRANÇAIS ET LES ANGLAIS

Les masses rurales du continent asiatique au pouvoir d'achat très faible vivaient repliées sur elles-mêmes. Les produits européens ne tentaient que des marchands et gens aisés vivant autour des comptoirs et des princes acheteurs d'armes et de munitions. Par contre, les Européens venaient chercher des épices, cotonnades, produits de luxe. Ils compensaient en partie le déficit de la balance des paiements en effectuant le commerce d'Inde en Inde, les marchands indigènes n'ayant qu'un rôle d'auxiliaire. Derniers venus dans l'Inde, les Français constituaient les seuls concurrents sérieux pour les Anglais. Les compagnies françaises et anglaises des Indes orientales concentraient dans leurs comptoirs, outre les produits de l'Inde (étoffes : « madras », percales, soieries, épices, teintures), les cafés d'Arabie et le thé, la soie, les porcelaines de Chine qu'elles transportaient en Europe.

Cependant les princes indigènes s'étaient affranchis de l'empire musulman du Grand Mogol. Les confédérations des Sikhs et des Radjpoutes s'étaient constituées dans le Nord-Ouest, tandis que celle des Mahrattes guerriers et envahissants s'étendait rapidement dans le nord du Dekkan. Perses et Afghans entraient dans l'Inde. Les agents des compagnies française puis anglaise ne se contentaient plus de faire du commerce, ils intervenaient dans les luttes politiques. Les gouverneurs français Dumas et, depuis 1741, Dupleix se faisaient donner le titre de nabab et formaient une armée de Français et de Cipayes. En 1744 les Anglais inquiets commencèrent les hostilités et poussèrent les Mahrattes à attaquer les comptoirs français. Avec l'aide du gouverneur des îles de France et de Bourbon, Mahé de La Bourdonnaye, Dupleix défendit habilement les comptoirs français. La Bourdonnaye prit Madras (1745) et Dupleix sauva Pondichéry (1748). La paix d'Aix-la-Chapelle restitua Madras aux Anglais (1748), mais les hostilités ne cessèrent pas. Grâce à la petite armée de Bussy, Dupleix installa un véritable protectorat dans le Carnatic autour de Pondichéry et de Mahé et une zone d'influence dans le Dekkan et la côte des Circars autour de Yanaon et Mazulipatam. La compagnie anglaise réagit. Ses troupes commandées par Robert Clive battirent les Français et leurs protégés à Tritchinapaly (1753). Dupleix fut désavoué et destitué par le gouvernement français inquiet de cette politique expansionniste. Les deux compagnies décidèrent de limiter leurs activités au commerce. Par le traité Godeheu elles renonçaient à tous protectorats et alliances. Seuls les Français risquaient de perdre quelque chose. Mais la guerre franco-anglaise ayant repris, le traité ne fut pas exécuté. Bussy se maintint dans le

Dekkan. Cependant Clive s'emparait de Chandernagor, battait le soubab du Bengale à Plassey (1757) et rangeait cette province sous sa domination. A la tête des Français Lally-Tollendal défendait le Carnatic, mais, incapable de comprendre les problèmes de l'Inde, il échouait devant Madras et devait capituler dans Pondichéry (1760). L'année suivante les comptoirs français étaient tombés. Cependant, en sacrifiant le Canada et la Louisiane, la France put se faire restituer au traité de Paris les cinq comptoirs de l'Inde (1763). La guerre d'Amérique amena une reprise des hostilités dans l'Inde. L'amiral Suffren venu au secours de Bussy et du sultan du Mysore Haïder-Ali menait une campagne victorieuse lorsque fut signée la paix de Versailles (1783). Clive avait repris pour le compte de l'Angleterre la politique de Dupleix et l'Inde passait progressivement sous le protectorat anglais, mais la Compagnie des Indes était au bord de la faillite. Le *Regulating act* de 1773 la plaça sous le protectorat de la Couronne et du Parlement. A Clive succéda Warren Hastings qui organisa l'administration anglaise. L'*India Bill* de 1784 renforça le contrôle du gouvernement sur la compagnie. Mais en fait l'éloignement de Londres laissait à celle-ci une large autonomie. Les Anglais levaient des impôts sur les populations indigènes et vendaient de l'opium du Bengale en Chine. De leur côté les Hollandais établis à Ceylan concentraient leurs efforts sur l'Insulinde où ils développaient des plantations. Les Européens devenaient vendeurs d'épices, de sucre, de coton et aussi d'indigo et de riz. Ainsi la balance des paiements leur devenait beaucoup plus favorable.

L'ÉVOLUTION DU MONDE CHINOIS

Dans la première moitié du siècle, la Chine exerçait sur les Européens une véritable séduction. Les missionnaires appréciaient certains traits de la morale bouddhiste et avaient lutté pour la reconnaissance des « rites chinois ». Les Philosophes vantaient une organisation sociale proche de la nature, tolérante et respectueuse du mérite. Or la Chine était le théâtre d'une évolution profonde dont une des causes essentielles semble être l'augmentation considérable de la population qui serait passée au cours du xviiie siècle de cent à trois cents millions d'âmes. Vers 1750 l'équilibre population-subsistance était rompu et la Chine s'installait pour deux siècles dans un régime de sous-alimentation. L'émigration vers le Sud-Est asiatique s'accentua et il se produisit une poussée de colonisation vers l'ouest. Sous le règne de K'ien Long (1736-1796), le maréchal mandchou Tchao Houei détruisit l'Empire de Djoungarie (1757) et constitua la province du Sin-Kiang (la nouvelle marche). Le Tibet passa sous le contrôle chinois. Dans le même temps la Chine se repliait sur elle-même. Si les Jésuites continuaient à être tolérés à Pékin comme techniciens, depuis 1746 des persécutions frappaient les Chinois convertis. Les marchands européens ne pouvaient plus commercer depuis 1720 que par l'intermédiaire d'une corporation, le Co-Hong, installée à Canton. En 1757, ils étaient confinés sur un espace exigu de ce port, qu'ils devaient quitter de février à septembre. Cette attitude fermait la Chine aux progrès scientifiques et surtout techniques, mais pas au commerce. Entre 1740 et 1780, le volume du « commerce à la Chine » tripla. Les Anglais tenaient la première place, mais subissaient la concurrence des Français qui prenaient contact avec l'Annam, puis des Américains. Le trafic portait surtout sur l'achat de thé, de soies, de porcelaines et de meubles laqués. Cependant les Anglais commençaient à vendre des lainages légers et surtout de l'opium. Le désir de commercer avec la Chine croissait chez les Européens au moment où la Chine se fermait et leur impatience à l'égard des tracasseries et de la routine de l'administration chinoise effaçait le mythe de l'empire de la sagesse.

L'AMÉRIQUE COLONIALE, LE DUEL FRANCO-ANGLAIS

Le commerce des Indes occidentales revêt plus d'importance au xviiie siècle que celui des Indes orientales. Il agit comme stimulant parce qu'il fournit les métaux précieux qui irriguent le commerce européen et aussi parce que le Nouveau Monde constitue un marché important pour les produits industriels de l'Europe car les Etats, en vertu du « pacte colonial », interdisent l'installation d'industries dans leurs colonies. La partie la plus active est formée par les Antilles et la frange atlantique de l'Amérique du Nord. Aussi est-elle âprement disputée entre Français et Anglais. Cependant l'Amérique latine garde toute son importance. Les colonies espagnoles ont une économie basée sur l'élevage extensif dans de grands domaines et une agriculture de subsistance. Elles payent l'importation de produits manufacturés d'Europe et de Noirs d'Afrique avec le produit des mines (surtout argent mexicain). En fait, Anglais et Français drainent la plus grande partie de ces espèces (cf. p. 402). La contrebande anglaise étant particulièrement active, Français et Espagnols lient partie contre eux. Au Brésil le traité de Methuen permet aux Anglais de vendre leurs produits contre de l'or. Dans les Antilles, aux îles anciennement exploitées (Cuba, Porto Rico, Jamaïque) s'ajoutent les îles françaises : Martinique, Guadeloupe, Dominique, et surtout Saint-Domingue. Malgré la perte de la Dominique en 1763, la population des îles françaises triple de 1735 à 1789 et atteint alors 750 000 habitants dont plus de 80 % sont des esclaves noirs. Partout la monoculture du

sucre recule devant le café, le coton et le cacao. La plantation a pour centre
la demeure du propriétaire autour de laquelle sont disséminées les cases
des Noirs (de 50 à 200) et les dépendances : moulins à canne, sucreries où
se fait la mélasse, fabriques de rhum. L'épuisement des sols nécessite
l'introduction d'assolements où entrent des cultures vivrières et surtout
de fumures. De plus, la main-d'œuvre, vu le mauvais état sanitaire, ne
travaille guère que quinze années sur les plantations et le prix des esclaves
double. Aussi l'exploitation devient moins rentable. La crise atteint
d'abord les Antilles anglaises mises plus tôt en valeur. Les colons anglais
obtiennent de leur gouvernement un quasi-monopole de la vente des
mélasses dans les colonies anglaises d'Amérique du Nord (1733) et le
droit de vendre leurs produits en Europe. Toutefois les Anglais d'Amérique du Nord essaient de se procurer du sucre des Antilles françaises,
meilleur marché, ce qui avive l'hostilité entre Londres et Paris. La crise
atteindra les Antilles françaises à la fin du siècle. La gestion des plantations
souffre des fréquents séjours des plus grands planteurs en France et du
manque de main-d'œuvre qualifiée.

En Amérique d'immenses territoires compris entre la côte atlantique,
la baie d'Hudson et le Mississipi étaient disputés par les Anglais et les
Français. La population était clairsemée sauf sur la côte et le Saint-
Laurent. Les Français avaient installé au Canada (amputé en 1713 de
l'Acadie) une société agricole, seigneuriale et soumise au clergé. Une
extraordinaire natalité ne suffisait pas à peupler ces étendues d'autant
plus que l'immigration venue de la métropole était très faible. Aussi le
Canada ne comptait guère que 60 000 habitants au milieu du siècle.
Les principales agglomérations : Québec et Montréal, étaient des ports
exportant fourrures, bois, goudrons et poissons séchés et important
armes, outils, tissus, mélasses, en faibles quantités à cause du petit
nombre d'habitants. L'étroite façade maritime du Canada était défendue
par le poste de Louisbourg. Au-delà de Montréal, on ne trouvait que
quelques postes fortifiés comme Frontenac et Détroit sur les pistes
menant aux Grands Lacs ou à la vallée de l'Ohio et le pays n'était parcouru
que par des trappeurs ou des marchands de fourrures en contact avec
les Indiens : Hurons favorables, Iroquois hostiles. Sur le golfe du Mexique
La Nouvelle-Orléans était le seul établissement important de la Louisiane,
immense région de « prairies » traversée par le Mississipi et l'Ohio, où l'on
ne trouvait qu'à peine 10 000 Français.

Les Anglais étaient établis sur la baie d'Hudson, à Terre-Neuve, en

Acadie, et surtout dans les treize colonies qui, entre la côte et les Appalaches, s'étiraient de l'Acadie à la Floride espagnole. En pleine expansion démographique, ces colonies comptaient alors un million et demi d'habitants dont plus des deux tiers étaient des Blancs surtout d'origine anglaise et le reste des Noirs esclaves travaillant surtout dans le Sud. Tandis que les colonies du Sud avaient une économie de plantations (tabac, riz, indigo), celles du Nord avaient une agriculture plus proche de l'agriculture canadienne, exploitaient bois et fourrures, fabriquaient du rhum et possédaient des chantiers navals. On y trouvait déjà une vie urbaine à Philadelphie (30 000 habitants), Boston, New York. Malgré l'exclusif qui interdisait l'exportation de produits industriels (sauf des navires vers l'Angleterre), les colonies du Nord et du Centre avaient une activité commerciale importante. Le gouvernement de Londres les laissait exporter des grains, viandes, bois, poissons vers les Antilles et même vers l'Europe méditerranéenne et vers l'Afrique du rhum qui servait de monnaie d'échange aux marchands négriers. Elles importaient des produits manufacturés d'Angleterre et des mélasses et fruits des Antilles. L'Angleterre s'intéressait aux treize colonies qui offraient un débouché aux produits de son industrie, d'autant plus que les Antilles anglaises connaissaient alors une crise.

Les colonies du Sud et la Jamaïque se heurtaient surtout aux Espagnols aux dépens desquels se faisait une active contrebande, mais au milieu du siècle le gouvernement anglais et les colons du Nord et du Centre redoutaient davantage l'expansion française. Les pionniers anglais avaient franchi les Appalaches et se heurtaient aux Français dans la vallée de l'Ohio. L'élimination des Français du continent américain apparut bientôt aux Anglais comme une nécessité. Pendant la guerre de Succession d'Autriche, Français et Anglais s'affrontèrent. Les Anglais s'emparèrent de Louisbourg (1745) qu'ils durent restituer à la paix d'Aix-la-Chapelle. En fait, les hostilités ne s'arrêtèrent pas entre les colons. Les Anglais tentèrent d'établir des postes sur la vallée de l'Ohio. Les Français s'en emparèrent (Fort-Duquesne et Fort-Nécessité, 1753 et 1754). Lorsque la guerre reprit entre la France et l'Angleterre, les Français, quelques soldats commandés par Montcalm et surtout des miliciens canadiens continuèrent leurs progrès sur les Grands Lacs et l'Ohio. Mais Pitt envoya en Amérique Wolfe et 25 000 soldats. Aidé par de nombreux miliciens coloniaux, alors que les Français ne recevaient plus de secours, Wolfe prit Fort-Duquesne qui devint Pittsburg (1758). Québec tomba en 1759. En 1760 les Anglais avaient conquis le Canada auquel la France renonçait par le traité de Paris. La France abandonnait également la Louisiane. La partie occidentale était cédée à l'Angleterre, les territoires situés à l'est du Mississipi et La Nouvelle-Orléans à l'Espagne en compensation de la perte de la Floride conquise par les Anglais.

L'Angleterre avait triomphé partout. Cependant elle devait laisser aux Français la Martinique, la Guadeloupe et Saint-Domingue qui avaient aux yeux des contemporains plus de valeur que les « quelques arpents de neige » du Canada. Les Anglais garantirent aux Canadiens français l'exercice de leur religion et leurs propriétés, puis par le *Quebec act* (1774) l'application des libertés anglaises. Le Canada devint une province autonome en 1791. L'abandon par le gouvernement français dont les Canadiens avaient été. victimes facilita leur ralliement aux vainqueurs, mais grâce à leur vigoureuse natalité et leur attachement au catholicisme, ils ne furent pas absorbés par l'Amérique anglo-saxonne.

La naissance des Etats-Unis

En Amérique la victoire était l'œuvre commune de l'Angleterre et de ses colonies et en 1763 rien ne laissait présager une rupture entre elles. Cependant les Anglais d'Amérique possédaient des traits particuliers et leurs intérêts économiques ne coïncidaient pas avec ceux de la mère patrie. L'union entre les treize colonies ne semblait pas plus probable tant était grande la diversité des structures sociales, des économies et des mentalités.

PARTICULARISMES ET FACTEURS D'UNION
DANS LES TREIZE COLONIES EN 1763

Sur une population qui, en 1790, grâce à une forte natalité et surtout à l'afflux d'immigrants, atteignait quatre millions d'âmes, on comptait alors 3 250 000 Blancs dont 80 % d'origine anglaise et écossaise, mais dans les colonies du Centre on trouvait des descendants de Hollandais, de Suédois, de Huguenots, d'Allemands et des juifs. Tous s'assimilaient rapidement dans le creuset anglo-saxon *(melting pot)*. Les neuf dixièmes des 750 000 Noirs étaient concentrés dans le Sud. La presque totalité des colons étaient de religion protestante, surtout calviniste, mais divisés en diverses confessions : congrégationalistes, anglicans, presbytériens, luthériens, baptistes, puis méthodistes, généralement intolérants sauf les Quakers. L'esprit puritain dominait surtout dans le Nord ou en Nouvelle-Angleterre. Il n'y avait pas de ressemblances entre la société coloniale du Sud où des grands planteurs blancs, souvent d'origine aristocratique et anglicane vivaient de l'exportation de denrées tropicales et faisaient travailler de nombreux esclaves noirs et la société de caractère plus démocratique et puritain de la Nouvelle-Angleterre, faite de petits propriétaires cultivant des céréales et élevant chevaux et bovins. De même s'opposaient les populations urbaines des ports du Nord possédant une grande activité industrielle, maritime (pêche), constructions navales, commerciale et une vie intellectuelle développée, et les pionniers de la « Frontière », à l'esprit aventureux et individualiste. Les distances et les circonstances particulières de leur fondation avaient permis aux colonies d'avoir un *self government*. Un gouverneur, nommé par le roi dans la plupart des colonies, représentait la Couronne et le Parlement de Londres, mais son autorité était limitée par des assemblées locales élues suivant des modalités variées d'une colonie à l'autre. L'esprit d'autonomie jouait non seulement à l'égard de Londres, mais également à l'égard des voisins. Aussi n'est-il pas étonnant que, lorsqu'en 1754 Benjamin Franklin avait proposé une association contre les Français au congrès d'Albany, aucun résultat n'ait été obtenu.

Cependant les traits communs ne manquaient pas : pratique de la langue anglaise, prestige de l'enseignement, notamment en Nouvelle-Angleterre où l'on ne comptait que 5 % d'analphabètes. Plusieurs universités avaient déjà acquis une célébrité : Harvard, Yale, Princeton. Les bibliothèques étaient nombreuses. On publiait ouvrages religieux et scientifiques, journaux et almanachs (*Le pauvre Richard*, de B. Franklin). Les Anglais d'Amérique avaient également conscience d'appartenir à un peuple élu. Ils étaient attachés aux principes de la « glorieuse révolution » de 1689 et au *self-government*. Ils respectaient la Couronne et le Parlement dont l'autorité d'ailleurs s'exerçait surtout en matière commerciale puisqu'ils dépendaient étroitement du *Board of Trade*.

L'INDÉPENDANCE DES TREIZE COLONIES

Paradoxalement l'Angleterre allait faire l'unité des treize colonies, mais contre elle-même.

Au lendemain de la victoire, les finances anglaises étaient obérées. Le Parlement dut lever des taxes et Lord Grenville étendit cette fiscalité aux sujets d'Amérique. Les colons protestèrent contre ces impôts (droits sur les mélasses et produits des Antilles) qui ne profitaient qu'à l'Angleterre et nuisaient à leurs intérêts par leur caractère mercantiliste. De plus, ils ne les avaient pas consentis, n'étant pas représentés au Parlement de Londres. En 1765 un droit de timbre sur toutes les publications visa également les colonies. Celles-ci ne devaient plus frapper de monnaies et leurs habitants étaient soumis au logement des troupes. Un « Congrès du timbre » rassembla des protestataires. Lord Grenville renonça au droit de timbre et diminua les taxes, mais le *Declatory act* donna au Parlement de Londres un droit de veto sur les décisions des assemblées coloniales. Une nouvelle tentative fiscale faite par Townshend n'eut pas plus de succès (1767-1769). L'hostilité à l'égard des soldats anglais provoquait la répression (« Massacre de Boston », 1770). Les marchandises anglaises étaient boycottées, notamment le thé apporté par la Compagnie des Indes (*Boston tea party*, 1773). Le gouvernement anglais réagit vigoureusement par les *intolerable acts* (fermeture du port de Boston, limitation de l'autonomie du Massachusetts). Enfin le *Quebec act* étendant le territoire du Canada entre les Grands Lacs et l'Ohio limitait l'extension vers l'ouest de la Nouvelle-Angleterre.

Une résistance se manifesta chez les colons à l'appel d'hommes comme Samuel Adams qui organisa les « Fils de la liberté », puis des *Comités de correspondance* et en 1774 le premier *Congrès continental* réunissait à Philadelphie des représentants des colonies. Ils acceptaient l'autorité de la Couronne mais rejetaient celle du Parlement de Londres en demandant pour les colonies le droit de se gouverner elles-mêmes. Les hostilités commencèrent à Lexington en 1775. Le second Congrès de Philadelphie leva une armée qu'il confia à George Washington. Une campagne de presse (*The common Sense* de Thomas Paine) amenait l'opinion à l'idée de l'indépendance. Le 4 juillet 1776 le Congrès adoptait la *Déclaration d'indépendance*. Celle-ci témoignait du succès rencontré dans les colonies par les idées de Locke, de Montesquieu et des Philosophes français. Elle affirmait que les hommes sont libres et égaux en droit et que la vie, la propriété, la poursuite du bonheur sont des droits fondamentaux de l'homme. Sans doute les « Pères fondateurs », Franklin, Jefferson, Washington..., n'appliquaient leurs principes qu'à la situation politique présente, mais ceux-ci étaient susceptibles, dans l'ordre économique et social, de développements qu'envisageaient les « radicaux ».

Le gouvernement anglais ne vit pas tout de suite le danger. D'ailleurs il pouvait compter sur l'appui des « loyalistes », environ un tiers de la population (tories du Nord, petits Blancs radicaux du Sud), et sur le Canada. Les excellentes troupes anglaises connaissaient mal le pays et devaient combattre à cinq mille kilomètres de Londres. Les « Insurgents », ainsi les appelait-on en France, disposaient d'hommes plus à l'aise dans les combats de partisans que dans les batailles rangées. Leurs effectifs étaient fluctuants, car ils avaient gardé la mentalité de miliciens et répugnaient à quitter leur région. Les officiers étaient souvent médiocres. Cependant les Insurgents eurent le renfort de volontaires européens, La Fayette, von Steuben, Kosziusko. La capitulation d'une troupe anglaise à Saratoga (octobre 1777) décida le gouvernement français à signer avec les Etats-Unis un traité de commerce et d'alliance (février 1778) puis à entrer en guerre. La France fournit des armes et des fonds, envoya le corps expéditionnaire de Rochambeau, tint en échec la flotte anglaise et entraîna à ses côtés les Espagnols qui reprirent la Floride et les Hollandais. Après la capitulation de Yorktown (17 octobre 1781), l'Angleterre, isolée par la Ligue des neutres, négocia avec les Etats-Unis dont elle reconnut l'indépendance. La France ne pouvait poursuivre la guerre. Le traité de Versailles ne lui procurait que des avantages limités : restitution du Sénégal, de Saint-Pierre et Miquelon, et en principe de la Louisiane occidentale, droit de fortifier Dunkerque perdu en 1713. L'Espagne retrouvait Minorque et la Floride. Les Etats-Unis étaient reconnus comme une nation nouvelle avec un territoire limité à l'est par le Mississipi.

LA CONSTITUTION DES ÉTATS-UNIS

Cependant on pouvait douter que les Etats-Unis fussent véritablement une nation, car ils avaient le plus grand mal à s'organiser et une crise financière et économique y entretenait le désordre. Le Congrès de Philadelphie avait admis que chaque Etat se donne une Constitution, ce qui fut réalisé en 1780 après de longues discussions.

Ces constitutions avaient des points communs : elles garantissaient la liberté individuelle et la propriété ; la souveraineté du peuple était proclamée et exercée par un gouverneur et une ou deux assemblées ; le pouvoir exécutif du gouverneur était très surveillé par ces dernières. On rencontrait également des différences : le droit de suffrage était soumis à un cens variable ; les dispositions prises à l'égard des Eglises et de l'esclavage n'étaient pas les mêmes. Le Congrès s'était donné pour tâche d'établir entre les treize Etats une confédération, mais l'esprit particulariste de chacun d'eux s'opposait à l'établissement d'un pouvoir central fort. Les *Articles de Confédération* de novembre 1777 donnaient au Congrès le pouvoir de s'occuper de la politique extérieure, de battre monnaie, d'arbitrer les conflits entre Etats.

En fait, la Confédération était un Etat à *liberum veto* qui devait obtenir l'accord de tous les Etats pour lever des impôts, réglementer le commerce, organiser l'armée et la marine. Les lois seraient d'ailleurs appliquées par les Etats eux-mêmes. La ratification des Articles de Confédération par les Etats traîna jusqu'en 1781.

La Confédération était incapable de faire face à la crise financière, un impôt général ayant été plusieurs fois repoussé. L'interruption momentanée des relations commerciales avec l'Angleterre avait provoqué une crise commerciale. La France était hors d'état de prendre la place du commerce anglais : ses produits coûtaient cher et son mercantilisme était un obstacle à l'achat de certains produits des Etats-Unis. Les Etats du Nord notamment souffraient de la crise. Ils essayaient sans beaucoup de succès de nouer des relations avec l'Europe du Nord et la Chine. Tandis que les milieux d'affaires demandaient l'établissement de droits de douane pour protéger les industries naissantes, les fermiers de l'Ouest se soulevaient contre les taxes (révolte de Shays, 1786). La vente par le Congrès des terres confisquées aux loyalistes et de terres situées dans le bassin de l'Ohio profitait aux spéculateurs. Le cours du papier-monnaie s'effondrait et avec lui le crédit de l'Etat. Enfin, le sort des territoires de l'Ouest divisait les Etats.

Ce dernier problème fut le premier résolu. L'ordonnance de mai 1785 divisa le pays en *townships* de six *miles* carrés répartis en lots vendus à bas prix aux colons, concédés aux vétérans de la guerre ou destinés à l'entretien des écoles. L'ordonnance du 13 juillet 1787 posait en principe qu'une région colonisée constituerait un « territoire » doté d'une certaine autonomie lorsqu'elle aurait 5 000 habitants et deviendrait un Etat lorsque sa population atteindrait 60 000 habitants.

Pour sortir de l'anarchie les Etats envoyèrent, sur la proposition de la Virginie, des représentants à une *Convention* qui se tint à Annapolis puis à Philadelphie en mars 1787 sous la présidence de Washington. Les conventionnels appartenaient à la bourgeoisie. Ils étaient sensibles aux démarches des *Cincinnati* (associations d'anciens combattants) et désiraient sauver l'ordre public, garantir la propriété, l'unité et le crédit de l'Etat. La Constitution de 1787 fut le résultat de laborieux compromis. En gros les Etats du Nord obtenaient satisfaction sur les pouvoirs de l'Etat en matière de commerce et ceux du Sud sur le maintien de l'esclavage. Une Fédération était créée. L'expression de la souveraineté populaire passait des lois des Etats aux lois fédérales. Chacun des trois pouvoirs émanait du peuple, mais ils étaient rigoureusement séparés. Le pouvoir exécutifé tait exercé par un président élu pour quatre ans par un suffrage à deux degrés. Le pouvoir législatif revenait au Congrès composé d'un Sénat comptant deux membres par Etat, élus par les assemblées de celui-ci, et d'une Chambre des Représentants élus au prorata de la population de chaque Etat (les Noirs ne votant pas mais comptant pour les trois cinquièmes de leurs effectifs) suivant les lois électorales de chacun d'eux. Le président avait un droit de veto suspensif sur les décisions du Congrès. Enfin le pouvoir judiciaire, remis à une Cour suprême de neuf juges désignés par le président avec l'accord du Sénat, devait arbitrer les conflits entre le président et le Congrès, le pouvoir fédéral et les Etats. Des amendements à la Constitution pouvaient être proposés par les deux tiers des membres du Congrès et ratifiés par les trois quarts des Etats.

La ratification devait être effectuée par le peuple de chaque Etat. Fédéralistes et antifédéralistes s'opposèrent avec passion. Le Rhode Island ne donna son accord qu'en 1790. Cependant la Constitution fut mise en application le 4 mars 1789 par le Congrès réuni à Philadelphie qui élut comme président des Etats-Unis George Washington. Bien que l'indépendance des Etats-Unis ait été surtout une révolte réussie, elle apparut comme une révolution, notamment à l'opinion européenne, et comme la première application des principes de Montesquieu et de Rousseau. Aussi eut-elle valeur d'exemple, surtout en France. Toutefois, seuls quelques visionnaires pouvaient alors soupçonner que venait de naître une nation appelée à un développement considérable et à l'élaboration d'une civilisation nouvelle.

Textes et documents : Ch. de Constans, *Les mémoires de Ch. de Constans sur le commerce à la Chine,* édité par L. Dermigny, 1964. H. S. Commager, *Documents of American History*, 1963.

Au terme de ces trois siècles, le monde avait connu de grandes transformations. Les contacts commerciaux s'étaient multipliés sur une bonne partie du globe grâce aux Européens et pour leur profit. En Europe occidentale les changements avaient été profonds. L'homme du XVIIIe siècle y est bien différent de celui du XVIe siècle évoqué en introduction. Une sensibilité de la Renaissance s'était répandue puis effacée devant une « sensibilité classique », plus disciplinée. Cela était d'ailleurs beaucoup plus vrai d'une élite instruite que des masses populaires qui suivaient difficilement et quelquefois d'assez loin. Cette élite correspond à des valeurs nouvelles. La recherche du salut éternel tend à devenir une affaire privée, la « quête du bonheur », le but de la société. Si le rôle de l'argent dans le classement des individus n'est pas nouveau, il est légitimé. Les régimes censitaires sont en gestation. Les talents prennent dans la considération sociale la place qu'y tenaient les armes. Il s'en faut toutefois que toutes traces des sociétés d'ordres aient disparu dans les mentalités. Enfin se sont engagés des processus démographiques, techniques et économiques, à la fois causes et conséquences qui annoncent le siècle suivant.

Le sentiment de supériorité qu'éprouvent les Européens de l'Ouest n'est plus essentiellement basé sur des certitudes religieuses ou philosophiques, mais sur des confrontations. La civilisation de l'Ouest a conquis les élites dans le reste de l'Europe et jeté des têtes de ponts en Amérique. Face à un Extrême-Orient qui s'est replié sur lui-même et à des peuples sporadiquement hostiles, le plus souvent consentants ou résignés, les Européens, malgré certains propos des Philosophes, considèrent leur civilisation comme la Civilisation.

CARTES

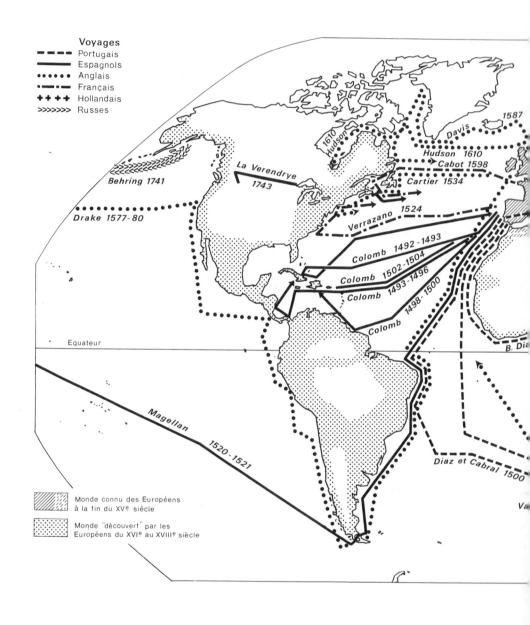

Voyages
- − − − Portugais
- ——— Espagnols
- • • • • • Anglais
- − • − • − Français
- + + + + Hollandais
- >>>>>> Russes

Behring 1741

Drake 1577-80

La Verendrye 1743

1610 Hudson

Davis 1587

Hudson 1610

Cabot 1598

Cartier 1534

Verrazano 1524

Colomb 1492-1493

Colomb 1502-1504

Colomb 1493-1496

Colomb 1498-1500

Equateur

B. Dia

Magellan 1520-1521

Diaz et Cabral 1500

Va

Monde connu des Européens
à la fin du XVe siècle

Monde "découvert" par les
Européens du XVIe au XVIIIe siècle

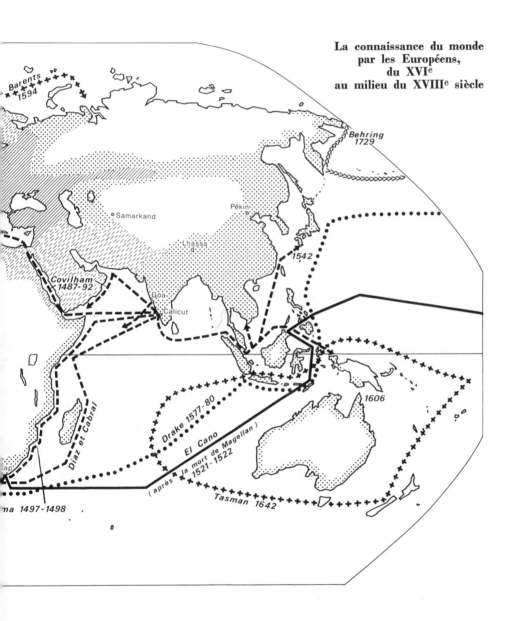

**La connaissance du monde
par les Européens,
du XVIe
au milieu du XVIIIe siècle**

Barents
1594

Behring
1729

Samarkand

Pékin

Lhassa
d

1542

Covilham
1487-92

Goa
Calicut

1606

Diaz et Cabral

Drake 1577-80

El Cano
(après la mort de Magellan)
1521-1522

Tasman 1642

ap

ma 1497-1498

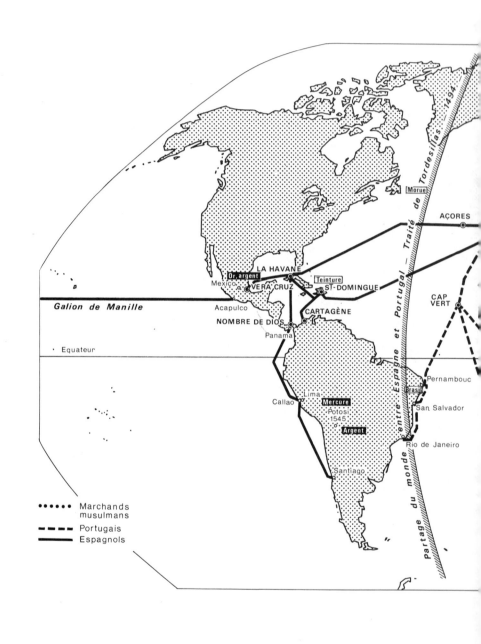

AÇORES

Morue

CAP VERT

LA HAVANE

Or, argent

Teinture

Mexico

VERA CRUZ

ST-DOMINGUE

Acapulco

CARTAGÈNE

Galion de Manille

NOMBRE DE DIOS

Panama

Pernambouc

· Equateur

Brasil

Callao

Lima

Mercure

San Salvador

Potosi
1545

Argent

Rio de Janeiro

Santiago

Partage du monde entre Espagne et Portugal — Traité de Tordesillas, 1494

partage du monde

••••• Marchands
musulmans

--- Portugais

——— Espagnols

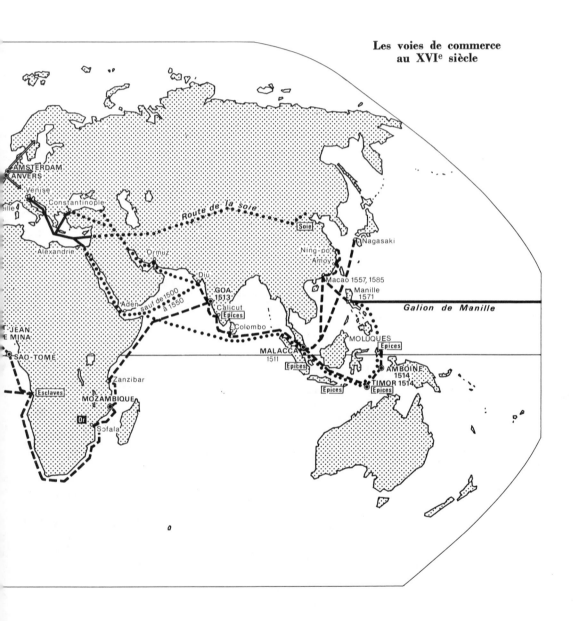

**Les voies de commerce
au XVIᵉ siècle**

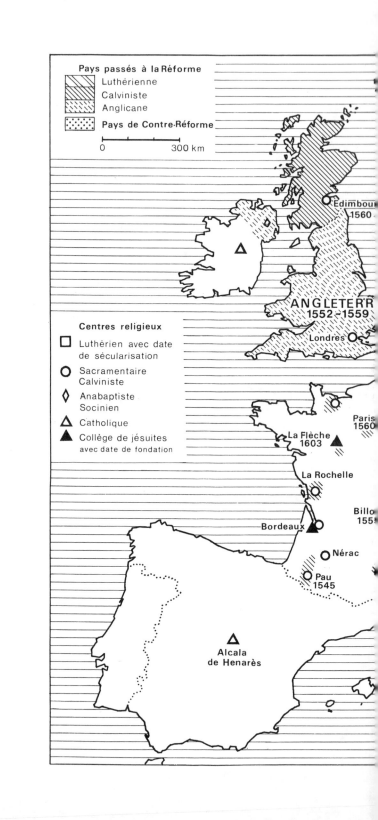

Pays passés à la Réforme

Luthérienne

Calviniste

Anglicane

Pays de Contre-Réforme

0   300 km

Centres religieux

□ Luthérien avec date
de sécularisation

○ Sacramentaire
Calviniste

◇ Anabaptiste
Socinien

△ Catholique

▲ Collège de jésuites
avec date de fondation

Edimbou
1560

ANGLETERR
1552-1559

Londres

Paris
1560

La Flèche
1603

La Rochelle

Billo
155

Bordeaux

Nérac

Pau
1545

Alcala
de Henarès

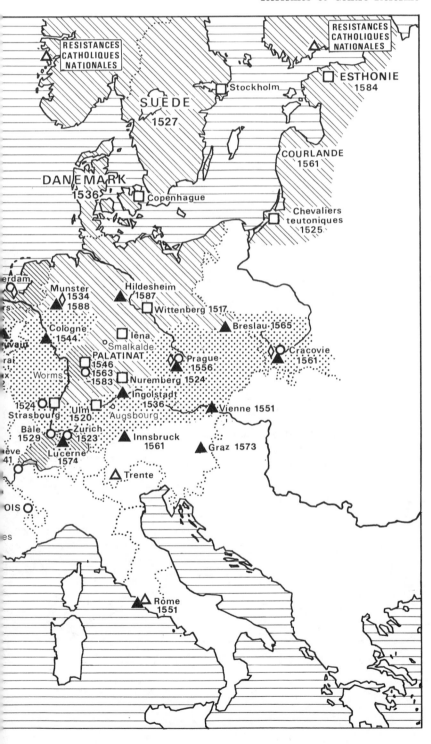

Réformes et Contre-Réforme

RESISTANCES
CATHOLIQUES
NATIONALES

RESISTANCES
CATHOLIQUES
NATIONALES

☐ ESTHONIE
1584

Stockholm

S U È D E
1527

COURLANDE
1561

D A N E M A R K
1536

Copenhague

Chevaliers
teutoniques
1525

erdam

Munster
1534
1588

Hildesheim
1587

☐ Wittenberg 1517

Cologne
1544

▲ Breslau 1565

uvain

☐ Iéna

Smalkalde

rai

PALATINAT
1546
1563
-1583

Prague
1556

Cracovie
1561

x

Worms

☐ Nuremberg 1524

1524

▲ Ingolstadt
1536

Strasbourg

Ulm
1520

Augsbourg

▲ Vienne 1551

Bâle
1529

Zurich
1523

Lucerne
1574

▲ Innsbruck
1561

▲ Graz 1573

ève
41

OIS

△ Trente

es

▲△ Rome
1551

Territoires perdus
par le duc de Savoie

à l'Espagne
en 1526

RÉPUBLIQUE DE

Genève
DUCHÉ
DE
SAVOIE
Chambéry

MARQᵁᴬᵀ DE
MONTFERRAT
Milan 1515
Marignan
Vérone Padoue
Venise

PIÉMONT
1525
Mantoue DCHÉ DE
MANTOUE

Turin
Château-
Dauphin
Pavie
Alexandrie
Parme
DCHÉ DE
PARME
Modène
Ferrare

MARQUISAT
DE SALUCES
DUCHÉ DE MODÈNE
Bologne
Ravenne 1512

Barcelonette
Gênes
Zara

CTÉ DE
NICE
Lucques
Pistoia
Rimini

Avignon
Pise
Florence
Ancône

Nice
Livourne
Arezzo
ÉTATS DE

GRAND
DUCHÉ DE
TOSCANE
Pérouse
L'ÉGLISE

RÉPUBLIQUE DE GÊNES
Sienne
Présides de
Toscane
Piombino
Orvieto
Île d'Elbe

CORSE
Orbetello

Rome

Garigliano 1503

Bénévent

Naples
ROYAU
DE
NAPL

ROYAUME
DE
SARDAIGNE

Palerme

ROYAUME
DE
SICILE

Territoires:
⃦⃦⃦ de Venise
⋮⋮⋮ de l'Eglise
⫽⫽⫽ appartenant à l'Espagne
Naples Capitale d'Etat

0   100 km

CARTE
IV

b | La France au XVIᵉ siècle

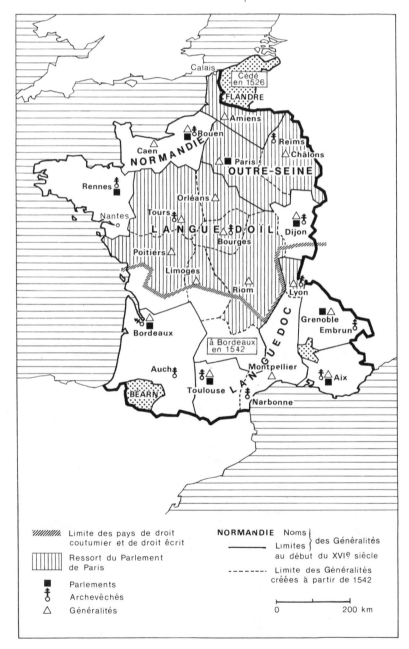

Limite des pays de droit
coutumier et de droit écrit

Ressort du Parlement
de Paris

■ Parlements

Archevêchés

△ Généralités

NORMANDIE Noms des Généralités
—— Limites au début du XVIᵉ siècle
------- Limite des Généralités créées à partir de 1542

0   200 km

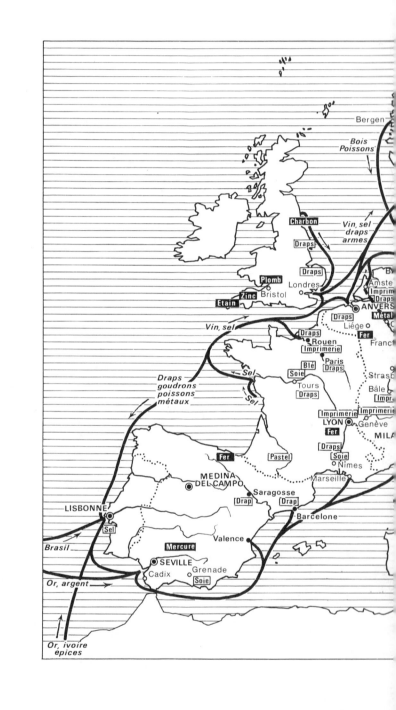

Bergen

Bois
Poissons

Charbon

Vin, sel
draps
armes

Draps

Draps

B.
Amste
Imprim
Draps

Plomb
Zinc Bristol
Etain

Londres

ANVERS

Métal

Draps

Liége

Fer

Franc

Vin, sel

Draps
Rouen
Imprimerie

Blé
Soie

Paris
Draps

Strasb

Draps
goudrons
poissons
métaux

Sel

Tours
Draps

Bâle

Impr

Sel

Imprimerie

Imprimerie

LYON

Genève

MILA

Fer

Fer

Draps

MEDINA
DEL CAMPO

Pastel

Soie

Nîmes

Marseille

Saragosse

Drap

LISBONNE

Drap

Barcelone

Sel

Brasil

Valence

Mercure

SEVILLE

Grenade

Cadix

Soie

Or, argent

Or, ivoire
épices

Le commerce européen au XVIᵉ siècle

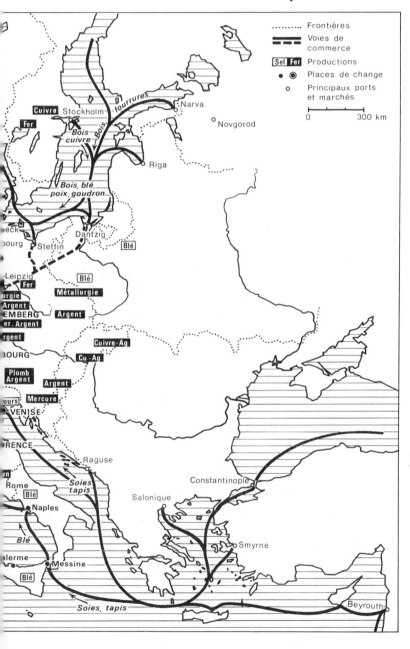

Frontières
Voies de commerce
Sel Fer Productions
● ◉ Places de change
○ Principaux ports et marchés

0   300 km

Cuivre Stockholm Bois - fourrures Narva
Fer
Bois cuivre ○ Novgorod
○ Riga
Bois, blé, poix, goudron
eck Dantzig
ourg Stettin Blé
Leipzig Fer
urgie Blé
Argent Métallurgie
EMBERG er. Argent Argent
rgent
BOURG Cuivre-Ag
Cu - Ag
Plomb Argent Argent
ours Mercure
VENISE
RENCE
m Raguse
Rome Soies tapis Constantinople
Blé Salonique
Naples
Blé ○ Smyrne
alerme
Messine
Blé
Soies, tapis Beyrouth

a | **Le soulèvement des Pays-Bas**

Evêche de Liége

Limite entre les provinces de l'Union d'Arras et de l'Union d'Utrecht (1581)

Pays de la Généralité conquis par les Provinces-Unies

0   100 km

b | **Les guerres de religion en France**

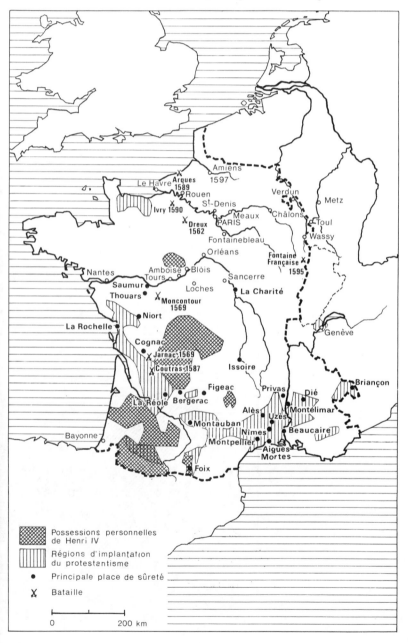

Amiens
Arques 1589   1597
Le Havre Rouen   Verdun
Ivry 1590   St-Denis   Metz
            Meaux Châlons
         Dreux PARIS   Toul
         1562   Wassy
      Fontainebleau
            Orléans   Fontaine
                        Française
Nantes Amboise Blois   1595
        Tours   Sancerre
Saumur   Loches
Thouars   Moncontour La Charité
              1569
        Niort
La Rochelle
        Cognac
        Jarnac 1569
        Coutras 1587   Issoire
                                    Briançon
            Figeac   Privas Dié
La Réole Bergerac   Montélimar
                    Alès Uzès
Bayonne   Montauban
            Montpellier Nîmes Beaucaire
                        Aigues-
                        Mortes
        Foix

Genève

▨ Possessions personnelles
   de Henri IV
▥ Régions d'implantation
   du protestantisme
● Principale place de sûreté
✕ Bataille

0   200 km

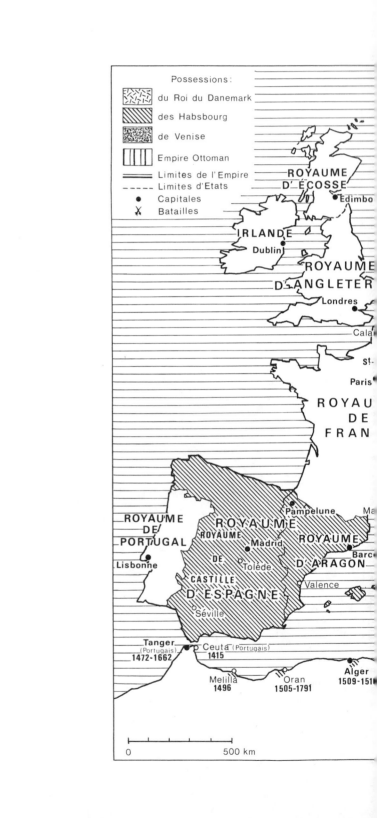

Possessions :

du Roi du Danemark

des Habsbourg

de Venise

Empire Ottoman

Limites de l'Empire

Limites d'Etats

• Capitales

✕ Batailles

ROYAUME
D'ÉCOSSE

•Edimbo

IRLANDE
•
Dublin

ROYAUME
D'ANGLETER

•Londres

Cala

St-

Paris•

ROYAU
DE
FRAN

Pampelune
•

Ma

ROYAUME
DE
PORTUGAL

ROYAUME
DE
ROYAUME
DE
CASTILLE
D'ESPAGNE

•
Madrid

Tolède•

•Séville

ROYAUME
D'ARAGON

Barc•

Valence•

•Lisbonne

Tanger
(Portugais)
1472-1662

Ceuta (Portugais)
1415

Melilla
1496

Oran
1505-1791

Alger
1509-151

0   500 km

L'Europe au XVIᵉ siècle

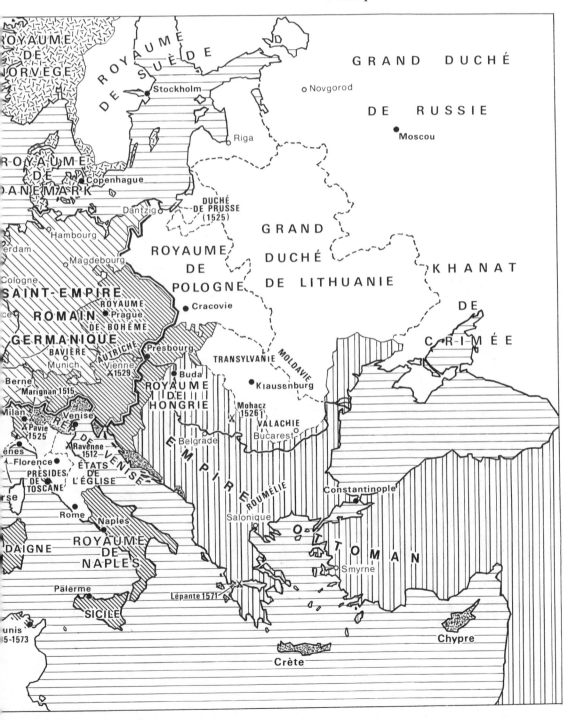

a | Formation de l'Empire suédois

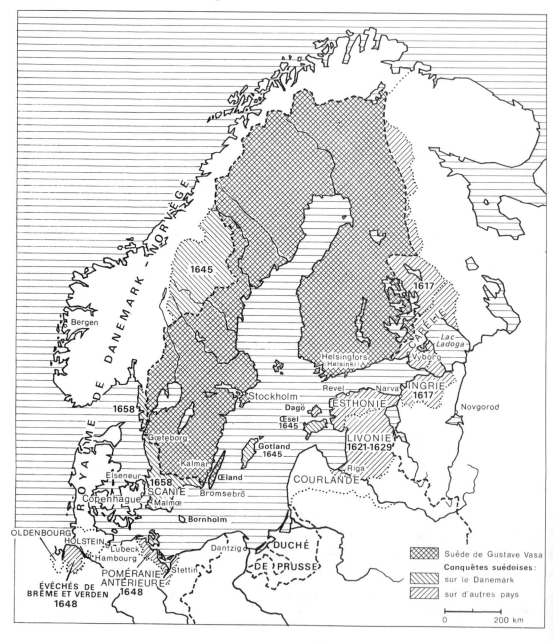

Légende :
- Suède de Gustave Vasa
- Conquêtes suédoises :
  - sur le Danemark
  - sur d'autres pays

0 — 200 km

Labels sur la carte : NORVÈGE, ROYAUME DE DANEMARK, Bergen, 1645, 1658, Gœteborg, Kalmar, Elseneur, Copenhague, SCANIE, Malmœ, Bromsebrö, Bornholm, OLDENBOURG, HOLSTEIN, Lubeck, Hambourg, POMÉRANIE ANTÉRIEURE 1648, Stettin, ÉVÊCHÉS DE BRÊME ET VERDEN 1648, Dantzig, DUCHÉ DE PRUSSE, Stockholm, Dagö, Œsel 1645, Gotland 1645, Œland, Helsingfors (Helsinki), Revel, ESTHONIE, Narva, LIVONIE 1621-1629, Riga, COURLANDE, CARÉLIE, 1617, Vyborg, Lac Ladoga, INGRIE 1617, Novgorod

b | **Les Iles Britanniques au temps de la première Révolution**

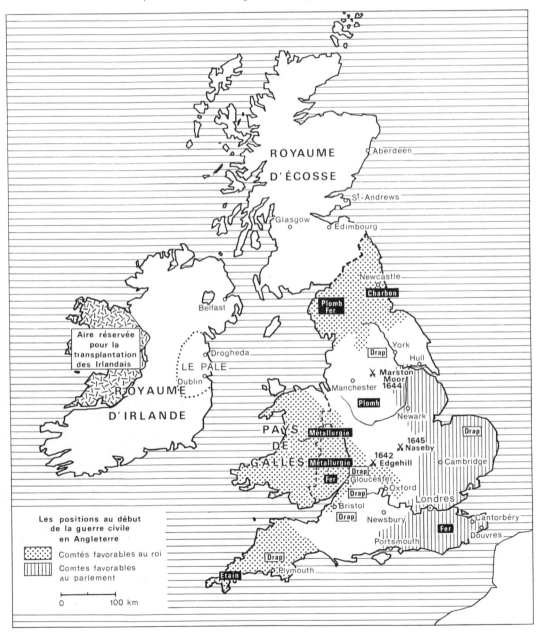

ROYAUME

D'ÉCOSSE

Aberdeen

St-Andrews

Glasgow
Edimbourg

Newcastle

Charbon

Belfast

**Plomb
Fer**

Aire réservée
pour la
transplantation
des Irlandais

Drogheda

Drap York

Hull

LE PALE

Dublin

Marston
Moor
1644

ROYAUME

Manchester

Plomb

D'IRLANDE

Newark

PAYS

Métallurgie

Drap

DE

1645
Naseby

GALLES

Métallurgie

1642
Edighill

Cambridge

Drap

Fer Gloucester

Drap
Oxford

Londres

Bristol

Drap
Newsbury

Cantorbéry

**Les positions au début
de la guerre civile
en Angleterre**

Portsmouth

Fer

Douvres

Comtés favorables au roi

Comtés favorables
au parlement

Drap

0   100 km

Etain Plymouth

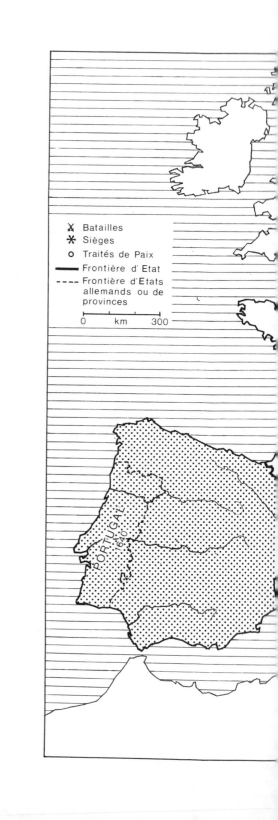

X Batailles
* Sièges
o Traités de Paix
—— Frontière d' Etat
---- Frontière d'Etats
allemands ou de
provinces

0   km   300

PORTUGAL
1640

Les guerres européennes (1618-1660)

CA COPENHAGUE
1660
OLIVA 1660

✳ Stralsund
POMÉRANIE
Brême MECKLEMBOURG
Verden
OSNABRUCK
Berg
op.Zoom Bréda 1625 1637 Magdebourg
1622 ✳ ✳CLÈVES oMUNSTER ✳ 1631
Dunes 1658 ✳ Dunkerque Breitenfeld ✳1631
Lens 1648 ✳ Lutzen 1632✳ Montagne 1620
Arras 1640 ✳ JULIERS Blanche
Corbie ✳ ✳ Prague
1636 Rocroy BAS- HAUT- BOHÈME 1618
1643 PALATINAT PALATINAT
Metz Nordlingen Vienne Choczim ✳
Strasbourg • 1645 ✳✳ SLOVAQUIE 1621
Zusmarshausen
1648 Munich TRANSYLVANIE
Saint-Jean ✳
de Losne 1619,1623(BEHTLEN GABOR)
1636 VALTELINE 1644 (RAKOKZY)
↓ 1624
MANTOUE

OUSSILLON
1642
ALOGNE
1640
Barcelone

NAPLES
1646

a | Afrique et Empire ottoman aux XVIe et XVIIe siècles

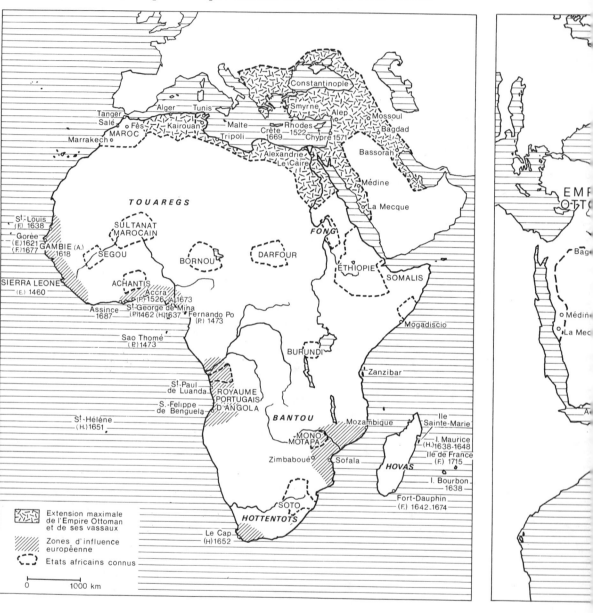

Constantinople
Smyrne
Alger Tunis Alep Mossoul
Tanger Malte Bagdad
Salé Fès Kairouan Rhodes
MAROC Crète 1522 Chypre 1571
Marrakech Tripoli 1669
Alexandrie Bassorah
Le Caire
Médine
TOUAREGS La Mecque
St-Louis FONG
(F.) 1638
Gorée SULTANAT
(E.)1621 MAROCAIN
(F.)1677 GAMBIE (A.)
1618 SEGOU BORNOU DARFOUR
ÉTHIOPIE
SIERRA LEONE SOMALIS
(E.) 1460 ACHANTIS
Accra
Assince (P.)1526 (A.)1673
1687 St-George de Mina
(P.)1462 (H.)1637 Fernando Po
(P.) 1473
Sao Thomé Mogadiscio
(P.)1473
BURUNDI
Zanzibar
St-Paul
de Luanda ROYAUME
PORTUGAIS
S.-Felipe D'ANGOLA
de Benguela BANTOU Mozambique Ile
St-Hélène Sainte-Marie
(H.)1651 MONO I. Maurice
MOTAPA (H.)1638-1648
Zimbaboué Sofala Ile de France
(F.) 1715
HOVAS
I. Bourbon
1638
SOTO Fort-Dauphin
(F.) 1642-1674
HOTTENTOTS
Le Cap
(H)1652

Extension maximale
de l'Empire Ottoman
et de ses vassaux

Zones d'influence
européenne

Etats africains connus

0   1000 km

b | **L'Asie aux XVIᵉ et XVIIᵉ siècles**

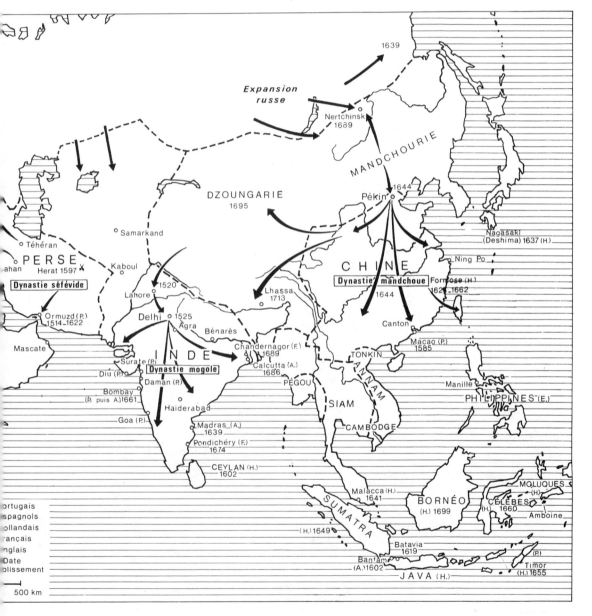

Expansion
russe

1639

Nertchinsk
1689

MANDCHOURIE

DZOUNGARIE
1695

Pékin ∘ 1644

○ Samarkand

Nagasaki
(Deshima) 1637 (H.)

∘ Téhéran

P E R S E
ahan   Herat 1597 ✕   Kaboul ∘

Dynastie séfévide

C H I N E

Dynastie mandchoue   Formose (H.)
1624-1662

○ Ning Po

1520
Lahore ∘

Delhi ∘ 1525
Agra ∘
Bénarès ∘

Lhassa
1713

1644

Canton ∘

Ormuzd (P.)
1514-1622

Mascate

Chandernagor (F.)
1689

TONKIN

Macao (P.)
1585

I N D E   **Dynastie mogole**

Surate (P.)
Diu (P.)
Daman (P.)

Calcutta (A.)
1686

PÉGOU

Manille ∘

PHILIPPINES (E.)

Bombay
(P. puis A.)1661

○ Haiderabad

Goa (P.)

SIAM

ANNAM

Madras (A.)
1639
Pondichéry (F.)
1674

CAMBODGE

CEYLAN (H.)
1602

MOLUQUES
(H.)

Malacca (H.)
1641

BORNÉO
(H.) 1699

CÉLÈBES
(H.) 1660

Amboine

ortugais
spagnols
ollandais
rançais
nglais
Date
olissement

SUMATRA

(H.) 1649

Batavia
1619

Bantam
(A.)1602

J A V A (H.)

(P.)

Timor
(H.) 1655

500 km

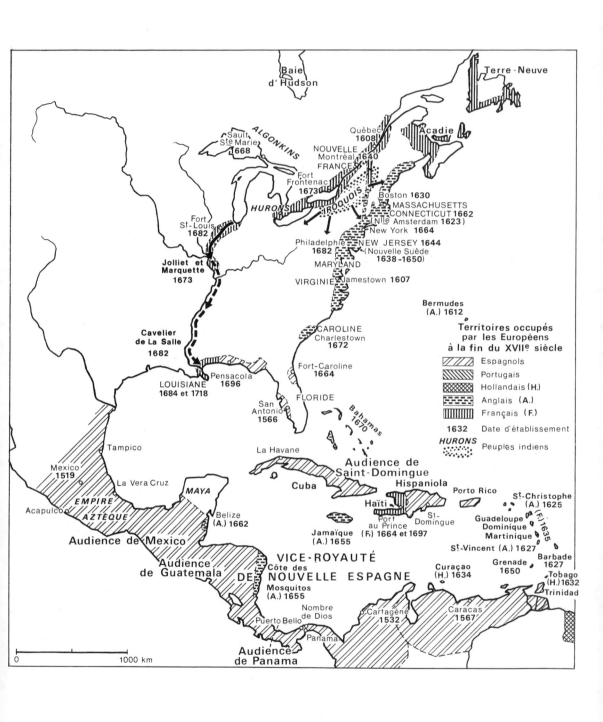

Baie
d'Hudson

Terre-Neuve

Sault
Ste Marie
1668

ALGONKINS

Québec
1608

Acadie

NOUVELLE
FRANCE

Montréal 1640

Fort
Frontenac
1673

HURONS

IROQUOIS

Boston 1630
MASSACHUSETTS
CONNECTICUT 1662
(Nlle Amsterdam 1623)
New York 1664

Fort
St-Louis
1682

Philadelphie NEW JERSEY 1644
1682   (Nouvelle Suède
            1638-1650)

Jolliet et
Marquette
1673

MARYLAND

VIRGINIE Jamestown 1607

Bermudes
(A.) 1612

Cavelier
de La Salle
1682

CAROLINE
Charlestown
1672

Territoires occupés
par les Européens
à la fin du XVIIᵉ siècle

Pensacola
1696

Fort-Caroline
1664

Espagnols
Portugais
Hollandais (H.)
Anglais (A.)
Français (F.)

LOUISIANE
1684 et 1718

San
Antonio
1566

FLORIDE

Bahamas
1670

1632   Date d'établissement
HURONS   Peuples indiens

Tampico

La Havane

Audience de
Saint-Domingue

Mexico
1519

La Vera Cruz

MAYA

Hispaniola

Cuba

Porto Rico

St-Christophe
(A.) 1625

EMPIRE
AZTÈQUE

Haïti

St-
Domingue

Guadeloupe
Dominique
Martinique

Acapulco

Belize
(A.) 1662

Port
au Prince

Audience de Mexico

Jamaïque (F.) 1664 et 1697
(A.) 1655

St-Vincent (A.) 1627

Audience
de Guatemala

VICE-ROYAUTÉ
DE NOUVELLE ESPAGNE

Côte des

Curaçao
(H.) 1634

Grenade
1650

Barbade
1627

Mosquitos
(A.) 1655

Nombre
de Dios

Tobago
(H.) 1632
Trinidad

Cartagène
1532

Caracas
1567

Puerto Bello

Panama

0   1000 km

Audience
de Panama

Le Nouveau Monde aux XVIᵉ et XVIIᵉ siècles

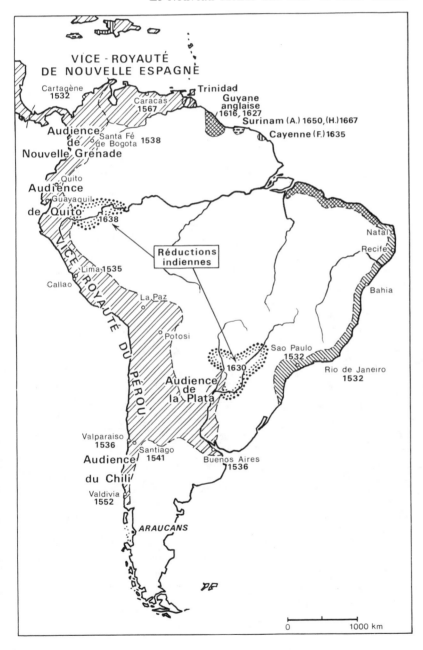

VICE - ROYAUTÉ
DE NOUVELLE ESPAGNE

Cartagène
1532

Trinidad

Caracas
1567

Guyane
anglaise
1616, 1627

Surinam (A.) 1650, (H.)1667

Cayenne (F.) 1635

Audience
de
Nouvelle Grenade

Santa Fé
de Bogota 1538

Quito

Audience
de Quito

Guayaquil

1638

Natal

Recife

Réductions
indiennes

Lima 1535

Callao

VICE-ROYAUTÉ DU PÉROU

Bahia

La Paz

Potosi

Sao Paulo
1532

1630

Rio de Janeiro
1532

Audience
de
la Plata

Valparaiso
1536

Santiago
1541

Buenos Aires
1536

Audience
du Chili

Valdivia
1552

ARAUCANS

0   1000 km

a | **Les guerres de l'époque de Louis XIV**

Légende:

X Batailles
● Prises de villes
○ Lieux de congrès et traités de Paix

La Boyne 1690 X

Londres
Tamise 1667 X
RYSWICK 1697 ○
UTRECHT 1714
NIMÈGUE 1678 ○
X Fehrbellin

Steinkerque 1692
Audenarde 1708 X Neerwinden 1693
Beachy Head 1690 X
La Hougue 1692 X
Denain 1712 X X X X 1706
Malplaquet 1709 X Ramillies
Fleurus 1690
Cologne
AIX-LA-CHAPELLE 1668

ST-GERMAIN 1679
PARIS
Luxembourg
Philippsbourg
RATISBONNE

Strasbourg
Brisach
Fribourg
RASTADT 1714 X 1684
Höchstadt 1703, 1704
Kahlen 168
St Goth 16

Vigo X

Turin 1706
Staffarde 1690 X
La Marsaille 1693 X Gênes

Villaviciosa 1/10 X
Lérida
Madrid 1706 ●

Lisbonne
Barcelone 1705
Minorque 1708

Gibraltar 1704

b | **Les frontières de la France**

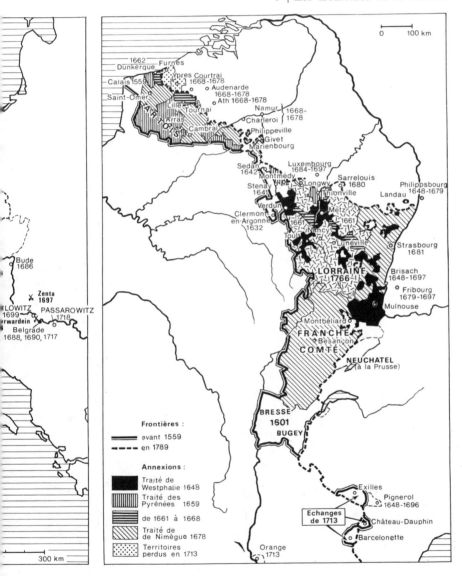

0   100 km

1662
Dunkerque Furnes
Ypres Courtrai
Calais 1559 1668-1678
Saint-Omer
Audenarde
1668-1678
Ath 1668-1678
Lille Tournai
Arras Namur 1668-
Cambrai Charleroi 1678
Philippeville
Givet
Marienbourg

Sedan Luxembourg
1642 1684-1697
Montmédy
Stenay Longwy Sarrelouis
1641 Thionville 1680 Philippsbourg
Verdun Landau 1648-1679
Clermont- Metz
en-Argonne 1661 1661
1632 Nancy
Toul Lunéville Strasbourg
1681

LORRAINE Brisach
1766 1648-1697
Fribourg
1679-1697
Mulhouse

Montbéliard

FRANCHE-
COMTÉ Besançon

NEUCHATEL
(à la Prusse)

BRESSE
1601
BUGEY

Bude
1686

Zenta
1697
LOWITZ PASSAROWITZ
1699 1718
rwardein
Belgrade
1688, 1690, 1717

Frontières :

――――― avant 1559
‐ ‐ ‐ ‐ en 1789

Annexions :

Traité de
Westphalie 1648
Traité des
Pyrénées 1659
de 1661 à 1668
Traité de
de Nimègue 1678
Territoires
perdus en 1713

Exilles
Pignerol
1648-1696

Echanges
de 1713 Château-Dauphin

Barcelonette
Orange
1713

300 km

● Principaux foyers d'art baroque
▲ Satellites de Versailles
□ Places royales classiques
+ Autres foyers d'art

0   300 km

Edimbourg

HAMPTON
COURT

Londres

BE

Rouen

R

Rennes

Paris

VERSAILLES

Nantes

Dijon

Lyo

Bordeaux

Nîmes

Montpellier

QUELUZ

LA GRANJA

MADRID

Lisbonne

Art baroque et art classique

a | **France économique au XVIII⁰ siècle**

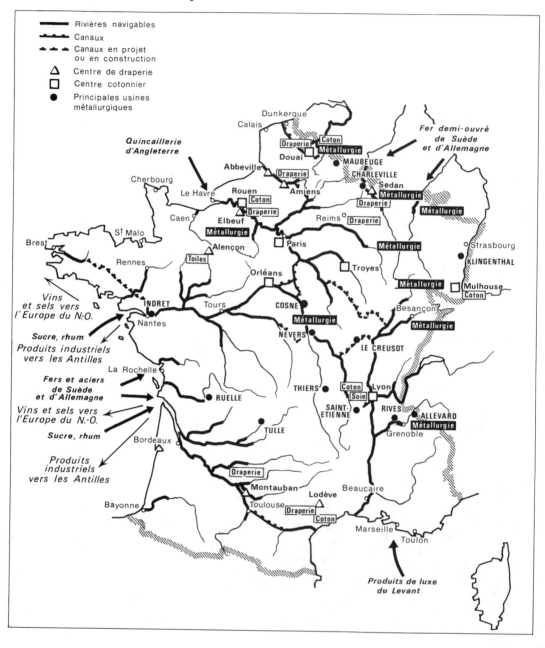

b | **France administrative au XVIIIe siècle**

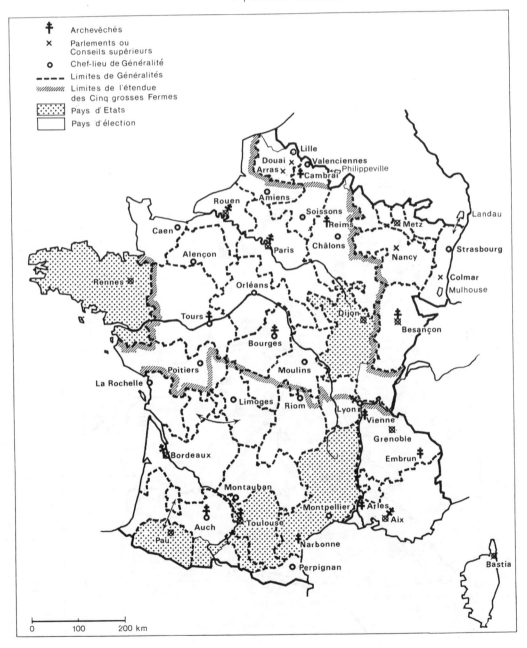

Archevêchés

Parlements ou
Conseils supérieurs

Chef-lieu de Généralité

Limites de Généralités

Limites de l'étendue
des Cinq grosses Fermes

Pays d'Etats

Pays d'élection

Lille
Douai
Valenciennes
Arras
Cambrai
Philippeville
Rouen
Amiens
Soissons
Reims
Metz
Landau
Caen
Châlons
Strasbourg
Alençon
Paris
Nancy
Colmar
Rennes
Orléans
Mulhouse
Tours
Dijon
Besançon
Bourges
Poitiers
Moulins
La Rochelle
Limoges
Riom
Lyon
Vienne
Grenoble
Bordeaux
Embrun
Montauban
Montpellier
Arles
Auch
Toulouse
Aix
Pau
Narbonne
Perpignan
Bastia

0   100   200 km

Angleterre économique au XVIIIe siècle

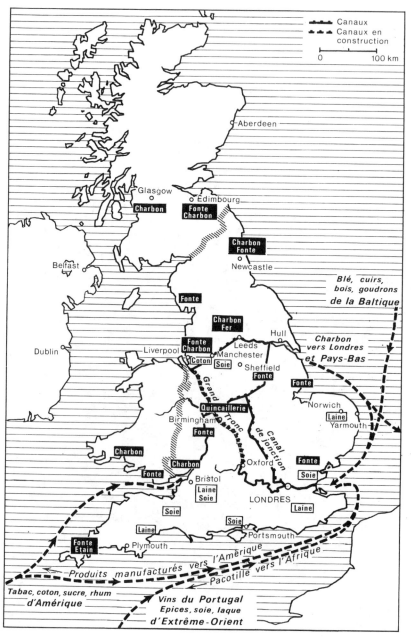

Formation des monarchies autrichienne et prussienne

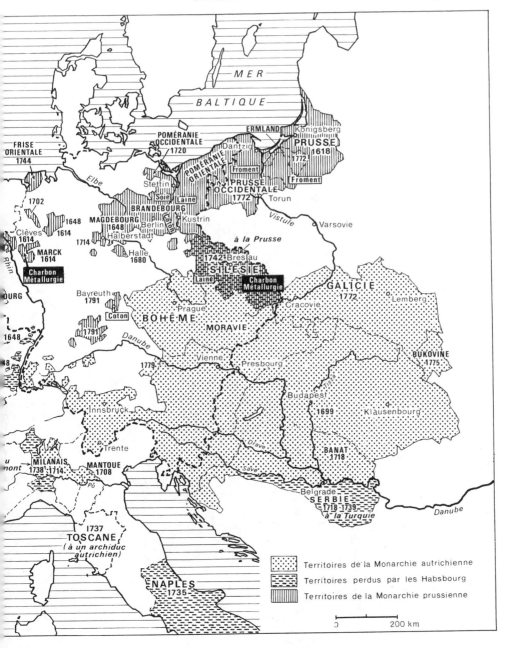

MER

BALTIQUE

FRISE
ORIENTALE
1744

ERMLAND
Königsberg
POMÉRANIE
OCCIDENTALE
1720
Dantzig
PRUSSE 1618
1772
POMÉRANIE
ORIENTALE
Froment
PRUSSE
OCCIDENTALE
1772
Froment
Stettin
Torun
1702
Soie
Laine
Elbe
Clèves
1614
1648
BRANDEBOURG
MAGDEBOURG
1648
Berlin
Kustrin
Vistule
Varsovie
1614
1614
1714
Halberstadt
MARCK
1614
Halle
1680
à la Prusse
1742
Breslau
Charbon
Métallurgie
SILÉSIE
Laine
Charbon
Métallurgie
GALICIE
1772
Lemberg
BOURG
Bayreuth
1791
Coton
Prague
Cracovie
BOHÊME
1648
1791
MORAVIE
Danube
48
Vienne
Presbourg
BUKOVINE
1775
1779
Tisza
Budapest
Innsbruck
1699
Klausenbourg
Drave
Trente
BANAT
1718
u
mont
MILANAIS
1738 1714
MANTOUE
1708
Save
Pô
Belgrade
SERBIE
1718-1739
à la Turquie
Danube
1737
TOSCANE
(à un archiduc
autrichien)

NAPLES
1735

Territoires de la Monarchie autrichienne

Territoires perdus par les Habsbourg

Territoires de la Monarchie prussienne

0   200 km

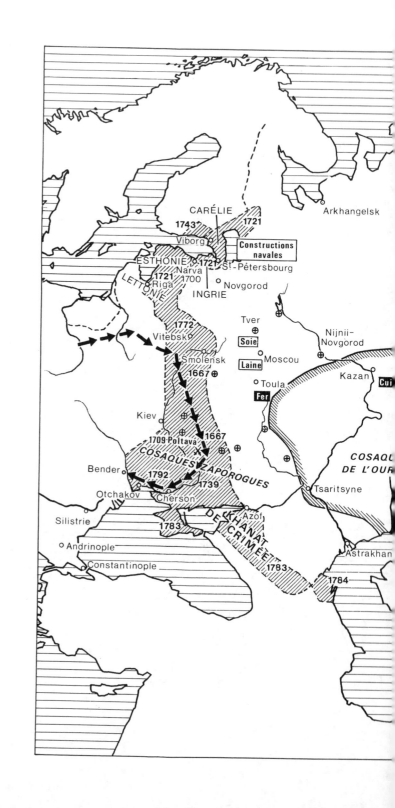

La Russie du XVIᵉ au XVIIIᵉ siècle

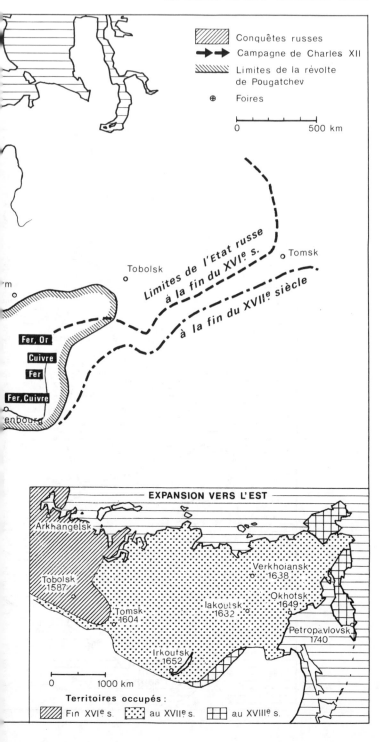

Conquêtes russes
Campagne de Charles XII
Limites de la révolte de Pougatchev
Foires

0   500 km

Tobolsk   Tomsk

Limites de l'Etat russe à la fin du XVIᵉ s.

à la fin du XVIIᵉ siècle

Fer, Or
Cuivre
Fer
Fer, Cuivre

enbourg

EXPANSION VERS L'EST

Arkhangelsk

Tobolsk
1587

Verkhoïansk
1638

Tomsk
1604

Iakoutsk
1632

Okhotsk
1649

Petropavlovsk
1740

Irkoutsk
1652

0   1000 km

Territoires occupés :

Fin XVIᵉ s.   au XVIIᵉ s.   au XVIIIᵉ s.

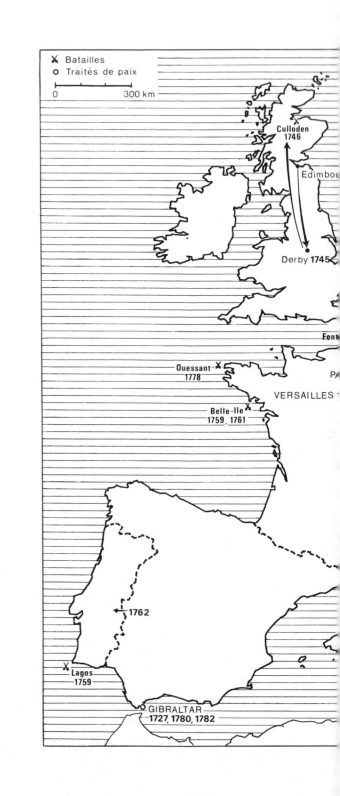

Batailles
Traités de paix

0   300 km

Culloden
1746

Edimbou

Derby 1745

Font

Ouessant
1778

Belle-Ile
1759, 1761

VERSAILLES

1762

Lagos
1759

GIBRALTAR
1727, 1780, 1782

Les conflits du XVIIIᵉ siècle en Europe

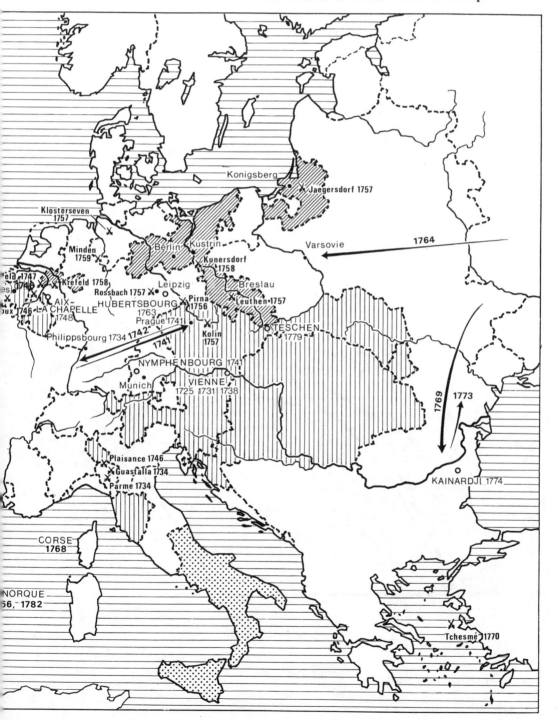

Konigsberg

✗ Jaegersdorf 1757

Klosterseven
1757
✗

Minden
1759

Berlin • Kustrin

Varsovie   **1764**

Kunersdorf
1758

eld 1747
✗ ✗ Krefeld 1758
46 ✗ Leipzig   Breslau
✗ ✗ AIX-   Rossbach 1757 ✗   ○
46 LA CHAPELLE HUBERTSBOURG Pirna ✗ Leuthen 1757
1748   1763   1756
✗   Prague 1741   ✗ TESCHEN
Philippsbourg 1734 **1742** Kolin   1779
           1741   1757

NYMPHENBOURG 1741

Munich   VIENNE
     1725 1731 1738

1769 **1773**

Plaisance 1746
✗ Guastalla 1734
Parme 1734

KAINARDJI 1774

CORSE
1768

NORQUE
56, 1782

✗
Tchesmé 1770

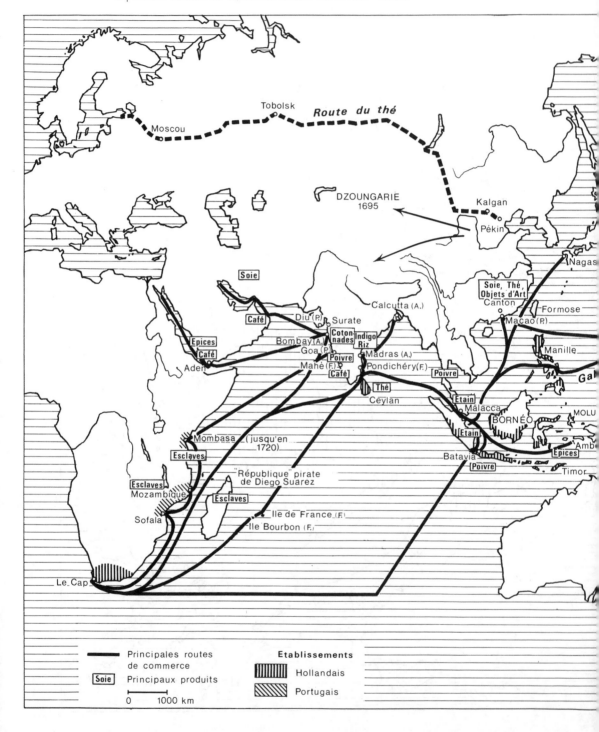

a | **Océan Indien et Extrême-Orient au XVIIIe siècle**

Route du thé

Tobolsk

Moscou

DZOUNGARIE
1695

Kalgan

Pékin

Nagas

Soie

Soie, Thé,
Objets d'Art
Canton

Calcutta (A.)

Formose

Café

Diu (P)

Surate

Macao (P.)

Épices

Café

Bombay (A.)

Goa (P.)

Coton-
nades

Indigo
Riz

Madras (A.)

Manille

Poivre

Ga

Aden

Mahé (F.)

Pondichéry (F.)

Poivre

Café

Thé

Étain

Ceylan

Malacca

MOLU

BORNÉO

Étain

Mombasa (jusqu'en
1720)

Épices

Amb

Esclaves

Batavia

Poivre

Timor

"République" pirate
de Diego Suárez

Esclaves

Mozambique

Esclaves

Sofala

Île de France (F.)

Île Bourbon (F.)

Le Cap

Principales routes
de commerce

Soie Principaux produits

0   1000 km

Établissements

Hollandais

Portugais

b | **Français et Anglais dans l'Inde**

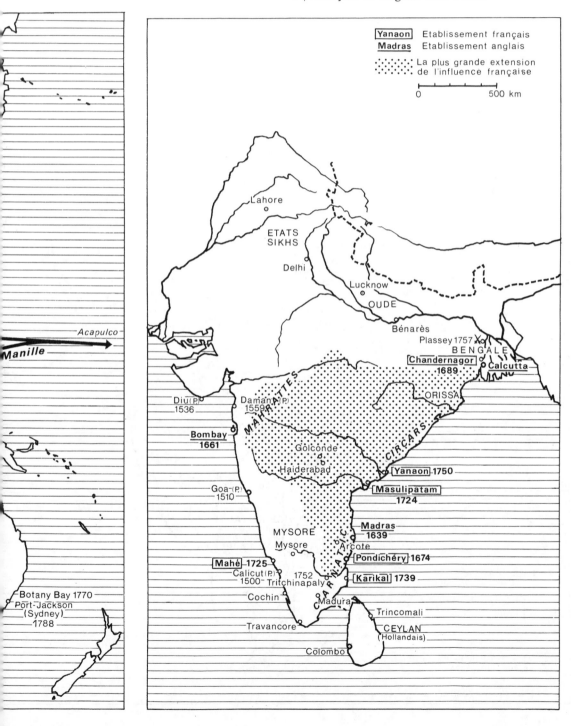

Yanaon   Etablissement français
Madras   Etablissement anglais
⋯⋯⋯ La plus grande extension
       de l'influence française

0   500 km

Lahore

ETATS
SIKHS

Delhi

Lucknow

OUDE

Bénarès

Plassey 1757

BENGALE

Chandernagor   Calcutta
1689

ORISSA

Acapulco

Manille

Diu (P.)
1536

Daman (P.)
1559

MAHRATTES

CIRCARS

Bombay
1661

Golconde

Haiderabad

Yanaon 1750

Masulipatam
1724

Goa (P.)
1510

MYSORE

Mysore

Arcote

Madras
1639

Mahé 1725

Calicut (P.)
1500

1752
Tritchinapaly

Pondichéry 1674

Karikal 1739

CARNATIC

Cochin

Madura

Trincomali

Botany Bay 1770
Port-Jackson
(Sydney)
1788

Travancore

CEYLAN
(Hollandais)

Colombo

a | **Le monde atlantique au XVIIIe siècle**

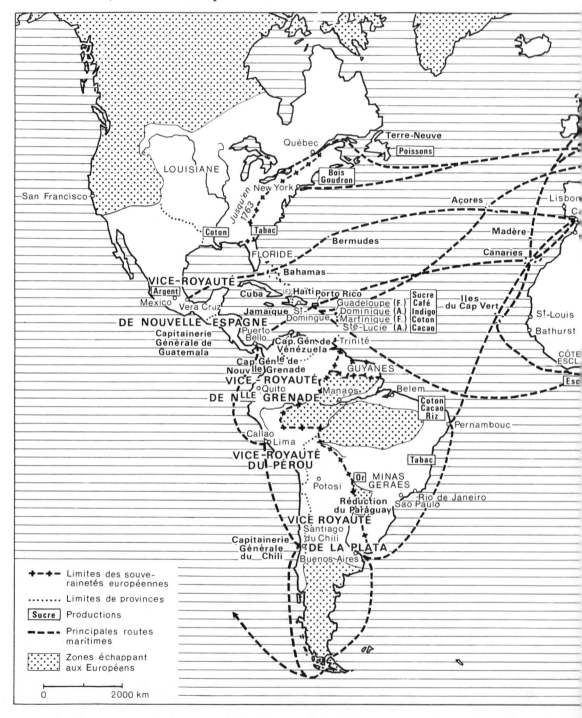

Québec
Terre-Neuve
Poissons

LOUISIANE
Bois Goudron
New York
Jusqu'en 1763
Açores
Lisbon

Coton
Tabac
Madère

FLORIDE
Bermudes
Canaries

Bahamas

San Francisco

VICE-ROYAUTÉ
Argent
Cuba
(F.) Haïti Porto Rico
Guadeloupe (F.)
Sucre
Café
Indigo
Coton
Cacao
Iles du Cap Vert

Mexico
Vera Cruz
Jamaïque St-
Dominique (A.)
Martinique (F.)
Ste-Lucie (A.)
St-Louis

DE NOUVELLE-ESPAGNE
Domingue
Bathurst

Capitainerie
Générale de
Guatemala
Puerto
Bello
Cap. Gén^{le} de
Vénézuéla
Trinité
CÔTE
ESCL

Cap. Gén^{le} de
Nouv^{lle} Grenade
GUYANES
Esc

VICE-ROYAUTÉ
Quito
Manaos
Belem

DE N^{LLE} GRENADE
Coton
Cacao
Riz
Pernambouc

Callao
Lima

VICE-ROYAUTÉ
DU PÉROU
Tabac

Potosi
Or MINAS
GERAES

Réduction
du Paraguay
Sao Paulo
Rio de Janeiro

VICE ROYAUTÉ

Santiago
du Chili

Capitainerie
Générale
du Chili
DE LA PLATA
Buenos-Aires

+—+—+ Limites des souve-
rainetés européennes

.... Limites de provinces

Sucre Productions

– – – Principales routes
maritimes

Zones échappant
aux Européens

0   2000 km

b │ Les Européens en Amérique du Nord

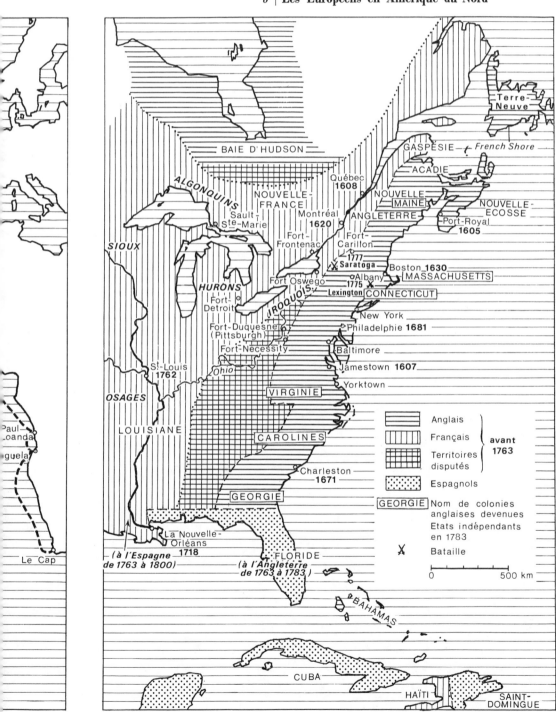

Terre-Neuve

BAIE D'HUDSON

GASPÉSIE — French Shore

ACADIE

Québec 1608

NOUVELLE-FRANCE

NOUVELLE-MAINE

NOUVELLE-ANGLETERRE

NOUVELLE-ECOSSE

Port-Royal 1605

ALGONQUINS

Sault Ste-Marie

Montréal 1620

Fort-Frontenac

Fort-Carillon 1777 ✗ Saratoga

SIOUX

Boston 1630

Albany 1775

MASSACHUSETTS

Fort Oswego

HURONS

Fort-Detroit

IROQUOIS

Lexington ✗ CONNECTICUT

New York

Fort-Duquesne (Pittsburgh)

Philadelphie 1681

Fort-Nécessity

Baltimore

St-Louis 1762

Ohio

Jamestown 1607

VIRGINIE

Yorktown

OSAGES

LOUISIANE

CAROLINES

Charleston 1671

GEORGIE

La Nouvelle-Orléans 1718

(à l'Espagne de 1763 à 1800)

FLORIDE

(à l'Angleterre de 1763 à 1783)

BAHAMAS

CUBA

HAÏTI

SAINT-DOMINGUE

Anglais

Français

Territoires disputés

avant 1763

Espagnols

GEORGIE Nom de colonies anglaises devenues Etats indépendants en 1783

✗ Bataille

0   500 km

Paul Loanda

guela

Le Cap

TABLE DES MATIÈRES

DEUXIÈME PARTIE

LA CRISE DE L'EUROPE

CINQUIÈME PARTIE

VERS L'ÉPOQUE CONTEMPORAINE

PRÉCIS D'HISTOIRE
PUBLIÉS AUX PUF

Imprimé en France
par Vendôme Impressions
Groupe Landais
73, avenue Ronsard, 41100 Vendôme
Octobre 2004 — N° 51 181